BEST SELLER

Barbara Wood, inglesa de nacimiento y afincada en Estados Unidos, ejerció la profesión de ayudante de quirófano antes de dedicarse plenamente a la literatura, en la que ha cosechado innumerables éxitos. Su obra se caracteriza por la riqueza argumental, en la que nunca faltan representantes de su antigua profesión, la sugestiva y documentada ambientación y la atrayente combinación de amor e intriga. Entre sus obras destacan *La profetisa*, *Los manuscritos de Magdala*, *Las Vírgenes del Paraíso*, *Bajo el sol de Kenia*, *El sueño de Joanna*, *Tierra sagrada*, *Perros y chacales*, *El amuleto, La Estrella de Babilonia* y *La mujer de los mil secretos.*

Para más información puede visitar la web de la autora: www.barbarawood.com

Biblioteca

BARBARA WOOD

Domina

Traducción de

María Antonia Menini

DEBOLS!LLO

La fabricación del papel utilizado para la impresión de este libro está certificada bajo las normas Blue Angel, que acredita una fabricación con 100% de papelote posconsumo, destintado por flotación y ausencia de blanqueo con productos organoclorados. Por este motivo, Greenpeace acredita que este libro cumple los requisitos ambientales y sociales necesarios para ser considerado un libro «amigo de los bosques». El proyecto «Libros amigos de los bosques» promueve la conservación y el uso sostenible de los bosques, en especial de los Bosques Primarios, los últimos bosques vírgenes del planeta.

Título original: *Domina*

Primera edición con esta portada: febrero, 2011

Printed in Spain – Impreso en España

ISBN: 978-84-9793-202-8 (vol. 458/14)
Depósito legal: B. 7154 - 2011

Fotocomposición: Zero pre impresión, S. L.

Impreso en Liberdúplex, S.L.U.
Sant Llorenç d'Hortons(Barcelona)

P 8 3 2 0 2 A

NOTA DE LA AUTORA

La doctora Samantha Hargrave no existió en la realidad. Se trata de una recreación de varias profesionales de la medicina que vivieron en la segunda mitad del siglo XIX *y es producto de la imaginación de la autora.*

Las doctoras Elizabeth Blackwell y su hermana Emily vivieron realmente y ejercieron la medicina en aquellos años. He procurado que sus diálogos sean lo más realistas y lo más exactos posible desde un punto de vista histórico, basándome en citas directas de sus diarios y cartas y creando el resto de acuerdo con lo que me parecía que hubieran podido decir.

El presidente Grant sufrió en la mansión de los Astor el accidente que se describe en la obra, aunque en distinto año. Todos los demás personajes son imaginarios; todos los incidentes, de carácter médico o no, son inventados si bien se inspiran en hechos reales.

No habría espacio suficiente para dar las gracias a todas las personas que me han ayudado: a mi agente Harvey Klinger, que me proporcionó un estímulo constante; al doctor Norman Rubaum, que me asesoró; y a mi marido George, que sabe muy bien por qué.

PRÓLOGO

NUEVA YORK

1881

Había tenido un sueño extraño. Su contenido ya se había borrado, disipándose en el brillante sol matinal que se filtraba a través de la ventana. Pero su oscura e inquietante atmósfera persistía. Algo la había aterrorizado en él, pero ahora no podía recordarlo. ¿Tendrían los sueños un carácter profético? ¿Pronosticaban el futuro? Sacudió la cabeza y se levantó prontamente de la cama. ¡Tonterías! Los sueños eran simplemente sueños y nada más.

Dominada por una infantil emoción en aquel día tan especial, Samantha no pudo resistir la tentación de echar un rápido vistazo por la ventana, antes de dirigirse apresuradamente hacia el cuarto de baño, situado al fondo del pasillo. Ocultándose con recato, apartó a un lado las cortinas de percal y miró. ¡Abajo la calle hervía de actividad, lo cual era de lo más insólito en la adormilada Lucerne! Los carruajes avanzaban chirriando, los cascos de los caballos resonaban sobre los adoquines, niños y perros correteaban de un lado para otro, hombres de aspecto importante, enfundados en levitas y tocados con sombreros de copa, se habían congregado en la acera.

No se veía ninguna mujer.

Samantha se apartó de la cortina y frunció el ceño.

Conque las mujeres no iban a venir...

Dos años antes, las mujeres de Lucerne se habían unido, dispuestas a expulsar a Samantha; le habían negado alojamiento, volviéndole la espalda cuando pasaba por su lado y mirándola con aquel virtuoso desdén que se reservaba especialmente para las mujeres de dudosa moralidad. En aquellos iniciales días de soledad, Samantha Hargrave había sido objeto del desprecio de las mujeres de la ciudad y de lascivas conjeturas por parte de los hombres: ¿Qué clase de muchacha aceptaría sentarse en un aula llena de jóvenes, escuchando, en su masculina compañía, explicaciones acerca de temas no aptos para unos oídos femeninos? Estaba claro que Samantha Hargrave estaba allí para corromper la moralidad de la juventud.

Pero de eso hacía dos años y Samantha esperaba que aquellos temores y prejuicios ya hubieran desaparecido. Sin embargo, si las mujeres se negaban a asistir a la ceremonia de su graduación que se iba a celebrar aquella mañana, ello significaba que seguían censurándola.

Dolida pero firmemente dispuesta a no permitir que el boicot la desanimara en aquel día, Samantha Hargrave echó mano de toda la madurez y el estoicismo de sus veintiún años, respiró hondo para tranquilizarse y empezó a arreglarse.

Mientras vertía agua de la jarra de porcelana a la jofaina, se detuvo para contemplar su imagen reflejada en el espejo; se sorprendió de que no hubiera ocurrido ningún cambio milagroso durante la noche. Curiosamente, parecía la misma. Por regla general, solía mostrarse satisfecha de su buena presencia, pero ahora pensó con una pizca de ironía: demasiado bonita. Y después añadió: No hay suficiente edad.

Una *doctora* tenía que luchar constantemente para ser aceptada; pero una doctora joven y bonita, apenas tenía posibilidad alguna. Como si contemplara el rostro de una desconocida, Samantha trató de examinar objetivamente sus facciones: la despejada frente, la nariz fina, las arqueadas cejas y la suave boca con su ligero mohín..., eran otros tantos inconvenientes para una joven deseosa de abrirse paso en un mundo masculino. ¿Me tomarán alguna vez en serio como médico?, se preguntó.

Finalmente posó la mirada en sus ojos. Sabía que estos eran su mejor rasgo. Tenía unos insólitos ojos almendrados, ligeramente oblicuos y adornados por largas pestañas negras, y sus extraños y felinos iris, de un gris pálido casi incoloro, bordeados de negro, inducían a algunas personas a pensar que podía ver con más intensidad y hondura que la mayor parte de la gente. Eran unos ojos graves, profundos, grandes, claros y brillantes, y, cuando Samantha miraba a alguien, esa persona veía resplandecer en ellos un espíritu fuerte y decidido.

Samantha inició su aseo matinal, bañándose conforme solían hacerlo las mujeres: de pie sobre una esterilla de goma, se enjabonó con un paño, utilizando el agua de una palangana. Y, como la mayoría de las mujeres, no se enjuagó. La bañera de asiento, novedosa y controvertida (los médicos señalaban que permanecer sentados en el agua era malo para la salud), solo se podía ver en las casas de los ricos y de los más audaces.

Le temblaron levemente las manos al tomar el corsé de algodón. Tardó un minuto en calmarse; después se ajustó la prenda, pero no tanto como para que le lastimase; por fortuna, Samantha tenía una cintura delgada (gracias a los muchos meses de pasar hambre), ya que muchas mujeres precisaban de una dosis de morfina tras haberse apretado el corsé hasta conseguir el talle de avispa que exigía la moda. Introdujo las largas y torneadas piernas en los pantalones bordados mientras acudía a su mente un recuerdo que la hizo sonreír. Pese a que entonces no había sonreído.

Dos años antes, en su primer día de clase en la Facultad de Medicina de Lucerne, Samantha había sido recibida con un cruel estribillo por sus compañeros de estudios:

Era Venus una hembra
en el mundo de los dioses.
Abrió su corpiño un día
y se acabó la contienda.

¡Qué lejano se le antojaba! ¡Cuánto había cambiado ella y cuánto había cambiado el *mundo* en apenas dos años! Aquel día de octubre de mil ochocientos setenta y nueve, una asustada y tímida Samantha entraba humildemente en la primera aula; hubiera querido encogerse y ocultarse en el interior de su sombrero, para no tener que sufrir las groseras miradas de los hombres que se habían levantado en los bancos de más arriba. ¡Oh, la de crueldades que habían cometido con ella! ¡Samantha apenas podía creer que hubieran sucedido! Muchas cosas habían cambiado desde entonces.

Sus manos se posaron sobre los botones de la camisa de hilo mientras una punzada le atravesaba el corazón. Qué perfecto iba a ser el día si *él* viniera.

Samantha se detuvo un momento para pensar en él, imaginarle y recrearse en el recuerdo, y después reanudó la tarea de abrocharse los numerosos botones, desde el busto hasta el dobladillo de la camisa, mientras lanzaba un suspiro de resignación. Era algo así como desear que apareciera el arco iris.

El vestido era distinto de todos los que había tenido hasta entonces. Había sido pobre toda la vida, luchando por sobrevivir de una semana a la otra, ganándose un centavo por aquí y un precioso dólar por allá, llevando una existencia espartana, siempre en la esperanza de que sus sacrificios tuvieran algún día una recompensa. Y ese día había llegado. La modista de Canandaigua había creado una obra casi perfecta.

Después de elegir un gris paloma, el mismo color de sus ojos, habían hojeado las más recientes revistas de moda, en busca de un modelo que copiar. Se decidieron por una creación de Worth, el más afamado diseñador del momento, modificándola de forma que se adaptara a la alta y esbelta figura de Samantha. Redujeron el polisón, que en los círculos elegantes europeos era más voluminoso, y alargaron la falda hasta el suelo en lugar de dejar al descubierto los zapatos, tal como estaba haciendo la escandalosa sociedad parisiense. El ajustado corpiño era de seda jaspeada y se prolongaba por debajo de la cintura, abrazando las caderas, por delante de las cuales colgaban muchos metros de seda gris que, a modo de cortinaje, se recogían en la parte de atrás sobre un polisón de malla de acero. Los ajustados puños y el alto cuello terminaban en un adorno de encaje de Valenciennes fruncido, y los muchos botones que bajaban desde el cuello hasta su liso vientre, habían sido importados de Spitalfields.

Samantha completó su atuendo con unas botas de caña alta abotonadas, un pequeño tocado de plumas sobre los negros rizos recogidos sobre la cabeza y, finalmente, un camafeo en la garganta. Con el corazón agitado, Samantha se dio cuenta de que solo le faltaba ponerse los guantes y salir por la puerta.

Pero se quedó inmóvil, cerró los ojos, juntó sus largas y finas manos y empezó a recitar en silencio una plegaria metodista de su infancia. Recordando fugazmente a su padre, deseó que hubiera vivido para ver aquel día, y después le dio gracias a Dios por haberle permitido alcanzarlo a ella.

Una vez hecho eso y ya más tranquila, tomó sus guantes grises de gamuza, comprobó que no se le hubiera escapado ningún rizo por la parte de la nuca y, sin mirarse nuevamente al espejo, avanzó con paso decidido hacia la puerta.

El día que empezaba marcaría un triunfo, pero no iba a ser fácil.

El profesor Jones se reunió con ella en el salón. Llevaba esperando media hora, paseando arriba y abajo como un padre antes de una boda, y, cuando se volvió y vio a Samantha de pie en la puerta, su rostro se iluminó como un amanecer.

Ella sonrió; aquel iba a ser un día especial también para él. Todo el mundo tenía la mirada fija en aquel hombre corpulento de sonrosada calva y pobladas patillas que tan audazmente había desafiado a la sociedad y las costumbres; por primera vez en la historia de la escuela, los periodistas iban a presenciar la ceremonia de graduación. El nervioso profesor, decano de la Facultad de Medicina de Lucerne, parpadeó rápidamente tras sus gafas de montura sin aros, incapaz de hablar.

Samantha habló por él.

—¿En marcha, doctor?

Cuando llegaron a la escalinata, Samantha se detuvo de repente y, pensando con rapidez, se acercó la mano a los ojos como si la molestara la luz del sol. En realidad, se estaba protegiendo de las miradas de todos los hombres que, en la calle, la estaban contemplando embobados. Era normal que hubiera quedado momentáneamente deslumbrada: el lago Canandaigua, espejeante más allá de los herbosos declives que comenzaban al otro lado de Main Street, resplandecía con cegadora blancura. Mientras apartaba la mano de sus ojos, Samantha vio el lago y la campiña de los alrededores en todo su esplendor primaveral: las suaves colinas que rodeaban el lago aparecían alfombradas por un centón de granjas y viñedos; los manzanos que crecían libremente alrededor del lago y en la ciudad, ofrecían una explosión de blancos capullos; el cielo era de un azul pálido, el aire estaba tibio y perezoso y un desbordamiento de flores llenaba los jardincitos que flanqueaban Main Street. Por un instante, Samantha se quedó sin respiración. Después vio a los hombres que la estaban mirando y regresó al presente.

Tomando del brazo al profesor Jones, bajó los peldaños, para dirigirse hacia la Facultad.

Ojalá hubieran venido las mujeres, pensó Samantha mientras avanzaba bajo el dosel de flores de manzano hacia la rotonda de la escuela. ¿Es posible que no comprendan que esta es su victoria tanto como la mía?

Pero era inútil. Las mujeres no iban a venir; ni siquiera se veía a ninguna chiquilla por las calles.

Mientras ella y el doctor Jones pisaban el pequeño puente de madera tendido sobre la corriente que separaba la escuela de medicina de la ciudad, Samantha se sintió invadida súbitamente por la nostalgia. Aquella sería la última vez que recorriera ese camino. Mientras el profesor Jones buscaba ansiosamente entre la muchedumbre a un hombre al que no lograba encontrar, Samantha recordó con tristeza y cariño la primera vez que sus ojos habían contemplado el edificio principal.

Levantado en un claro de los frondosos bosques distantes apenas doscientos kilómetros de la frontera de los mohawks sobre un antiguo cementerio indio (por lo cual se rumoreaba que el centro universitario estaba habitado por fantasmas), el imponente edificio principal de la Facultad resultaba sorprendentemente llamativo y fuera de lugar, comparado con las sencillas casas de madera de la ciudad fronteriza. Era un majestuoso edificio de ladrillo, de tres plantas, con una singular fachada en la cual podía verse un frontón sobre un vasto atrio rebajado en el muro y flanqueado por columnas de Scamozzi. Dominado por una reluciente rotonda blanca, el interior era un laberinto de aulas, anfiteatros, laboratorios de disección, biblioteca y despachos. Se decía que el edificio había sido diseñado por Thomas Jefferson, que era muy aficionado al sólido y pesado estilo romano. A Samantha se le antojaba monstruosamente pretencioso.

Dos años antes había escuchado en aquel mismo lugar, de labios del doctor Jones, el relato de la leyenda india. Dos desdichados amantes iroqueses habían hallado una trágica muerte en aquellos parajes y se decía que sus espíritus vagaban por allí, llamándose el uno al otro. A veces, cuando trabajaba muy entrada la noche en el laboratorio de anatomía, Samantha había oído unos misteriosos rumores a los que, tras minuciosas investigaciones, no había podido dar explicación alguna.

No era extraño que de pronto pensara en fantasmas, ya que estos la rodeaban por todas partes. Todos ellos acudirían a presenciar su triunfo: su padre Samuel Hargrave, el áspero y severo siervo de Dios; los inquietos y desventurados espíritus de sus hermanos; Isaiah Hawsbill; su adorado Freedy. ¿Estaría también su madre? ¿Percibía Samantha en la fragante atmósfera primaveral una suave y dócil presencia?

Después pensó en Hannah Mallone y se entristeció fugazmente. Esto es para ti, queridísima amiga mía, este es nuestro éxito.

Los demás estudiantes se arremolinaban inquietos frente al edificio, de pie a la sombra del enorme atrio. Como jóvenes caballos recién domados que tiraran de las bridas, los muchachos ardían en deseos de saltar, brincar y arrojar el sombrero al aire, pero se lo impedían la solemnidad de la ocasión y las exigencias de la tradición. Los profesores ya se estaban reuniendo y algunos elegantes periodistas de levitas a cuadros y bombines se mezclaban con la muchedumbre. El doctor Jones se disculpó, musitando algo acerca de un tal señor Kent, y Samantha se acercó a un grupito de estudiantes de medicina que conversaban en voz baja.

Abriéndose paso por entre la gente, el pobre doctor Jones se retorcía las manos, buscando aquí y allá. ¿Dónde demonios se habría metido Simon Kent?

En realidad, la culpa del problema la tenía Samantha Hargrave aunque ella no lo supiera. Algunas semanas atrás, uno de los profesores había señalado al doctor Jones que el habitual diploma de la escuela no podría servir para la señorita Hargrave: los diplomas estaban redactados en latín y todos los términos eran masculinos. El nuevo título del graduado era *Domine*, que significaba «señor». ¿No habría, le preguntó el otro profesor, una versión femenina? ¿No un término que significara «ama», porque no era eso exactamente, sino algo que equivaliera a «señora»? Se reunió todo el claustro de profesores y, al final, se optó por una sustitución aceptable. La llamarían *Domina*.

El siguiente problema fue la manufactura del diploma. La escuela había mandado grabar todos los pergaminos en serie, con un espacio en blanco para el nombre del graduado. Después de buscar un buen calígrafo que redactara un diploma idéntico con las correspondientes modificaciones en femenino, se encargó el cometido a un granjero de la localidad, llamado Simon Kent. Sin embargo, este, que debía entregarle el diploma la víspera al doctor Jones, aún no había llegado.

¡Como Kent no apareciera, la situación sería no ya embarazosa, sino catastrófica! La Facultad de Medicina de Lucerne pasaría a la historia; los ojos del mundo estaban fijos en el doctor Henry Jones. (¡Incluso había llegado un reportero de Michigan!) El éxito o el fracaso de su criticado experimento —aceptar la presencia de una mujer en una facultad de medicina— dependía de lo que ocurriera aquel día; sus muchos detractores se alegrarían de verle fracasar miserablemente. El doctor Jones seguía buscando a Simon Kent.

—¡Disculpe! ¡Disculpe!

Samantha se volvió: un corpulento individuo con su sombrero hongo echado hacia atrás se abría paso hacia ella por entre la gente.

—¡Señorita Hargrave! ¿Podría hablar un momento con usted? —sostenía un lápiz en una mano y una libreta en la otra—. Jack Morley, del *Sun* de Baltimore. Me gustaría hacerle unas preguntas.

—La ceremonia está a punto de empezar, señor Morley.

—¿Qué impresión le produce ser la primera mujer que se gradúa en una facultad de medicina?

—No soy la primera, señor. La doctora Elizabeth Blackwell me precedió hace treinta años.

—Sí, es cierto que ella fue la primera, pero no ha habido ninguna otra desde entonces. La doctora Blackwell entró por chiripa y, una vez se hubo graduado, aquella facultad cerró sus puertas a las mujeres. Tengo entendido que luchó usted con todas sus fuerzas para entrar en Harvard.

—Presenté una instancia en Harvard y me rechazaron.

—¿Me permite que le pregunte por qué tenía usted esa ambición? ¿Matricularse en una escuela superior masculina? Hay muchas escuelas *femeninas* por ahí.

Samantha ladeó la cabeza.

—Deseaba obtener la mejor preparación médica posible, señor. Puesto que estamos en un mundo de hombres en el que los hombres tienen en sus manos lo mejor, deduje que una escuela masculina me facilitaría esa preparación. Es posible que eso cambie algún día —añadió, dando media vuelta.

—Habla usted como una sufragista —replicó él.

El cortejo se estaba formando; tendrían que entrar

en la iglesia de dos en dos. Se habían producido muchas discusiones a propósito de la posición de Samantha en la fila: ¿dónde colocarla? Por fin, decidieron situarla a la cabeza, del brazo del doctor Jones, pero ella pidió que no le tuvieran ninguna consideración especial en atención a su sexo; puesto que era la tercera de la promoción, debería ocupar el tercer lugar.

Mientras los demás, cincuenta en total, empezaban a colocarse en fila, el profesor Jones, volviendo a retorcerse las manos, recorrió una vez más la rotonda con la mirada. ¿Dónde estaría Simon Kent?

Las trompetas sonaron de repente y el doctor Jones corrió a situarse en cabeza y dio la señal de empezar. Los indios, unos senecas con atuendos de piel de ante y adornos de plumas de águila, empezaron a interpretar metálicamente el himno *América* con trompetas, trombones y tubas. En el silencioso bosque cercano, se produjo un estallido de vida en el momento en que el cortejo empezó a avanzar desde los peldaños de la rotonda: los zorzales y los sabaneros levantaron el vuelo de los frondosos olmos y arces, y los conejos empezaron a corretear por entre la maleza mientras el majestuoso cortejo de hombres vestidos de negro y una sola mujer vestida de gris se ponía en marcha.

El templo presbiteriano en que se celebraban todas las reuniones de la comunidad, se hallaba en las afueras de la ciudad, a unos quinientos metros de la rotonda. El desfile tardó diez minutos en cubrir la distancia y, en su transcurso, Samantha consiguió tranquilizarse. No obstante, al ver la gran multitud de hombres congregados delante de la iglesia, notó que su seguridad empezaba a vacilar.

Había carruajes y calesas de todas clases, caballos, perros y niños pequeños, reporteros y fotógrafos, cámaras sobre trípodes: parecía un circo. Y todo porque una esbelta y comedida joven se iba a graduar junto con un grupo de hombres. Cualquiera hubiera pensado que era un bicho raro. Habían venido desde muchos kilómetros a la redonda para ser testigos de aquel insólito acontecimiento humano. ¡Una mujer que se iba a graduar entre hombres!

El cortejo se detuvo antes de enfilar la escalinata, para dar tiempo a que los fotógrafos impresionaran sus placas. Manteniendo la cabeza inmóvil y el rostro hacia delante, Samantha volvió los ojos hacia la multitud, observando las expresiones boquiabiertas de los granjeros que, enfundados en sus atuendos de confección casera, estaban presenciando un acontecimiento del que podrían hablar durante años en las noches invernales.

El corazón le dio repentinamente un vuelco. ¡Joshua!

Pero no... Como el hombre que se encontraba de pie en los peldaños se volviera, ella advirtió que no era Joshua, sino alguien que tenía su misma estatura, sus anchas espaldas y la misma tez morena. Qué insensata había sido al pensar que vendría. Había transcurrido un año y medio y ella había jurado no volver a verle jamás.

Samantha echó hacia atrás los hombros. Sobre el golpeteo de los violentos latidos de su corazón, oyó el rumor de las puertas del templo al abrirse y pensó: Si no puedo tenerle a él, no quiero a ningún otro hombre.

Mientras esperaba nerviosamente a que el cortejo penetrara en el templo, Samantha imaginó que algo así debía experimentar una novia. En cierto modo, pensó, es como si me casara. Entraré en la iglesia siendo la señorita Hargrave y saldré convertida en la doctora Hargrave. Este es el día de mi boda, no habrá ningún otro.

La tensión de sus nervios era tal que, como el cortejo no se pusiera enseguida en marcha, pensó que rompería a gritar. Samantha tuvo la sensación de encontrarse en la orilla de un mar inmenso y brumoso y de haber recorrido cientos de kilómetros solo para llegar a una playa en la que ahora sentía la necesidad de seguir adelante. Había alcanzado muchas cosas, ganado muchos combates, superado muchos obstáculos, y sin embargo...

Lo percibió frente a ella, a través de aquellas puertas: su futuro. Nuevos combates, nuevos obstáculos, y nuevos (no, eso no debía pensarlo) hombres. Este es el final de un largo camino; se abre ahora otro nuevo. Pero, ¿adónde va? ¿A qué misterioso destino?

Si las mujeres hubieran venido... ¿Por qué, *por qué* se habían mantenido al margen?

PRIMERA PARTE

INGLATERRA

1860

1

La mujer había gritado treinta veces en aquella hora. Su último alarido desgarró la suave tela de la noche primaveral y pareció provocar un temblor en los cimientos de la casa. La oscura silueta de la señora Cadwallader, inclinada sobre ella, estaba interpretando una pantomima en presencia de la quejumbrosa Felicity Hargrave.

—Los gimoteos no están bien —musitó la comadrona.

Apoyando la regordeta mano en la parte inferior de su espalda, se irguió y se estiró. Después extendió la mano hacia la botella de cordial que había traído para la pobre Felicity y tomó un generoso trago.

Aquel parto no iba nada bien, y él, en la planta baja, no ayudaba demasiado. ¿Qué hombre le hubiera negado a su esposa un poco de cordial para aliviar el dolor? Sin embargo, Samuel Hargrave había prohibido expresamente la utilización de cualquier sedante para facilitar el parto. Lo cual era una lástima porque la señora Cadwallader tenía el botiquín de comadrona mejor abastecido de todo Londres. Contenía opio y belladona; cornezuelo para acelerar el parto y detener la hemorragia; todo un surtido de hierbas y remedios populares; y una botella de ginebra de la más fuerte. Tapó de nuevo el frasco con su corcho, lo dejó en el suelo y acarició con sus expertas manos el abultado vientre.

—Vamos —dijo en tono afectuoso—. Sé buena, Felicity. Ayúdale a nacer.

Con el cabello pegado al rostro y a la almohada, Felicity gimió y después lanzó un grito que debió oírse —la señora Cadwallader estaba segura— hasta en Kent. Se sentó y frunció los labios.

—Ya llevamos veinte horas —musitó para sus adentros—. Y es el tercero. No está bien —su voluminoso busto se elevó y se hundió en un suspiro—. En fin, no me gusta, pero tengo que aplicarle la pluma.

La comadrona jadeó un poco mientras se inclinaba hacia el maletín y sacaba una pluma de ave y una botella. Destapando esta última, hundió la pluma en el contenido de vedegambre pulverizado y, levantándose, se inclinó sobre el enorme vientre pulsante e introdujo la pluma directamente en una de las fosas nasales de Felicity.

—Anda, sé buena, aspira.

La señora Cadwallader volvió a sentarse rápidamente y se preparó para el inevitable resultado: un estornudo y la repentina expulsión del niño.

Felicity Hargrave, haciendo una mueca mientras experimentaba otra fuerte contracción, respiró hondo, sacó el cuerpo bajo las sábanas y estalló en un estornudo tan violento que despeinó a la comadrona. Simultáneamente una piernecita empezó a asomar por el canal del parto, que la señora Cadwallader había untado una hora antes con grasa de ganso.

La rechoncha mujer arqueó las cejas.

—Conque eso es lo que ocurre. Ya no puedo hacer nada.

Tres sombrías figuras se hallaban sentadas alrededor de la mesa del comedor, con las manos cruzadas ante sí y la cabeza inclinada. Ahora ya no había sobre la mesa ni platos ni jarras; no había más que la lámpara de aceite de ballena que, desde el centro de la mesa, arrojaba una luz amarillenta sobre los tres rostros. Samuel Hargrave, el marido de Felicity, estaba rezando; Matthew, de seis años, contemplaba la llama de la lámpara con unos ojos negros abiertos como platos; y James, de nueve años, se retorcía los dedos y se mordía la mejilla por dentro, alternativamente. Miró el rostro de su padre, buscando seguridad, pero no la encontró.

Samuel Hargrave, en profunda comunión con Dios, mantenía las manos tan fuertemente entrelazadas que los nudillos se le habían quedado blancos; llevaba cuatro horas sin cambiar de postura y no daba la menor señal de cansancio. Estaba tan concentrado que no oyó a la señora Cadwallader bajar la escalera.

—Padre —musitó James, aterrado por la sombría expresión que tenía el semblante de la comadrona.

Samuel tuvo que hacer un esfuerzo por librarse de sus pensamientos. Apartó la intensa mirada del plano de la meditación divina y la clavó en el rostro de la comadrona.

—No se puede hacer, señor. Viene del revés y es lo peor que puede haber. Una pierna abajo y la otra junto a la cabeza.

—¿No puede usted dar la vuelta al niño?

—A este, no, señor. Tengo que meter toda la mano allí adentro y no puedo porque su pobre esposa grita y se contrae. Lo que necesita es un buen médico, señor.

—No. —Samuel habló con tanta rapidez y vehemencia, que sobresaltó a la anciana—. No permitiré que ningún hombre contemple la desnudez de mi esposa.

La señora Cadwallader clavó sus agudos ojos negros en el hombre que así hablaba.

—Perdone que se lo diga, señor, pero no es ningún pecado que un *médico* examine a su esposa. Son unos auténticos caballeros, señor, y no tienen en absoluto esa clase de interés, usted ya me entiende...

—Nada de médico, señora Cadwallader.

La comadrona irguió los hombros y resopló despectivamente.

—Permítame decirle que no tenemos tiempo para discutir, su esposa y su hijo se encuentran en una situación muy apurada. ¡Tenemos que darnos prisa, señor Hargrave!

Samuel se levantó de la silla y su alta y delgada figura pareció llenar toda la estancia; los pequeños Matthew y James se le quedaron mirando. Su padre siempre había tenido «cargada» la espalda por los muchos años de inclinarse en su alto taburete del Registro Civil sobre un pupitre lleno de libros mayores, pero aquella noche toda su espalda parecía encorvada bajo un peso invisible. Sacando un pañuelo del bolsillo, Samuel Hargrave se lo pasó por la frente.

La señora Cadwallader esperó con impaciencia. No le gustaba Samuel Hargrave —a casi nadie le caía bien— y su fervor metodista, estaba allí solo a causa de la dulce Felicity: por nada ni por nadie más.

La voz de Samuel tronó como desde un púlpito:

—Señora Cadwallader, mi esposa sufriría una vergüenza mortal si un hombre ofendiera su pudor cristiano. Su deseo y el mío es...

—¡Pregúntele ahora si no quiere que la atienda un médico, señor Hargrave!

Samuel elevó los angustiados ojos al cielo y, al oír otro grito procedente del dormitorio, hizo una mueca.

El pequeño James, de nueve años, advirtió que su joven corazón empezaba a latir violentamente mientras miraba boquiabierto a su gigantesco padre, el cual, pese a encontrarse en su propia casa, vestía levita negra, pantalones negros, camisa blanca y corbata blanca almidonada. Jamás había visto titubear a su padre.

Mientras la señora Cadwallader separaba los pies y colocaba los brazos en jarras como disponiéndose a recibir la embestida de un toro, el pequeño James se levantó de su silla silencioso e inadvertido.

—¡Se lo digo en serio, señor Hargrave, su esposa necesita un médico! Hay un hombre respetable en Tottenham Court Road, justo a este lado de Great Russell Street. El doctor Stone es un hombre honorable, no le quepa la menor duda. Muchas veces le he visto...

—No, señora Cadwallader.

Mientras la comadrona miraba al gigantesco Samuel con indignación reprimida, el pequeño James se deslizó suavemente hacia las oscuras sombras del pasillo.

—¡De veras, señor Hargrave, su esposa necesita ayuda!

Samuel inclinó la cabeza y miró a la anciana con tal furia, que esta retrocedió.

—En tal caso, buena mujer, le aconsejo que vuelva a su puesto y la ayude. —Samuel dio media vuelta e hizo ademán de sentarse—. Yo rezaré.

Cuando poco después se abrió la puerta principal y entró James acompañado por unos jirones de nocturna niebla primaveral, Samuel había estado rezando con tanta intensidad, que su rostro aparecía bañado en sudor. James se quedó inmóvil, contemplando aterrado la cabeza inclinada de su padre. Después murmuró:

—Padre.

A Samuel le costó un esfuerzo abrir los pesados párpados y pestañeó varias veces mientras contemplaba el rostro insólitamente pálido del muchacho. James estaba sin resuello porque había corrido a la ida y al regreso.

—Padre, he ido a buscar ayuda.

Samuel parpadeó de nuevo.

—¿Qué has dicho, James?

—He ido por un médico. Llegará dentro de un minuto.

Al comprender el significado de las palabras de su hijo, Samuel, olvidando su fervor religioso y lleno de cólera, se levantó pausadamente de la silla.

—¿Que has ido por un médico?

—S-sí, padre. —James retrocedió—. Me pareció que tú no sabías qué hacer...

Nunca pensó que su padre pudiera moverse con tanta rapidez. Samuel rodeó la mesa en un instante y lo único que pudo ver James, antes de que en su cabeza estallaran toda clase de estrellas y planetas, fue una mano que se levantaba. Lanzó un grito, más de asombro que de dolor, e inmediatamente se llevó una mano a la oreja izquierda. Samuel se inclinó, agarró al muchacho por el brazo, apartó la mano protectora y volvió a propinarle otro golpe en un costado de la cabeza. James trató de escapar mientras, una y otra vez, la enorme mano iba descargando puñadas, hasta que se oyó una voz que preguntaba:

—¿Es esta la casa Hargrave?

El muchacho levantó la cabeza y vio, a través de las lágrimas, al doctor Stone de pie en la puerta.

—Aquí no le necesitamos para nada, señor —contestó Samuel secamente.

Los ojos del doctor Stone, pequeños y agudos tras las gafas, se posaron en la ensangrentada oreja de James.

—A juzgar por lo que veo, he llegado justo a tiempo.

Samuel miró a su hijo y pareció sorprenderse momentáneamente; después se irguió y soltó al muchacho, que inmediatamente se ocultó debajo de la mesa.

—Esto es cosa de mujeres, señor. No tolero la presencia de ningún hombre en la habitación del parto.

El doctor Stone entró en el salón sin aguardar a que le invitaran a pasar. Era un hombre menudo y delgado, de unos sesenta y tantos años, de larga nariz afilada y pobladas patillas. Se sacudió la chistera golpeándola suavemente contra el muslo, para eliminar el rocío, y dijo:

—El muchacho dice que viene de nalgas y que la señora Cadwallader no puede hacer nada.

La comadrona, que había oído los gritos de James, se encontraba ahora al pie de la escalera.

—Menos mal que ha venido usted, doctor Stone —dijo—. Lleva de parto un día y una noche y es el tercero, lo cual es mal asunto. No solo viene de nalgas sino que, además, tiene el cordón umbilical alrededor del cuello y Felicity no me permite darle la vuelta. No lo puede evitar, la pobrecilla.

—Veré qué puedo hacer —dijo el doctor Stone, frunciendo los labios.

—Un momento, señor —dijo Samuel—. No quiero que atienda usted a mi esposa.

—¡O él o el Ángel de la Muerte! —dijo la señora Cadwallader.

—He asistido a muchos partos, señor Hargrave —dijo el doctor Stone suavemente—. Puede creerme, soy un hombre serio y comprendo muy bien que desee proteger el pudor de su esposa.

—¡En esta casa ya tenemos la ayuda del Señor!

—Yo sirvo al Señor. Al fin y al cabo, su misión era sanar, ¿no es cierto?

El rostro de Samuel adoptó una expresión angustiada. Los gemidos de su esposa le desgarraban el corazón.

—Tal vez —dijo el médico en tono tranquilizador— yo soy la respuesta a sus plegarias. Tal vez el buen Dios me ha enviado. Por lo menos, señor Hargrave, déjeme echar un vistazo.

Samuel respiró hondo y se estremeció. Sus atormentados pensamientos trataron de hallar alguna referencia bíblica a la situación, pero fue inútil.

—Muy bien, pues —dijo a regañadientes—. Señora Cadwallader, ¿querrá usted encargarse de...?

—Pierda cuidado, señor Hargrave, estaré allí, no se preocupe.

El doctor Stone apoyó una fuerte mano en el hombro de Samuel.

—Todo irá bien, se lo aseguro. Actualmente, con el *nuevo sueño* nunca falla —se volvió hacia la comadrona—. ¿Vamos allá, buena mujer?

—¿Qué ha dicho usted? —preguntó Samuel con expresión confusa—. ¿El nuevo sueño?

El doctor Stone levantó su botiquín de cuero negro.

—Soy un médico moderno, señor Hargrave. Recurriré al cloroformo para que su bendita esposa pueda dar a luz a su hijo muy pronto y sin sufrimiento.

—¡Cómo! —exclamó Samuel, retrocediendo un paso.

En la cabeza del médico se disparó una pequeña alarma; no hubiera imaginado que quedara todavía mucha gente de aquel talante, teniendo en cuenta que la propia Reina había aceptado el cloroformo siete años antes para alumbrar al príncipe.

—No hay el menor peligro, señor Hargrave. Administraré el cloroformo, su esposa se quedará dormida, su cuerpo se relajará y yo podré volver al niño fácilmente. Eso se hace ahora en todas partes.

—¡A mi mujer, no!

—Es la única manera, señor Hargrave. En el estado en que se encuentra su esposa, corre usted el riesgo de perderlos a los dos.

—Los dolores del parto fueron decretados por el Todopoderoso —dijo Samuel con voz trémula—. Evitarlos es un sacrilegio, y su gas para dormir, doctor, es un engaño de Satanás. ¡Los dolores del parto son la maldición de Dios sobre la mujer por el pecado que cometió en el Paraíso y ninguna cristiana temerosa de Dios tiene que sustraerse al justo castigo que todas las mujeres han soportado desde que Eva le ofreció a Adán el fruto prohibido! —Agitó un tembloroso dedo en dirección al cielo—. «A la mujer le dijo: Multiplicaré los trabajos de tus preñeces. *Parirás con dolor.*»

El doctor Stone trató de disimular su impaciencia. Pensaba que aquella polémica, que en otros tiempos había azotado Londres como un violento incendio, ya estaba muerta y enterrada. Hacía diez años, él y sus colegas habían discutido acaloradamente acerca de la utilización del cloroformo durante el parto. Y por algún tiempo pareció que las Sagradas Escrituras iban a imponerse, pero entonces John Snow ayudó a la reina Victoria a traer al mundo al príncipe Leopoldo, administrándole cloroformo, y el mundo cambió inmediatamente de idea. Parecía, sin embargo, que aún quedaban algunos focos de resistencia. El doctor Stone empezó a recitar en voz baja:

—«Hizo, pues, Yahvé Dios caer sobre el hombre un profundo sopor; y dormido, tomó una de sus costillas y cerró la carne en su lugar.»

—¿Cómo se atreve usted a pronunciar esas irreverencias en mi casa, doctor? ¡Convertir a Yahvé en un cirujano y tener la absurda presunción de que Él necesitó cloroformo para dormir a un hombre! Olvida usted, doctor, que el milagro de la costilla de Adán se hizo *antes* de que se introdujese el dolor en este mundo, en la época de la inocencia.

Otro grito procedente de lo alto desgarró el silencio nocturno. Ambos hombres levantaron los ojos.

—Los gritos de una mujer durante los dolores del parto son música a los oídos de Dios —sentenció Samuel severamente—. Llenan su corazón de alegría. Son los gritos de la vida y de la voluntad de vivir de un cristiano. Ningún hijo mío se deslizará a este mundo como una serpiente mientras su madre duerme, ignorante del sagrado acto que ha llevado a cabo. No tengo nada más que añadir, doctor Stone.

Neville Stone estudió brevemente al hombre que tenía delante, calibrándole y sopesando la situación, y por último llegó a la conclusión de que, aunque discutiera mil veces con él, jamás lograría modificar la fosilizada mentalidad de aquel metodista wesleyano.

—Muy bien, pues —dijo volviéndose bruscamente en dirección a la escalera.

El espectáculo que se ofreció a sus ojos le obligó a detenerse instantáneamente: la mujer jadeante y tendida en la cama, el abultado vientre, las separadas piernas ensangrentadas y un piececito blanco asomando a través del rizado y oscuro vello. Neville Stone se despojó apresuradamente de la levita, se la entregó a la señora Cadwallader y se arremangó la camisa.

Situándose entre las piernas de Felicity, el doctor Stone introdujo suavemente los dedos en su vagina, siguiendo la fría y delgada pierna que colgaba del cuello del útero. Tras una rápida exploración, se incorporó de nuevo.

—Es lo que usted ha dicho, señora Cadwallader.

El doctor Stone abrió el maletín y sacó los instrumentos, colocándolos junto a los pies de Felicity, donde los pudiera alcanzar fácilmente: el fórceps obstétrico, destinado a asir la cabeza del niño y extraerla; una larga y curvada jeringuilla de metal que, siguiendo sus órdenes, la señora Cadwallader llenó de agua en caso de que hubiera de bautizar al niño *in utero*; una serie de afilados escalpelos por si —¡no lo quisiera Dios!— se viera obligado a efectuar un corte cesáreo; y, por último, el gancho, un instrumento para matar, destrozar y extraer el feto del canal del parto.

Mientras trabajaba silenciosa y rápidamente, prestando atención a la afanosa respiración de Felicity, el doctor Stone advirtió que un fino sudor le empezaba a empapar todo el cuerpo. Aquel caso no le gustaba nada. Un hábil examen le había permitido establecer que sería imposible dar la vuelta al niño por medios normales y, puesto que Samuel Hargrave había prohibido el uso del cloroformo, ello significaba que Neville Stone se vería obligado a adoptar una decisión que no quería. No había más que dos alternativas: un corte cesáreo que salvaría al niño, pero mataría a la madre, o matar al niño y extraerlo a trozos para salvarla a ella.

Sintió a su lado la poderosa presencia de la señora Cadwallader, cuyo busto maternal palpitaba afanoso. Oyó la jadeante respiración de Felicity y advirtió que su pulso era muy débil. Pensó en el hombre que esperaba abajo, con las manos juntas en actitud de rezar, y en su propia fragilidad y mortalidad.

Después, la mirada del doctor Stone se posó en el maletín negro.

Diez años antes, no hubiera tenido que preocuparse al respecto; hubiera *tenido* que elegir uno de los dos horribles caminos y hubiera puesto manos a la obra con todo el estoicismo de sus muchos años de experiencia profesional. ¡Cuántas mujeres habían muerto de parto antes de la aparición del cloroformo! Pero ahora —¡maldita sea!—, *hoy en día*, había una solución sencilla y salvadora que le libraba de la responsabilidad de aquella terrible decisión. Unas cuantas gotas del milagroso líquido y madre e hijo se salvarían...

Adoptando instantáneamente una decisión (ya se enfrentaría más tarde a las consecuencias), Neville Stone introdujo la mano en el maletín y sacó un frasco. Mientras la señora Cadwallader se inclinaba hacia él, sacó un pañuelo del bolsillo y lo enrolló en forma de cono, como si fuera un embudo. Mientras destapaba la botella, oyó que la señora Cadwallader le preguntaba en voz baja:

—¿Va usted a utilizar esa *cosa*, señor?

Él asintió con expresión grave, se levantó de la cama y se situó al lado de Felicity. Inclinándose sobre ella y murmurándole unas palabras tranquilizadoras, el doctor Stone colocó sobre la nariz y la boca el extremo más ancho del cono formado por el pañuelo y vertió unas cuantas gotas de cloroformo a través del mismo.

—¿Cómo actúa? —preguntó en voz baja la comadrona, contemplando fascinada el procedimiento mientras los dulzones vapores llenaban súbitamente la atmósfera.

—Cuando el líquido se libere en la tela, Felicity inhalará los vapores y estos le producirán un profundo sueño.

—¿Y cómo se llama esa cosa?

Mientras Felicity aspiraba las primeras emanaciones, Neville Stone empezó a hablar con voz suave y tranquilizadora, más para calmar a la parturienta que para instruir a la comadrona.

—Hace cuatro años, un caballero norteamericano llamado Olivier Wendell Holmes nos dio la palabra que necesitábamos para designar el nuevo sueño. Lo llaman anestesia.

—Ah, conque un yanqui, ¿eh? —la señora Cadwallader se restregó la nariz con la manga—. Pues, no sé, señor...

—Sssst —el doctor Stone se irguió, dejando el cono sobre el rostro de Felicity—. Ya se está durmiendo. En cuanto haya perdido el conocimiento lo bastante, extraeré al niño.

El sudor de la frente le caía en grandes gotas sobre la mesa; sus manos estaban tan fuertemente apretadas que le temblaban. Estaba haciendo acopio de todas sus reservas de fuerza, había vaciado todos sus músculos y nervios en un intento de liberarse de los vínculos físicos y convertirse en un mero ser pensante, olvidando la dura silla en que estaba sentado, olvidando al chiquillo que, acurrucado debajo de la mesa, se cubría con una mano la ensangrentada oreja, olvidando incluso el hecho de que, de repente, habían cesado todos los rumores procedentes del dormitorio de arriba. Él se estaba concentrando en la comunión con el señor.

Sin embargo, la concentración de Samuel no era tan fuerte como su voluntad, ya que sus plegarias se iban convirtiendo en pensamientos dispersos: cómo permitirse el lujo de alimentar otra boca; dónde encontrar a una criada de confianza que cuidara de ellos durante la convalecencia de Felicity; cómo pagar el impuesto de la casa.

Un nudo muy difícil de tragar le recorría la garganta. Y después, lo impensable: si muriera Felicity...

Un sollozo se le escapó del pecho y Samuel se desplomó de improviso sobre la mesa, con los brazos en cruz, la cabeza descansando sobre una mejilla y los ojos fuertemente cerrados. Sus pensamientos empezaron a volar. Y él, demasiado débil para seguir luchando, lo permitió. Curiosamente, sus pensamientos volaron derecho a la causa de su tormento. Samuel Hargrave se daba cuenta de que había estado luchando contra ello, contra la necesidad de enfrentarse a la desnuda e insoportable verdad, de que se había sumergido en la plegaria no tanto por la salvación de Felicity como por la suya propia; y lo que ahora veía con toda claridad era la dolorosa e inevitable realidad de que él, Samuel Hargrave, era el único responsable de aquella noche de desdicha.

Llegado a ese punto, Samuel ya no trató de huir del recuerdo: el episodio de hacía nueves meses que les había condenado a él y a Felicity a aquella terrible noche de infierno.

En todos los años de su virilidad, Samuel jamás había conocido la lujuria. De chico, su único experimento con la masturbación le había reportado una fuerte paliza administrada por su padre. En su adolescencia y más adelante, siendo ya un joven funcionario del Registro Civil, había evitado las poluciones nocturnas atándose un cordel alrededor del miembro, de forma que, si el traicionero órgano se excitaba durante su sueño, la presión del cordel le despertara y él se pudiera mojar con agua fría. En su noche de bodas con Felicity había probado de forma definitiva su dominio de sí mismo: cumplió su deber conyugal con rapidez e indiferencia, sin disfrutar ni una sola vez de los placeres de la carne, deleitándose tan solo en la idea de estar creando un nuevo cristiano para el Señor. Y la pequeña y dócil Felicity —loado fuera Dios— jamás había constituido una tentación para Samuel. Solo dos veces se había entregado al acto y, para gran suerte suya, en ambas ocasiones había quedado embarazada. A Samuel se le antojaba algo tan sencillo que no comprendía ni toleraba los deseos carnales de otros hombres.

Pero entonces, al cabo de nueve años de virtuosa y honrada vida conyugal, había ocurrido algo desastroso.

Felicity llevaba varias semanas dominada por un «malestar»: se mostraba apática y soñadora y descuidaba sus deberes. Samuel se había despertado varias veces por las noches por culpa de Felicity, que se revolvía en la cama, suspiraba con inquietud y gemía a veces. Por fin se dio por vencido y decidió que valía la pena gastar dinero en un médico que pudiera encontrar algún remedio, pero el médico de Harley Street se limitó a sacudir la cabeza y a encogerse de hombros, sin poder hallar la menor explicación a la languidez de Felicity.

Y una noche, justo después de las doce, cuando los londinenses respetables ya se habían encasquetado los gorros de dormir y descansaban plácidamente bajo sus edredones, Samuel se despertó sobresaltado. Abrió los ojos y vio a Felicity sonriendo, con los párpados entornados y un olor a láudano en el aliento.

Samuel trató de hablar, pero ella le cubrió la boca con las puntas de los dedos mientras con la otra mano le hacía unas electrizantes caricias en el pecho desnudo. Samuel trató de resistirse, de hacerle recuperar la cordura, pero el preparado de opio dominaba el cerebro de ella, y la contemplación de sus negros bucles derramados seductoramente sobre su blanco busto le ahogó las palabras en la garganta.

Samuel apenas recordaba lo que había sucedido después; solo conseguía evocar fragmentos y retazos: los húmedos labios de Felicity sobre su boca, la dulce lengua abriéndose paso por entre sus dientes, el explosivo roce de sus dedos sobre su miembro erguido y, después, un torbellino oscuro, un vertiginoso aturdimiento mientras la noche se abatía sobre ellos y los engullía en un frenesí de éxtasis y pasión.

A la mañana siguiente, Felicity volvió a ser la misma de siempre, como si los demonios hubieran sido exorcizados, y se dedicó de nuevo tranquilamente a sus tareas cotidianas, cuidando pacientemente de sus dos hijitos y sentándose humildemente junto a la chimenea con su libro de oraciones. En Samuel se produjo, por el contrario, un cambio. Dolido por lo que había hecho y comparándose con el desventurado Adán, a quien Eva había arrastrado estúpidamente al pecado, Samuel Hargrave se entregó a un inusitado fervor religioso. Empezó a acudir al templo todas las noches, subiendo a menudo al púlpito. Se puso a escribir opúsculos y a distribuirlos entre los pobres: sermones sobre los males de la bebida, del juego y de la carne. Se convirtió en un padre severo para sus hijos, dispuesto a librarles de caer en aquella misma impiedad. Y, cuando algunas semanas más tarde Felicity le comunicó que estaba embarazada, Samuel se horrorizó.

Y ahora el Señor le castigaba. El parto hubiera tenido que ser fácil: tras el primer hijo, los siguientes no planteaban dificultades. Aquella pesadilla no tenía más explicación que la mano vengativa de Dios. En el caso de otros hombres, el caso tal vez fuera distinto, pero Yahvé era un capataz muy riguroso y exigía un comportamiento ejemplar en sus predicadores predilectos. Aquella noche de hacía nueve meses, Samuel había sido sometido a una prueba y había fracasado miserablemente, y ahora recibía el merecido castigo.

Samuel se levantó lenta y dolorosamente de la mesa que había regado con sus lágrimas y se frotó las mejillas. Y entonces se dio cuenta: la casa estaba en silencio.

Retorciéndose las manos, la señora Cadwallader contemplaba con asombro la actuación del médico.

Laxo por fin el perineo de Felicity, la vagina se había dilatado, permitiendo que Neville Stone introdujera la mano y diera la vuelta al niño. ¡Sin que Felicity parpadeara tan siquiera! Y ahora el fruto de sus entrañas yacía boca arriba entre sus piernas: un cuerpecillo esmirriado como una rata desollada.

Curiosamente, la criatura no lloraba.

Mientras el doctor Stone sujetaba y cortaba el cordón y la comadrona levantaba de la cama el cuerpecillo sorprendentemente liviano y hacía ademán de volverse, el doctor Stone, sudando profusamente, exclamó:

—¡Oh, Dios mío!

Los ojos de la señora Cadwallader parecieron salirse de las órbitas al ver la sangre, roja y fluida, que brotaba a borbotones de la vagina de la parturienta.

Una mano del doctor Stone voló hacia el maletín, buscando apresuradamente un torniquete mientras, con la otra, el médico taponaba el orificio por medio de una toalla.

—¡Es la placenta, señora Cadwallader! ¡Está mal colocada!

—¡Dios bendito! —exclamó la mujer, apretando instintivamente a la silenciosa criatura contra su pecho—. ¡Morirá desangrada!

—No, si yo puedo evitarlo.

El doctor Stone introdujo los dedos en la vagina y, presionando el abdomen de la mujer con la otra mano, aplicó masaje a la matriz.

El ruido de unas fuertes pisadas en la escalera arrancó a Samuel de su inconexa meditación. Este se levantó penosamente.

El doctor Stone cruzó la estancia, se plantó resueltamente delante de él y dijo:

—Hicimos todo lo posible.

Por un instante Samuel pensó: ¡El niño ha muerto!

—Lo lamento, señor Hargrave, no se ha podido salvar a su mujer.

Samuel miró al médico, sumido en el estupor, mientras la voz de Neville Stone añadía suavemente:

—Su esposa tenía la placenta anormalmente colocada, y eso ha dado lugar a una hemorragia excesiva. Pero... —apoyó una mano en el brazo de Samuel— hemos podido salvar a la criatura.

Samuel parpadeó en silencio y después dijo:

—¿Mi Felicity? ¿Muerta?

—No lo considere una desgracia, señor Hargrave. La desaparición de su esposa no ha sido en vano. Aún le queda la pequeña.

En una repentina muestra de brutalidad, Samuel apartó bruscamente la mano del médico, se alejó a toda prisa y subió corriendo al piso superior. Una vez en el dormitorio, cayó de hinojos al lado de Felicity.

Parecía que estuviera dormida, un casto ángel adormecido, con su despejada frente brillante de sudor, las espesas y aterciopeladas pestañas descansando en las pálidas mejillas y los párpados cerrados para siempre sobre sus ojos grises. La almohada parecía una aureola alrededor de su enmarañado cabello negro; se la veía tan serena, tan dolorosamente joven...

Un sonido ahogado se escapó de los labios de Samuel cuando este se enjugaba una lágrima con la mano. Mientras respiraba hondo para tranquilizarse, experimentó un momentáneo aturdimiento y después su olfato captó un olor acre que no acertaba a identificar. Frunciendo el ceño, Samuel dirigió la mirada hacia la mesilla de noche y a la mortecina luz de la lámpara de aceite trató de distinguir los objetos. Entonces lo vio con claridad: un frasco con líquido y un pañuelo.

Se levantó de un salto y rompió a temblar violentamente. El doctor Stone se apresuró a decirle:

—Fue la única manera de salvar a la criatura, señor Hargrave. De no haber sido por el cloroformo, ambos hubieran muerto y usted no tendría ahora el consuelo de un nuevo retoño.

Samuel parecía una estatua a punto de desplomarse.

—*¡Usted la ha matado!*

—¡Le aseguro que no, señor! En el estado en que se encontraba su esposa, ni toda la medicina del mundo hubiera podido salvarla. ¡Sin la anestesia, hubiera tenido usted que enterrar también a su hija!

El rostro de Samuel se ensombreció con expresión amenazadora; una oleada carmesí surgió como del cuello de su camisa, inundándolo hasta el nacimiento del cabello, mientras se le hinchaban las venas de la frente. El doctor Stone se alarmó; parecía que Samuel Hargrave estuviera a punto de sufrir un ataque. Pero entonces el rubor desapareció, el temblor se hizo menos intenso y Samuel pareció calmarse.

—No —dijo en tono apagado—, usted no tiene la culpa, doctor. La responsabilidad de la muerte de Felicity es solo mía. De lo que usted es culpable, doctor, es de haber desafiado la voluntad de Dios. Ambos hubieran tenido que morir aquí esta noche porque este es el castigo que Él me había destinado. El niño es el producto de mis pecados. Lo que usted ha hecho, doctor, es salvar a una criatura que no tenía derecho a vivir.

—¡Un momento, señor!

Pero la señora Cadwallader acalló al médico con un ademán.

—Si usted no se hubiera entrometido, doctor, yo habría expiado mis pecados. Pero ahora, por culpa suya y de su maldito cloroformo, tendré que conservar un recuerdo viviente de esta noche...

El doctor Stone contempló horrorizado a aquel hombre y después se volvió para mirar al tembloroso animalillo envuelto en mantas en brazos de la comadrona. ¿Habría intuido su desdichada situación y por eso no había emitido aún ningún sonido?

—Disculpe, señor Hargrave —dijo el médico con más suavidad—, pero tenemos que resolver la cuestión del nombre. La última petición de su esposa en el momento de expirar fue que se bautizara a la criatura con el nombre de su marido. Como médico y caballero, tengo el deber moral y ético de ver cumplido su deseo antes de salir de aquí esta noche.

Samuel volvió la cabeza y contempló el pálido y sereno rostro sobre la almohada.

—Pues se llamará Samuel.

—Ahí está el problema, señor Hargrave. Su esposa creyó que la criatura era un niño.

Cuando Samuel volvió a mirar al médico, Neville Stone se quedó atónito: los oscuros ojos estaban llenos de odio y aborrecimiento. Pero, ¿hacia quién?

—Pues llevará mi nombre, doctor.

—¡No lo dirá usted en serio, señor! ¡Bautizar a una niña con un nombre masculino!

Samuel lanzó un grito, dio media vuelta, y cayó de

rodillas junto al lecho. Arrojando los brazos sobre el cuerpo de Felicity y hundiendo el rostro en su pecho, empezó a sollozar en silencio mientras el médico y la comadrona se retiraban al rincón más oscuro de la estancia, contemplando cómo se agitaba su encorvada espalda.

—Lástima de chiquilla —murmuró la señora Cadwallader—. Primero se queda sin madre y ahora también sin padre.

—Lo superará. En la hora del dolor, he oído muchos juramentos que después se olvidan. De momento, tenemos que ayudar a este pobre hombre y cumplir el último deseo de su esposa.

—Pero ¿qué puede usted hacer, doctor? Él está muy afligido y cualquiera sabe cuánto tardará en sobreponerse. ¡Y esa pobrecita sin un nombre tan siquiera!

Neville Stone se rascó con aire ausente las blancas patillas mientras contemplaba la trágica escena de la cama. Después, como si hubiera tenido una inspiración, se le ocurrió:

—Cumpliremos con nuestro deber cristiano, buena mujer. Tráigame, por favor, un poco de agua para bautizar.

Dio media vuelta y, abandonando el dormitorio, dejó a Samuel llorando en silencio sobre el cuerpo de su esposa y bajó la escalera para dirigirse al comedor, donde se encontraban los dos olvidados chiquillos, uno de pie, con los ojos muy abiertos, junto a la chimenea medio apagada y el otro escondido todavía como un perro debajo de la mesa. El doctor Stone se fue derecho en busca de la Biblia familiar y la abrió por una página adornada con dibujos de brillantes colores y filigrana de pan de oro: la Memoria de la Familia. El doctor Stone encontró la línea correspondiente al nacimiento de Matthew Christopher Hargrave, fechada el 14 de junio de 1854, y escribió debajo: *Hija de Samuel Hargrave y de su bienamada esposa Felicity (fallecida en este día), 4 de mayo de 1860, Samantha Hargrave...*

2

Al cumplir los cuatro años, la niña aún no había pronunciado ni una sola palabra.

Había nacido en una casa oscura y silenciosa, y sus únicos compañeros eran un hombre antipático vestido de negro que se marchaba de casa temprano todas las mañanas y regresaba muy tarde por las noches, dos niños taciturnos y poco comunicativos y una criada dispéptica. La criada se sentía incómoda en presencia de aquella niña que parecía observarla siempre desde las sombras con sus grandes ojos de animal. Pensando que la niña era retrasada y no merecía los mismos cuidados que una criatura normal, la dejaba sentada en los peldaños de la entrada, para que no la molestara.

St. Agnes Crescent era un tramo de calle en forma de media luna empotrado en la confluencia de Charing Cross y High Holborn, a horcajadas de la estrecha frontera que separaba al Soho de Covent Garden. Cuando Samuel Hargrave se había trasladado allí con su esposa años antes, St. Agnes Crescent era un buen barrio de clase media, de casas construidas sobre terreno elevado, habitadas por laboriosos protestantes como los Hargrave. Pero después se produjo un enorme incremento de población que trajo consigo una abrumadora oleada de inmigrantes irlandeses muertos de hambre que empezaron a hacinarse en las ya superpobladas zonas de Seven Dials y Covent Garden. St. Agnes, situada en el camino de aquella embestida demográfica, fue ocupada por más residentes de los que podía contener y el número de sus habitantes se multiplicó, al igual que el de los Dials, hasta cinco veces en pocos años. De ahí que el tramo de peldaños donde la atareada sirvienta dejaba a Samantha diese entonces a una mísera calle de barriada pobre.

A ambos extremos de la calle había sendas tabernas, llamadas La Carroza del Rey y El León de Hierro. En el mirador del primer piso de la casa vecina un descolorido rótulo rezaba *Planchado a dos peniques la pieza*, lo cual no significaba nada, pues los propietarios de la planchadora mecánica se habían mudado hacía tiempo y nadie se había molestado en quitar el rótulo. En la acera de enfrente abría sus puertas un humoso figón que servía asados de carne y frecuentaban peones y prostitutas, y en ambas direcciones del Crescent se veían tenderetes de verduras, ropavejeros, golfillos y pordioseros.

La criada, cuya hora preferida de la jornada era la de tomar el té con una lavandera del barrio, comentaba el misterio de que el señor Hargrave, que ganaba un buen sueldo en el Registro Civil, no hubiera dejado aquello, como habían hecho sus antiguos vecinos, para irse a vivir tal vez a una de aquellas bonitas casas nuevas de Brixton Road. Pero eso no era más que una de las desgracias con que tenía que habérselas la atribulada sirvienta; la otra era el problema de la niña.

—Téngala bien limpia, me dice —comentó un día entre el té y las tortas untadas con mantequilla—. ¡Y para él es como si no existiera! Cuando me vine a trabajar aquí hace casi cuatro años, me dio dos órdenes: que la tuviera quieta y lejos de su vista y que la llevara arreglada. No es difícil tener quieta a la niña, porque no habla. Es un poco anormal. ¡Y lo nerviosa que te pone! Anda constantemente en las sombras y nunca sabes si, al darte la vuelta, te la encontrarás allí, mirándote como si te estuviera estudiando o yo qué sé. No me gusta tenerla cerca, la verdad. Y, en cuanto a lo de llevarla arreglada, el amo es tan tacaño con el dinero, que no me deja comprarle ropa nueva. No tiene más que dos vestidos y yo me paso el tiempo en composturas porque crece muy deprisa. Le he pedido dinero para comprar un poco de tela y hacerle otro vestido, ¡pero ese hombre es capaz de mondar una patata en su bolsillo por no compartirla contigo! —mientras su amiga se inclinaba hacia delante con ávido interés, la criada añadió—: Y hay otra cosa muy rara en esa niña. No me deja que le toque el cabello. En cuanto me ve tomar el peine, se pone a chillar. Es como si supiera que no está bien de la cabeza y no quisiera que nadie se la toque. Y yo la dejo despeinada. ¿Cómo puedo tener aseada a la niña en esas condiciones? ¿Qué perdería su padre abriendo un poco la bolsa?

Estaba claro que no podía, por lo cual, cuando Samantha adquirió el suficiente valor para unirse a los chiquillos de la calle, su descuidado aspecto le permitió incorporarse inmediatamente al grupo.

Puesto que Matthew y James, que ahora tenían diez y trece años, iban diariamente a una escuela del estado y después se pasaban las veladas metidos en sus libros o estudiando las Escrituras con su padre, la pequeña Samantha se buscó una familia adoptiva en las calles. Aprendió rápidamente. Corría en silencio tras el grupo, siguiendo a los mayores y más expertos, explorando callejas y cubos de la basura, se columpiaba en las cuerdas de los tendederos y jugaba a las carreras y al escondite. Adquirió una indómita y desenfrenada libertad; descubrió el sol y la lluvia, se convirtió en una ágil acróbata y, aunque nadie sabía su nombre porque era muda, muy pronto se ganó la admiración de sus compañeros.

Su mejor amigo y protector era un niño de nueve años llamado Freedy cuya madre, una verdulera irlandesa, lo había envuelto en papel de periódico al nacer y lo había dejado en un cubo de la basura. Un anciano desollador de gatos oyó su llanto al pasar y, en la creencia de haber tropezado con una buena pieza, descubrió el niño abandonado, se compadeció de él y se lo llevó a casa. El anciano, que ganaba su miserable existencia saliendo por las noches con un palo y un saco en busca de gatos, crió al huérfano y le enseñó su oficio. Había muerto de neumonía cuando Freedy contaba siete años, dejando al niño a su suerte, que este capeaba durmiendo sobre un saco en un agujero que había cavado bajo un cobertizo y pidiendo comida o bien robándola. A pesar de su desnutrición y de los dientes que le faltaban, el niño era un guapo pillete que sobrevivía gracias a su ingenio y a su habilidad de desollador, habiendo aprendido del anciano la forma de despellejar gatos cuando el animal todavía estaba vivo, ya que esas eran las pieles que más se cotizaban; hablaba ya con presunción de la taberna que tendría un día en propiedad.

Freedy fue quien consiguió que Samantha hablara por primera vez.

Aquella mudita de cuatro años y sonrisa encantadora era como una pequeña mascota y seguía a los pilluelos en todas sus aventuras. Una tarde a última hora, mientras regresaban de los Dials tras haberse pasado el día robando cebollas y salchichas, Samantha y Freedy bajaban por una callejuela iluminada por la luz del crepúsculo, cuando Freedy se detuvo de repente y Samantha tropezó con él.

—¡Escucha! —exclamó él en voz baja, moviendo la cabeza a uno y otro lado.

Samantha prestó atención y oyó, sobre el ruido de fondo del ajetreo londinense, un débil maullido.

—¡Es un gato! —dijo Freedy—. Ven, vamos a atraparlo, lo desollaremos y lo venderemos por seis peniques. ¡Prometo comprarte unos zapatos con el dinero!

Desconcertada, la pequeña Samantha siguió a Freedy mientras este se acercaba cautelosamente a un agujero de una valla. Agachándose, el niño miró hacia el interior.

—¡Tenía razón! ¡Y además está herido! No tendré que molestarme en perseguirlo y atraparlo. ¡Lo podré desollar tal como está!

Mientras él tomaba el cuchillo colgante de la cuerda que le servía de cinturón, Samantha se arrodilló y miró por el agujero. Un viejo gato atigrado, escuálido y sucio de barro, yacía sobre un costado. Tenía herida una pata.

Cuando Freedy extendió el brazo, Samantha movió con rapidez una mano y le apresó la muñeca. Su fuerza sorprendió al niño.

—¿Qué pasa?

Ella sacudió la cabeza con violencia, agitando sus negros rizos.

—Vamos, chiquitina —dijo él, tratando de librarse de su tenaza—. Esto significa para mí una cena como es debido.

Samantha abrió la boca y emitió un áspero sonido.

—¿Qué es eso? —dijo él, frunciendo el ceño.

Le brotó de los labios como un chirriante susurro.

—¡Daño!

—¡Puedes hablar! —exclamó Freedy, arqueando las cejas.

—¡Daño! —repitió ella sin soltarle la muñeca y sacudiendo aún la cabeza.

—Sí, cariño, ya sé que al gato le hace daño. Por eso me será más fácil...

—Ayuda, Freedy, ayuda...

—¿Tú quieres que ayude a este puerco gato? —dijo él, abriendo mucho los ojos y echándose hacia atrás.

Ella asintió enérgicamente.

—¡Tú estás chiflada!

Las lágrimas asomaron a los ojos de Samantha.

—Ayuda... al gato. Por favor...

Él clavó la mirada en su bonito rostro y sintió que su corazón de piedra se ablandaba al contemplar aquellos hermosos ojos grises, de negras pestañas.

—Pues, no sé. Yo iba a meter la mano y darle una cuchillada. Pero, si intentamos tocarlo y ayudarle, no nos dejará, eso seguro. Nos arañará de mala manera, no te quepa duda, los animales heridos lo suelen hacer.

Ella sacudió de nuevo la cabeza y se agachó. Sonrió, contemplando los dorados ojos en la oscuridad, e introdujo la mano. El viejo gato atigrado permitió que Samantha acariciara su espeso pelaje.

Freedy se quedó de una pieza.

—Bueno, que me aspen si lo entiendo...

Les costó una semana conseguir que el gato bebiera la leche robada de la alacena de Samantha. La niña tomó un poco de pan mohoso que la criada, por alguna misteriosa razón, guardaba siempre en una caja de hojalata, y echó sobre la herida aquella especie de borra de color verde, tal como una vez le había visto proceder a ella con un corte que Matthew se hizo en un brazo. Ambos niños se reunían todas las mañanas, después de salir el padre de Samantha hacia su trabajo, corrían a la calleja y curaban al gato. Puesto que *Atigrado* solo permitía que le tocara Samantha (había arañado a Freedy la vez que este lo intentó), el niño aguardaba con impaciencia, apoyado en la valla, mientras su amiguita acariciaba al animal, le daba de comer y le hablaba en murmullos con su nueva voz. Hasta que una mañana descubrieron que el viejo *Atigrado* había desaparecido.

Freedy fue también quien primero advirtió a la pequeña Samantha a propósito de Isaiah Hawksbill.

Había una oscura y silenciosa casa cerca de la esquina que resultaba muy misteriosa porque, a pesar de tener las ventanas cerradas con tablas de madera, estaba habitada por un anciano que vivía solo y que encendía la imaginación de los niños con visiones de magia y brujería. Nadie veía jamás al viejo Hawksbill, pero los que le llevaban su menguada ración semanal de comida murmuraban por doquier que le habían visto (los paquetes tenían que ser depositados junto a la puerta posterior de la casa, donde el viejo dejaba el dinero en el interior de una lata, y algunos valientes con afanes de notoriedad habían permanecido ocultos acechando) y el espectáculo les espeluznó: un viejo marchito y arrugado y con un rostro tan feo que hubiera parado el tren de Brighton. Si a los niños de St. Agnes Crescent el nombre de Hawksbill les infundía terror (siempre cruzaban a la otra acera cuando se acercaban a la casa), a los mayores les provocaba recelo y desconfianza. Corrían historias sobre un espantoso crimen abominable que Hawksbill había cometido años atrás con una niña.

Samantha solía contemplar, desde el otro lado de la calle y con el brazo protector de Freedy alrededor de sus huesudos hombros, las ventanas cubiertas por tablas de madera, mientras los demás niños arrojaban fruta podrida contra la puerta de Hawksbill, donde quedaba pegada y se secaba hasta que la lluvia la arrastraba consigo. Y así transcurrían sus días: vagando por el Crescent con un grupo de *pilluelos* sin hogar y regresando por la noche a casa, donde la criada le daba de cenar y la mandaba a dormir: una extraña y pequeña criatura viviendo en la periferia de una fría familia ajena al amor.

Hasta que un día ella reparó en su padre y su padre reparó en ella.

Tenía seis años y llevaba un vestido remendado, demasiado estrecho para su escuálido cuerpo y tan corto que rayaba en lo indecoroso. Sus pies y sus piernas estaban llenos de mugre, y el enmarañado cabello le llegaba hasta la cintura. Estaba sentada en el umbral de su casa, trazando un dibujo en el polvo de la puerta, cuando Samuel, que regresaba más temprano porque era el cumpleaños de la Reina y el Registro había cerrado a mediodía, empezó a subir los peldaños. Le dirigió a Samantha una palabra malhumorada, en la creencia de que era la hija de un vecino, y avanzó el pie para apartarla, cuando ella levantó de repente la cabeza y le miró a los ojos. Ambos se quedaron helados; él, alto y fúnebre, con la mano en el tirador de la puerta, y ella, agachada y sucia, a sus pies, con el rostro vuelto hacia arriba, como un mugriento girasol. Se miraron el uno al otro largo rato, descubriéndose por primera vez, contemplándose inexpresivamente, sin moverse; y entonces estalló súbitamente en el interior de Samuel Hargrave una pasión largo tiempo reprimida. Estaba contemplando el rostro de su bella Felicity.

Notando que la cabeza le daba vueltas y estremecido de repugnancia, Samuel vio que una diminuta y churretosa mano se extendía hacia la pernera de su pantalón y retrocedió de manera instintiva. Dando media vuelta, Samuel se dirigió apresuradamente a la puerta, tropezó en el umbral y su voz empezó a tronar por toda la casa, llamando a la criada. Acto seguido, se produjo una acalorada discusión:

—¡Va más sucia que un pilluelo!

—¿Y a usted qué más le da? ¡No le presta atención!

—¡Yo la contraté para que cuidara de ella!

—Por cinco puercos chelines a la semana, no esperará usted que...

La criada fue despedida de inmediato.

Se mandó llamar a una vecina, madre de doce hijos, y se le entregó un chelín para que diera un buen baño a la niña, y después media corona para que le comprara ropa y zapatos. Mientras soportaba en silencio el áspero estropajo e incluso el cepillado del cabello, Samantha reflexionó acerca del milagro que había ocurrido.

Él se había fijado en ella...

3

Se contrató a otra criada y el propio Samuel se encargó por las noches de dar a Samantha la adecuada instrucción religiosa. Fue allí, junto al fuego de la chimenea del salón, donde Samantha descubrió su profunda capacidad de amar. Veía en aquel austero hombre como un salvador y en sí misma a una niña abandonada, porque, ¿acaso no la había sacado de las calles y ahora se ocupaba de ella? En un febril deseo de complacerle, Samantha se esforzó con el alfabeto y Samuel se sorprendió de la facilidad con que aprendía, pero no lo dio a entender. Trataba a la niña como a una desconocida, como si efectivamente la hubiera encontrado en la calle, y cumplía con ella sus fundamentales deberes cristianos, encargándose de que vistiera con decoro, estuviera alimentada y leyera las Sagradas Escrituras. Sus dos enfurruñados compañeros, unos chicos a los que apenas conocía (Freedy era para ella más hermano que James o Matthew), recibían su instrucción y después se iban a la cama sin jamás dar muestras de advertir su presencia.

De día Samantha seguía correteando por las calles con sus amigos del duro aprendizaje callejero, pero ahora les dejaba temprano, para regresar a casa a toda prisa, lavarse, cambiarse de ropa y aguardar ansiosamente el regreso de su padre.

Samantha se distinguía del resto de los pilluelos del Crescent por un detalle fundamental: no se había corrompido. Por muchas travesuras o correrías ilícitas en que participara, la pequeña Samantha se las arreglaba para conservar un sencillo sentido de la honradez.

A ello se añadía su inocente confianza en la bondad esencial de la naturaleza humana: todos los demás veían a la persona superficial, a la prostituta o al ladrón de cadáveres, pero la pequeña Hargrave, con toda la compasión heredada de una dulce madre a la cual nunca había conocido, siempre descubría detrás de la fachada un alma buena, una mujer que no había tenido suerte o un hombre que trataba de alimentar a su familia medio muerta de hambre. Samantha creía sencilla y firmemente que la gente se veía obligada a obrar el mal, que nadie era malo por condición.

Al principio Freedy pensaba que era una tonta, y así se lo decía a menudo, porque ella se compadecía de los vendedores de salchichas a quienes robaban; Freedy trató de explicarle la sencilla ley de la supervivencia de los más rápidos. Y cuando compadecida de los veteranos mancos de la guerra de Crimea que pedían limosna en Piccadilly Circus, les entregó lo que había robado aquel día, el niño trató de hacerle comprender que muchos de ellos eran impostores que escondían los brazos en el interior de la camisa y se daban la gran vida a costa de estúpidos como ella. Pero al cabo de algún tiempo, viendo que ella jamás podría cambiar y que, en comparación con los bribones sin principios con quienes él se juntaba, Samantha era una preciosa singularidad, Freedy desistió de su intento de hacerla cambiar.

Y si no acertaba a descubrir ningún mal en los desdichados habitantes del Crescent (en su fuero interno ni siquiera temía al viejo Hawksbill), era lógico que Samantha viera en su padre/salvador la encarnación de todo lo mejor. Ganarse su aprobación era lo que más deseaba en el mundo. Sin embargo, al comprobar que, tras haberse pasado varias semanas bregando con el alfabeto y esforzándose al máximo, no conseguía arrancarle el menor elogio, Samantha buscó otro medio de complacerle.

Bajaba un día por la calle con un cubo de agua de la bomba situada al final del Crescent, porque su casa no tenía agua corriente, cuando Freedy se le acercó por detrás y tomó el asa del cubo, dirigiéndole una desdentada sonrisa.

—No te veo mucho últimamente, señorita Remilgada.

Samantha se limitó a encogerse de hombros mientras descendían por la sucia calle, derramando el agua del cubo que llevaban entre los dos; Freedy no entendía demasiado de padres. Cuando llegaron frente a los peldaños de acceso a la casa, Freedy se jactó de la gran cantidad de peniques que había ganado últimamente.

—¿Y de dónde saca tantas monedas la gente como tú? —le preguntó ella.

—Del curtidor de ahí abajo —contestó él, levantando perezosamente un brazo—. Te da medio penique por cubo. Lo necesita para curtir.

—¿Cubo de qué?

Freedy se comprimió el hundido estómago y soltó una carcajada.

—¿Un cubo de qué? ¿Se lo quieres preguntar tú misma, señorita Remilgada?

Samantha le miraba alejarse calle abajo y riéndose, y entonces le vino la inspiración: con unos cuantos peniques podría comprar alguna cosa para complacer a su padre.

Resultó que el curtidor necesitaba excrementos de perro para su trabajo y los pagaba a medio penique el cubo. Se tardaba todo un día en llenar un cubo y, puesto que muchos niños se dedicaban a ello, la competencia era muy reñida. Cargada con el cubo y la pala que el curtidor le había facilitado, Samantha recorrió los pasajes y las callejas, procurando evitar la casa de Hawksbill, a pesar de que los peldaños de su entrada estaban llenos de excrementos, y al anochecer se dirigió a casa del curtidor entre las burlas de sus amigos:

—¡Ahí vienen las natillas!

Samantha se abrió paso estoicamente, pero dio rienda suelta a las lágrimas cuando, al recibir el medio penique del curtidor, un golfo se lo arrebató de las manos y se quedó con él. Después las bromas se convirtieron en provocaciones y alguien tuvo el descaro de adelantarse y tirarle del pelo. En aquel momento, una patata podrida voló por los aires y dispersó al grupo entre gritos, y entonces apareció Freedy, sonriendo.

Mientras la acompañaba a casa, su amigo escuchó el triste relato de los acontecimientos del día (Samantha estaba agotada y sucia y lo peor era que había perdido su dinero) y, al llegar a la puerta, se plantó con las manos en las caderas.

—Eres muy tonta, Samantha Hargrave, a pesar de lo mucho que lees y escribes. Los demás no trabajan tanto como tú. No hay suficiente caca de perro por ahí. Hubieras podido llenar el cubo con la tuya y elevar un poco el nivel. El curtidor no nota la diferencia. ¡Eres una cándida, señorita Remilgada, ni siquiera sabes vender tu propia caca!

Y Freedy se alejó calle abajo entre risas.

Cinco minutos más tarde, Samuel inspeccionaba, frunciendo la nariz, las manchas pardas que su hija traía en las manos y en el vestido y la entregaba a la adusta ama de llaves, que le propinó una buena azotaina y la envió a la cama sin cenar.

Dos días más tarde, James se fue a Rugby.

La mañana de su partida, James, que tenía dieciséis años, bajó vestido con su traje de domingo, portando una deteriorada cartera. Tras despedirse ceremoniosamente de su padre, James salvó los peldaños de la entrada y desapareció.

Al año siguiente hubo cartas, breves epístolas que se limitaban a describir las triviales incidencias de la vida escolar de James. «La semana pasada jugué al críquet y me confiaron el bate; lancé una pelota y me sacaron porque el capitán dijo que, si la pelota hubiera llegado lo bastante lejos, hubiera fallado.» Puesto que no podía practicar deportes debido a sus deficiencias auditivas, James se entregaba al estudio en cuerpo y alma y tenía que esforzarse mucho más que sus compañeros porque, a causa de su sordera, le resultaba difícil seguir las clases.

Y después, con la misma rapidez con que se había ido, James regresó a casa. Tenía un año mas y era más sabio y traía orgullosamente consigo un diploma en matemáticas. Samantha se alegró del regreso de su hermano porque este había crecido y era muy guapo y se parecía mucho a su padre. Pero James no se quedó en casa mucho tiempo ya que, poco después, fue enviado a Oxford, y esa vez su padre le acompañó.

La mañana en que salieron hacia un lugar que llamaban la estación de Paddington, Samantha se encontraba sentada en los peldaños de la entrada, apoyada la barbilla en las manos. Freedy apareció como por ensalmo, tal como acostumbraba hacer (habilidad esta que le permitía librarse de las garras de la policía). Se sentó torpemente a su lado, porque ahora tenía catorce años y era muy desgarbado, y le preguntó:

—¿Por qué pones esa cara?

—Mi padre y mi hermano se han ido en un tren y a mí me hubiese gustado acompañarles.

—¿Adónde van?

—A Oxford, vete tú a saber qué será eso.

—¿Y a qué han ido?

—No lo sé. Hablaban de la medicina y de estudiarla. Freedy, ¿cómo se estudia un frasco de medicina?

Su amigo se dio una palmada en la rodilla, que sobresalía a través de la raída tela de sus pantalones, y soltó una carcajada.

—¡No se estudia un frasco de medicina, tonta, es la *ciencia* de la medicina!

—¿Y por qué se van mi papá y mi hermano a Oxford? —preguntó ella, levantando el rostro para mirarle.

—Supongo que significa que tu hermano va a ser médico.

—¿Y para qué tiene que ir a Oxford? Lo único que hace un médico es meterte una cucharada de cosas malas en la boca.

Freedy se inclinó hacia ella, brillantes los ojos, y dijo en tono misterioso:

—¡Oh, los médicos hacen mucho más que eso! ¡Cortan a las personas, las cortan en lonchas como si fueran jamón, eso es lo que hacen!

Samantha avanzó su sensual labio inferior.

—¡No lo creo! ¡Mi hermano jamás haría una cosa así!

—Lo hará cuando sea médico. ¡Creen que es elegante!

—¿Y tú cómo lo sabes?

—Te lo enseñaré. —Freedy se levantó de un salto y la miró sonriendo—. ¿Vienes conmigo, bonita?

—¿Adónde? —preguntó la pequeña, mirándole con expresión recelosa.

—¡Donde los médicos cortan a la gente!

4

Le acompañó por las calles de Londres, bajando por Charing Cross Road hasta llegar a Tottenham Court Road, para seguir después por University Street. El North London Hospital, de cuatro pisos de altura, se levantaba frente al University College y resultaba tan impresionante que Samantha se quedó sin respiración. Eran las diez de la mañana y en la entrada principal se registraba mucho ajetreo. Freedy le hizo señas a Samantha mientras rodeaban el edificio para dirigirse a un patio trasero ocupado por gran número de carretas y coches.

Algunos estudiantes de medicina se encontraban junto a la entrada posterior formando un apretado grupo, todos erguidos y apuestos y hablando en voz baja.

—Son como tu hermano, Sam —murmuró Freedy—. Eso es lo que es James.

Ocultándose detrás de un carretón, Samantha y Freedy observaron a los estudiantes y, un minuto más tarde, vieron entrar nerviosamente en el patio a tres muchachas. Como empezaban a reírse de forma histérica, un joven se acercó un dedo a los labios, tomó del brazo a una de ellas y la acompañó hacia la puerta. Cuando todos hubieron entrado, Samantha y Freedy salieron de su escondite y atravesaron la puerta posterior del hospital.

Una vez sus ojos se hubieron adaptado, Samantha vio que se encontraba en un angosto pasillo enlosado, a ambos lados del cual había sendas puertas de doble hoja. La de la izquierda estaba entreabierta; Samantha atisbó rápidamente y lanzó un jadeo. Tendido en una mesa alargada, desnudo y de un blanco amarillento, vio el cadáver de un joven. Le rodeaban cuatro hombres de camisas arremangadas, hurgando en una cavidad que Samantha no alcanzaba a ver. El que visiblemente dirigía el grupito, un gigantón de rojizo cabello entrecano que llevaba un delantal de carnicero manchado de sangre, estaba comentando serenamente algún detalle.

—¿Quieres irte a casa, melindrosa? —le murmuró Freedy al oído.

Tragando saliva, Samantha sacudió la cabeza y le siguió pasillo abajo hasta la puerta más pequeña por donde habían entrado todos los estudiantes. Cruzó de puntillas el enlosado, abrió temerosamente la puerta y se encontró al pie de una oscura y angosta escalera. En lo alto de la escalera había otra puerta abierta de la cual surgían luz y voces.

—No tendríamos que hacer esto, Freedy —murmuró.

El muchacho se encontraba a su espalda, con una mano apoyada en su cintura.

—Ya sabía yo que no tendrías valor. Eres una miedosa, como siempre imaginé.

—¡No lo soy!

—Cállate si no quieres que nos echen. Bien, pues si no tienes miedo, sube.

Samantha inició el ascenso. Al llegar arriba, se detuvo y miró cautelosamente por el marco de la puerta. Vio la última grada de una sala de operaciones. En las tres inferiores se apretujaban los estudiantes de medicina, los médicos y los auxiliares, hombro con hombro, inclinados ávidamente sobre las barandillas metálicas, con los ojos clavados en la vacía mesa de operaciones, como si estuvieran aguardando el comienzo de una representación teatral. En la última grada, hacia el otro extremo, se encontraban acomodados los estudiantes de medicina con sus nerviosas y agitadas acompañantes.

Samantha se quedó en el rincón, apretujada contra el duro cuerpo de Freddy, y vio abrirse la puerta de doble hoja de abajo. Apareció el gigante pelirrojo, todavía con el delantal de carnicero que llevaba en la sala de autopsias. Su presencia dio lugar a un inmediato silencio. Era el señor Bomsie, profesor de cirugía clínica. Le acompañaban los tres ayudantes de la sala de autopsias, con las manos y los brazos todavía manchados de sangre oscura, e, inmediatamente después, dos hombres introdujeron en la sala de operaciones un cesto de mimbre que contenía a un paciente.

Era una frágil mujer, asustada y temblorosa como un gorrión; mientras la ayudaban a subir a la mesa y sus ojos miraban con inquietud los impersonales rostros que la estaban observando, uno de los ayudantes empezó a desabrocharle el vestido y el señor Bomsie se dirigió con voz de trueno a los presentes:

—La paciente es una hembra de veinticinco años que, por lo demás de buena salud, trabaja de sirvienta en Notting Hill. Su amo la envió al doctor Murray, tras haberse quejado ella de un intenso dolor en el pecho derecho. El examen reveló un pezón retraído que sangra constantemente y un bulto del tamaño de una manzana. Sin una intervención quirúrgica, moriría antes de un año.

Bomsie le hizo una seña a uno de los ayudantes. El joven se dirigió a un armario adosado a una pared y eligió los instrumentos preferidos del señor Bomsie: dos escalpelos, un tenáculo, unos cuantos torniquetes de Liston, unas tijeras. Después los depositó en una bandeja junto a la cabeza de la mujer.

Ataron con correas a la paciente que, con el pecho al descubierto, estaba suplicando ahora que la soltaran.

El North London Hospital había tenido el raro privilegio de ser el primer hospital de Inglaterra en que se había utilizado la anestesia durante las operaciones, lo cual no significaba, sin embargo, que ello fuera una práctica habitual; la conveniencia de utilizar o no cloroformo quedaba a la discreción del cirujano en cada caso, y el señor Bomsie había decidido no utilizarlo. Su opinión era compartida por muchos colegas suyos: eran demasiados los pacientes que morían debido a la inhalación del cloroformo y del éter. No valía la pena correr el riesgo de que murieran a causa de la anestesia para ahorrarles unos minutos de dolor durante la operación. Esa era la explicación que el señor Bomsie daba en público. Sin embargo, la razón secreta de que desdeñara la anestesia residía en su edad —tenía sesenta y tantos años— y en el hecho de ser un eminente cirujano casi legendario.

No hacía mucho tiempo, antes de la aparición de la anestesia, el mejor cirujano era el más rápido, aquel que más ahorraba al paciente los sufrimientos. En su larga e ilustre carrera, Gerald Bomsie se había hecho famoso por ser uno de los cirujanos más rápidos de Inglaterra. Sin embargo, con la llegada de la anestesia, gracias a la cual el paciente ya no gritaba y forcejeaba con las correas sino que dormía tranquilamente, los cirujanos podían trabajar despacio. Los criterios de la fama estaban cambiando: se elogiaba no a los más rápidos sino a los más hábiles, y aunque Gerald Bomsie era legendario en cuanto a lo primero, dejaba mucho que desear en lo segundo. La anestesia le estaba robando celebridad. Y puesto que muchos de los cirujanos de más edad seguían operando al estilo antiguo, sin utilización de anestesia, ninguno de los presentes en la sala en aquella fresca mañana de mayo cuestionaba el método del señor Bomsie.

Sujetando el escalpelo con los dientes, para poder alisarse la leonina melena con las manos, y haciendo caso omiso de los gritos de terror de la joven tendida delante de él, Gerald Bomsie extendió los dedos sobre el pecho enfermo, para estirar la piel, y lo abrió con un limpio corte.

Todos sacaron los relojes de bolsillo para cronometrar el tiempo. Samantha oyó que alguien decía en voz baja:

—No parpadees, ¡es el más rápido desde Liston! ¡Yo le vi cortar una vez de un solo tajo la pierna y los testículos del paciente, tres dedos de su ayudante y los faldones del frac de un espectador!

Los ojos gris paloma de Samantha se abrieron en hipnotizada fascinación. El pecho estaba siendo levantado de la pared del tórax y la sangre se escapaba en torrente hacia unos cubos de serrín colocados debajo de la mesa. Cuando el bulto de ensangrentada carne amarillenta cayó al suelo, las vigorosas manos del señor Bomsie efectuaron rápidamente unas ligaduras alrededor de los puntos sangrantes, vertieron agua sobre los relucientes músculos rojos y después unieron la piel con tiras de esparadrapo.

La salva de aplausos despertó a Samantha de su estupor. Vio que la paciente se había desmayado, por suerte para ella, al igual que las amigas de los estudiantes.

Mientras se llevaban a la paciente, el señor Bomsie se lavó las manos, algo que los cirujanos solo hacían *después* de una operación, y se dirigió de nuevo a los presentes. Pero Freedy y Samantha no se quedaron a escucharle. Bajaron a escondidas la escalera y corrieron hacia el pasillo, para ver adónde llevaban a la operada.

Nadie prestó atención a los dos zarrapastrosos chiquillos mientras seguían a los hombres que portaban el cesto. Llegaron a un vestíbulo lleno de médicos y estudiantes, pacientes apoyados en las paredes o tumbados en el suelo y visitantes con sombreros de copa y crujientes crinolinas. El cesto de mimbre fue introducido a través de una de las puertas que daban al vestíbulo. Freedy le dirigió a Samantha una sonrisa pícara.

—Estás un poco pálida, bonita. Ya no puedes soportarlo más, ¿verdad?

—Si tú puedes, yo también —contestó ella con dificultad.

Entraron en la sala sin que les vieran.

Lo que primero les hizo pararse en seco fue el hedor. Cubriéndose la nariz con el extremo de su pañoleta, Samantha contempló la escena: una alargada habitación con una chimenea al fondo y una hilera de camas flanqueando ambas paredes. Esforzándose en no marearse, Samantha recorrió con perpleja mirada las camas de las mujeres: algunas gemían, otras gritaban, algunas pedían la muerte y unas pocas conocían un caritativo reposo. Era la sala de enfermas operadas, y todas ellas, aquejadas por infecciones de diverso grado, habían sufrido alguna forma de mutilación quirúrgica.

Cerca de la chimenea había una mesa junto a la cual se encontraba sentada una hermana de la congregación de Todos los Santos, vestida con un sencillo hábito de holandilla marrón, con toca y delantal blanco, sorbiendo una taza de té. En la pared, a su espalda, había un aviso que decía: *Las sábanas tienen que cambiarse una vez al mes, sea necesario o no*. A lo largo del pasillo, que separaba las dos hileras de camas, y entre estas, las criadas del pabellón se afanaban en sus tareas: vaciar los orinales, dar la vuelta a las pacientes, aplicar emplastos, barrer los suelos. Otra hermana estaba haciendo inventario junto a un armario y efectuando anotaciones en un cuaderno. Samantha no sabía qué era peor, si el ruido o el hedor. Ninguna cámara de torturas hubiera podido ofrecer un coro más patético de sufrimientos humanos. Y, sin embargo, no podía cubrirse los oídos con las manos porque tenía que protegerse la nariz; en ningún lugar, ni siquiera en los callejones durante los calurosos días estivales, había sido asaltada por una fetidez tan espantosa. Samantha se percató de cuál era la causa de aquellas malolientes emanaciones: las llagas purulentas, las heridas que rezumaban, la carne gangrenada, los riachuelos de pus verdoso. Era el olor repugnante de unos cuerpos vivos pudriéndose.

Observó que el cesto de mimbre estaba vacío porque la desdichada criatura, con el busto todavía al aire, dejando al descubierto el pecho sano y el rojo y húmedo corte de la herida, había sido colocada en una cama. En el lecho vecino Samantha vio a un cirujano y a tres estudiantes examinando a una bonita niña de diez años a la que habían amputado una pierna por debajo de la rodilla y cuyo muñón descansaba sobre una bandeja para recoger el pus que manaba de la herida. Mientras hablaba, el cirujano retiró el vendaje de la niña: un rectángulo de brocado con unas iniciales bordadas, donado caritativamente por alguna familia pudiente. Arrancó el trozo de tela, tirando de él en los lugares en que se había pegado, y lo arrojó a los pies de la cama. Una hermana lo recogió inmediatamente, lo llevó a la cama de al lado donde la joven recién operada del pecho estaba llorando sin poderse contener y lo aplicó sobre el sangrante corte, fijándolo con esparadrapo de colapez.

Mientras otras dos hermanas se acercaban para ayudarla, una de ellas observó la presencia de los niños y gritó:

—¡Vosotros! ¡Largo de aquí!

Dando media vuelta, Freedy y Samantha echaron a correr, atravesaron a toda prisa el bullicioso vestíbulo y salieron por la puerta principal. Corrieron con toda la rapidez y agilidad de su juventud y experiencia, escalando vallas y saltando zanjas hasta que por fin cayeron agotados junto a un muro, jadeantes.

Freedy rompió a reír.

—Tengo que reconocerlo, Sam, ¡nunca te hubiera creído capaz de tanto! ¡Aún no he conocido a ninguna mujer que no se desmaye viendo *eso*!

Una vez recuperado el resuello, Samantha permaneció en silencio, clavados los ojos en el mugriento muro de ladrillo del otro lado. Freedy enmudeció también y entonces ella le dijo suavemente:

—No está bien, Freedy.

—Vamos, Sam, ¿dónde está tu valor? Todo el mundo lo hace, entrar a escondidas en el hospital...

—No me refiero a eso. —Samantha le miró con una expresión de sorprendente madurez en una persona de tan pocos años, fijos en él sus grandes ojos grises—. Hablo de lo que ocurre allí dentro. Los médicos tienen que ayudar, no torturar.

—Lo hacen con buena intención, Sam. Puede que no sepan hacerlo mejor.

Ella apartó la cabeza y se entregó a profundas y angustiadas reflexiones.

Se pasó varias semanas sufriendo pesadillas, y de día la perseguían los terribles recuerdos del hospital. Lo que la trastornaba, sin embargo, no era el temor de aquel lugar ni la repugnancia que todo ello le había causado, tal como Freedy suponía, sino la espantosa sensación de que aquello estaba *mal*.

Cuando la preocupación de Samantha por el hospital se convirtió en una obsesión dominante, ocurrió algo que la distrajo.

Al trocarse el verano en un invierno que cubrió Londres con un manto de sucia nieve, el fervor religioso de Samuel Hargrave se intensificó. Aquel año, cuando no recorría las calles en compañía de Freedy, Samantha ayudaba a su padre por las noches en su divina misión: su tarea consistía en coser los opúsculos.

No satisfecho con hablar desde el púlpito algunos domingos, Samuel empezó a pronunciar sermones por las calles. Provisto de los opúsculos bíblicos que él mismo escribía y hacía imprimir, y que Samantha cosía a la luz de una lámpara, Samuel Hargrave recorría los lugares donde se producían las escenas más licenciosas de Londres —Cremorne Gardens, Haymarket y Regent Street—, arrojando sus folletos a las prostitutas e invitándolas a arrepentirse. Su fanatismo fue operando en él un lento cambio que Samantha, en su ciego afecto, no acertó a ver. Y una noche Samuel hizo una cosa muy rara.

Mientras Samantha se hallaba inclinada sobre los opúsculos con el cabello cayéndole hacia delante y las mejillas y la frente bañadas en la lechosa luz de la lámpara, sintió fija en ella la intensa mirada de su padre. Al levantar la cabeza, le sobresaltó la vehemencia de sus ojos. Samantha le estuvo mirando largo rato, desconcertada pero sin asustarse, hasta que él abrió la boca y ella le oyó decir:

—Felicity...

Sin saber a qué se refería, porque no conocía a nadie que se llamara así, Samantha le preguntó:

—¿Qué ocurre, padre?

Su vocecita pareció abrir una puerta. El rostro de Samuel, por primera vez en diez años, se ablandó mientras los ojos se le empañaban levemente. Al verlo, Samantha lanzó un grito, se levantó de su silla y, corriendo hacia él, le echó los brazos al cuello y rompió a llorar contra su pecho. Por un instante, él se lo permitió, aunque no le devolvió el abrazo, y ella pudo oír los latidos terriblemente acelerados de su corazón. Después Samuel apartó a su hija y, una vez recuperado el dominio de sí, siguió escribiendo su sermón.

Dos días más tarde, hizo el anuncio.

Ya era hora, dijo en el tono que utilizaba para quejarse de una chuleta poco asada, de que Samantha aprendiera el significado del buen trabajo cristiano y el valor de un chelín. Al fin y al cabo, ya tenía diez años y se estaba acercando rápidamente al umbral de la edad adulta. Había un caballero viudo, le explicó lacónicamente, que necesitaba quien le ayudara en los trabajos domésticos: una mujer que le preparara la comida y le limpiara la casa. Cuando quiso comentar que era absurdo enviarla a ella a servir a otra casa y conservar, en cambio, a la criada, Samantha vio, por su resuelta manera de apretar la mandíbula, que sería inútil disentir. Iría todas las mañanas, le explicó él, a la casa del hombre con quien había concertado el trato; se llevaría la comida y la cena y regresaría a casa a dormir, dado que el caballero en cuestión no deseaba que lo hiciera en la suya.

Samantha empezaría al día siguiente y el nombre del caballero era Isaiah Hawksbill.

5

Lo primero que advirtió Samantha fue el nauseabundo hedor que se escapaba a través de la puerta abierta; lo segundo fue la extrema fealdad del hombre. Mirándole boquiabierta, Samantha trató de disimular su sobresalto. Porque Freedy la había avisado de que, como demostrara tenerle miedo, caería en poder de Hawksbill.

—Pasa —le dijo él con aspereza—, eres la chica Hargrave.

Samantha tragó saliva y cruzó el umbral.

Se encontraban en el fregadero de la cocina y, una vez sus ojos se hubieron acostumbrado a la oscuridad, a Samantha se le cortó el aliento. El espectáculo era sorprendente, con platos y cacharros sucios por todas partes, restos de comida putrefacta, mugrientas jarras y trozos de pan florecido.

—Empezarás por aquí —le dijo él bruscamente y Samantha observó que tenía un defecto de pronunciación o bien un leve acento extranjero—. No tengo tiempo de ocuparme de este desorden, pero no me queda una cuchara limpia y estoy harto de prepararme la comida.

Sus ojillos verdes brillaban por debajo de unas pobladas cejas canas; el cabello, blanco como la nieve, estaba enmarañado y necesitaba un corte y su hirsuta barbilla, un buen afeitado. Llevaba una arrugada levita, una corbata torcida y una camisa blanca que había adquirido un tono grisáceo y estaba llena de lamparones. En conjunto, no era, en realidad, más que un anciano descuidado, pero a Samantha le pareció verdaderamente el monstruo sobre el cual Freedy la había prevenido.

Experimentó súbitamente el impulso de dar media vuelta y salir huyendo, pero entonces recordó que estaba allí por deseo de su padre (debido cualquiera sabía a qué misteriosa razón) y, recordándolo, se sintió dominada de inmediato por su perpetuo afán de complacerle. Por su padre, se quedaría.

—Esto te va a llevar todo el día —dijo Hawksbill con voz agria—. A las doce, me traerás pan remojado con leche. Hay una habitación al final del pasillo, al otro lado de la sala; la puerta estará cerrada con llave. Dejarás el plato en el suelo y regresarás aquí. *En ningún caso debes llamar.* Para la cena, hay pollo frío en aquella alacena. Toma un ala para ti y tráeme el resto en una escudilla. Déjalo frente a la puerta y márchate. Cuando hayas comido, vete. No volveré a hablar contigo hasta mañana por la mañana. ¡Si tienes alguna pregunta que hacer, guárdatela!

Isaiah Hawksbill se detuvo un momento y miró de hito en hito el tembloroso cuerpecito de la niña con sus perversos ojillos; después dio media vuelta y se alejó renqueando.

El trabajo equivalía a un esfuerzo hercúleo, pero la pequeña Samantha puso manos a la obra con todo su entusiasmo, esperando recibir del señor Hawksbill una alabanza de la cual pudiera hacer ofrenda a su padre. Se dedicó estoicamente a limpiar los estantes, los rincones, la pila y el suelo, arrojando la repugnante basura a un cubo de la trasera de la casa, y después lavó, fregó y frotó hasta que las manos se le quedaron en carne viva. A mediodía llevó el plato de pan remojado con leche hasta el fondo de un largo y oscuro pasillo, se detuvo ante la puerta cerrada y prestó atención. De dentro llegaba el débil rumor de las pisadas de alguien que caminaba arrastrando los pies. Más tarde, a la hora de cenar, regresó con el pollo rancio y encontró el plato vacío en el lugar en el que ella lo había dejado. Adentro, inquietante silencio.

La casa era oscura y polvorienta y los muebles aparecían cubiertos por sábanas; la escalera subía hacia una siniestra oscuridad. Al caer la noche, Samantha empezó a estremecerse de miedo y, puesto que no tenía apetito, arrojó el ala del pollo al cubo de la basura, cerró de golpe la puerta de atrás y regresó a casa corriendo.

A la mañana siguiente, Isaiah Hawksbill la estaba aguardando.

—Me tienes que cambiar la ropa de la cama. Hace casi un año que no se ha tocado. Tendrás que deshacer la cama, lavar las sábanas y tenderlas. Encontrarás sábanas limpias en algún armario de por ahí. Mi almuerzo será lo mismo de ayer y, para la cena, hay una lata de carne. Extiéndela en una capa delgada *(delgada, he dicho)* sobre unas cuantas rebanadas de pan y déjamelas delante de la puerta. Toma tú una rebanada.

El viejo extendió súbitamente la mano y le asió dolorosamente el brazo.

—Hay algo que tienes que meterte bien en tu cabeza de mocosa, y es que jamás debes intentar entrar en la habitación que tengo bajo llave. El resto de la casa me importa un bledo, pero esta habitación... —se inclinó hacia delante, casi rozándole el rostro con el suyo—. ¡Como te pille una vez, aunque solo sea una, tocando el tirador de aquella puerta, desearás no haber nacido!

Al término de la semana, Samantha estaba agotada. Las tareas diarias en la sombría casa de dos pisos de Hawksbill hubieran sido suficientes para mantener ocupadas a dos robustas muchachas, por lo cual cabe imaginar lo que eso significaba para una endeble chiquilla de diez años: encender la lumbre por la mañana y poner el agua a calentar, limpiar y rascar la parrilla, sacudir las pesadas alfombras y volverlas a extender, quitar el polvo de los estantes, sacar la basura, y limpiar la chimenea hasta quedarle los brazos completamente negros. Hawksbill le daba nueve peniques y esperaba que comprara con ellos pan y empanadas de carne casi podrida y leche que era agua en un setenta por ciento. Pero, cuando depositaba en la palma de su mano los tres chelines (Samantha no sabía que casi todas las criadas ganaban seis o siete), todo su cansancio se desvanecía. Serían una ofrenda de amor a su padre.

—Bueno, ¿qué tal va eso? —le preguntó Freedy, acercándose a ella mientras regresaba a casa.

—Es una vivienda como otra.

—¿Hace cosas malas el viejo?

Samantha pensó en la habitación cerrada.

—Que yo sepa, no.

Freedy largó un puntapié a una piedra con su pie descalzo. Tenía casi quince años, era alto y desgarbado y se le estaba empezando a desarrollar la musculatura bajo su ajustada y sucia camisa.

—Harry Passwater dice que el viejo le hizo una vez una cosa fea a una niña pequeña. Estuvieron a punto de ahorcarle, pero embrujó a los testigos y nadie pudo demostrar nada.

—Harry Passwater no tendría que andar contando historias.

—¡Vamos, no te des aires conmigo, Samantha Hargrave! ¡Aunque seas una chica de servicio, no estás en casa de un miembro del Parlamento!

Al llegar a la puerta de su casa, Freedy se volvió de golpe y asió impulsivamente a Samantha por los hombros. Con una seriedad que ella jamás había conocido, dijo en tono grave:

—Si ese vejestorio te toca un pelo tan siquiera, ¡te juro que le machacaré los cochinos sesos!

Ella le vio alejarse corriendo y entró a toda prisa en la casa. Su padre tomó los chelines sin decir palabra.

Mientras el verano se trocaba en otoño y el otoño se transformaba en un húmedo y melancólico invierno, los días se fueron confundiendo en sucesiones de semanas, y una aburrida monotonía, con la excepción de alguna que otra carta ocasional de James desde Oxford, se apoderó de la vida de Samantha. Según pasaba los días entre las silenciosas y tristes paredes de la sombría casa de Hawksbill y las noches estudiando la Biblia junto a la chimenea, la curiosidad empezó a crecer en su interior.

¿Qué haría el señor Hawksbill al otro lado de la puerta cerrada?

6

Isaiah Hawksbill tenía dos secretos muy bien guardados: el primero de ellos estaba enterrado bajo las tablas del suelo del recibidor, y el segundo era el hecho de ser judío.

Isaiah Rubinovich, nacido en la yerma franja de tierra que discurre a lo largo de la frontera occidental de Rusia y que se conoce como la Empalizada, era hijo de un pobre buhonero y de su mujer tuberculosa. Se había visto obligado a huir del gueto cuando se habían presentado una noche los «hachas» en busca de jóvenes judíos con que completar el cupo militar: el zar Nicolás había ordenado que todos los muchachos judíos de entre doce y dieciocho años fueran reclutados al objeto de cumplir veinticinco años de servicio. Isaiah se había marchado con un pan en el bolsillo, prometiendo regresar algún día, cuando la situación fuera más segura. De eso hacía cuarenta y cinco años.

La casualidad y un agudo ingenio le habían permitido atravesar Polonia y llegar a Alemania, donde los judíos gozaban de mayor libertad y la atmósfera académica estaba en pleno apogeo. Tras ganarse la vida como aprendiz de botica, Isaiah Rubinovich se matriculó en la Universidad de Giessen, donde estudió farmacología bajo la guía del famoso barón Von Liebig. Aunque soñaba con regresar algún día a su patria, el solitario y joven Isaiah estaba convencido de que su sueño era una quimera porque, durante su ausencia, la extensión de la Empalizada se había reducido y casi todos los judíos rusos vivían al borde de la inanición y en la desesperanza. En la Europa occidental, aunque se sentía solo y echaba de menos a los suyos, Isaiah gozaba de libertad intelectual y tenía la seguridad de que podría abrirse camino y prosperar.

Después de destacarse como erudito y químico y recibir el espaldarazo de la comunidad científica, Isaiah inauguró una floreciente farmacia y se granjeó el aprecio de muchos médicos eminentes. Sin embargo, la viveza de su carácter y su temperamento apasionado le hicieron caer en desgracia ante los poderes públicos. Entonces abandonó el continente y se perdió entre la población en rápido desarrollo de Londres donde cambió de apellido (tomando el de una taberna de la zona) y logró abrir otra próspera farmacia, se casó con una bella judía inglesa llamada Rachel y disfrutó largos años de felicidad, hasta que estalló la epidemia de cólera de 1848, que se llevó a su mujer.

Cerró la tienda, condenó con tablas las ventanas de su casa y juró que jamás volvería a tener ningún trato con la sociedad.

Recibió a Samantha en la puerta trasera, como acostumbraba hacer, a las siete en punto. Aquella mañana, sin embargo, llevaba una polvorienta chistera sobre el enmarañado cabello y se había puesto un gabán.

—Tengo que salir, mocosa. Me fastidia mucho, Dios sabe el tiempo que hace que no piso la calle; pero se trata de una diligencia urgente.

Aunque se entregó inmediatamente a sus tareas con toda la vigorosa determinación de que pudo hacer acopio su frágil cuerpo y pese a estar acostumbrada a trabajar sola y a vagar por la casa sin la compañía de nadie, aquella mañana, y una vez las fuertes pisadas de Hawksbill se hubieron perdido camino abajo, Samantha no pudo evitar la estremecedora realidad de que, por primera vez, se encontraba auténticamente sola en la vivienda.

En un intento de armarse de falso valor, empezó a canturrear mientras quitaba el polvo, habló en voz baja mientras barría y dio fuertes pisadas para meter ruido en la casa (observando una vez que, en el recibidor, las tablas del suelo sonaban extrañamente a hueco), hasta que por último se encontró inevitablemente frente a la habitación cerrada.

Se inclinó, tal como había hecho muchas veces, y pegó el oído a la madera de la puerta. En ocasiones había escuchado extraños ruidos, como de rascar, algún que otro golpe seco y, justamente la víspera, lo que parecía ser una cadena que arrastrasen por el suelo. Pero en ese momento reinaba allí un silencio sepulcral.

Retrocedió y estudió los paneles de roble.

Lo correcto hubiera sido dar media vuelta y retirarse. Pero la indecisión la había paralizado. Toda la obediencia que su padre le había enseñado se disipó ante su vehemente necesidad infantil de saber qué había al otro lado de aquella puerta. Samantha extendió la mano y tocó cautelosamente el tirador. Para gran sobresalto suyo, la puerta se abrió un par de centímetros.

Retiró la mano como si hubiera recibido un mordisco. ¡El viejo no había cerrado con llave!

Tragando saliva para armarse de valor, apoyó la palma de la mano en el bastidor y empujó suavemente;

la puerta, girando sobre sus goznes, se abrió como unas enormes fauces negras que bostezaran, sin revelar más que una impresionante oscuridad al otro lado. Con los ojos muy abiertos, Samantha avanzó un paso, y otro, y otro más, hasta que se encontró en el interior de la habitación prohibida.

El aire era gélido. No había ninguna luz; la grisácea claridad matinal se filtraba a través de unos pesados cortinajes de terciopelo. Pero según se le adaptaban los ojos a la penumbra, la niña alcanzó a distinguir diversos objetos diseminados aquí y allá.

Era la habitación más desordenada que jamás hubiera visto.

Gruesos libros se elevaban formando retorcidas torres, amontonándose desde el suelo hasta el techo, en un precario equilibrio que el menor soplo de brisa hubiera podido romper; voluminosas cajas de madera, de algunas de las cuales se escapaba la paja de relleno, se hallaban adosadas a las paredes; grandes cantidades de papeles ocupaban la superficie de una mesa que parecía próxima a hundirse bajo el peso que soportaba; en las paredes se veían gráficos y diagramas; sobre la repisa de la chimenea había lechuzas y halcones disecados; en el interior de la chimenea destacaba una caja de madera sin abrir. Apenas quedaba espacio libre en el suelo, solo un estrecho camino que el señor Hawksbill había abierto para poder moverse.

Adosada a una pared, una mesa de trabajo aparecía cubierta de frascos y tarros y de toda una serie de objetos de vidrio que Samantha no pudo identificar. Había un alto taburete, una lámpara de aceite, una pluma de ave y un tintero de asta. Por encima de la mesa, unos estantes de madera sostenían el peso de más libros, papeles, frascos y latas.

Y entonces lo vio. Un tarro con un hombrecillo atrapado en su interior.

Isaiah Hawksbill entró apresuradamente por la puerta trasera, sacudiéndose las gotas de lluvia de los hombros y las mangas. Quitándose la bufanda que le rodeaba el rostro, restregó los pies en la estera del interior. Llevaba bajo el brazo un paquete envuelto en papel.

Fascinada, Samantha se acercó un poco más al tarro, contemplando boquiabierta los diminutos brazos extendidos del pequeño prisionero. Estaba tratando de salir.

Hawksbill avanzó por el pasillo, inmerso en sus pensamientos, y se detuvo bruscamente al ver la puerta abierta de par en par.

Samantha se puso de puntillas y extendió la mano hacia el tarro. Tomándolo cuidadosamente para no lastimar al pequeño prisionero, lo acercó al borde del estante. Cuando lo estaba bajando, apretado entre sus deditos, captó un movimiento por el rabillo del ojo.

Se volvió. Él se encontraba de pie en la puerta. Samantha lanzó un grito y soltó el tarro. Este se rompió en mil pedazos al estrellarse contra el suelo.

El viejo se le acercó como un enorme pájaro negro, con la capa volando a su espalda. Samantha lanzó un grito mientras las nudosas manos del viejo se abatían sobre ella; un intenso dolor recorrió sus brazos cuando él los agarró fuertemente.

—¡Por favor, señor, yo solo quería soltarle! ¡No he tocado nada más! ¡Por favor, no me mate, señor Hawksbill!

—¡Te lo advertí, mocosa! —gritó él, sacudiéndola como si fuera una muñeca de trapo.

—¡Él deseaba salir de ahí! —chilló la niña—. ¡Yo solo quería soltarlo!

—¡Te voy a dar una lección, mocosa!

Samantha consiguió liberar un brazo y protegerse el rostro con él.

—*¡Por favor, no me mate, señor Hawksbill!*

Él dejó de sacudirla, y cuando Samantha abrió cautelosamente un ojo y le miró, vio que una mueca de confusión torcía su grotesco rostro.

—¿De qué estás hablando? ¿Soltar a quién?

En una reacción tardía, Samantha se echó a llorar.

—Al hombrecito —contestó entre sollozos—. ¡Usted no tenía derecho a tenerle encerrado en una botella! ¡Él deseaba salir y yo solo quería ayudarle!

Para su inmenso asombro, Hawksbill la soltó y se irguió cuan alto era.

—Deja de llorar —le dijo en tono perentorio.

Samantha resolló y empezó a hipar.

—¡He dicho que dejes de llorar! Y ahora dime, ¿de qué estás hablando?

—¡El hombrecito! —contestó ella, señalando el tarro roto.

Sacándose una cajita del bolsillo, Hawksbill encendió un fósforo y, aplicándolo a la lámpara de aceite, subió al máximo la llama. Después se agachó sobre el estropicio.

—Mi raíz de mandrágora —dijo con voz extrañamente distante—. Pero está bien, no le ha ocurrido nada —levantó los ojos para mirar a Samantha—. ¿Te he lastimado?

—N-no, señor —contestó ella, arqueando las cejas.

Él volvió a mirar el tarro; sus nudosos dedos acariciaron suavemente los trozos.

—Me va a dar mucho trabajo recoger todo eso. Era el tamaño adecuado, no sé dónde encontraré otro...

Samantha le miró, presa de estupor. Estudió la jorobada espalda, los encorvados hombros y la sonrosada calva en medio de la corona de cabello blanco. Después dijo con un hilillo de voz:

—Lo siento mucho, señor Hawksbill, lo siento de veras.

Él se levantó entre crujidos de articulaciones e hizo una mueca.

—No has podido vencer la curiosidad. Los niños sois así —su voz se suavizó—. ¿Estás segura de que no te he lastimado?

—Ni tanto así, señor Hawksbill.

—Mira, ella tenía aproximadamente tu edad...

—La raíz de mandrágora es muy curiosa. Por el hecho de parecerse a un hombre en miniatura, se creyó durante muchos siglos que tenía extraños y míticos poderes.

Estaban sentados en el desordenado estudio, bebiendo té de Darjeeling. Samantha había barrido los trozos de vidrio y el señor Hawksbill había encontrado un nuevo tarro para la raíz.

—Se creía que estaba tan firmemente adherida a la tierra que, cuando la arrancaban, gritaba como un ser humano torturado, y que quien oyera su grito moriría instantáneamente. Por eso la raíz de la mandrágora la arrancan siempre perros adiestrados.

Los ojos de Samantha se posaron una vez más en el tarro en que la raíz se encontraba nuevamente prisionera. Ahora estaba claro que no era más que una raíz. Pero antes hubiera jurado...

—Ella siempre la llamaba el hombrecito.

—¿Quién?

—Mi Ruth. Tenía aproximadamente tu edad cuando... —respiró hondo para serenarse—, cuando el cólera se la llevó. Lo intenté todo para salvar a mi chiquilla, pero, a pesar de todos mis conocimientos y de mi farmacia, no pude. Eso fue hace más de veinte años, y aún lloro su muerte.

Samantha contempló el desorden que la rodeaba.

—¿Esto es una farmacia?

—¡No, por Dios! —el rostro de Hawksbill se arrugó en una insólita sonrisa—. La abandoné cuando murieron mi Ruth y Rachel. Cuando vi lo impotente que era, decidí dejarlo todo.

—Entonces, ¿qué es todo esto?

—Sientes curiosidad, ¿verdad? Igual que mi Ruth, siempre haciendo preguntas... —el viejo miró a Samantha y su voz languideció—. ¿Dónde está tu madre, chiquilla?

—No lo sé.

—¿La recuerdas?

—No.

—¿Dices... oraciones por ella?

—Yo rezo todas las noches por las mujeres caídas del Haymarket.

—¿Por qué?

—Mi padre dice que debo hacerlo.

—¿Y nunca te ha dicho que rezaras por tu mamá? ¿Nunca has sentido curiosidad por ella?

—No he pensado en eso y supongo que no está bien, porque todo el mundo tiene madre, incluso Freedy. Me parece que siempre he pensado que no tenía madre, pero eso no puede ser, ¿verdad?

—No, desde luego que no...

Fue un nuevo motivo de curiosidad para Samantha, resuelto ya el misterio de la habitación cerrada del señor Hawksbill. Era botánico, le dijo él, y estaba escribiendo el libro más importante de cuantos existieran acerca de las medicinas orgánicas. Era una obra muy vasta y exigía mucha investigación y disciplina, razón por la cual tenía que concentrar todas sus energías en él. Sabiendo ya a qué se dedicaba Hawksbill a lo largo de todo el día, Samantha empezó a centrar su curiosidad en su madre.

Halló la respuesta una noche en la Biblia, en la página titulada *Memoria Familiar*. A la mañana siguiente, cuando llegó a la casa preguntó al señor Hawksbill:

—¿Qué significa «fallecida»?

Él se disponía en aquellos momentos a salir de la cocina.

—¿Por qué?

—Porque eso es lo que sé de mi madre. Lo leí después de su nombre.

Hawksbill hizo un gesto de irritación.

—Significa muerta.

—¿Mi madre ha muerto?

—Eso es lo que significa —contestó él, dando media vuelta.

—Murió el día de mi cumpleaños. ¿Cómo murió?

—¿Por qué no se lo preguntas a tu padre?

—Oh, no puedo molestarle.

—¡Pero puedes molestarme a mí! —gritó él.

—Lo siento, señor Hawks... —dijo Samantha acobardada.

—¡Se me hace tarde! ¡No soy joven, sabes! ¡Tengo que trabajar de firme para que el maldito libro se pueda publicar antes de que yo fallezca!

Al verle dar media vuelta, Samantha le preguntó rápidamente:

—¿Pues por qué no contrata a un ayudante?

Él se volvió a mirarla. Sus ojillos verdes relampagueaban.

—¿Qué es esto, mocosa impertinente? ¡Primero metes las narices en mis asuntos privados y ahora me dices cómo tengo que hacer las cosas! Yo no necesito ayuda en lo que sé hacer bien, ¿te enteras?

—Pero es una obra muy importante, señor Hawksbill, usted mismo lo ha dicho. Y sería una lástima que no la terminara antes de que falleciera. Me parece que conozco a un chico fuerte que podría levantar pesos y hacerle diligencias...

—*Himmel* —musitó él, frotándose la hirsuta barbilla—. La mocosa tiene razón.

Pensando en Freedy, Samantha se apresuró a añadir:
—Un chico que podría salir a la calle a buscar tarros y ordenarle los libros para que a usted le fuera más fácil consultarlos, y hacer todas estas cosillas en las que usted pierde tanto tiempo en lugar de escribir...

—No necesito a ningún chico —contestó él bruscamente—. ¿Para qué iba a gastarme un cuarto de penique más, teniéndote a ti?

—¿Yo, señor? —dijo ella, abriendo mucho los ojos.

7

Aquel mismo día la puso a trabajar. Había que sacar tarros de los embalajes, pegar etiquetas, clasificar cajas de hierbas, pétalos de flores secas y semillas, afilar plumas de ave, llenar de aceite las lámparas y desempolvar los libros; y, al averiguar que Samantha sabía leer, el viejo le encomendó la tarea de ordenar alfabéticamente los montones de monografías sobre las características de cientos de plantas; al enterarse de que sabía escribir, le confió el cometido de escribir las etiquetas con los nombres botánicos, pues sus temblorosas y viejas manos le impedían a él hacerlo con pulcritud. Al término de la primera semana, Isaiah Hawksbill empezó a explicarle cosas a Samantha: por qué la regaliz se llamaba *Glycyrrhiza glabra*, de qué manera la semilla del melón provocaba la expulsión de la solitaria, lo maravilloso que resultaba como sedante el *Centranthus ruber* y en qué lugar del mundo se encontraba la dragontea. El deseo de aprender que mostraba la niña se intensificaba a medida que iba adquiriendo nuevos conocimientos; cuantas más cosas él le enseñaba, tanta más curiosidad experimentaba ella y, a pesar de que sus constantes preguntas hubieran tenido que irritar a Isaiah Hawksbill, a este le sorprendió la paciencia de que estaba haciendo gala. En efecto, coincidiendo con el creciente deseo de aprender de la niña, nació en el petrificado espíritu de Isaiah Hawksbill un intenso deseo de enseñar.

Y, además, Isaiah descubrió otra cosa, algo acerca de sí mismo que hasta entonces ignoraba: que había estado solo, terriblemente solo...

Mentor y pupila acabaron formando un equipo muy unido; ella dedicaba cada vez menos tiempo a las labores domésticas y cada vez más tiempo a permanecer sentada a sus pies, escuchando, aprendiendo, haciendo preguntas y recordando. Al hablarle de los poderes medicinales del té de gingseng y descubrir que ella jamás había oído hablar de China, sacó un viejo atlas y le mostró la configuración del globo. Al averiguar que su padre no le había instruido en la aritmética, Hawksbill decidió enseñarle las decenas y las unidades, las sumas y las restas. Su afán de conocimiento le complacía; su rapidez de comprensión le inspiraba; y su extraordinaria capacidad de recordar sus lecciones le llenaban de orgullo.

Noviembre dio paso a diciembre y a este sucedió un nevoso enero en cuyo transcurso Isaiah Hawksbill, sentado en compañía de Samantha Hargrave junto al rugiente fuego de una chimenea que no se utilizaba desde hacía muchos años, estuvo comunicando a la niña todos sus conocimientos y su sabiduría. Su obsesión por el libro de herboristería empezó a disminuir; le satisfacía enormemente transmitir su legado a aquella niña tan ávida de ilustración. Verla crecer intelectualmente le resultaba más satisfactorio que depositar sus vastos conocimientos en el efímero papel. Al llegar la primavera y cumplir ella los once años, la enseñanza se extendió a otros temas: astronomía, zoología, historia clásica... y ambos se pasaban los días explorando juntos el mundo.

Si bien transcurría el tiempo, Samantha jamás le dijo nada de todo aquello a su padre.

8

El señor Hawksbill tomó un tarro de mayólica y lo hizo girar lentamente bajo la luz.

—Eso es *Smilax officinalis*, Samantha, una preciosa posesión.

Ella estudió la pequeña enredadera espinosa de largas y finas raíces y preguntó:

—¿De dónde viene?

—De muchos lugares. La gris, de México; la parda, de Honduras; y esta —dio una cariñosa palmada al tarro—, la más difícil de encontrar, procede de las laderas occidentales de los Andes.

—¿Qué es?

—¿Qué es? Pues un remedio secular para aliviar los dolores del parto, *Liebchen*. También cura una dolencia que se llama *angina pectoris*. Y los salvajes de América del Norte creen que cura la impotencia.

Samantha trató de pronunciar la difícil palabra en latín.

—Los españoles le dan un nombre más sencillo, *Liebchen* —añadió el señor Hawksbill—. La llaman zarzaparrilla.

La calma de aquella mañana de junio quedó turbada por un repentino tumulto en la calle. Bajando de su alto taburete y apartando la cortina de la ventana, el señor Hawksbill pudo contemplar una caótica escena: un caballo de tiro desbocado bajaba por la angosta calle, derribando a su paso los tenderetes de verduras y obligando a la gente a escapar en todas direcciones; le seguía una alborotada muchedumbre vociferante. Dos audaces jornaleros se abalanzaron sobre el animal, consiguieron asir las riendas y forcejearon con la asustada yegua hasta lograr que se detuviera relinchando justo frente a la puerta de la casa de Hawksbill.

Dominada por la curiosidad, Samantha se acercó a la ventana y miró. Vio a un grupito de personas congregadas un poco más allá.

—¿Qué ocurre, señor Hawksbill?

—Parece que alguien se ha lastimado.

—¿No tendríamos que ayudar? —preguntó ella, levantando el rostro hacia él.

—No es asunto nuestro —contestó el anciano, soltando de pronto la cortina.

—¡Pero usted tiene todas esas medicinas maravillosas!

—Lo dejé hace años.

Samantha volvió a mirar y vio que dos hombres bajaban corriendo por la calle con una puerta que llevaban en posición horizontal. Dando media vuelta, echó a correr por el pasillo, salió por la puerta trasera, porque la principal estaba permanentemente cerrada, bajó por el callejón, dobló la esquina y se detuvo casi sin resuello junto al corrillo. El carretero, retorciéndose las manos, decía:

—¡El chico quería detener a la yegua él solo! ¡No he podido evitarlo!

La muchedumbre se apartó al paso de los que llevaban la puerta; al ver quién estaba tendido en el suelo, gimiendo de dolor, Samantha corrió hacia él y cayó a su lado de rodillas.

—¡Freedy!

Él ladeó la cabeza, pero no abrió los ojos.

—Retírate, niña, tenemos que colocarle sobre esta tabla.

Los hombres asieron rudamente al chico por las piernas y las axilas y le dejaron caer sobre la puerta. Samantha contempló aterrada la pierna derecha de Freedy: fracturados, ambos huesos habían atravesado la carne y ahora brillaban, junto con la sangre y el barro, bajo el sol del mediodía.

Una sombra cayó sobre ella y la muchedumbre se apartó: Samantha levantó los ojos y vio a Isaiah Hawksbill de pie a su lado.

—¿Adónde se lo llevan, señor Hawksbill?

—Al hospital —contestó él, contemplando a través de los párpados entreabiertos la pierna destrozada de Freedy.

Cruzaron por su mente las imágenes y los recuerdos de su visita de hacía dos años al North London Hospital.

—¡No pueden hacer eso! —gritó ella, volviéndose de repente y arrojándose sobre el cuerpo de Freedy.

—Vamos, vamos —dijo Hawksbill, inclinándose hacia ella.

—¡No! —volvió a gritar Samantha—. ¡A ese sitio no! ¡No les dejaré que se lo lleven!

—Por favor, señor —dijo uno de los hombres de la puerta—. Aparte a la chica de aquí. No disponemos de todo el día.

Isaiah Hawksbill miró a Samantha, vio sus delgados brazos alrededor de los musculosos hombros del muchacho de dieciséis años, contempló la arqueada espalda sacudida por los sollozos y el reluciente cabello negro que se derramaba sobre el cuerpo inmóvil, y se sintió invadido por una antigua emoción que creía muerta hacía mucho tiempo.

—Me encargaré del chico —se oyó decir a sí mismo—. Síganme.

Samantha levantó la cabeza, bañadas en llanto las mejillas, se irguió lentamente y, tomando en la suya una de las inertes manos de Freedy, echó a andar junto a los dos hombres que, cargados con la puerta, enfilaron el callejón hacia la entrada posterior de la casa de Hawksbill. Una vez dentro, los hombres siguieron al viejo en la penumbra, mirando a uno y otro lado con los ojos muy abiertos, hasta el salón delantero, donde

Hawksbill retiró la polvorienta sábana que cubría el viejo sofá de crin.

—Pueden dejarlo aquí.

Los hombres inclinaron la puerta y, dejando caer a Freedy sobre el sofá como si fuera un saco de carbón, abandonaron seguidamente la estancia. Samantha arregló los cojines a su alrededor y se dispuso a atenderle.

—No sé si podré hacer mucho, *Liebchen* —dijo el viejo mientras bajaba por la escalera cargado con mantas y sábanas—. Toma, corta unas tiras de aquí y después tráeme un poco de agua caliente.

Las manos de Hawksbill estaban demasiado artríticas y temblorosas para que pudiera lavar la herida como era debido.

—Déjeme hacerlo a mí —pidió Samantha, y entonces él le entregó el lienzo y la vio arrodillarse al lado de Freedy y limpiar cuidadosamente la carne abierta.

Hawksbill trajo unos tarros del estudio, machacó unas hojas e hizo una tintura de raíces que Samantha aplicó amorosa y delicadamente sobre el hueso al descubierto y los músculos desgarrados. De pie junto a ella y contemplando cómo sus finos y largos dedos manipulaban los tejidos de la herida, Isaiah Hawksbill se maravilló de su infatigable dedicación. Cualquier otra mujer se hubiera puesto histérica o se hubiera desmayado. En cambio, con qué naturalidad lo estaba haciendo ella, como si se tratara simplemente de remover unas natillas.

Entre los dos, una frágil muchachita de once años y un anciano artrítico, consiguieron colocar los huesos en su sitio, separar la pierna e inmovilizarla entre dos rígidas tablillas; después, siguiendo las indicaciones de Hawksbill, Samantha juntó la carne y aplicó unas tiras de esparadrapo sobre la piel. Al terminar, Hawksbill se dejó caer agotado en un sillón, con una copa de brandy en la mano, y Samantha se apartó unos rizos de la húmeda frente. Observaron que ya había oscurecido, y durante todo aquel tiempo Freedy no había recuperado ni una sola vez el conocimiento.

—Hemos hecho cuanto estaba en nuestra mano, *Liebchen* —dijo Hawksbill con voz cansada—. Ahora todo depende de Dios.

—Se repondrá, ¿verdad? —preguntó Samantha, tomando un sorbo de té.

—No te quiero engañar, hija mía —contestó Hawksbill, sacudiendo la enmarañada cabellera—. Su estado es grave. Pocos sobreviven a esta clase de fracturas.

—¿Por qué no? ¡Hemos colocado los huesos en su sitio y hemos cerrado la herida!

—Porque se producirá una sepsis, y todo el mundo sabe que no se puede hacer nada para combatir la sepsis.

—¿Qué es una sepsis?

—Veneno, *Liebchen*, infección. Nadie sabe cuál es la causa y por esa razón nadie sabe cómo combatirla.

Hawksbill hizo una pausa. Había oído decir últimamente que un joven cuáquero escocés llamado Joseph Lister afirmaba haber descubierto un remedio... El anciano sacudió la cabeza. Dudaba de que pudiera ser algo bueno, viniendo de Escocia.

Contemplando el cuerpo inmóvil tendido en el sofá, el tórax que apenas se movía y el caos de rizos castaños sobre la almohada, Samantha dijo suavemente:

—Yo le cuidaré.

Los días siguientes fueron una pesadilla. Una fiebre abrasadora se apoderó de Freedy y este no hacía más que agitarse y moverse en medio de un violento delirio. De pie en el oscuro vano de la puerta, Hawksbill la observaba acariciar con sus fríos dedos la ardorosa frente del muchacho, hablarle en voz baja y tranquilizarle, a lo que parecía, con su sola presencia. La vio retirar las vendas llenas de pus, insistiendo en cambiarlas todos los días, pese a que él no veía la necesidad de hacerlo. Contemplaba cómo sus largos y ágiles dedos inspeccionaban diariamente la herida, aplicaban ungüento y moho, palpaban la pierna para comprobar la posición de los huesos..., todo con tal habilidad, que se hubiera dicho que aquella chiquilla de once años sabía muy bien lo que estaba haciendo.

Durante aquellas noches se quedó en la casa hasta muy tarde. Su padre ni lo advertía ni se preocupaba. Si Hawksbill hubiera tenido una hija tan bonita e inteligente, habría querido verla constantemente a su lado, para mimarla y regalarla. ¿Qué razones podían motivar la insensata conducta de Samuel Hargrave? A Hawksbill le gustaba tener a la niña en su casa. Aunque ello se debiera solo a aquel desdichado muchacho del salón, con su pierna infectada e hinchada hasta casi el doble de su tamaño. Hawksbill sabía que todo aquello iba a terminar muy pronto.

Samantha estaba preparando unos bocadillos con sustancia de carne, para la cena. En los últimos meses el viejo había abierto un poco el puño y permitido que Samantha comprara alimentos de mejor calidad. Ahora comían habitualmente repollo y patatas hervidas, pescado frito, pan con mermelada, leche sin aguar, queso de oveja y pastel de frutas.

—Hoy Freedy ha estado muy quieto, señor Hawksbill. Me asusta.

Mientras extendía unas hierbas secas sobre su mesa de trabajo, separando de los tallos las hojas de consuelda, Hawksbill dijo en voz baja:

—Tal vez hubiera sido mejor mandarle al hospital. Un cirujano es lo que necesita.

—No —dijo ella con suavidad no exenta de firmeza—. El hospital es un lugar sin esperanza. La gente va allí a morir.

Hawksbill no podía discutírselo. El St. Bartholomew's Hospital, antes de aceptar a un paciente, exigía un anticipo por gastos de entierro que devolvía si el paciente se recuperaba. Posando el cuchillo y las pinzas sobre la mesa, el viejo se encaró a ella y dijo:

—Aquí tampoco hay esperanza, hija mía. El chico no puede sobrevivir. Lleva más de una semana sin comer y apenas hemos conseguido hacerle tragar un poco de agua. No ha recuperado el conocimiento ni una sola vez, ni un segundo tan siquiera...

Hawksbill se encorvó súbitamente; los huesos de su vieja columna vertebral tensaron la fina tela de su levita. ¿De qué servía tratar de hacérselo entender? Era más terca que una mula. Aferrándose a la ridícula idea de que...

Un estrépito desgarró el aire. Samantha se levantó de un salto y corrió al salón. Renqueando todo lo deprisa que pudo, Hawksbill llegó a la puerta y vio a Samantha de rodillas, tratando de tranquilizar a Freedy que, con los empañados ojos muy abiertos, agitaba violentamente los brazos. Una botella de agua y un vaso se habían hecho añicos en la alfombra.

—Ya basta, Freedy —estaba diciendo la niña, cuyo frágil cuerpo, mucho más liviano que el del muchacho, soportaba un doloroso zarandeo—. Estoy aquí, Freedy. Te vas a curar.

El viejo vio con asombro que la niña conseguía calmar al muchacho en su delirio, devolverle a la almohada y tranquilizarle con un beso en la frente. Cuando Freedy se hubo sosegado, Samantha miró a Hawksbill y murmuró, brillantes los ojos de lágrimas:

—Está despierto.

La recuperación de Freedy fue muy irregular, pero, a fuerza de caldos y huevos pasados por agua, y descansando plácidamente bajo los tiernos cuidados de Samantha, el muchacho mejoró por fin. Todas las noches, despierta en el lecho hasta las primeras luces del alba, ella pensaba incesantemente en el milagro de la recuperada salud de su querido amigo.

Un bochornoso verano se abatió sobre Londres mientras la contaminada y neblinosa atmósfera adquiría una tonalidad amarillenta a causa de las numerosas espirales de humo que lanzaban los miles de chimeneas de las fábricas y de los paquebotes y vapores que surcaban el río. Fue un verano insalubre para los dos millones de habitantes de Londres, un verano en el que la falta de limpieza de los recipientes de las vendedoras de leche en el barrio de Marylenda provocó una epidemia de fiebre tifoidea, matando a miles de personas ante la mirada impotente de los médicos. Pero el verano se transformó en un neblinoso otoño y, cuando la escarcha invernal, lavando gradualmente el cielo, le devolvió un brillante color azul, Freedy empezó a progresar rápidamente. En noviembre, ya podía apoyar el peso del cuerpo en la pierna y recorrer el salón arriba y abajo sin ayuda. Entretanto se había enamorado perdidamente de Samantha y, por coincidencia, lo mismo le había ocurrido a Isaiah Hawksbill.

9

Samantha entró con una bandeja con té, panecillos y un tarro de mermelada de grosellas negras y la dejó en la mesa, junto a la chimenea. Freedy atizó el fuego y miró por el rabillo del ojo a la muchacha, que estaba poniendo azúcar en las dos tazas.

—¿Dónde está el viejo? —preguntó con indiferencia.

—Ha ido por hisopo. Lo gastamos todo con tu pierna y tiene que reponer las existencia. —Samantha se acomodó en el sillón que había desenfundado y colocado de cara a la chimenea hacía unas semanas, y apoyó los pies en un escabel—. Ven a tomar el té, Freedy.

El muchacho se apartó de la chimenea y se acercó renqueando al otro sillón. Ya le habían quitado las tablillas, pero tenía la pierna tan torcida, que caminaba haciendo eses, como un marinero cuando la mar está picada.

—Qué té tan bueno. Nunca lo había tomado así, hasta que el viejo me acogió en su casa. Me arrepiento de haber arrojado contra su puerta toda aquella basura.

Samantha sonrió con expresión soñadora y se acercó la taza a la nariz, para aspirar el rico aroma.

—Sam, tengo que decirte una cosa.

Ella siguió contemplando el fuego.

—Sam, ¿quieres mirarme?

La niña lo hizo. El hermoso y rudo rostro de Freedy iluminado por el oscilante resplandor del fuego, resaltaba en todos sus rasgos: mandíbula cuadrada, nariz fuerte y recta, pómulos salientes y rasgados ojos castaños. Todo ello enmarcado por alborotados rizos pardo oscuros que nunca se mantenían peinados mucho rato. El niño se había esfumado; Freedy era ya un hombre.

—¿Qué ocurre, Freedy?

—Sam, he de marcharme.

Ella le miró un momento como petrificada y después posó lentamente la taza.

—¿Por qué?

—Porque ya es hora. Llevo aquí cinco meses. Ya estoy mucho mejor y puedo cuidar de mí mismo. Es hora de dejar todo esto.

El rostro de Samantha se ensombreció.

—¿Dejar todo esto? ¿Qué quieres decir?

—Irme del Crescent, Sam.

—¡Pero no puedes! ¡No hay necesidad de que te

marches, Freedy, puedes quedarte aquí todo el tiempo que te plazca! ¡Para siempre si quieres! ¡El señor Hawksbill te aprecia!

—Sí, pero yo no quiero quedarme aquí. Ha llegado el momento de que haga algo por mi cuenta, Sam.

—Es absurdo lo que dices...

—Mira, Sam. —Freedy hincó impulsivamente una rodilla delante de ella, manteniendo estirada la pierna enferma, y le tomó una mano—. La muerte me ha pasado rozando. He estado en la puerta y he visto lo que hay al otro lado. De no haber sido por ti, me hubiera muerto. Y eso me ha hecho comprender una cosa por primera vez. Que tengo que abrirme camino por mi cuenta, que tengo que ser algo. Sam, ya no soy un niño. Soy un hombre y tengo que comportarme como tal. No puedo pasarme la vida correteando por las calles y robando manzanas. Necesito un trabajo como es debido y una vida en condiciones.

Samantha hizo una mueca y el llanto nubló sus ojos.

—¡No quiero que te marches, Freedy! ¡Tú eres lo único que tengo!

—Tonterías, Sam. ¡Tú tienes a tu padre y al señor Hawksbill y a tu hermano, que será un médico estupendo! Y tampoco es que me vaya a ir para siempre, Sam. Volveré. ¡En un abrir y cerrar de ojos!

Las lágrimas empezaron a rodar por las mejillas de Samantha, trazando surcos plateados.

—¿Adónde irás?

—No lo sé, pero, cuando lo averigüe, te lo diré. Oh, Sam.

Freedy le acarició torpemente la mano con sus grandes dedos y experimentó aquella sensación que solía invadirle cuando contemplaba los ojos de Samantha: de que su endurecido corazón se ablandaba. Hubiera deseado decir muchas más cosas: que comprendía lo muy poca cosa que él era para ella, que deseaba verla orgullosa de él, que estaba enamorado de Samantha y quería cuidar de ella el resto de su vida... Pero no tuvo el valor ni supo encontrar las palabras, de modo que no dijo nada.

—Mira, Sam, eso es un don que tú tienes, curar a los enfermos. Como ocurrió con el gato. Yo soñaba que tú hablabas conmigo y que extendías la mano a través de una bruma sofocante y me sacabas de allí. Ahora sé que no fueron sueños sino que eso ocurrió realmente. Tú me has salvado la vida, Sam, y nunca lo olvidaré.

Ella soltó la taza, derramando el té por toda la descolorida alfombra turca del señor Hawksbill, y echó los delgados brazos en torno al cuello de Freedy.

—¡Tú eres mi único amigo, Freedy! ¡Te echaré de menos y rezaré por ti todos los días que estés lejos de mi lado!

Él la estrechó con fuerza y advirtió unas extrañas y nuevas sensaciones en lo hondo de las entrañas; el antiguo afecto fraternal había cedido paso a algo distinto y excitante. Ella aún no había cumplido los doce años, pero dentro de algún tiempo, cuando él hiciera fortuna y regresara convertido en un caballero en condiciones de ofrecerle una vida digna de ella, Samantha Hargrave, una belleza entre las bellezas, sería toda para él. Freedy hundió el rostro en su espesa mata de cabello negro y murmuró:

—Espérame, Sam. No te vayas de aquí hasta que yo venga a buscarte.

10

Faltaban dos días para Pascua, era una triste mañana lluviosa y Samantha estaba pateando con fuerza las baldosas de la cocina, para calentarse los pies. Se echó aliento en las manos y dirigió una furiosa mirada a la tetera, instándola a que hirviera pronto.

Isaiah Hawksbill la estaba observando ocultamente desde la puerta.

Dentro de unas semanas, cumpliría doce años y ya estaba empezando a mostrar los indicios de la feminidad: la delgadez infantil estaba siendo sustituida por nuevas curvas y nueva carne. Al verla, su viejo corazón se estremeció y sus secos brazos experimentaron el deseo de abrazarla. Ella le había permitido hacerlo una vez, cuatro meses atrás, cuando Freedy se había marchado con rumbo desconocido. Entonces Samantha había llorado con desconsuelo y amenazado con seguir al muchacho, pero Hawksbill consiguió tranquilizarla acunándola en sus brazos y asegurándole que Freedy cumpliría su promesa y regresaría algún día.

Pero de eso hacía cuatro meses. Desde entonces ella se había vuelto muy retraída y silenciosa y ya no le había permitido más libertades físicas.

—¡El té ya casi está listo, señor Hawksbill! —gritó—. Ah, está usted ahí, señor. No le había visto.

Él entró en la cocina.

—Déjalo reposar un poco más, *Liebchen*, y añádele una onza de manzanilla, hoy me duelen las articulaciones.

Una vez él se hubo retirado, Samantha agitó los brazos. Hacía demasiado frío en la cocina (¡si su padre consintiera en comprarle una camiseta de lana...!) para quedarse esperando allí a que el té estuviera listo, de modo que decidió salir al jardín, para visitar el retrete.

Estaba adosado a la valla posterior de la casa, al final de un senderillo, y sus paredes aparecían cubiertas de zarzas y ortigas. El hedor no era tan terrible en invierno, pero en verano Samantha entraba rápidamente, conteniendo la respiración, y lo abandonaba jadeando. Aquella mañana le molestó comprobar la inutilidad del viaje; allí, en la cocina, le había parecido sentir la necesidad, pero ahora se le había pasado. Mientras se levantaba de la taza, volvió a notar el murmullo abdominal que antes la indujera a salir corriendo hacia allí y, mientras reflexionaba acerca de la posible causa —la manteca de la cena de la víspera le había parecido un poco «rancia»—, notó una cálida humedad entre los muslos. Perpleja, Samantha bajó la mirada y allí, a la acuosa luz que se filtraba por los intersticios de las tablas, vio en el suelo una mancha de sangre de encendido color carmesí.

Salió corriendo, tropezó en los peldaños de la puerta trasera y se despellejó las rodillas. Irrumpiendo en el estudio, gritó:

—¡Me estoy muriendo!

Sobresaltado, Hawksbill descendió de su taburete y le preguntó:

—¿Qué ha ocurrido?

—¡Me estoy muriendo, señor Hawksbill! —se le echó encima y le rodeó con los brazos—. ¡Por favor, no me mande al hospital!

El anciano se quedó perplejo y por un instante no dijo nada. El repentino contacto con su cuerpo, el roce de los brazos de ella en su cintura, el movimiento de su joven pecho sacudido por los sollozos..., todo fue como lo de hacía cuatro meses...

Con un supremo esfuerzo, Hawksbill apoyó las manos en los hombros de la niña y se apartó un poco.

—*Liebchen*, ¿qué sucede?

—Estoy sangrando —contestó ella, blanca como el papel.

—¿Que estás qué?

—Lo acabo de descubrir. En el retrete. Señor Hawksbill, deme una medicina. Las semillas de papaya detienen las hemorragias...

Él se volvió y apoyó las manos en su mesa de trabajo.

—¡No me envíe al hospital! ¡No me deje morir!

¡No era justo, pensó irritado, la niña aún no había podido disfrutar de su infancia!

—Tienes que irte a casa, *Liebchen* —le dijo Hawksbill con voz entrecortada.

—¿Por qué? —le preguntó ella entre sollozos.

Hawksbill notó que las rodillas se le doblaban y se apoyó en la mesa, mirándola con tristeza.

—Tienes una criada, ¿verdad? Ve a decírselo enseguida, *Liebchen*.

—¡Me mandará al hospital!

—No, *Liebchen*. Vete a casa, ella sabrá lo que hay que hacer. Confía en mí, hija mía, todo irá bien...

Aquella humillante experiencia había revivido un vergonzoso estigma. Hawksbill no era sordo, sabía lo que la gente de St. Agnes Crescent le llamaba: pervertidor de niñas. No podía existir un animal más bajo, y lo malo era que, aunque ello no fuera cierto, él no podía reprochárselo a la gente, teniendo en cuenta lo que había hecho.

Sentado junto a la chimenea de la cocina con una manta sobre las piernas y en las rodillas una taza de leche con un poco de pan, que no había probado, recordó aquel horrible día tan lejano.

Había salido a la calle; pese a que aún estaba llorando la muerte de su pequeña Ruth y de Rachel, había salido a las calles de Londres, para comprar libros y plantas. Era primavera y estaba paseando a lo largo del Serpentine, el lago artificial de Hyde Park, disfrutando del verdor y de la lozanía del mundo renacido. Eran las primeras horas de la mañana y Hawksbill estaba pensando en la clasificación de una nueva planta muy curiosa. Una joven con sombrero y polisón leía un libro sentada en un banco y una niña de no más de ocho años jugaba a la orilla del agua con una rama de haya.

No pudo entonces, ni tampoco años más tarde, comprender qué le ocurrió en aquel instante: al ver a la niña y contemplar su rostro, el frágil hilo de cordura que aún le quedaba se rompió e Isaiah Hawksbill, por aquel entonces más joven y más ágil, gritó: «¡Ruth!», y, acercándose a la niña, la tomó en brazos y se alejó corriendo.

No recordaba lo que había sucedido en aquel momento; sin saber cómo, un murmullo de voces y unas sombras negras se congregaron a su alrededor. Un agente de policía se abrió paso mientras la institutriz se arrodillaba para consolar a la llorosa niña. Desconcertado, Hawksbill se percató de lo que había hecho. Más tarde, en la comisaría, Hawksbill se inventó una mentira: «La niña estaba a punto de caerse al agua y yo no hice más que rescatarla». La avergonzada institutriz, prestando declaración bajo la mirada crítica de su amo, demasiado apocada para confesar que estaba leyendo y por tanto no había sido testigo del delito, decidió por fin, para salvarse, confirmar la historia de Hawksbill. El caso no pasó a mayores y hubiera caído en el olvido si no hubiera aparecido inoportunamente en el parque un habitante de St. Agnes Crescent —una ropavejera que se dirigía a los almacenes de Billingsgate—, la cual había interpretado los hechos de manera distinta. La niña no estaba tan cerca del agua y no corría el menor peligro cuando Hawksbill apareció, la tomó en brazos y escapó a toda prisa, y hubiera llegado corriendo hasta Surrey de no haber sido por los gritos de un caballero que pasaba.

Pese a que la ropavejera, culpable de muchos delitos y, por consiguiente, deseosa de evitar cualquier contacto con los representantes de la ley, no se adelantó para explicarle al agente lo que había visto, sí se dedicó, en cambio, a contar la historia por todo el Crescent, de modo que, cuando Hawksbill regresó, muy cansado, a su casa, sus vecinos ya habían dictado sentencia.

Por lo tanto, ¿cómo era posible que ahora pensara lo que estaba pensando, a no ser que hubiera perdido el juicio?

Pedirle a Samuel Hargrave la mano de su hija.

Ella estuvo ausente cinco días, durante los cuales el viejo judío se murió de angustia. La amaría y la cuidaría, la protegería de los males del mundo y la rescataría del triste porvenir que la aguardaba: años y más años cuidando de su desconsiderado padre, convirtiéndose en una solterona, en una inútil y marchita mujer a la que ningún hombre querría cuando por fin muriera su padre. Isaiah Hawksbill la salvaría de aquella maldición, le daría su apellido y un hogar propio, le permitiría que ella lo arreglara a su gusto y que dejara entrar el sol, compraría un piano de cola y le enseñaría a tocar. Por las noches jugarían a las cartas junto al fuego de la chimenea, mantendrían interesantes conversaciones y él seguiría enseñándole cosas y revelándole los misterios del mundo. Y la inundaría con el amor que él tan desesperadamente necesitaba dar y que ella tan desesperadamente ansiaba recibir.

Cuando regresó, Samantha le habló en voz baja y, mirando a la alfombra, le explicó:

—Tenía usted razón, señor Hawksbill, no me enviaron al hospital. La señora Scoggins no me dijo ni una palabra, pero cortó un trozo de una sábana y me lo ató alrededor de la cintura y entre las piernas. Ahora ya ha terminado, pero dice que volverá dentro de un mes.

Hawksbill tabaleó en la mesa cubierta de hierbas.

—Samantha, hija mía, ¿recibe tu padre visitas alguna vez?

—¡Oh, no, señor, está demasiado ocupado con sus opúsculos! ¡Demasiado ocupado!

—Me gustaría... —el señor Hawksbill sacó un pañuelo y se enjugó el labio superior— hablar con él.

—¿He hecho algo malo?

—Oh, no, *Liebchen.* Una cuestión de negocios, un asunto entre dos caballeros. Hace casi dos años que no hablo con tu padre y me estaba preguntado... No importa —añadió suavemente—. Ya encontraré el momento adecuado para dirigirme a él. Bueno, ¿qué vamos a leer mientras nos tomamos el té?

Alargó los dedos hacia un volumen de geología.

—¿Señor Hawksbill?

—Sí, *Liebchen.*

—Explíqueme, por favor, por qué tengo que sangrar todos los meses.

La mano de Hawksbill quedó petrificada.

—Tal vez cuando seas mayor.

—¿Por qué? Si es algo que le ocurre a mi cuerpo, ¿no tengo derecho a saberlo?

Hawksbill encorvó la espalda. Él tenía la culpa; él había estimulado su curiosidad y jamás le había negado una respuesta.

—Siéntate, hija mía, e intentaré...

Al terminar Hawksbill se sintió decepcionado. En 1872, la ciencia aún no había logrado desentrañar el misterio del ciclo femenino. Las numerosas teorías al respecto se hallaban envueltas en la magia y el esoterismo y los médicos coincidían en achacar a la luna al fenómeno de la menstruación, la cual, decían, era el medio que tenía la Naturaleza de compensar la ausencia de eyaculación en la mujer. Sospechaban que tenía algo que ver con la facultad procreadora, pues su aparición marcaba el comienzo de la fertilidad y su desaparición significaba la existencia de un embarazo, pero nadie sabía cómo explicarla. Se conocía la existencia de los ovarios, pero no cuál era su función, y el óvulo era un descubrimiento muy reciente: si desempeñaba algún papel en la reproducción humana, nadie había podido deducir aún de qué modo ello ocurría.

—¿Por qué no lo tienen los hombres? —preguntó Samantha, frunciendo el ceño con gesto dubitativo.

—Porque ellos... mmm... tienen otra cosa, algo parecido y que se produce durante la concepción de un hijo.

—Ah, ya.

Hawksbill notó que el rubor empezaba a subirle desde el cuello.

—Eso es algo que no habrá de preocuparte hasta dentro de varios años, *Liebchen.*

Mentalmente añadió: tal vez nunca.

Después Hawksbill experimentó un profundo dolor y pensó: ¡No hay peor insensato que un viejo insensato!

¿Qué demonios había estado pensando? ¿Qué locura transitoria se había apoderado de él, induciéndole a creer en serio que podría casarse con aquella chiquilla? Protegerla, cuidarla y amarla, sí; pero no podía darle el más preciado regalo que un marido puede hacer a su mujer: ¡unos hijos! Era demasiado viejo para eso; ¿qué derecho tenía él a negarle la experiencia de la maternidad? ¿Quién era él para decir que tal vez la niña no llegaría a casarse? ¡Hawksbill, viejo loco!

—¿Le ocurre algo, señor Hawksbill?

Él contempló tristemente sus húmedos ojos grises y pensó: ¿Cómo he podido ser tan egoísta, fingiendo preocuparme por su bienestar? ¿Con qué derecho puedo yo, en mi mezquina codicia, tenerla encerrada como una muñeca de porcelana demasiado frágil para que se pueda tocar?

Al oírle emitir un leve gemido, ella le rozó el brazo con su delicada mano.

—No se encuentra bien, ¿verdad? ¿Nota un poco la humedad? Lo que usted necesita es una buena infusión de bayas de acerolo.

Al retirarse ella de la estancia, Hawksbill permaneció inmóvil. Estaba reflexionando acerca de la crueldad de un destino que le arrebata a un hombre a su querida esposa cuando está en la flor de la edad, endurece su corazón contra todas las mujeres y después le permite enamorarse cuando ya es demasiado tarde.

Una sola lágrima cayó de unos ojos que no habían llorado desde hacía más de veinte años. El viejo judío se estremeció, respiró hondo e hizo un silencioso voto. La seguiría amando durante el resto de sus días, pero, por el bien de la niña, jamás hablaría de ello.

11

Nadie sospechaba, ni siquiera él mismo, que Matthew se encontraba al borde de un agotamiento nervioso.

Matthew Christopher Hargrave, de dieciocho años, llevaba casi cuatro años trabajando en una oficina y, durante todo aquel tiempo, ni un solo día había sido distinto de los demás. Con la excepción de las mañanas de los domingos, en que disponía de tiempo libre para ir a la iglesia, el muchacho trabajaba siete días por semana —setenta y seis horas en total— sin uno solo de asueto o de baja por enfermedad. La rutina era casi mortal: dirigirse a pie todas las mañanas hasta el río, para tomar el barco que le dejaba, Támesis abajo, en el Puente de la Torre, desde donde caminaba hasta los talleres del ferrocarril de Bermondsey. Tras colgar el sombrero y el gabán en un rincón del sofocante despacho, Matthew se unía a sus jóvenes compañeros de oficina, barría, quitaba el polvo de los muebles, llenaba las lámparas, afilaba las plumas de ave y, una vez a la semana, limpiaba los cristales. La oficina estaba abierta trece horas al día, con media hora para el almuerzo y media hora para tomar el té. A los jóvenes que tenían novia se les concedía una tarde libre por semana. El consumo de cigarros españoles y bebidas alcohólicas y la visita a los salones de billar y a las barberías eran motivo de despido. Se fomentaba el estudio de la Biblia y, si un empleado tenía un historial impecable durante cinco años seguidos, sin ningún día de ausencia o retraso, se le concedía un aumento salarial de cinco peniques al día.

A diferencia de sus compañeros, que trabajaban con diligencia y entusiasmo y ahorraban hasta el último penique con vistas a su matrimonio, Matthew Hargrave, a los dieciocho años, se sentía asfixiado y al límite de sus fuerzas.

Su vida hogareña era tan aburrida como la del despacho: James estaba en Oxford, su padre no constituía una compañía muy agradable y su hermanita era como una desconocida. Matthew no tenía amigos y las mujeres le producían un pánico mortal. Su único placer en la vida era el ritual nocturno de lo que su padre denominaba la autopolución.

Matthew intuía que no estaba en su sano juicio y que se estaba deteriorando poco a poco, y sabía también que la causa residía en la masturbación. Era un hecho sabido que con cada eyaculación un hombre perdía parte de su «esencia» más noble, y sin embargo, no podía evitarlo. Y, a modo de acompañamiento destinado a conseguir un orgasmo más intenso, Matthew evocaba unas fantasías tan vergonzosas, que después siempre se maldecía a sí mismo y se dormía entre sollozos.

Debajo de todo ello se ocultaban unos celos atroces de su hermano mayor.

Matthew trabajaba como una mula en aquel odioso despacho y entregaba a su padre todos los peniques que ganaba con el sudor de su frente, pero su padre no le dirigía ni una palabra de elogio mientras que James, maldita fuera su estampa, estaba recibiendo una educación de caballero y vivía en una universidad en compañía de magníficos camaradas. Los celos devoraban el alma de Matthew como una llaga enconada. Y ahora que James había obtenido el título de bachiller en Oxford y había cursado peticiones de ingreso a varias facultades de medicina de la zona de Londres, volvería a vivir en casa y sería un constante y doloroso recordatorio de que él, y no Matthew, era el objeto exclusivo de la atención de su padre.

Aunque todos los de la casa tenían ojos y oídos, nadie se percató de lo que se estaba avecinando, con excepción de la señora Scoggins, la criada, que había adquirido la costumbre de correr por las noches el pestillo de la puerta de su dormitorio.

Ocurrió la noche en que se conmemoraba el incendio del Parlamento por Guy Fawkes.

En todos los barrios de Londres se habían encendido hogueras y se quemaban efigies del infame personaje. Todo el mundo arrojaba algo al fuego y la cerveza corría libremente. Mientras Samuel se encontraba en los Dials pronunciando sermones y Samantha permanecía sentada junto al hogar ocupada con la aguja, Matthew se acercó a la ventana del salón para echar un vistazo a la bulliciosa calle.

La gente estaba como loca. Las prostitutas besaban libremente a todo el mundo, los jornaleros bailaban la jiga, los petardos estallaban como disparos de escopeta y la jarra iba pasando de mano en mano. Matthew se dirigió como hipnotizado a la puerta principal y la abrió. El calor de las llamas pareció hervirle la sangre. Bajó los peldaños, atraído como una mariposa nocturna hacia el fuego y, cuando le pusieron la jarra en las manos, bebió de buena gana, él que nunca había probado tan siquiera la cerveza floja. Entre las risas, los empujones y el desenfreno, Matthew se emborrachó.

Cuando el agotado Samuel regresó a casa y subió los peldaños, vio a Samantha en la puerta, contemplando a la muchedumbre que rodeaba la hoguera. Siguiendo la dirección de sus aterrados ojos, Samuel vio a su hijo menor en brazos de una prostituta, besuqueando su sucio cuello.

El muchacho de dieciocho años se reía, se tambaleaba y seguía bebiendo cerveza. Despojándose de la oscura levita, la volteó por encima de la cabeza y la arrojó a las llamas. Fue entonces cuando vio a su padre. Por un instante se quedó congelado en aquella actitud, con el brazo en alto y los labios estirados en una sonrisa, después Matthew captó los enfurecidos ojos negros de Samuel. Los rumores de la calle disminuyeron, las llamas se enfriaron, las sombras danzantes sobre las fachadas de las casas desaparecieron. Todo se disipó hasta que por último Matthew ya no percibió más que los dos fulminantes ojos negros.

Notó que en su interior empezaba a enroscarse una fría espiral metálica, como el muelle de un reloj, que se iba comprimiendo más y más, hasta que, liberándose con violencia, le catapultó contra aquellos aborrecibles ojos acusadores.

Alguien que no era Matthew Hargrave subió aquella noche como un rayo los peldaños, empujó a su padre a un lado e irrumpió como una furia en el salón; y unas manos que no eran las suyas tomaron el libro que se encontraba en el atril y se lo llevaron a la calle. Unos amortiguados sonidos ininteligibles trataron de penetrar en los oídos del muchacho; un pálido rostro aterrado, unos brazos extendidos, unos ojos acusadores, ahora petrificados... ¡oh, qué *poder* tenía aquello! Matthew echó la cabeza hacia atrás y aulló como un animal herido mientras la Biblia escapaba volando de sus manos, se elevaba por los aires y se hundía en las amarillas llamas.

Levantándose de los peldaños, Samuel se abalanzó sobre su hijo, le propinó un empujón y se lanzó hacia las llamas. Mientras unas manos aterradas le sujetaban y trataban de apartarlo, Samuel observó cómo el idolatrado libro se ennegrecía, se carbonizaba y se doblaba, desapareciendo en las entrañas de la hoguera.

Cesaron las risas. Los que antes bailaban corrían ahora tras el delirante Matthew, que zigzagueaba como un rayo entre la multitud. Fueron necesarios cuatro hombres para sujetarle y, cuando por fin le redujeron, Matthew se quedó como encogido sobre los adoquines, arrojando espuma por la boca. Sin prestar atención a las graves quemaduras que tenía en el rostro y en las manos, insensible al intenso dolor, Samuel se acercó tambaleándose al lugar en que su hijo yacía en el suelo. Habló con sus labios ensangrentados y cubiertos de ampollas y sus palabras resonaron en la noche sobre el silencio de la multitud y el crepitar del fuego:

—Estás condenado al infierno para la eternidad, Matthew Christopher y, desde esta noche, recuérdalo siempre, ya no eres mi hijo.

Samuel cayó desvanecido sobre los adoquines y le llevaron a su cama, donde un médico echó un vistazo a las quemaduras y predijo que no sobreviviría a aquella noche. Samantha permaneció a su lado, cuidándole, lavándole, introduciéndole té en la boca con una cucharilla y aplicando sobre sus heridas en carne viva unos emplastos de hojas trituradas de consuelda. James, que ya había empezado a trabajar en las salas del North London Hospital, también le atendió en parte. Aunque no se podía hacer gran cosa por sus quemaduras, que, al cabo de una semana, se empezaron a llenar de un verdoso pus, James conseguía aliviar el dolor y la angustia mental de su padre con frecuentes dosis de morfina.

Por las noches, mientras Samuel se agitaba bajo el cobertor, Samantha permanecía a su lado, leyendo los libros de farmacia del señor Hawksbill a la luz de una vela de sebo de un cuarto de penique. Dormía en un colchón a los pies de la cama de su padre; de día le lavaba y le vendaba las heridas, le administraba caldo, vaciaba su orinal, le cambiaba las sábanas y rezaba por él.

Al llegar la primavera, muy débil y sin poder valerse por sí mismo, Samuel empezó a levantarse de la cama. Su recuperación había sido lenta e insegura y le había llevado varias veces al borde de la muerte, de la que siempre se había librado, y aunque ahora ya no cabía la menor duda de que lograría vivir, Samuel Hargrave había quedado completamente desfigurado.

Su cuerpo se recuperó, pero no su espíritu. Samuel ya no se interesaba por Dios. No hubo más opúsculos y sermones. Se pasaba el día sentado en su habitación, con la cabeza inclinada sobre el pecho a causa de unas gruesas franjas de blanco tejido cicatrizado que no le permitían abrocharse el cuello de la camisa, y con el labio inferior caído de tal modo que le obligaba a babear constantemente, mirando al vacío sin percatarse, a menudo, de la presencia de Samantha. Para evitarle mayores sufrimientos, ella no le contó lo de James.

Tras un breve período en el North London Hospital, James había sido expulsado y se había ido al Guy's. Al cabo de medio año borrascoso, le habían despedido también de allí y había empezado a trabajar en el St. Bartholomew's, que era donde estaba en ese momento. Pero peor que su desalentador historial académico era su escandalosa vida de juego, bebida y prostitutas.

A Samantha se le partía el corazón. Su familia se estaba alejando rápidamente de ella, y sospechaba que jamás volvería a tener noticias de Freedy. La única persona que le quedaba era Isaiah Hawksbill.

12

Una mañana de otoño en que la primera escarcha cubría los aleros de los tejados, Samantha encontró al señor Hawksbill postrado en la cama.

Le sorprendió, al entrar por la puerta trasera, encontrar la casa fría y a oscuras; en los cuatro años y medio que llevaba trabajando para él, el señor Hawksbill siempre había estado esperando su llegada levantado. Desde la cocina oyó unos gemidos y, siguiéndolos, subió al piso superior y encontró al viejo judío en la cama, todavía con el camisón y el gorro de dormir, encogido sobre un costado y jadeando como un perro...

—Necesito un médico, *Liebchen*... —consiguió decirle.

Había un médico dos calles más arriba, un tal doctor Pringle. Samantha corrió a su casa. El médico, en bata y zapatillas, escuchó el apresurado informe que Samantha le facilitó acerca del estado del señor Hawksbill, y dijo que le visitaría después del desayuno.

El doctor Pringle se presentó dos horas más tarde y, entretanto, Isaiah Hawksbill había empeorado. Al despertar, le dijo al médico con voz entrecortada, que había sentido un intenso dolor en la parte inferior derecha del abdomen y no se había podido levantar de la cama. Ahora tenía mucha fiebre; sus ojos verdes brillaban como cristales de peridoto.

El doctor Pringle apartó la sábana y palpó suavemente el abdomen de Hawksbill. Después sacudió la cabeza y dijo:

—Tiene usted la pasión ilíaca, señor: una inflamación de un pequeño apéndice que hay en el intestino. Haré lo que pueda.

Samantha permaneció a los pies de la cama y observó con creciente inquietud cómo el médico sacaba un tarro de sanguijuelas de su maletín, levantaba el camisón del señor Hawksbill y dejaba caer los viscosos bichos negros sobre su blanca piel. Mientras estos succionaban hasta desprenderse, dejando unas pequeñas señales rojas, el doctor Pringle mezcló una dosis de estricnina y se la introdujo a Hawksbill en la boca. Casi inmediatamente el viejo judío empezó a vomitar; Samantha le acercó una palangana para recoger el vómito. El tratamiento se repitió a lo largo de todo el día, sangrando y purgando al paciente, con intermitentes ataques de explosiva diarrea, hasta que por último el viejo suplicó que se apiadaran de él. A las seis de la tarde el doctor Pringle anunció que ya no podía hacer nada más.

Isaiah Hawksbill mostraba un aspecto impresionante: deshidratado, marchito, apestando a excrementos, con la piel de una palidez cadavérica, pero con las mejillas enfermizamente arreboladas.

—Me muero, *Liebchen* —musitó.

Ella estaba sentada en el borde de la cama, sosteniéndole un lienzo sobre la frente.

—No es cierto, señor. ¡No diga eso!

—No dispongo de mucho... tiempo. He notado que se soltaba, he notado que reventaba. Ahora los venenos se han apoderado de mí, *Liebchen*. Hay algo que debo decirte.

—Ahorre fuerzas, señor Hawksbill. Ya hablaremos mañana.

—No habrá... mañana para mí...

Ella trató de hablar, pero se le hizo un nudo en la garganta. No era justo, gritó su mente. El médico hubiera tenido que ayudarle. Había sido un inútil. ¡Se había limitado a hacerle sufrir más!

Isaiah trató débilmente de levantar una mano, para acariciarle la mejilla, pero no lo consiguió.

—Tengo que decirte una cosa —el pecho le chirriaba a cada inspiración—. Quiero que cuiden de ti. No quiero que estés a la merced de tu... familia. Tienes que ser independiente, Samantha...

Movió la cabeza de uno a otro lado, lacerado por el dolor. Tenía la boca tan reseca que la lengua se le pegaba al paladar.

—Tómalo —murmuró con aspereza—. Ahora es tuyo. No quiero que ellos lo encuentren, iría a parar al Estado. Tú eres lo único que tengo en este mundo, hija mía...

—¡Por favor, no se muera! —exclamó Samantha, hundiéndose los puños en los ojos.

Hawksbill tenía las pupilas tan dilatadas que el verde iris ni siquiera se veía. Por un instante pareció un loco.

—¡Mis libros! ¡Mis plantas! —gritó; después cerró los ojos y exhaló serenamente su último aliento.

Samantha permaneció sentada junto a él hasta bien entrada la noche, desgarrada entre la cólera y el dolor. Después permaneció en silencio mientras los dos hombres que habían llegado en un carruaje negro sacaban a la calle el cadáver envuelto en una manta.

La casa del viejo judío permaneció vacía varios años, hasta que el Estado la vendió y se convirtió en una taberna. Cuarenta años después de la muerte de Hawksbill, cuando se declaró en St. Agnes Crescent un incendio que no dejó más que los muros de las casas, el entarimado del vestíbulo quedó destruido y dejó al descubierto una caja fuerte calcinada. Al abrirla, encontraron una gran cantidad de dinero, reducido ahora a negras cenizas a causa del intenso calor. Era la fortuna acumulada por el anciano en toda su vida —casi cincuenta mil libras— y, en caso de que Hawksbill hubiera tenido tiempo de decírselo, hubiera convertido a Samantha en una mujer muy rica.

La segunda tragedia siguió tan de cerca a la primera, que Samantha apenas tuvo tiempo de llorar la muerte de su amigo.

Una semana antes del Día de Guy Fawkes de 1874, segundo aniversario del ataque de locura de Matthew, Samuel Hargrave dejó de comer. Ni la señora Scoggins ni Samantha pudieron disuadirle de la decisión que había adoptado. Cuando ya llevaba más de siete días sin comer ni pronunciar una palabra, enfermó de pulmonía, y la noche de los festejos, mientras el resplandor de las hogueras penetraba a través de su ventana, dejó de existir.

Samantha y James, sentados con aire solemne en el salón, escucharon al representante de Welby y Welby, que en tono suavemente modulado les enteró de que su padre no había muerto sin testar. James, como único heredero (puesto que Matthew había huido y no se le podía localizar), recibiría una asignación anual mientras duraran sus estudios de medicina, al término de los cuales, tras haber superado los correspondientes exámenes y haber puesto en la puerta una placa de latón, le sería entregado el resto de la herencia. La casa y todo lo que contenía pasaba también a la propiedad de James, con la disposición de que no se podría vender hasta que él se estableciera como médico.

Y Samantha tendría que ingresar en la Academia Playell's de Señoritas, en Kent.

13

Estaba aturdida.

Enfundada en su vestido de los domingos al cual habían aplicado a toda prisa unos ribetes de encaje negro, se encontraba sentada en silencio en el banco del tren que la alejaba de Londres, mirando, sin verla, la hermosa arboleda esmaltada con los rojos y los amarillos del otoño. Había sido la señora Scoggins y no James (que comenzaba sus estudios en el Middlesex Hospital) quien la había acompañado a la estación Victoria, donde la abrazó sin afecto y le entregó, envueltos en un pañuelo, pan y queso para el viaje.

En la estación de Chislehurst la estaba esperando un cabriolé conducido por un viejo antipático llamado Humphrey. Recorrieron los caminos campestres sin hablar, mientras el sol del atardecer se filtraba a intervalos por entre las ramas de los árboles. En el aire flotaba el aroma de la fértil tierra, la jugosa hierba y las quebradizas hojas pardas; a ambos lados del camino, Samantha advirtió lujosas mansiones al final de largos senderos y entre espesuras de sauces. Luego, Humphrey se adentró en una de aquellas calzadas circulares engravilladas y Samantha vio una impresionante mansión de estilo Tudor.

Experimentando la sensación de que cientos de ojos invisibles la observaban desde las ventanas divididas por maineles, Samantha descendió del cabriolé y fue recibida por una cuarentona alta y severa, vestida de fustán negro. Era la señora Steptoe, la directora de la academia, y la mirada fulminante de sus ojos contraídos indujo a Samantha a preguntarse qué habría hecho, nada más llegar, para ganarse la censura de aquella temible mujer.

Samantha averiguó más tarde que no había nada que mereciese la aprobación de la señora Steptoe. Habiendo enviudado a la edad de veintidós años sin que su joven marido le dejara medios de subsistencia, la señora Steptoe se había visto en la humillante y desagradable situación de tener que ganarse la vida. Contratada como institutriz en la academia Playell's hacía mucho tiempo, su astucia y las intrigas urdidas por ella a lo largo de los años, le habían conquistado el supremo cargo de directora. Los Playell habían fallecido hacía tiempo, la academia estaba regida por un consorcio y las alumnas pagaban las correspondientes cuotas; la señora Steptoe ostentaba un poder absoluto e ilimitado.

—Sígame —le dijo a Samantha, girando sobre un invisible tacón y deslizándose con tanta suavidad sobre el entarimado, que Samantha se preguntó si aquella mujer se desplazaría sobre ruedas.

El edificio, construido en tiempos de la reina Isabel, tenía su planta en forma de E. Un vestíbulo central daba acceso a los salones, las salas de recepción y la biblioteca, y una impresionante escalera curva conducía al primer piso, cuyas alas norte y sur albergaban las aulas y los dormitorios. La señora Steptoe la acompañó a un viejo y majestuoso dormitorio con paredes revestidas de madera oscura, mullidas alfombras y una enorme chimenea de piedra gris. Había cuatro camas, dos escritorios, dos sillas, un armario y un lavabo con jofaina y jarra. Asombrada al descubrir que aquel iba a ser su hogar durante los próximos años, Samantha dejó en el suelo su ajada cartera y corrió a la ventana, para mirar.

El manotazo que recibió en la nuca le hizo lanzar un grito. Frotándose el cuero cabelludo, Samantha levantó la vista hacia los gélidos ojos de la señora Steptoe y la oyó explicarle con voz seca que, según las normas de la academia, había de caminar siempre como una dama y guardar el debido respeto a los profesores. El castigo por tres infracciones del reglamento era limpiar los retretes durante una semana.

En los días siguientes, Samantha tuvo que limpiar los retretes muy a menudo y acabó detestando la academia, y más todavía a la señora Steptoe. A principios de primavera, Samantha empezó a forjar planes para escapar.

Por el hecho de ser torpe y de humilde origen y de hablar con un acento muy raro, Samantha era una proscrita entre aquellas refinadas muchachas, por lo cual nunca intervenía en los chismorreos nocturnos y los bisbiseos que se producían una vez apagadas las lámparas de gas. Sin embargo, prestaba atención. Sus tres compañeras de habitación centraban invariablemente su conversación en el mismo tema.

En la Playell's solo había un profesor de sexo masculino, el señor Roderick Newcastle, llegado allí apenas dos meses antes que Samantha. Todas las niñas estaban desesperadamente enamoradas del bajito y calvo profesor de matemáticas y este gozaba del singular privilegio de sentarse a la mesa de la señora Steptoe, en la tarima del lóbrego refectorio. Una tarde, la señorita Tomlinson, la rechoncha profesora de higiene, dio a las niñas una clase sobre la preparación para el matrimonio y se refirió a algo que llamó «el deber».

—Recuerden, señoritas, que el *deber* no resulta agradable para ninguna dama virtuosa, pese a lo cual, la esposa virtuosa se somete a él. Puesto que los hombres tienen ciertos impulsos que nosotras no tenemos, no es posible que los comprendamos, y por eso tenemos que ponernos en manos de nuestro marido, más sabio en esa sagrada materia, y no complacernos en el acto en sí mismo, sino en el hecho de estar complaciéndole a él y trayendo al mundo a un nuevo britano. Deber para con el marido y la patria, señoritas, recuérdenlo siempre. Si el paso les resulta demasiado desagradable, cierren los ojos y piensen en Inglaterra.

Una vez apagadas las luces, las niñas empezaron a hablar en murmullos desde las camas.

—¡A mí no me importaría someterme al señor Newcastle!

—Entonces te crecería un niño en el vientre.
—¿Y cómo sale?
—Se abre el ombligo y el niño sale de golpe.
Escuchándolas, Samantha sintió deseos de echarse a reír. No se podía vivir en el Crescent sin saber en qué consistía la cuestión del sexo.
La mayor de las muchachas, de diecisiete años, resolvió la cuestión, afirmando categóricamente:
—No es nada. Es como si te hurgaran con un palito.
Las muchachas se sumieron en el silencio y Samantha, ladeándose en el lecho, se dedicó a pensar en su fantasía favorita: la huida.
Se marcharía mañana, tomaría el tren de Liverpool y se dedicaría a buscar a Freedy. Comprarían una bonita casa, se casarían y serían felices. O esperaría a que James obtuviera el título y después se iría a vivir con él a Harvey Street y consagraría toda su vida a ayudarle con sus pacientes. Pero la fantasía más consoladora era la visión de Freedy presentándose en la academia en un precioso carruaje, con sombrero de copa y bastón con puño de plata, y anunciando a la señora Steptoe y a todas las chicas que estaba allí para llevarse a Samantha a su mansión campestre de Cheshire.
Se oyó un ruido sordo y después algo así como un trueno lejano, seguido de un grito y de gran estrépito. Samantha se levantó de un salto.
—¿Qué ha sido eso? —preguntó una de sus compañeras de habitación.
Siguió el rumor de unos pies descalzos que corrían por el pasillo.
Samantha fue la primera en levantarse y llegar a la puerta. Asomando la cabeza por ella, vio a todas las chicas con sus camisones largos de franela asomadas a su vez y mirando hacia el extremo del oscuro pasillo. La rechoncha señorita Tomlinson llegaba presurosa,

enfundada en una bata y con las trenzas agitándose al ritmo de sus pasos.

Las niñas empezaron a murmurar entre sí con aire expectante y, cuando la señorita Tomlinson lanzó un grito y se desplomó al suelo, algunas de las más atrevidas, Samantha entre ellas, se acercaron corriendo.

La profesora de higiene se había desmayado en lo alto de la escalera, desde donde se podía ver, al pie de la misma y bajo el débil resplandor de las lámparas de gas, la encogida forma de la señora Steptoe. Y una mancha escarlata que se extendía en la falda de su vestido.

Otra niña siguió el ejemplo de la señorita Tomlinson, desmayándose delicadamente, y las demás tuvieron que apoyarse en la barandilla. Samantha bajó rápidamente y llegó junto a la directora, inconsciente en el suelo, al mismo tiempo que la señorita Whittaker, la profesora de costura. Sin dudar ni un momento, Samantha se arrodilló y tomó la muñeca de la señora Steptoe entre el pulgar y los demás dedos, tal como le había visto hacer a James.

—Está viva —murmuró, y la señorita Whittaker empezó a sollozar ruidosamente.

—¡Un médico! —gritó alguien.

Otras alumnas se habían congregado entretanto en la parte superior de la escalera, donde la señorita Tomlinson estaba volviendo en sí. Entonces apareció Roderick Newcastle, en mangas de camisa y tirantes, y se abrió paso por entre las alumnas. Miró a la directora, blanco como una patata helada, y exclamó:

—¡Oh, Dios mío!

Alguien despertó a Humphrey y le envió por un médico a Chislehurst. El señor Newcastle y la señorita Whittaker transportaron a la señora Steptoe a su habitación, situada al final del pasillo del primer piso, y la acostaron cuidadosamente en su cama de dosel. Mientras la señorita Whittaker se hundía en un sillón y el señor Newcastle se secaba la calva con un pañuelo, Samantha le quitó las botas a la señora Steptoe y la cubrió con la colcha.

El médico tardó mucho en llegar. Derry Newcastle encendió la chimenea y la señorita Whittaker preparó té. Samantha permanecía junto a la cama, vigilando constantemente el pulso y la respiración de la señora Steptoe. En determinado momento, levantó el cubrecama y vio que la mancha de sangre se había extendido.

Llamaron con ritmo sincopado a la puerta y cuando la señorita Whittaker fue a abrir, se encontró con una mujer bajita, de cincuenta y tantos años, acompañada de Humphrey, que retorcía nerviosamente su gorra entre las manos. La señorita Whittaker se quedó perpleja.

La mujer entró en la habitación, se quitó la capa y se acercó a la cama.

—¿Quién es usted? —le preguntó Derry Newcastle.

—Este no es un lugar para un caballero, señor —replicó enérgicamente la mujer, de espaldas a él.

Después tomó la floja muñeca de la señora Steptoe tal como había hecho Samantha.

Una vez el señor Newcastle hubo abandonado la habitación indeciso y cerrado la puerta a su espalda, la mujer levantó el cubrecama, estudió la mancha un momento y después dijo:

—Necesitaré agua caliente y sábanas cortadas a tiras —levantó los ojos y miró directamente a Samantha—. Y que me ayuden.

La señorita Whittaker corrió hacia la puerta.

—¡Voy por el agua y las sábanas! —dijo, saliendo.

A la luz de las lámparas de aceite, la mujer miró a Samantha, situada al otro lado de la cama.

—Parece que te han elegido a ti. ¿Podrás soportarlo?

Samantha se percató de que el corazón le latía con fuerza.

—Sí, señora, tengo alguna experiencia.

—Muy bien. Remángate, que tenemos para un rato.

Mientras se introducía las largas trenzas negras bajo la espalda del camisón y se remangaba, Samantha clavó los ojos en la cincuentona situada al otro lado de la cama. Llevaba el cabello, rubio, con raya en medio y recogido a los lados en unas anticuadas ondas, era menuda y de carnes prietas y respiraba buena salud y juvenil vigor. Samantha observó fascinada cómo se remangaba los blancos puños de encaje de su vestido de sarga azul, levantaba sucesivamente los párpados de la señora Steptoe y se inclinaba para examinar atentamente su rostro.

—Soy la doctora Blackwell; tú ¿cómo te llamas? —preguntó la mujer, sin levantar los ojos.

Samantha se quedó boquiabierta.

—Samantha Hargrave, señora —sus mejillas se ruborizaron inmediatamente—. Quiero decir, señora Blackwell. Quiero decir, doctora...

Elizabeth Blackwell le dirigió una breve sonrisa.

—Basta con que me llames doctora, querida. Ayúdame a quitarle el vestido.

Mientras desabrochaban los numerosos botones y retiraban con cuidado el corsé de la señora Steptoe, la doctora Blackwell habló suavemente con un acento muy extraño; Samantha jamás lo había oído con anterioridad.

—Yo estaba en Chislehurst, visitando a una amiga. Cuando entró el hombre en la posada, buscando al médico de la ciudad, yo me ofrecí a venir. Pobre hombre, no sabía qué hacer. «Yo he venido por un médico —decía—. ¡No por una comadrona!»

Soltaron las cintas de las muchas enaguas de la señora Steptoe, todas ellas empapadas de sangre, y se las apartaron de las piernas.

—No es tan grave como parece —dijo la doctora en tono tranquilizador—. La sangre es muy escandalosa.

Samantha miró sin parpadear a la doctora Blackwell mientras esta se dirigía al lavabo, vertía agua en la jofaina y se frotaba bien las manos. Al regresar junto a la cama, la mujer se secó las manos con una toalla y dijo:

—Casi todos los médicos se lavan las manos después. Yo pienso que no está de más hacerlo antes. Bueno, pues, veamos qué tenemos aquí.

Sus pequeñas y pulcras manos se desplazaron primero por el abdomen de la señora Steptoe, palpándolo en diversos lugares, y después separaron suavemente los muslos, blancos como la leche, y practicaron una profunda exploración interior. El hermoso rostro de la doctora Blackwell adoptó una concentrada expresión imposible de interpretar, mientras sus profundos ojos se perdían en la lejanía. Al terminar, se secó en la toalla y dijo:

—Me temo que la pobre mujer ha sufrido un aborto.

Samantha se quedó boquiabierta.

—¿Está embarazada la señora Steptoe?

—Lo estaba, querida —contestó la doctora Blackwell, extendiendo la mano hacia el maletín—. La caída le ha provocado el aborto. Estaba casi de cuatro meses, a juzgar por el tamaño de la matriz.

Samantha contempló el pálido rostro dormido y pensó que, por primera vez, la directora mostraba una expresión de serenidad.

—No sé cómo ha podido ocurrir —dijo Samantha con aire ausente—. Sube y baja por la escalera miles de veces...

Dirigiéndole una severa mirada, la doctora Blackwell dijo:

—Ahora tenemos que trabajar. Por favor, acerca esa lámpara y colócala entre sus piernas.

La señorita Whittaker entró de puntillas, dejó el agua y las tiras de sábanas junto a la cama y se retiró sin decir palabra. Una vez colocada la lámpara sobre la cama, Samantha ayudó a la doctora Blackwell a separar las piernas de la directora, doblándole las rodillas y sujetándoselas.

—¿Qué va usted a hacer?

—El niño no se puede salvar. Nuestra tarea consiste en completar el proceso que se ha iniciado con la caída por la escalera. Es la única posibilidad que tiene la pobre mujer.

La doctora Blackwell sacó del maletín un instrumento de plata, que recordaba el pico de un pato. Modificando la posición de la lámpara de aceite para recibir una mejor luz, la doctora dijo:

—Vigílale la cara, Samantha. Si da señales de despertar, dímelo y me detendré de inmediato. Tengo que trabajar con rapidez. Su desmayo me permitirá trabajar sin tener que recurrir a la anestesia, que puede ser peligrosa. Por favor, procura que no se muevan las piernas.

Samantha se hallaba inclinada sobre el cuerpo de la directora y tenía que empujar constantemente unas rodillas que se negaban a colaborar. Sus ojos no dejaban de desplazarse constantemente del sereno rostro de la directora a las rápidas manos de la doctora Blackwell y de nuevo al rostro de la directora. Aquella colocó una palangana bajo el acanalado espéculo y después tomó un extraño instrumento. Era una púa de puercoespín, en uno de cuyos extremos había un afilado disco de plata.

—¿Para qué es eso? —preguntó Samantha en voz baja.

—Es una cureta —la doctora Blackwell introdujo suavemente el disco de plata más allá del espéculo y cerró los ojos un instante, siguiendo mentalmente su camino—. Tengo que cerciorarme de que estoy en la matriz y no en la cavidad abdominal.

Samantha contuvo la respiración mientras la pequeña mano manipulaba con la púa, introduciéndola hasta dejar fuera solo unos centímetros.

—Ya está —murmuró la doctora Blackwell, abriendo los ojos—. Está colocada. Vigila la cara, Samantha. ¿Alguna señal?

—No, aún está desmayada. Y respira suavemente.

La doctora Blackwell miró a la niña, sorprendida momentáneamente, y después dio comienzo al raspado.

Samantha oyó fascinada, en la quietud de la noche, un ruido como de rascar curiosamente amortiguado y vio, bajo su brazo extendido, las leves ondulaciones del abdomen de la señora Steptoe mientras la cureta efectuaba su trabajo. Samantha abrió la boca para hablar, pero se interrumpió y apartó el rostro.

—¿Cómo está? —preguntó la doctora Blackwell.

—Bien... —contestó Samantha con voz cascada.

—¿Te encuentras bien?

—Sí...

—Lo que estoy haciendo, Samantha, es retirar los restos de tejido fetal que quedan en la matriz. Si no lo hacemos, si no rascamos bien, tendrá complicaciones. Hemorragia, infección, dolor. Tenemos que hacerlo. ¿Lo entiendes, Samantha?

—Sí, señora.

Samantha volvió a mirar y contempló el austero rostro de la doctora, con sus hermosas y fuertes facciones realzadas por el resplandor amarillento de la lámpara.

—Ya está —la doctora Blackwell dejó la cureta y tomó un fórceps de plata, con un anillo en su extremo, e introdujo en el mismo una torunda hecha con un trozo de sábana—. La matriz ya está limpia. Ahora vamos a secarla. ¿Sigue inconsciente?

—Está moviendo los párpados.

—Muy bien. Ya casi hemos terminado.

La doctora introdujo el anillo varias veces y las esponjas fueron saliendo cada vez más limpias. A continuación, la doctora aplicó el estíptico, otra púa de puercoespín empapada en pasta de alumbre.

—Esto evitará posibles hemorragias.

Por último, la mujer hundió en la vagina de la señora Steptoe una compresa hecha con tiras de sábana.

Media hora más tarde, se sentaron a beber una taza de té Oolong junto a la chimenea. Mientras la lavaban, la señora Steptoe se había despertado y le habían administrado una dosis de láudano; en ese momento dormía tranquilamente entre sábanas limpias.

—¿Piensa que se repondrá, señora doctora?

—Creo que sí. Lo has hecho muy bien, Samantha. Me hubiera sido mucho más difícil sin tu ayuda.

Samantha clavó tímidamente los ojos en su taza, en cuya superficie nadaban unas cuantas hojas de té. Agotada, pero al mismo tiempo extrañamente alborozada, Samantha trataba de analizar el motivo de la euforia que experimentaba. Lo que había hecho, trabajando en estrecha colaboración con la doctora Blackwell, le había producido una extraña y embarazosa sensación de intimidad con aquella mujer. No hubiera podido expresar con palabras aquella confusa emoción, pero, por primera vez en su vida, Samantha supo lo que significaba la camaradería con otra mujer. Un elogio de aquella mujer, a la que conocía hacía apenas un par de horas, significaba de repente, para ella, lo más importante del mundo.

La doctora Blackwell estudió a su silenciosa compañera y pensó que era una extraordinaria combinación de singular belleza y humildad. No recordaba haber conocido jamás a una muchacha tan encantadora y, sin embargo, tan ignorante, a todas luces, de su belleza. Elizabeth Blackwell sentía curiosidad por ella: su tosca manera de hablar, su sencillez, su modo de sostener la taza y sorber ruidosamente el té...

¿Qué estaba haciendo aquella niña de los barrios bajos en un lugar como la Academia Playell's, entre todas aquellas elegantes señoritas de la clase adinerada? Acudió a la mente de la doctora una analogía: Samantha Hargrave era un diamante en bruto en una colección de pulidas piedras falsas.

—¿Te gusta estar aquí, Samantha?

—No, señora doctora.

—¿Por qué no?

—No sé qué estoy haciendo aquí. No tengo amigas. Todas me odian. Me propinan muchos coscorrones. Y por la mañana siempre me toca lavarme la última, cuando el agua ya está sucia.

—Tus padres habrán tenido una buena razón para enviarte aquí —dijo amablemente la doctora.

—No tengo padres. Mamá murió cuando yo nací, y mi padre...

La voz de Samantha se quebró.

—¿Qué vas a hacer con tu vida cuando salgas de la Playell's? ¿Has pensado en ello?

Elizabeth Blackwell ejercía un extraño efecto tranquilizador, su voz era alentadora y sus modales, casi maternales. Samantha comprendió instintivamente que podía confiar en aquella mujer.

—La verdad, doctora, es que estoy haciendo planes para escaparme.

—¿Y adónde irías?

—No lo sé.

—Mira, Samantha —dijo la doctora Blackwell en tono cauteloso—, parece que te sientes muy a gusto cuidando enfermos. Esta noche me has causado una impresión muy favorable. Imagino que ya lo habrás hecho otras veces.

A Samantha se le iluminó el rostro.

—Oh, sí, señora doctora. Yo cuidé a Freedy, ¿sabe?, y después a mi padre, cuando se quemó.

—Ya... —la doctora pareció reflexionar, y después añadió—: ¿Has pensado alguna vez en la posibilidad de dedicar tu vida a esta clase de trabajo?

—¿Quiere decir ser enfermera, como esas nuevas Nightinggales?

A la doctora Blackwell no le pasó inadvertido el súbito destello que iluminó los ojos de la muchacha.

—Tal vez, aunque estaba pensando más bien en la profesión médica. ¿Por qué no convertirte en doctora?

—¿Doctora? —preguntó Samantha, posando la taza de té—. ¡Las mujeres no pueden ser médicos!

—Pues claro que sí. ¡Fíjate en mí!

—Pero... usted no es una auténtico médico, ¿verdad?

—¡Te aseguro que sí! —contestó la doctora Blackwell, riendo de buena gana—. ¡Y podría decir incluso que tan buena como cualquier hombre!

—Pero, los médicos no cortan los cuerpos? Eso no es muy propio de una dama.

—Querida, no hay nada repulsivo ni impropio de una dama en el estudio de la naturaleza: cada músculo, tendón y hueso es como una estrofa de poesía.

Samantha la miró con expresión muy seria.

—¿Qué tal resulta ser doctora?

—Te lo explicaré con un ejemplo. El otro día acudió a mí un hombre con una dolencia que yo le pude curar. Cuando le indiqué mis honorarios, dijo: «¡Por ese dinero hubiera podido pagarme un médico de *verdad*!».

Samantha se agitó interiormente.

—Una mujer médico. Imagínese... —se inclinó hacia delante en su asiento—. ¿Cómo se consigue?

—Ante todo, hay que desearlo, como yo creo que tú lo deseas. Y después hay que tener una buena instrucción. Finalmente, tienes que tratar de refinarte y convertirte en una dama.

Samantha frunció el ceño.

—¿Quiere decir que tengo que quedarme aquí y aprender con qué mano he de sostener la taza y con qué mano tomar el pastel?

—Algo así. Para ingresar en una escuela de medicina, necesitas un título de bachiller, que podrás obtener en esta academia si no te escapas. También es importante aprender a hablar correctamente.

—Siempre tuve dificultades para hablar. Freedy decía que no pronuncié una palabra hasta el día en que él quiso despellejar a un gato viejo. Entonces yo tenía cuatro años, y ahora, siempre que me encuentro con una persona desconocida, ¡me quedo sin habla!

—¡Pues eso tienes que superarlo, porque los médicos necesitan hablar muy bien!

Mientras la niña de catorce años se enfrascaba en sus pensamientos personales, la doctora Blackwell se levantó y tomó su bolso de abalorios. Sacó de su interior una tarjeta de visita grabada y se la entregó a Samantha.

—Me encantaría que vinieras a visitarme alguna vez. Esta es mi dirección de Londres. Piensa en lo que has hecho esta noche y, si quieres que hablemos, mi puerta estará siempre abierta.

Samantha se encontraba en la cama, demasiado nerviosa para poder dormir, con el cuerpo rebosante de una nueva y extraña vitalidad y el pensamiento fijo en una sola idea. Mientras percibía las suaves respiraciones de sus compañeras dormidas, las visiones empezaron a sucederse ante sus ojos: la señora Steptoe encogida al pie de la escalera; ella bajando a toda prisa para socorrerla; la llegada del extraño médico; las púas de erizo, la sangre, la impresionante presencia de la doctora Blackwell. Samantha trataba de comprender todo aquello. Estaba terriblemente asustada: su pánico no era inferior al de la señorita Whittaker, y le hubiera encantado escapar a toda prisa. Y sin embargo, no lo había hecho. ¿Por qué? ¿Qué la indujo a bajar, cuando las demás se habían desmayado? ¿Qué la indujo a permanecer inconmovible junto a la directora, cuando la señorita Whittaker había huido?

—¿De veras soy tan distinta?

Tenía que desenredar, alisar y volver a tejer muchos hilos para poder conseguir una trama identificable. Sí, Samantha sabía que era distinta. Pero ¿cómo? ¿Era verdad lo que la doctora Blackwell había dicho, que ella se encontraba «a gusto cuidando enfermos»? Aparecieron otras visiones: el rígido pellejo de un gato, la pierna herida de Freedy; su padre, incapacitado en la cama.

¿Era eso? Posiblemente sí..., era aquella la escurridiza respuesta que había estado tratando de hallar desde la marcha de la doctora Blackwell. Aparte de la maravillosa y nueva turbación que experimentaba en relación con aquella mujer extraordinaria, Samantha se sentía invadida también por otra confusa emoción, vagamente familiar, cuya naturaleza conocía ahora por fin. Mientras trabajaba junto al cuerpo inconsciente de la señora Steptoe, Samantha se había sentido dominada por una cegadora resolución. Y le resultaba familiar porque era algo que ya había experimentado en otras ocasiones, si bien no con tanta fuerza como aquella noche: cuidando las heridas de Freedy y guiándole lentamente hacia su restablecimiento; y después con su padre, tomando a su cargo aquel pobre cuerpo quemado y acompañándole por el camino de la recuperación; y con anterioridad recordaba su intensa necesidad de devolver la salud a un gato inútil...

Samantha se llenó los pulmones de aire y contuvo el aliento hasta que empezó a experimentar dolores por todo el pecho.

¡Una doctora!, gritó su mente. ¡Ser como ella! ¡Hacer lo que ella había hecho aquella noche!

Samantha abrió los ojos, contemplando el negro techo en busca de la verdad oculta. Sentía un hormigueo en el cuerpo, todos sus nervios estaban en tensión. Hundió los dedos en el colchón para no salir disparada de la cama y lanzarse de cabeza hacia las estrellas.

Hoy, hace un rato, no era nadie, no iba a ninguna parte. Ahora sé quién soy y adónde voy...

14

La señora Steptoe se recuperó rápidamente y la escuela regresó a su rutina habitual. Pero algunas cosas cambiaron. Derry Newcastle se había esfumado en la noche, siendo sustituido por un nuevo profesor de matemáticas; la directora se mostraba tranquila y sosegada, ya no era la impresionante tirana cuya mera presencia inducía a las niñas a echarse a temblar; y Samantha Hargrave se había transformado. Se lanzó con entusiasmo a los estudios que, por cierto, no le resultaron muy penosos ya que todas las profesoras compartían la creencia popular de que un exceso de estudio era perjudicial para los órganos reproductivos de las muchachas. Se atribuía gran importancia a la literatura, la declamación y la música. Se estudiaba francés y alemán y algunos rudimentos de latín y griego; las superficiales nociones de ciencias —botánica, química y zoología— fueron muy fáciles para Samantha gracias a las lecciones recibidas de Hawksbill. Se esforzó mucho en mejorar socialmente y, con la ayuda de la doctora Blackwell, a la que visitaba en Londres con cuanta frecuencia podía, consiguió muy pronto suavizar las asperezas. A medida que pasaban los meses y la tosca niña barriobajera que había acudido a la escuela se iba transformando en una piedra preciosa, las restantes muchachas fueron olvidando el desprecio que Samantha les había inspirado al principio, y por último la incluyeron en su círculo.

Durante los tres años siguientes, Samantha visitó

en varias ocasiones su hogar, donde a veces coincidía con James, borrachín y pendenciero, siempre quejoso de sus estudios, y perdiendo el dinero en el juego, aunque por regla general su hermano estaba ausente. Durante sus terceras Navidades en casa, cuando Samantha se disponía a salir para almorzar con la doctora Blackwell, James llegó inesperadamente con la noticia de que le habían expulsado del Westminster Hospital y de que Matthew se había escapado del manicomio.

Una semana antes de cumplir los diecisiete años, Samantha recibió la noticia de que James había sido detenido y juzgado por asesinato y de que estaba aguardando la ejecución en la prisión de Newgate.

Él le suplicaba que fuera a verle.

La víspera de la ejecución, Samantha tomó un tren que la condujo a la estación Victoria, alquiló un coche y llegó por la tarde a Newgate. Le pidió al cochero que esperara y descendió del vehículo.

El impresionante edificio de piedra gris la atemorizó momentáneamente; después, Samantha se recogió resueltamente la falda y avanzó por la oscura acera hacia la discreta y pequeña puerta de entrada. James le había dicho en su apresurada carta que tendría que pagar muchos sobornos, y así lo hizo: una sucesión de guardianes terriblemente desaseados y apestando a ginebra, miraron lascivamente a Samantha y aceptaron sus monedas mientras la acompañaban a lo largo de húmedos corredores de piedra, haciendo sonar sus enormes llaveros. Fue como bajar al infierno: los desagradables olores, la viscosa humedad de los muros, la interminable oscuridad. Mientras seguía al carcelero y su oscilante linterna, Samantha oyó el chirriar de pesadas cadenas y gritos de hombres al pasar: «¡Anda, cariño, levántate las faldas y déjanos ver un poco el paraíso!». Un golpe de porra del guardián les obligaba a apartarse de los barrotes.

Por fin el carcelero se detuvo en el nivel más bajo, donde el aire estaba más enrarecido y la única iluminación procedía de la vacilante llama de unas antorchas, y dijo con fétido aliento:

—Este hombre está condenado a muerte y yo no debería permitirle recibir ninguna visita. Podría costarme un serio disgusto.

Samantha hurgó en su bolso y dejó caer varias relucientes monedas en la sucia mano del hombre.

—Cinco minutos —dijo él ásperamente, al tiempo que se retiraba.

Vio los barrotes de una celda y, más allá, una impenetrable oscuridad. Cautelosamente, como si se acercara a la jaula de un animal salvaje, Samantha se adelantó. Se escuchó el repentino chirriar de una cadena y después apareció un rostro fantasmal.

—Sam —murmuró James con voz ronca—. Has venido.

Samantha se quedó asombrada. ¿Podía aquel andrajoso y esquelético infeliz ser su apuesto hermano? Se acercó a la reja y extendió la mano.

—No lo hagas —dijo James suavemente—. Ese malnacido creerá que me estás dando algo y te echará. Apenas disponemos de tiempo y tengo muchas cosas que decirte —acercó el rostro a los barrotes; había envejecido increíblemente—. Me van a matar mañana, Sam.

Ella habló con dificultad.

—¿Qué ocurrió, James?

—Fui al León de Hierro, a tomarme una ginebra y, mientras estaba bebiendo, se me acercó de repente el apestoso irlandés que anda loco por mi Molly y, puesto que me pilló por sorpresa, no le oí acercarse a causa de mi sordera, le solté un buen puñetazo que le hundió la nariz en el cerebro. Te juro, Sam, que si le hubiera oído acercarse, no lo hubiera hecho. Fue en defensa propia, pero el irlandés tenía demasiados amigos y todos declararon en contra mía.

Samantha se agarró instintivamente a los barrotes y estos le ensuciaron los guantes.

—Tú nunca lo supiste, ¿verdad, Sam? ¿El motivo de mi sordera? Yo te lo diré.

Ella escuchó el suave y sereno relato de la noche de su nacimiento. James terminó diciendo:

—¿No te parece una ironía? ¡Lo que yo hice para salvar *tu* vida ha servido, al cabo de los años, para apagar la mía! Toda mi vida ha sido una desgracia por tu causa. Mi sordera me impidió practicar deportes y tenía que esforzarme doblemente en los estudios porque me perdía mucho de lo que se explicaba en clase. Y, por ese motivo, no tuve vida social. A veces me preguntaba si tú merecías todo eso, Sam.

—Lo siento mucho... —murmuró ella.

—Supongo que tenía que ocurrir. Todos quedamos condenados a partir de aquella noche. Fíjate en Matthew, dondequiera que esté. ¿Sabes por qué me entregué a la bebida al salir de Oxford? ¿Por qué cambié? Por nuestro padre. Me esforcé mucho en estudiar para ganarme su aprobación, para recibir de él alguna señal de que me había perdonado por haber ido en busca de aquel médico; pero, cuando obtuve el título y él no vino y ni siquiera me dio un apretón de manos, algo se rompió en mi interior. Me dije, que se vaya al diablo, y decidí resarcirme de todo lo que me faltó en la infancia. —James inclinó la cabeza y apretó sus abundantes rizos negros contra la reja—. Siempre nos odió, Sam, porque matamos a nuestra madre. Iremos juntos a la ruina, hermanita. Nos sentenciaron a muerte hace diecisiete años, y mi sentencia se cumplirá mañana. Pero, recuerda bien lo que te digo, Sam: también a ti te tocará el turno.

Ella cerró los ojos. Un viento frío le azotaba el alma.

James levantó el rostro mientras las lágrimas surcaban sus sucias mejillas.

—Mañana tengo una cita con la muerte, Sam. Reza por mí.

—¡Oiga! —rugió una voz desde las sombras.

Samantha giró en redondo.

—¡El tiempo se ha acabado!

El carcelero se acercó como un oso que caminara sobre las patas traseras y golpeó los barrotes con la porra.

—¡Pero si no han pasado los cinco minutos!

—Si yo digo que sí, es que sí, y ahora ¡largo!

—¡Dale más dinero, Sam! —gritó James.

—¡Es que no tengo más dinero!

—Si no tiene más dinero, no hay más tiempo.

—Por favor, señor, solo un minuto más. No tengo otra cosa que darle.

En el rostro del carcelero se dibujó una sonrisa de cerdo.

—Conque no, ¿eh?

Sus ojos porcinos le recorrieron el cuerpo de arriba abajo.

—¡Vete, Sam! —gritó James—. ¡Corre!

Ella retrocedió para alejarse del carcelero, resbalando sobre el mojado suelo. El hombre se quedó en pie delante de la celda de James, oscilando sobre sus tacones y haciendo retumbar la cámara de piedra con sus perversas carcajadas; Samantha huyó a toda prisa.

A la mañana siguiente, con las manos y el rostro cortados por el frío y los ojos hinchados a fuerza de llorar toda la noche, Samantha suplicó al alcaide que le entregara el cadáver de James, pero no lo consiguió porque su hermano había donado su cadáver a la escuela de medicina, para prácticas de disección. Y de este modo, sin el consuelo de un entierro, Samantha regresó a la solitaria casa del Crescent.

15

Era el mes de mayo de 1878 y todo resplandecía en vistosa floración alrededor. La señora Steptoe, enfundada en su habitual vestido de luto, que llevaba desde la muerte de su marido acaecida veinte años antes, contrastaba fuertemente con el arco iris primaveral. Se encontraba sentada junto a la chimenea de su salita, con los pies apoyados en un escabel; sobre la mesita que tenía a su lado, había una tetera y una bandeja de tortas con mantequilla. Mientras tomaba un sorbo de té, contempló el jardín por la ventana; allí estaban el conocido y ondulado césped, los rosales, las malvarrosas y las caléndulas, los recién florecidos ásteres silvestres. Era agradable permanecer sentada allí, viendo discurrir al mundo a través de las estaciones.

La señora Steptoe estaba pensando en aquel día, cuatro años atrás, en que una escuálida chiquilla, de cabellos que parecían colas de rata, había descendido del coche de Humphrey y la había mirado con sus grandes ojos asustados. En aquellos momentos Samantha no fue del agrado de la señora Steptoe. De no haber sido por la insistencia del señor Welby, el procurador de la niña, no la hubiera aceptado. La chiquilla era vulgar, procedía de un ambiente deplorable y solo Dios sabía de qué sangre. Pero de eso hacía casi cuatro años. La semana anterior, la encantadora y refinada Samantha había obtenido el título de bachiller en letras.

La señora Steptoe miró a su alrededor, estudiando el despacho que no había cambiado en casi dos décadas: el reloj de la repisa de la chimenea; los jarrones con sus flores secas; un descolorido abanico chino; los perros de vidriada loza de Stafford; y los tableros de cartón piedra con las fotografías de las numerosas muchachas que habían pasado por la academia. Las había querido a todas, pero a ninguna de forma tan especial como a Samantha. Samantha, que había permanecido a su lado en aquella fatídica noche y que no se apartó de su lado hasta verla restablecida. La querida Samantha, tan dulce y comprensiva, sin emitir jamás ningún juicio, guardando el precioso secreto de la señora Steptoe. Sin embargo, ni siquiera Samantha conocía el mayor de sus secretos: el de que, rechazada por Derry Newcastle, se había arrojado por la escalera con la intención de acabar con su vida. Después, sanada ya, la señora Steptoe reflexionó acerca de la locura de su acto y le agradeció a la niña el que hubiera contribuido a salvar su vida aquella noche, y aunque en los tres años siguientes la señora Steptoe se había encerrado en sí misma, excluyendo a todo el mundo, Samantha se convirtió en su confidente. Pero ahora estaba angustiada por su partida.

Sin embargo, la señora Steptoe tenía un plan. Aunque conocía los deseos de Samantha de convertirse en médico, creía que podría disuadirla. Al fin y al cabo, ejercía cierta influencia en la muchacha. Le haría un extraordinario ofrecimiento que ella no podría rechazar: el cargo de directora de la Playell's.

A la señora Steptoe no le importaría cederle el puesto a Samantha con tal que la muchacha se quedara. Y el precio tendría que ser elevado porque le constaba que Samantha se había fijado unos objetivos muy ambiciosos; ninguna oferta inferior daría resultado. ¿Cómo podría Samantha rechazar aquella ocasión incomparable, de las que solo se presentan en la vida de muy contadas mujeres? Una vez se lo dijera, ella abandonaría sus planes de estudiar medicina y se quedaría allí como directora, y su querida amiga, la señora Steptoe viviría en una situación de semirretiro y la ayudaría a dirigir la academia...

Llamaron suavemente a la puerta. La criada Alice asomó la cabeza y dijo:

—¿Señora Steptoe? Hay alguien aquí que desea ver a Samantha Hargrave.

—¿Cómo? —preguntó la directora, posando la taza. En los casi cuatro años que llevaba en la Academia Playell's, Samantha jamás había recibido visitas.

—Es un hombre y pide ver a la señorita Hargrave.

La señora Steptoe se puso en tensión. Samantha se encontraba en Londres, en un nuevo encuentro con la doctora Blackwell.

—Hazle pasar, Alice, por favor.

Un minuto más tarde, su impresionante aspecto llenó el hueco de la puerta: un apuesto joven de elevada estatura, de viriles y hermosas facciones y cabeza coronada por unos alborotados rizos castaños, enfundado en un uniforme de la marina mercante.

—Pase, por favor —le dijo en tono ceremonioso la señora Steptoe.

Retorcía entre las manos un gorro de vigía y caminaba con paso curiosamente inseguro.

—Gracias, señora. Me gustaría ver a Samantha, si es posible. Dígale que está aquí Freedy.

16

—No sé qué hacer, doctora Blackwell.

Elizabeth sonrió. En tres años y medio aún no había logrado convencer a su joven amiga de que la llamara por su nombre de pila.

—Yo solo te puedo dar un consejo, querida amiga; pero la decisión la tendrás que adoptar tú.

Tras recibir el diploma de la Playell's, a Samantha se le planteaba la cuestión de cuál había de ser su próximo paso. Aunque hubiera preferido quedarse en Londres y estudiar allí, las posibilidades de que una mujer ingresara en la Facultad de Medicina eran, como había señalado la doctora Blackwell, prácticamente nulas. La doctora le aconsejaba trasladarse a otro país. Pero todos sus amigos estaban en aquella ciudad, que amaba mucho y conocía muy bien, y además, estaba Freedy.

Samantha había alquilado la casa del Crescent, rogando a los inquilinos que facilitaran la dirección de la Academia Playell's a cualquier persona que preguntara por ella. En caso de que abandonara Inglaterra, tendría que vender la casa y sus huellas se perderían.

Aunque tal vez su esperanza fuera desesperada. Lo más probable era que Freedy se hubiera casado, estuviera en Australia, se encontrara en la cárcel o quizá hubiera muerto. Al fin y al cabo, habían transcurrido casi siete años. Él había hecho su promesa cuando era un joven impetuoso; seguramente la había olvidado entretanto.

Lo malo, sin embargo, era que Samantha no le había olvidado.

La doctora Blackwell llenó dos tazas de té y le entregó una taza a Samantha.

—Casi te envidio, querida, porque vas a empezar ahora. La medicina está al borde de una gran revolución y me temo que yo no viviré para ver sus maravillosos triunfos. En cambio tú, Samantha, formarás parte de esa revolución.

Samantha agradeció con una sonrisa el cambio de tema.

—Hay un hombre nuevo en el King's College que está causando mucho revuelo —prosiguió la doctora Blackwell—. El señor Lister afirma haber obrado milagros en la Royal Infirmary de Edimburgo. Dice que unas heridas que atendió, heridas que se hubieran gangrenado y provocado la muerte del paciente, han sanado en pocas semanas porque las lavó con ácido fénico.

»Me han comentado un caso sorprendente de un niño de diez años que se aplastó el brazo en el taller de un tornero. Tenía el brazo tan destrozado que lo único que se podía hacer, en opinión del equipo de médicos, era amputárselo a la altura del hombro. Pero Joseph Lister quiso experimentar. Hizo algo que jamás se había hecho. Colocó los huesos en su sitio, cosió la herida y envolvió todo aquel desastre en un emplasto de solución de ácido fénico. Todo el mundo dijo que era una locura porque, con la amputación inmediata, el chico tenía posibilidades de vivir, mientras que de esa manera, lo más seguro era que muriese de gangrena. Pero ocurrió el milagro. El señor Lister retiró el vendaje y descubrió que el brazo había sanado. Siete semanas después del accidente, el chico fue enviado a casa con su brazo en perfecto funcionamiento.

—Pero ¿cómo es posible? Usted siempre me ha dicho que el aire fresco es el único medio de curar una herida y que, si se aplican vendajes, estos atrapan el aire impuro.

—Es posible que me equivocara. En Francia el señor Pasteur ha examinado bajo el microscopio vino y leche en mal estado y afirma haber descubierto unos diminutos organismos no visibles a simple vista que son los causantes de la corrupción. Y en Alemania el doctor Koch afirma haber descubierto el animal microscópico que produce el ántrax. El señor Lister los llama bacterias, insiste en que son ellos, y no el aire impuro, los causantes de la infección y dice que su solución de ácido fénico los destruye, permitiendo que la carne sane debidamente sin aparición de pus.

—¡Jamás había oído semejante cosa! Para sanar, es necesario que una herida tenga pus.

—Es posible que hayamos estado equivocados durante todos estos años. —En medio de un crujir de faldas, la doctora Blackwell se levantó y se detuvo frente a la chimenea. El sol de la tarde, que penetraba a raudales por la ventana del salón, arrancaba vivos reflejos a su cabello rubio—. La medicina está cambiando, amiga mía. Y estoy firmemente convencida de que una considerable parte de ese cambio consistirá en el futuro incremento del número de mujeres médicos. Ahora no somos muchas, Samantha. Actualmente, la doctora Garrett y yo somos las dos únicas mujeres del Registro Médico de Gran Bretaña, y conseguimos entrar a través de unos huecos legales que ahora ya se han cerrado. Pero estoy segura de que los hombres no seguirán combatiéndonos durante mucho tiempo. Las Facultades de medicina nos están vedadas de momento, pero algún día esas puertas se abrirán. —La doctora respiró hondo, y se oyó el crujido de las ballenas de su corsé—. ¡Y me temo que la nueva enfermería tampoco está favoreciendo nuestra causa!

Eso no constituía ninguna novedad para Samantha, que ya había oído hablar de ello con anterioridad. Se decía que la nueva y revolucionaria escuela de enfermería de Florence Nightingale estaba atrayendo a muchas mujeres que, de otro modo, hubieran luchado por su derecho a cursar estudios de medicina. La Escuela Nightingale de St. Thomas era el primer experimento que se llevaba a cabo con vistas a instruir profesionalmente a las mujeres solteras, y había alcanzado una enorme popularidad; sin embargo, también era objeto de muchas controversias y tenía que estar constantemente en guardia frente a sus muchos enemigos.

Teniendo en cuenta el escándalo y la conmoción que había causado en el campo de la medicina y en las mentes victorianas, hubiera podido decirse que Florence Nightingale era una feminista. Pero no lo era. Creía profundamente en la inferioridad de la mujer respecto del hombre, exigía a sus enfermeras docilidad y total sumisión, y tan opuesta a los comportamientos «impropios de una dama» como acérrimamente contraria a la idea de que las mujeres estudiaran medicina, señalaba que, las que lo habían conseguido, habían terminado convertidas en «hombres de tercera categoría». Además, decía la eminente dama, las mujeres no eran necesarias en el campo de la medicina.

Samantha conocía a Florence Nightingale. La doctora Blackwell la había acompañado el verano anterior a visitar el St. Thomas' Hospital en el Muelle de Alberto, frente a los nuevos edificios del Parlamento, y allí Samantha había podido observar la vergüenza mortal que experimentaban muchas mujeres al tener que someterse a un examen físico íntimo por parte de médicos varones. La doctora Blackwell le había comentado en aquella ocasión que muchas mujeres preferían quedarse en casa y sufrir sus dolencias femeninas antes que pasar por semejante bochorno.

Al salir del St. Thomas, se habían trasladado a la casa de la famosa «Jefa», que, convertida en una inválida debido a sus agotadores esfuerzos en Crimea, no podía abandonar el lecho. La dama concedió una audiencia a su querida amiga y a la joven protegida de esta como una reina que dispensara favores. A Samantha le pareció que Florence Nightingale era una mujer contradictoria: diminuta de aspecto, pero con una personalidad que era un huracán. Se pasaron toda la tarde discutiendo animadamente acerca de la posibilidad de que las mujeres estudiaran medicina, y Samantha no tuvo reparos en expresar su opinión. Al finalizar la visita, la señorita Nightingale se despidió de ellas regalándoles un pastel.

La doctora Blackwell abandonó sus reflexiones y miró largamente a su joven amiga.

—La decisión tendrás que adoptarla muy pronto, mi querida amiga, porque ya no puedes quedarte en la academia por más tiempo.

—He pensado en todo lo que usted me ha dicho, doctora Blackwell —dijo Samantha, lanzando un suspiro—, y aunque estoy segura de que Norteamérica me ofrece mejores perspectivas, aborrezco la idea de abandonar Londres.

Elizabeth Blackwell había estudiado medicina en Estados Unidos (a eso se debía su extraño acento) y estaba profundamente convencida de que aquel era el mejor camino para Samantha. Los hermosos y rasgados ojos de la doctora, en uno de los cuales había perdido la visión mientras curaba a un niño enfermo, contemplaron a la joven con aire pensativo. Tras reflexionar un rato para sus adentros, preguntó:

—¿Acaso te retiene aquí un hombre, pequeña?

Samantha la miró con asombro.

—He visto esa expresión otras veces, Samantha —dijo la doctora, riéndose suavemente—. En mi propio espejo. Querida mía... —la doctora se sentó al lado de Samantha en el sofá y dijo atropelladamente—: Voy a contarte algo que jamás le he revelado a nadie. Cuando era joven, no sentía un ardiente deseo de ser médico. En realidad, llegué a esa decisión a través de un razonamiento, y la decisión surgió del problema que yo tenía con los hombres.

Samantha se la quedó mirando, atónita, con sus bonitos ojos muy abiertos.

—Mira, querida, yo siempre he sido muy sensible a los hombres. Me he pasado la vida perpetuamente enamorada de algún representante del otro sexo, y comprendí muy pronto que eso podría ser mi ruina y que, a menos que me revistiera de una coraza, sería muy fácil que un hombre me manipulara a su antojo. Conocía mi instintiva dependencia respecto de ellos y sabía que, en caso de sucumbir, sería esclava suya para siempre.

Samantha vio mentalmente los rostros de los hombres a quienes había amado y perdido: su padre, su hermano James, Hawksbill, Freedy...

La voz de Elizabeth añadió:

—Necesitaba una fuerte barrera que me protegiera y me permitiera ser independiente. Decidí renunciar al matrimonio y abstenerme totalmente de los hombres como el alcohólico que tiene que rechazar el primer vaso porque las soluciones intermedias no son válidas. Necesitaba algo en que ocupar mis pensamientos, algún objetivo en la vida que llenara ese vacío y evitara que el corazón se me marchitara tristemente. Si no podía hallar satisfacción en un marido y unos hijos, la tendría que buscar en otra parte. Elegí muy bien el estudio de la medicina, Samantha, porque ningún hombre quiere a una doctora por esposa.

—¿De veras?

—En Norteamérica, que es un vasto continente de miles de kilómetros de extensión, hay menos de quinientas doctoras y, de ellas, solo unas pocas están casadas. Y esas lo están con médicos.

—¿Y por qué?

—Un prejuicio insuperable, pequeña. Vivimos en una era de dominio masculino. Las mujeres constituyen una amenaza para su reinado. Alguien lo ha llamado «tomar por asalto la ciudadela», como si estuviéramos luchando contra sus defensas. No sé por qué nos tienen miedo, solo sé que, en los treinta años que llevo ejerciendo la medicina, aún no he conocido a un hombre que no mostrara alguna clase de temor en relación con nosotras. Se burlan de nosotras, Samantha. Un gran cirujano dijo una vez que el mundo se divide en tres grupos: los hombres, las mujeres y las doctoras. Oirás que nos llaman «médicos hembra». No saben cómo clasificarnos, no somos ni señoras ni rameras, sino una grotesca mutación intermedia. Por esa causa, querida, para que seas aceptada en pie de igualdad, tienes que hacer las cosas mucho mejor que ellos y, una vez les hayas usurpado el puesto, ¿qué hombre te querrá por esposa? El hecho de elegir el ejercicio de la medicina, Samantha, equivale a elegir la soltería de por vida.

Samantha se reclinó en el respaldo del sofá y permaneció largo rato con los ojos clavados en el té ya frío.

La señora Steptoe a duras penas pudo evitar que sus manos arrancaran los brazos de la silla. Procuró disimular su enojo. ¡Cómo se atrevía!, pensó con furia mal reprimida. ¡Cómo se atreve este animal a venir aquí para llevarse a mi Samantha!

—Como le digo, señor Hawksbill, Samantha abandonó la Academia hace una semana y no dejó ninguna dirección.

Las curtidas manos de Freedy seguían estrujando el gorro de vigía. Estaba sentado en el borde de la silla de brocado, como si temiera que sus toscas ropas pudieran mancillarlo.

—¿Y no volverá?

Junto a ti, desde luego que no; Samantha me pertenece.

—Lo dudo mucho, señor Hawksbill. Comentó que pensaba visitar Francia.

—¡Pero ella le escribirá sin duda!

La señora Steptoe comprimió sus finos labios hasta formar una línea blanca y pensó: ¡Lárgate de una vez, mastuerzo!

—Es posible que escriba.

Freedy se metió la mano en el bolsillo de su chaqueta color verde claro y sacó un sobre sellado. Se lo entregó a la señora Steptoe y dijo:

—Si tiene noticias suyas, ¿será tan amable de hacérselo llegar? Es mi dirección en Londres. He encontrado trabajo en el muelle y estaré allí seis meses. La estaré esperando.

La señora Steptoe tomó la carta con gesto afectado y se levantó muy envarada.

Comprendiendo la alusión, Freedy Hawksbill, que había tomado el apellido del hombre que le salvó la vida, se puso en pie torpemente y se llevó un dedo a la frente, a modo de saludo.

—Gracias, señora. Le agradezco mucho su ayuda.

Una vez cerrada la puerta y viendo su corpachón renqueando repulsivamente camino abajo, la señora Steptoe dio media vuelta, se deslizó hacia la chimenea y arrojó la carta a las llamas.

17

El carruaje traqueteaba suavemente y el sonido de los cascos del caballo de Humphrey ejercía un efecto hipnótico, pero Samantha no se había adormecido tal como solía ocurrirle en sus regresos desde la estación de Chislehurst. Su mente estaba atormentada.

Había que adoptar una decisión: ¿adónde ir?

En su cabeza resonaban voces: la de Freedy, hacía mucho tiempo. «Espérame, Sam. Regresaré por ti, te lo prometo.»

La de la doctora Blackwell: «Quería ser independiente».

«Iremos juntos a la ruina —decía la voz de James desde la tumba—. Recuerda bien lo que te digo, también a ti te tocará el turno.»

Samantha se frotó los ojos, que mantenía fuertemente cerrados. Juntos a la ruina... Sí, padre, a ti te gustaría eso, ¿verdad? Primero Matthew, después James, y ahora yo. Al cabo de dieciocho años, podrías vengarte.

Pero no lo conseguirás. Tengo el propósito de abrirme camino en este mundo, y sin la ayuda de los hombres. Freedy se ha ido, me ha olvidado. Lo haré sola. En Norteamérica...

SEGUNDA PARTE

NUEVA YORK

1878

1

—No rompáis el círculo —dijo Louisa con voz gutural, echando dramáticamente la cabeza hacia atrás—. Y no abráis los ojos. Tenemos que concentrarnos. Tenemos que abrir nuestra conciencia al mundo espiritual. Todas tenemos que ser receptivas. Concentraos, concentraos...

Samantha resistió el impulso de abrir los ojos y mirar a su alrededor. Ya sabía lo que iba a ver. Cinco muchachas sentadas alrededor de la mesa del comedor y tomadas de la mano, con los ojos fuertemente cerrados y los rostros, de expresión solemne, iluminados por el parpadeo de la vela que había en el centro. Y más allá: la oscuridad.

Se habían reunido en el bien amueblado salón de la señora Chatham, aprovechando su tarde libre de aquella semana para zurcir ropa, escribir cartas o leer las más recientes y sensacionales noticias publicadas por el *Illustrated Newspaper* de Frank Leslie. Las cinco muchachas trabajaban muchas horas, algunas hasta catorce diariamente, como Louisa. La pálida Helen trabajaba en la biblioteca; las hermanas Wertz lo hacían de dependientas, en la Quinta Avenida; la rechoncha Naomi era aprendiza de sombrerera; y la bella Louisa, de ojos verdes, era la que tenía el puesto más prestigioso: de mecanógrafa en la nueva Compañía Bell.

Samantha notó que la mano de Louisa vibraba en la suya y oyó que su voz decía con un sonsonete:

—Siento que el Camino se abre... Las barreras se están disolviendo, los espíritus se acercan...

Media hora antes, Louisa había apartado su revista de modas y sugerido a las demás la celebración de una sesión, informando a Samantha de que justo el mes pasado el grupo había establecido contacto con el espíritu de Juana de Arco. La energía contagiosa de Louisa y sus brillantes ojos de malaquita no le permitieron negarse. Pero ahora, tomando las manos de sus compañeras y escuchando la monótona salmodia de Louisa, Samantha frunció el ceño: lo que menos le interesaba en su nuevo país era establecer contacto con los muertos.

—¡Noto una presencia! —gritó Louisa.

Una de las chicas emitió un jadeo y Samantha advirtió que los húmedos dedos de Naomi le comprimían la mano. Louisa habló, alargando las sílabas:

—¿Quién está ahí? ¿Quién ha venido entre nosotras? Danos una señal...

Samantha sintió que el corazón se le desbocaba muy a pesar suyo.

Había llegado dos días antes, en el buque *Servia* de la Cunard, y gracias a la sugerencia de la doctora Blackwell de que viajara en segunda clase, no había tenido que someterse a la humillante cuarentena y «desinfección» a que se veían sujetos los inmigrantes que viajaban en tercera. Le había costado mucho dinero —casi la mitad de lo obtenido por la venta de la casa del Crescent—, pero había valido la pena. Una rápida inspección de su equipaje en el muelle por parte de un cortés funcionario de aduanas, un apresurado vistazo a sus documentos, y Samantha había recibido vía libre. Al otro lado de la valla, se encontraba la apiñada masa de los inmigrantes, casi todos ellos portando sus efectos personales envueltos en papeles y tratados como si fueran ganado: alemanes con pantalones cortos, de cuero, y holandeses con zuecos se mezclaban con individuos enfundados en capas de Connemara en medio de una Babel de lenguas. El proceso de cuarentena duraba horas y a veces días, según tenía entendido Samantha. Y todo por el precio de un pasaje...

Desde el Battery Samantha se trasladó a aquella zona de la ciudad, situada entre el Greenwich Village y el East Side inferior, siguiendo las recomendaciones de Elizabeth Blackwell, la cual le había comentado que, aunque limpio y respetable, el barrio no resultaba muy caro; y mientras recorría Houston Street, descubrió el letrero en la ventana de la señora Chatham: SE ALQUILA HABITACIÓN, JUDÍOS E ITALIANOS ABSTENERSE.

La casa de piedra arenisca, de tres pisos, estaba ocupada por la señora Chatham, una sexagenaria viuda de busto exuberante, una ingenua niña de trece años que se encargaba de la limpieza y cinco jóvenes huéspedes. Samantha compartía una habitación con una muchacha de su edad llamada Louisa Binford.

Eso había sido el viernes. Aquel día Samantha cenó pollo asado con salsa de huevo en compañía de la señora Chatham y de las demás chicas y después se acostó porque estaba muy fatigada. Sin poder conciliar el sueño, oyó el rumor irregular del radiador y el rugido distante de algo que llamaban el «elevado» —es decir, el ferrocarril que atravesaba a cielo abierto una zona de la ciudad— y reprimió sus lágrimas de añoranza.

A la mañana siguiente las demás chicas, vestidas con faldas largas de color oscuro y blusas blancas, se presentaron a la hora del desayuno, le hicieron algunas preguntas de circunstancias, tomaron sus sombreros y sus chales y salieron a toda prisa hacia sus respectivos lugares de trabajo. Tras pasarse la mañana leyendo la prensa en el salón, Samantha salió hacia la Enfermería de Nueva York, que estaba muy cerca de la Segunda

Avenida, y concertó allí una cita para entrevistarse el lunes con la doctora Emily Blackwell, la hermana de Elizabeth.

Adondequiera que fuera, Samantha recordaba dolorosamente que era una extraña en un país extraño, en voluntario exilio de la Inglaterra que tanto amaba. A cada nuevo espectáculo que se ofrecía a sus ojos en aquella impresionante ciudad, a cada sílaba que escuchaba con acento norteamericano, a cada nueva costumbre que observaba (los vehículos circulaban por las calles en sentido contrario), Samantha advertía que su valor y determinación iniciales se iban desvaneciendo. ¿Había hecho lo adecuado? ¿O aquella salvaje e indómita tierra iba a ser su ruina?

—¿Quién es? —preguntó Louisa con voz quejumbrosa—. ¿Quién ha venido entre nosotras?

Reinaba en el comedor un profundo silencio; Samantha creyó oír los latidos combinados de seis corazones ansiosos. ¡Absurdo!, pensó mientras comprimía la mano de Louisa. Los muertos no se pueden evocar...

—El espíritu ha venido para hablar con una de nosotras. Está intentando comunicarse con una de las personas sentadas alrededor de esta mesa.

La respiración de Samantha se aceleró.

—¡Danos una señal, oh, visitante del más allá! —exclamó Louisa con voz estridente—. ¿Con quién deseas comunicarte?

Samantha oyó un suave gemido. Echó la cabeza hacia atrás y entreabrió ligeramente los párpados. Al otro lado de la mesa, vio una extraña ilusión óptica. Era un resplandor de suave fulgor, suspendido en la oscuridad de la pared. Se quedó sin aliento.

—¿Qué es? —gritó Louisa mientras su esbelto cuerpo se balanceaba—. ¿Para quién has venido? Háblanos, oh, espíritu del mundo sin retorno...

Se oyó un repentino gemido, seguido de un estrépito.

Samantha echó la cabeza hacia delante, abrió los ojos y vio a Edith Wertz inclinada sobre algo que había en el suelo. La aureola resplandeciente se había esfumado.

Todas se levantaron de golpe. Louisa encendió rápidamente las lámparas de gas mientras Samantha rodeaba la mesa. La frágil Helen yacía en el suelo, al lado de la silla volcada, y su cabello rubio platino formaba como un halo alrededor de su cabeza. Era la «aureola» que momentos antes había visto Samantha.

—Se ha desmayado. Traed las sales de la señora Chatham.

Minutos más tarde Helen se hallaba recostada en el sofá de terciopelo rojo, con un pañuelo húmedo sobre la frente. Contempló los rostros inclinados sobre ella con expresión asustada.

—¿Qué ha ocurrido?

—¡El espíritu estaba intentando establecer contacto contigo! —dijo Louisa, sentada en el borde del sofá—. Pero te ha faltado entereza para dejarle entrar.

Estudiando el ceniciento rostro de Helen, sus inmóviles pupilas y el extraño color de sus labios, Samantha pensó que su desmayo tenía que deberse a otra causa.

Louisa se levantó, se alisó la falda y manoseó nerviosamente los pliegues que cubrían su polisón.

—Bien, creo que el hechizo se ha roto. Es inútil que tratemos de reconstruir el círculo.

—Tal vez la semana que viene —dijo Naomi, con los ojos brillantes de emoción y con unas medias lunas de sudor en el vestido, bajo los rollizos brazos—. ¡No sé quién habrá tratado de comunicarse contigo, querida Helen!

La chica movió la cabeza de uno a otro lado.

—Yo no conozco a ningún muerto...

Samantha acompañó a Helen a su habitación y le hizo compañía mientras la muchacha recuperaba las fuerzas. Helen puso a hervir un poco de agua en el infiernillo que la señora Chatham les permitía tener en la habitación y echó una cucharadita de té en la desportillada tetera.

—Será flojo —dijo tímidamente—, pero bastará para dos.

Samantha se acomodó en el único sillón que había en la pequeña habitación y miró a su alrededor. La señora Chatham se enorgullecía de proporcionar a sus huéspedes un ambiente muy agradable; la habitación de Helen era como todas las demás: con una sola cama de latón y una colcha de felpilla, un armario de caoba y un tocador con una jofaina y una jarra de loza, una vistosa alfombra de nudo, unas litografías de los ríos Hudson y Mississippi, de Currier e Ives, y unas cortinas de volantes que ocultaban la pared de ladrillo que había al otro lado de la ventana.

Helen se encontraba sentada en el borde de su cama, retorciéndose nerviosamente los dedos.

—Es la segunda vez que me desmayo esta semana. Estaba colocando unos libros en los estantes y, sin darme cuenta, me encontré tendida en el suelo, mirando al techo. El señor Grant, el bibliotecario, se puso furioso. Pensó que fingía. Dijo que estaba holgazaneando y me acusó de simular una enfermedad.

Samantha esperó pacientemente mientras Helen pellizcaba la tela de su vestido.

—No quiero perder mi trabajo en la biblioteca. Tuve suerte de encontrarlo. No sé hacer otra cosa. No hay suficientes empleos en Nueva York. Hay cientos de chicas aguardando a ocupar mi puesto. Y no puedo volver con mi padre porque él... él...

Helen inclinó la cabeza.

Cuando el agua empezó a hervir, Samantha preparó el té. Era muy flojo y deseó haber podido añadir un poco del suyo, pero lo tomó cortésmente.

Helen miró a Samantha con ojos asustados.

—No tengo ahorros. Llevo apenas tres meses en Manhattan. Si se encuentra algún libro estropeado, me descuentan su importe del salario. Y tengo que vestir bien, y tú ya sabes lo cara que está la ropa.

Samantha estudió su rostro, blanco como la leche, y descubrió que le temblaban las comisuras de la boca. Al cabo de unos minutos, le preguntó suavemente:

—¿Qué te ocurre, Helen?

Ella clavó sus ojos en su taza de té, que no hacía juego con el platito resquebrajado, y sacudió en silencio la cabeza.

—No tienes por qué contármelo, claro, pero, a veces, hablar puede ser útil.

Transcurrieron algunos minutos, en la calle las ruedas metálicas de un carruaje chirriaron sobre la calzada. De lejos, desde los barrios bajos, llegaban las débiles y estridentes notas de una banda callejera alemana.

Por último Helen levantó el rostro y miró a Samantha con ojos atemorizados.

—Tengo un... un problema —dijo Helen con una voz apenas audible.

—¿Un problema femenino?

Helen se ruborizó y asintió con la cabeza.

—¿Qué es?

La joven comprimió los labios. La nuca se le había coloreado a causa de la turbación.

—El período, no para —musitó—. Se va prolongando.

Samantha posó la taza y se sentó al lado de la chica, en la cama.

—¿Cuántos días hace?

—Dos semanas. Normalmente, son cuatro días como máximo. Pero esta vez no para.

—¿Es muy abundante?

—Sí.

Samantha clavó los ojos en los raídos puños de la sencilla blusa de Helen.

—¿Qué medidas has tomado?

La chica se inclinó hacia delante y sacó un frasco de detrás del quinqué que había junto a la cama. Samantha leyó la etiqueta: *Compuesto vegetal de la Sra. Lydia E. Pinkham*.

—Dice en el frasco que eso cura todas las dolencias femeninas —comentó Helen en actitud defensiva.

—¿Cuánto hace que lo tomas?

—Más de una semana, pero hasta ahora no me ha servido de nada.

Samantha posó el frasco.

—Helen, tienes que ir al médico.

—¡No!

Su reacción fue tan rápida y vehemente que sobresaltó a Samantha, que la miraba asombrada.

—¿Y por qué no?

—¡No lo podría soportar! No sé, un hombre... me daría tanta vergüenza...

—Pero los médicos no son hombres corrientes, Helen, están preparados para eso...

Helen sacudió la cabeza con violencia.

—No me importa que estén preparados; no es normal. Un hombre es un hombre, y no está bien, ni creo que pueda discutir los problemas íntimos de una joven sin pensar *algo*.

—Entonces tal vez puedas encontrar a una doctora.

—¿Y para qué la quiero? —preguntó Helen, mirando inexpresivamente a Samantha.

—Si te da vergüenza hablar con un hombre...

Helen volvió a sacudir la cabeza.

—No me fiaría de una doctora. La mayoría de ellas son unas matasanos.

Samantha se irguió y se frotó la nuca con la mano.

Se sentía muy cansada; estaba empezando a notar los efectos de los diez días de viaje en barco.

—¿Puedes tú ayudarme? —preguntó Helen con un hililllo de voz.

—¿Yo? Yo no soy médico. —Samantha no había revelado a sus compañeras de pensión el motivo de su traslado a Norteamérica—. Pero lo que te ocurre no es normal, Helen, necesitas la ayuda de un profesional. Ese frasco no te va a resolver el problema.

—¡En la etiqueta lo asegura!

—Helen, las etiquetas pueden decir lo que les plazca, y tú lo sabes. Solo te estás engañando a ti misma.

—Ya desaparecerá por sí mismo. Es cosa de la tensión. Me paso de pie doce horas al día y solo dispongo de quince minutos para almorzar. Y tardo una hora en ir a la biblioteca y otra en volver en un tranvía de mulas, agarrada a una correa. Eso no tiene más remedio que trastornar mi delicado sistema femenino.

—Helen, tú no pones nada de tu parte...

—No pienso ir a un médico, Samantha, eso por descontado.

Louisa ya estaba en la cama, recostada en los almohadones, devorando ávidamente con sus ojos verdes una novela romántica. Samantha se lavó lánguidamente junto a la jofaina y después se puso el camisón.

—¿Se encuentra bien? —preguntó Louisa, descansando el libro.

—Sí —contestó Samantha mientras se deslizaba entre las frías y limpias sábanas.

Louisa miró largo rato a su compañera de cuarto: Samantha Hargrave seguía siendo un misterio.

—¿Echas de menos tu casa? —le preguntó Louisa cautelosamente.

Samantha ahuecó la almohada y asintió con la cabeza. Pero había algo más que eso. Los fríos temores estaban empezando a socavar su confianza. Dieciocho años, completamente sola en una ciudad abrumadora, sin amigos ni parientes y con el dinero severamente restringido: ¿qué locura se había apoderado de ella?

—Le ocurre a todo el mundo al principio —dijo Louisa en tono sosegado—. ¡Yo dejé Cincinnati hace un año y me pasé un mes temblando como un gorrión bajo las sábanas!

Samantha se volvió a mirarla. Louisa era lo que suele decirse una muchacha cautivadora. Su rostro poseía un misterioso atractivo: una belleza traviesa, enmarcada por unos rizos dorados como la miel. Sus ojos verdes brillaban siempre como por efecto de alguna diversión secreta.

—¡Pero al cabo de algún tiempo descubrí que esto era una aventura maravillosa! No había ningún padre severo que me mirara con el ceño fruncido y ninguna madre mojigata que me regañara. ¡Yo sola y dueña de mis actos!

Samantha sonrió. Louisa Binford gustaba de considerarse «descocada». Una vez había jugado al tenis en Long Island y se jactaba de ello abiertamente.

—Mira, Samantha, aquí somos todas independientes, estamos lejos de casa y nos estamos abriendo paso en el mundo. ¿No te emociona?

Samantha reconocía que se había asombrado al llegar a la casa de huéspedes de la señora Chatham y encontrar allí a toda una serie de jóvenes independientes y respetables que se ganaban la vida por sus medios, sin un padre, un marido u otro pariente varón que las dominara. Semejante fenómeno era algo casi inaudito en Inglaterra, donde una mujer independiente era tachada de solterona o bien veía enjuiciada su virtud. Aunque se sentía fuera de lugar entre aquellas jóvenes tan valerosas, Samantha admiraba su ambición y su sentido de la independencia.

—Claro que Nueva York no es un sitio adecuado

para *todas* las chicas —añadió Louisa—. A muchas les valdría más quedarse en casa.

—¿Por qué?

—Porque a las chicas que no tienen cuidado les ocurren cosas terribles y abominables. ¡Se les acaba el dinero en un santiamén y, antes de que sepan lo que está ocurriendo, se ven arrastradas al lascivo mundo de la vida airada, donde sufren toda clase de horribles destinos! La *Police Gazette* está llena de esas tristes historias. Pero yo soy una superviviente —dijo Louisa, agitando graciosamente los bucles de su cabeza—. Me casaré con un hombre rico y tendré un coche con cuatro caballos perfectamente iguales, tapizado de raso del mismo color que mi pelo.

Samantha estudió la descolorida cinta de los puños de su viejo camisón, profundamente inmersa en sus pensamientos.

Louisa calló un instante y después preguntó:

—¿Por qué has venido a Nueva York?

—Para estudiar.

—¿Estudiar qué?

—Quiero ser médico.

Tras una décima de segundo de silencio, Louisa exclamó:

—¡Médico! ¡Qué maravilla!

Samantha frunció ligeramente el ceño mientras Louisa añadía casi sin resuello:

—¡Se ha organizado una lucha terrible! Están intentando obligar a la Universidad de Harvard a aceptar estudiantes de medicina de sexo femenino, y hablan de ello todos los periódicos. ¡Te vas a ver metida de lleno en todo eso!

—Me temo que no voy a solicitar el ingreso en Harvard —dijo Samantha, sonriendo con aire de disculpa—. Tengo intención de ir a la Escuela de Enfermería de la Segunda Avenida.

—Ah —dijo Louisa en tono desencantado.

—¿Ocurre algo?

—Pensaba que ibas a ser un médico en toda regla.

—¿Qué quieres decir?

—Pues que no todo el mundo piensa que los graduados de Enfermería son médicos de verdad. Legalmente, supongo que lo son.

—No lo entiendo.

—A lo mejor en Inglaterra es distinto, Samantha, pero aquí, en Norteamérica, hay dos clases de médicos: los que lo son en toda regla y los que no. Mira, en Norteamérica cualquiera puede llamarse doctor, cualquiera puede poner una placa en su puerta. No es necesario un título en medicina. Los homeópatas, los curanderos, los grahamistas, los mesmeristas, los magnetizadores se llaman todos «doctores». Tienen sus bañeras de agua, sus imanes, sus cinturones eléctricos; el señor Graham tiene sus galletas curalotodo; y después están los médicos *de verdad*, los que han estudiado en verdaderas facultades de medicina, y esos son los médicos en que tú y yo estamos pensando. ¡Pero todos compiten juntos, los de verdad y los otros, y la confusión es terrible!

—Pero los pacientes acuden a los auténticos médicos, ¿no?

—Claro, pero, ¿cómo lo puede saber uno de antemano? Vas a un hombre que se hace llamar doctor y a mitad de tratamiento te das cuenta de que te han engañado. Si a eso se añaden las doctoras, ¡para qué te voy a contar...!

—El hecho de que sean mujeres no significa que no sean médicos como es debido.

—No importa. La gente lo cree así.

—¿Aunque tengan diplomas de una facultad?

—Eso no es posible. Las facultades no aceptan mujeres. Ya te he contado lo de la lucha de Harvard.

—Sin embargo, la doctora Blackwell me dijo que en Norteamérica hay muchas escuelas que nos aceptan.

—Sí, pero se trata de universidades *femeninas.* Y la gente supone automáticamente que, si una mujer ha obtenido un título en una de estas facultades, no puede ser muy buena, porque ello significa que se conformó con algo que es de segunda categoría. Y por esa razón se la considera de segunda categoría.

—Comprendo...

—Pero no hagas caso de lo que te he dicho, Samantha. Estoy segura de que en Enfermería te irá muy bien. Tiene muy buena fama. Aunque yo no me imagino cuidando enfermos. ¡Me gusta tanto mi trabajo!

Louisa le contó entonces a Samantha cómo se las había arreglado para conseguir hábilmente un puesto de mecanógrafa en la nueva central telefónica de Nassau Street.

—Habían pedido un chico en los anuncios, y les sorprendió verme entre ellos. Éramos muchos aspirantes. Yo diría que unos sesenta para un solo puesto. Sea como fuere, se asombraron al ver que presentaba mi solicitud y trataron de excluirme. ¡El supervisor llegó a decirme que no podía ser muy virtuosa, cuando quería trabajar con una máquina de escribir!

—¿Y cómo conseguiste el empleo?

—Oh, engatusé al viejo chivo. Le dije que los cuatro telefonistas eran hombres, que el encargado de los archivos era un hombre, que el secretario era un hombre y que el mozo de los recados también era varón. Le dije, mirándole a los ojos, que pensara en lo bonito que resultaría un toque femenino en la oficina. Como es natural, los demás se escandalizaron, pensando que mi presencia sería la causa de su ruina, pero el viejo señor Rutugers pareció ablandarse. Y después, cuando me ofrecí a trabajar por menos de lo que ellos ofrecían y les dije que aceptaría el empleo por la mitad del salario, saltó como un loco. ¡De eso hace seis meses y desde entonces he aprendido a escribir a máquina e incluso a hablar por teléfono!

Samantha asintió con aire ausente mirando a su compañera de habitación, y después, volviéndose de espaldas, se enfrascó de nuevo en sus pensamientos.

Louisa le había revelado nuevas e inesperadas complicaciones. Aquella cuestión de Enfermería y de las universidades femeninas, ¿sería cierto? ¿Era posible que a las mujeres no se las considerara médicos de verdad? Elizabeth Blackwell no le había dicho nada al respecto. Y después estaba el problema del dinero y el empleo. En caso de que Enfermería no pudiera admitirla de inmediato, Samantha contaba con poder encontrar algún trabajo que le permitiera mantenerse entretanto.

Pero, ¿y si no lo consigo? ¿Y si se me termina el dinero?...

2

—Nuestra escuela surgió de una necesidad, señorita Hargrave. Por cada una o dos mujeres que consiguen ingresar en una universidad masculina, centenares de otras son rechazadas. Mi hermana fundó esta Enfermería en mil ochocientos cincuenta y cinco y, en mil ochocientos sesenta y cuatro se nos reconoció legalmente el derecho a expedir títulos de medicina. Hace nueve años, tuvo lugar nuestra primera ceremonia de graduación donde la obtuvieron cinco alumnas.

Se encontraban sentadas en el pequeño despacho de la doctora Emily. La mujer se parecía mucho a su hermana, agraciada y menuda, una eficiente y pequeña máquina de feminidad y fuerza. La doctora Emily había tenido la deferencia de mostrarle a Samantha las instalaciones: dos edificios anejos, de piedra arenisca, ubicados en la Segunda Avenida, que se habían habilitado como hospital con sus correspondientes salas, departamento de cirugía, farmacia, dispensario y aulas para las alumnas. Samantha visitó las impolutas salas y habló con las enfermeras, las doctoras y las alumnas, todas ellas entregadas a la tarea de atender a un elevado número de enfermos.

—La Escuela de Enfermería se puso en marcha para poder ofrecer cuidados médicos a mujeres pobres y para atender a las que no pueden soportar la perspectiva de ser tratadas por un médico varón. En nuestro primer año, señorita Hargrave, tratamos a tres mil pacientes. De eso hace veintitrés años. Ahora asistimos a un número diez veces superior —la doctora Emily esbozó una orgullosa sonrisa—. De eso surgió la necesidad de fundar una escuela donde pudiéramos preparar personal femenino con el fin de que trabajara aquí. Nuestras estudiantes visitan a las pacientes en el dispensario, les dan consejos y las envían a casa con medicamentos e instrucciones higiénicas y sanitarias. Estamos en un barrio de inmigrantes, señorita Hargrave, y muchas de estas mujeres tienen una idea muy peculiar de lo que es la limpieza. Por eso hemos organizado un programa de visitas en el cual nuestras enfermeras acuden a las casas de las enfermas y, en la medida de lo posible, les enseñan higiene. Como ve, nuestras estudiantes adquieren una experiencia clínica muy completa.

Samantha le expresó su preocupación acerca de la validez del diploma femenino.

—No le negaré que hay muchos prejuicios contra nosotras y que las pocas mujeres que han conseguido un título en facultades de medicina masculinas tienen más posibilidades, pero pienso que, a su debido tiempo, cuando hayamos demostrado nuestra valía, nos aceptarán. A pesar de lo que la gente diga de nosotras, señorita Hargrave, la nuestra es una escuela en toda regla.

Samantha salió de allí desconcertada. Enfermería le había causado una impresión favorable, y el hecho de entrar a formar parte de aquella institución tan progresista y de colaborar con brillantes profesionales como la famosa doctora Mary Putnam Jacobi era una oportunidad no desdeñable. Y sin embargo, la mujer a quien ella más admiraba, la doctora Elizabeth Blackwell, había estudiado en una facultad masculina.

Por desgracia, Samantha dispondría de mucho tiempo para adoptar una decisión: la escuela estaba en aquellos momentos al completo y no podría aceptar nuevas alumnas hasta pasados seis meses. No obstante, la doctora Emily le aseguró que podría ingresar en el mes de enero, añadiendo que entretanto sería aconsejable que Samantha empezara a trabajar como ayudante de un médico en ejercicio. Samantha se mostró de acuerdo, puesto que la doctora Elizabeth había trabajado como ayudante antes de matricularse en la escuela (ese era el camino que habitualmente solían seguir los estudiantes de medicina) y aceptó de buen grado la lista de médicos recomendados que la doctora le proporcionó.

En los días sucesivos, sin embargo, el optimismo de Samantha se trocó en inquietud: ninguno de los médicos propuestos por la doctora Emily le dio resultado. Algunos ya contaban con ayudantes y otros no tenían bastantes clientes para contratar a una auxiliar.

Aquella noche, sola en su habitación, a la luz de una solitaria lámpara, Samantha contó el dinero que le quedaba y calculó que, reduciendo gastos y sometiéndose a privaciones, le duraría tres meses. Después...

Lo primero que hizo fue leerse todos los periódicos, rodear con un círculo los anuncios de médicos que solicitaban ayudantes y llamar a todas las puertas a lo largo y lo ancho de Manhattan. Las reacciones variaron desde la diversión mal disimulada a la profunda indignación: casi todos se mostraron escandalizados ante su propuesta, calificándola de inmoral; algunos se echaron a reír de buena gana, seguros de que no hablaba en serio; tres se le insinuaron de forma incorrecta; y uno le hizo una proposición de matrimonio.

Empezó por las zonas elegantes de las avenidas, y poco a poco fue a regañadientes descendiendo hacia el Distrito Décimo, conocido también como el Mercado de los Cerdos o el Distrito del Tifus: el barrio bajo más densamente poblado de Manhattan. Avanzó por las sucias aceras de la Pequeña Italia, donde el llanto de los niños y la música de los organillos se mezclaban con los gritos de los vendedores callejeros. Bajó entre rabinos de negro sombrero por las calles Orchard y Hester, esquivando la basura esparcida por el suelo, ensordecida por los gritos de los barbudos ropavejeros. Inmigrantes de todas las edades se acercaban a ella para pedirle limosna, desde niños descarados a tímidas jóvenes que se cubrían púdicamente con el chal el vientre abultado por el embarazo. Allí los médicos no abundaban tanto y aquellos con quienes consiguió entrevistarse, o no hablaban inglés o le echaron un sermón estilo Viejo Mundo, sobre la necesidad de que regresara a casa junto a su madre, que era donde le correspondía estar.

Se pasó una semana subiendo escaleras, exponiendo su propuesta, recibiendo toda clase de desaires, regresando a casa agotada y con los pies doloridos, y experimentando cada noche el peso de la decepción. Pero Samantha no se desanimó. Su determinación aumentaba con cada negativa que recibía. En algún lugar de aquella ciudad de magníficas oportunidades habría un médico que la aceptase.

3

El accidente se produjo en la confluencia de la calle Octava y la Segunda Avenida. Samantha estaba a punto de bajar de la acera cuando un joven pulcramente vestido, con atuendo de ciclista, apareció por entre el tráfico en su llamativo velocípedo Columbia. Al verla esbozó una sonrisa y se quitó su elegante gorra azul, de polo. Al pasar a toda prisa junto a ella, se volvió para mirarla sonriendo, sin dejar de pedalear. Samantha vio un carruaje que doblaba la esquina y abrió la boca para lanzar un grito de advertencia. Se quedó helada al ver que el ciclista se volvía demasiado tarde. Los caballos retrocedieron relinchando y el vehículo se desvió con un movimiento vertiginoso. Samantha contempló boquiabierta la colisión que se produjo entre el reluciente velocípedo y el faetón en una erupción de gritos y un chirriar de guarniciones. Los caballos corcovearon violentamente, tiraron de los avíos y el carruaje volcó de lado. Un cabriolé vacío que no pudo detenerse a tiempo, recibió todo el impacto del faetón, catapultando a su cochero por los aires.

Todo terminó en cuestión de segundos. El cruce de ambas calles se había convertido en un caótico escenario de piezas rotas y retorcidas; los caballos, caídos en la calzada, trataban de levantarse; las ruedas seguían girando sobre sus ejes rotos; otros vehículos se detuvieron bruscamente y patinaron, provocando un ensordecedor atasco. La gente echó a correr hacia el escenario del accidente y Samantha fue la primera en llegar.

Un rápido vistazo le bastó para percatarse del estado de las víctimas. El chófer del cabriolé había muerto, tras haberse golpeado la cabeza contra un poste del telégrafo; los cuatro ocupantes del faetón yacían en la calzada, uno de ellos inconsciente, dos lanzando gemidos y el cuarto intentando levantarse; el cochero estaba saliendo a gatas de bajo el vehículo, aturdido y lesionado. Pero la atención de Samantha se centró en el ciclista, que había quedado atrapado debajo del carruaje, con el brazo derecho formando un grotesco ángulo entre los radios de su Columbia.

Mientras varios hombres trataban de levantar el vehículo para liberar al joven, Samantha llegó junto al faetón, tomó de su interior un blanco chal de seda y lo ató rápida y fuertemente en torno a la parte superior del brazo del muchacho. Al moverse el cabriolé, también lo hizo el velocípedo, obligando al ciclista a lanzar un grito de dolor. La calle se había convertido de pronto en una barahúnda de gemidos y sollozos, de relinchos de caballos y de gritos humanos. Samantha examinó apresuradamente al joven, en busca de otras lesiones, observó el estado de sus pupilas y le tomó el pulso, comprobando que era muy rápido; su herida, a pesar del improvisado torniquete, estaba perdiendo abundante sangre.

—¡Una ambulancia! —gritó—. ¡Que alguien vaya por una ambulancia!

Se había formado a su alrededor un corrillo de mirones. Una joven se había desmayado en la acera y dos caballeros la estaban abanicando. Otros hombres estaban tratando de ayudar a los pasajeros del faetón. El ciclista, que sudaba a mares, acabó por perder el conocimiento.

Cuando por fin consiguieron enderezar ruidosamente el cabriolé, dos hombres empezaron a tirar del velocípedo.

—¡No! —gritó Samantha—. ¡Despacio! ¡De esa forma, perderá el brazo!

—Oiga, señorita...

—¿Ha ido alguien por una ambulancia?

—Creo que sí. ¿Quién es usted?

El joven lanzó un gemido y se hundió más profundamente en la inconsciencia. Samantha le habló suavemente en susurros, apoyándole una fría mano en la frente; una ininterrumpida cinta de sangre fluía desde el chal sobre la calzada.

Un hombre de levita negra y chistera se estaba abriendo paso por entre los destrozos, inclinándose sobre cada una de las víctimas y echándoles un rápido vistazo. Llegó junto a Samantha, dobló una rodilla, se inclinó sobre el ciclista y le examinó primero el brazo y después la cabeza y el cuello. Cuando abrió el maletín negro que llevaba y sacó un estetoscopio biauricular, Samantha le estudió con curiosidad.

Su perfil, por debajo de la chistera, resultaba muy atractivo: ojos negros como el carbón bajo pobladas cejas, nariz recta, boca fina, mejillas perfectamente esculpidas y una firme mandíbula cuadrada. Algunas hebras grises, por encima de las orejas, le situaban en los cuarenta y tantos años.

Al ver que se erguía y guardaba el estetoscopio en el maletín, Samantha le dijo:

—Los demás...

—Están bien. Sus lesiones pueden esperar a que llegue la ambulancia. Este chico, no. Hay que atenderle inmediatamente.

Un agente de policía se abrió paso por entre los mirones.

—El St. Brigid's va a enviar un vehículo, doctor Masefield.

—Tengo que llevarme a este muchacho a mi consultorio. Necesitaré ayuda para transportarlo.

—¡Eh, vosotros dos! —gritó el policía—. ¡Venid aquí!

Finalmente el desconocido miró a Samantha. Su rostro, a pesar de su severidad, resultaba extraordinariamente hermoso.

—Sosténgale el brazo mientras yo tiro de la rueda.

Si nota que se desplazan los extremos del hueso, dígamelo enseguida.

—Sí... —dijo ella sin aliento.

El agente de policía se arrodilló también y asió la rueda por el borde. Mientras él y el médico tiraban suavemente, Samantha procuró sostener con fuerza el brazo del muchacho. Este emitió un leve gemido, pero no se despertó. Bajo el chal de seda, notaba la tibia sangre y los músculos contraídos; sus fuertes y finos dedos consiguieron mantener inmóviles los extremos del hueso fracturado, mientras la rueda retrocedía poco a poco.

El médico se levantó ágilmente.

—Procuren transportarle con cautela. Si se produce una sacudida violenta, los extremos fracturados del hueso cortarán los nervios y los vasos sanguíneos que aún se encuentran intactos. Con un poco de suerte, podremos salvarle el brazo.

Mientras ambos hombres levantaban con cuidado al ciclista e iniciaban la marcha, Samantha se levantó rígidamente y se apartó unos rizos de la sudorosa frente. El doctor Masefield ya estaba por alejarse, pero entonces se detuvo, se volvió a mirarla y le preguntó de improviso:

—¿Viene usted?

El consultorio se encontraba muy cerca de allí. Cruzaron un vestíbulo y entraron en un gabinete que olía a ácido fénico. Mientras los hombres colocaban al chico sobre la mesa, el doctor Masefield le dio unas rápidas órdenes a Samantha.

—Encontrará usted unas ligaduras en ese armario. Necesitaré hilo de tripa también y seda. Páselos primero por el ácido. Hay un delantal detrás de la puerta.

Mientras Samantha, con el corazón desbocado, tomaba los carretes de sutura, sin tener la menor idea de lo que había de hacer, el doctor Masefield se quitó la levita y la chistera y se arremangó.

—Vierta un poco de ácido fénico en esta palangana.

Samantha buscó rápidamente en los estantes y encontró un frasco ambarino de gran tamaño, rotulado «Solución fénica al 5 %». Lo tomó, le quitó el tapón de corcho y vertió con torpeza un poco de líquido en la palangana esmaltada. Después volvió a dedicar su atención a los hilos de sutura. Dos años atrás, durante una de sus visitas a la doctora Blackwell, habían llevado a su consultorio a un deshollinador accidentado. La doctora Blackwell había cortado los hilos de seda en fragmentos de unos sesenta centímetros de largo. Samantha tomó unas tijeras que encontró en el armario y empezó a cortar con temblorosos dedos trozos de longitud similar.

—Tráigame aquella bandeja —pidió lacónicamente el médico.

Ella le miró con ojos inquisitivos.

—Allí arriba —le dijo él, indicando el lugar con un movimiento de cabeza—. Esas han sido tratadas con ácido. Colóquela aquí, a mi derecha.

Samantha alcanzó la bandeja. Tras haber introducido las manos en la solución de ácido fénico y habérselas secado con una toalla, el doctor Masefield se dispuso a retirar el chal empapado de sangre que rodeaba el brazo del herido.

—Ahora deje eso y venga a ayudarme. Introduzca los hilos de sutura en esta palangana.

Después de hacerlo, ella descolgó el delantal de la percha y se lo puso, atándose rápidamente las cintas a su espalda.

—¿Usted le aplicó esto? —preguntó él, retirando el chal y dejándolo caer en un cesto.

—Sí —musitó ella.

—Probablemente le ha salvado el brazo. Muy bien, acérqueme la lámpara y sosténgala de forma que ilumine la herida.

Trabajaron durante casi una hora. Sentado en un taburete como un joyero, el doctor Masefield limpió la herida, escarificó los bordes y ligó vasos sanguíneos. Samantha le ayudó a reducir la fractura, corrió al armario en busca de cuanto él le pedía, desplazó la lámpara cada vez que él cambiaba de posición y empapó en ácido los vendajes finales. En el transcurso de todo este tiempo, el doctor Masefield no la miró ni una sola vez.

—Ya está —dijo el médico, incorporándose y antes de secarse las ensangrentadas manos en una toalla—. Ahora ya se lo puede llevar la ambulancia.

Samantha se quedó allí, sin saber qué hacer, tirando de su delantal manchado de sangre.

El doctor Masefield se levantó y se inclinó hacia el muchacho. Mientras le tomaba el pulso en la garganta y le levantaba un párpado y después el otro, dijo:

—Haga sonar la campanilla.

Samantha dio media vuelta. El cordón colgaba en una esquina de la estancia. Tiró de él y casi instantáneamente apareció una anciana enfundada en un vestido de fustán marrón con el lanudo cabello blanco recogido en una cofia.

—Diga, doctor Masefield.

—Señora Wiggen, ¿tendría la bondad de pedir al chico Horowitz que vaya al St. Brigid's y pida una ambulancia? Y después ponga a calentar agua para el té. —El médico se irguió y finalmente miró a Samantha—. ¿O prefiere usted café?

—El té me parece bien, sí... —contestó ella, mirándole asombrada.

La criada se retiró silenciosamente y el doctor Masefield lanzó un profundo suspiro.

—Bueno, creo que se repondrá. Estos ciclistas son un peligro para el tráfico.

Sin saber qué decir, Samantha contempló el cuerpo tendido en posición supina, con la elegante camisa blanca de franela y los bombachos azules ahora desgarrados y mugrientos.

El doctor Masefield se acercó a la palangana y se lavó las manos.

—Ha tenido suerte de que estuviera usted allí —dijo, de espaldas a ella—. Hizo usted un buen trabajo. ¿Puedo preguntarle dónde ha adquirido esos conocimientos?

Samantha se inquietó.

—Bueno, yo...

Él se volvió, secándose las manos.

—Perdone, no me he presentado. Joshua Masefield.

Ella se sintió ligeramente fuera de lugar allí, de pie, con el delantal ensangrentado y el sombrero de medio lado en la cabeza.

—Samantha Hargrave.

Él no sonrió; parecía que su boca no estuviera acostumbrada a ese gesto. Sus reflexivos ojos negros siguieron mirándola.

Samantha se desató las cintas del delantal.

—Siento haberlo ensuciado.

—La señora Wiggen se encargará de eso. Déjelo en el suelo y ella lo recogerá junto con todo lo demás. Parece que necesita usted sentarse un poco.

Samantha le siguió según cruzaba el vestíbulo hacia un salón muy bien amueblado, con un sofá forrado de terciopelo y sillones a juego, grabados en las paredes, un enorme helecho de Boston en la ventana y unas flores secas en la repisa de la chimenea. Pero a Samantha la estancia le produjo la impresión de no utilizarse muy a menudo.

Se sentó en el sofá. Él permanecía de pie. Al otro lado de la ventana, el ruidoso tráfico se había reanudado en la bulliciosa calle. Y del interior de la casa llegaba rumor de platos y del agua corriente de un grifo. Samantha entrelazó las manos sobre el regazo y descubrió con angustia una gran mancha de sangre en su falda, a la altura de las rodillas.

—La señora Wiggen lo arreglará —dijo el doctor Masefield, apoyándose en la repisa de la chimenea.

A pesar de que la desgracia ya había pasado, su seriedad no se desvanecía y Samantha empezó a preguntarse si esta lo abandonaba alguna vez.

—Oh, no —dijo con un hililllo de voz—, puedo hacerlo yo.

—Tonterías. La señora Wiggen se encarga constantemente de estas cosas. Es una experta. No querrá usted salir a la calle de esa manera.

Samantha inclinó la cabeza, incapaz de mirarle a la cara. Su defecto infantil, la repentina incapacidad de hablar que creía haber vencido hacía mucho tiempo en la Academia Playell's, volvía a mortificarla de pronto.

—Es usted inglesa, ¿verdad?

—Sí.

—¿Cuánto tiempo lleva aquí?

—Diez días.

—Entonces habrá adquirido sus conocimientos allí. ¿En Londres?

Samantha no podía vencer su enloquecedora timidez ni tampoco soltar la lengua. Enojada consigo misma, contestó sin levantar la mirada:

—¿A qué se refiere usted, señor, al hablar de conocimientos?

—¿Dónde ha estudiado medicina?

Asombrada, Samantha levantó la cabeza.

—No he estudiado medicina en absoluto.

Aunque su expresión no se modificó, los ojos del doctor Masefield traslucían clara sorpresa.

—¡Pero tendrá usted sin duda alguna preparación! Como enfermera de sala, por lo menos.

Ella sacudió negativamente la cabeza en silencio.

—Santo cielo —exclamó él en tono pausado, estudiándola con creciente interés—. Cuando vi cómo se comportaba allí, dando órdenes, atendiendo en primer lugar las heridas más graves, supuse que era médico o, por lo menos, enfermera. No le hubiera pedido que me acompañara aquí, de no ser así, y desde luego no le hubiera hecho pasar por este trance —el médico hizo un ademán en dirección al consultorio—. Santo cielo —repitió suavemente—. ¿Qué habrá usted pensado de mí...?

Se miraron el uno al otro a través del salón, fijos los ojos, y todos los rumores de la mañana parecieron esfumarse. Por un instante, Samantha solo oyó los fuertes latidos de su corazón; después, la cascada voz de la señora Wiggen rompió el hechizo del momento.

—El té está preparado, doctor —anunció desde la puerta.

—Lo tomaremos aquí, señora Wiggen.

La anciana se sorprendió fugazmente y le dirigió a Samantha una mirada de reproche. Mientras la anciana se alejaba arrastrando los pies, el doctor Masefield dijo:

—Recibo tan pocas visitas, que a veces la señora Wiggen se excede en sus atribuciones.

Tras haber servido el té, la sirvienta trajo una falda del piso de abajo. Samantha se cambió de ropa en el consultorio y le entregó su falda a la criada, que soltó un bufido de reproche. La que le había prestado, de lana de buena calidad, tenía una cintura muy fina; no podía pertenecer en modo alguno a la rechoncha señora Wiggen. ¿A quién entonces?

—Tiene usted que perdonar mi comportamiento, señorita Hargrave —dijo el doctor Masefield cuando volvió a reunirse con él—. Y debe creerme si le digo que, de haber sabido que actuaba usted por caridad y no por el hecho de tener conocimientos de medicina, ¡jamás hubiera insistido en que me ayudara! ¡Estoy consternado por mi vergonzosa falta de discernimiento!

Samantha mantenía los ojos clavados en la taza. Ahora que él se había sentado frente a ella y estaba un poco más cerca, no se atrevía a mirarle.

—En realidad, doctor Masefield —dijo en voz baja—, no estaba usted del todo equivocado.

Samantha le habló brevemente de los casos que había vivido en Inglaterra y de su amistad con la doctora Blackwell, y terminó explicándole el motivo de su traslado a Nueva York. Joshua Masefield la escuchó con profundo interés y, cuando ella hubo terminado, pareció haberse quitado un peso de encima. La estudió en silencio, turbándola con su atrevida mirada, hasta que un golpeteo de cascos de caballos delante de la casa rompió el silencio. Se oyeron presurosas pisadas en dirección a la puerta, seguidas de una llamada sincopada.

La ambulancia del St. Brigid's. El doctor Masefield ayudó al camillero a trasladar al muchacho al carruaje, mientras Samantha permanecía en el salón, tomando tímidamente el té. Cuando él regresó y volvió a sentarse, Samantha hizo un esfuerzo por dominar su voz.

—Supongo que mi falda ya estará dispuesta.

—No hay que apremiar a los artistas. La señora Wiggen la habrá extendido sobre una tinaja y estará inundándola con una cocción mágica de su armario secreto.

—¿La señora Wiggen es su ayudante?

—En cierto modo. No tiene preparación, pero atiende a los pacientes en la sala de espera y después se encarga de la limpieza. De vez en cuando, le pido que me ayude, tal como hubiera hecho hoy, de no haber sido por usted.

Samantha le miró a los ojos haciendo un supremo esfuerzo.

—¿Ha pensado en la posibilidad de contratar a un ayudante?

—En realidad, sí.

La taza tintineó en el platillo; Samantha la posó en la mesa. Pero ¿qué le ocurría? Se había pasado toda la semana visitando con presencia de ánimo y seguridad a un considerable número de médicos. ¿Por qué se sentía tan violenta con aquel?

—Y empezará la semana que viene.

—¿Quién?

—El estudiante de medicina a quien he contratado.

Ella le miró un instante y después apartó rápidamente la mirada. ¡Sus esperanzas habían nacido y se habían esfumado en un minuto!

—¿He dicho algo que la turbe, señorita Hargrave?

Ella le explicó con voz entrecortada que llevaba siete días buscando un puesto como aquel, y después añadió a regañadientes que de pronto parecía no ver un rayo de luz.

—O sea que va usted a iniciar sus estudios en la Escuela de Enfermería Blackwell en enero. Es probable que esa sea la razón de que la hayan rechazado en todas partes. A pocos médicos les puede interesar un ayudante para seis meses. Un año es el plazo habitual.

Samantha esbozó una sonrisa de gratitud y sacudió la cabeza.

—No sé por qué, doctor Masefield, pero no creo que sea ese el motivo. Sin embargo, es usted muy amable diciéndome eso.

La voluminosa señora Wiggen apareció en la puerta; llevaba la falda de Samantha.

—Aún está húmeda, pero la mancha ha desaparecido.

Samantha se cambió de ropa en el consultorio y observó que, entretanto, todo se había limpiado. Advirtió también que los instrumentos que utilizara el doctor Masefield se encontraban ahora en la palangana del ácido fénico.

Al volver al salón, se asentó mejor el sombrero, se apartó del rostro unos rizos y dijo:

—Ustedes los norteamericanos parecen muy modernos. Esta es la primera vez que veo aplicar el listerismo.

El doctor Masefield se levantó.

—Me temo que no todos los norteamericanos, señorita Hargrave, sino únicamente unos pocos. Leí algo a ese respecto en diversas publicaciones y experimenté por mi cuenta. Quedé inmediatamente convencido. Pero me temo que la mayoría de los médicos norteamericanos siguen oponiéndose a la teoría microbiana.

—Ya. En fin...

Se alisó la falda y se ajustó los puños de la blusa. Joshua Masefield se dirigió hacia la puerta principal.

—¿Le aviso un coche?

—No, gracias, no vivo lejos. Justo en la calle Houston, en la pensión de la señora Chatham. Gracias por el té.

—Gracias a usted por su ayuda. Creo que el muchacho le debe la vida.

Samantha entornó los ojos para protegerse del sol que penetraba por la puerta abierta.

—De ninguna manera, en realidad, ha sido su... vaya por Dios.

—¿Qué ocurre?

—Mis guantes. Me los quité en el lugar del accidente. Ahora los he perdido, con toda seguridad. Y eran el único par que tenía.

Él permaneció en silencio junto a la puerta, sosteniéndola abierta.

Samantha le miró tímidamente y murmuró:

—Buenos días, doctor Masefield.

Tras lo cual bajó apresuradamente los peldaños.

Aquella noche él no le concedió un momento de paz. Mientras Samantha permanecía tendida en la oscuridad, escuchando la suave respiración de Louisa, Joshua Masefield invadió sus pensamientos. ¿Qué había en él que tanto la intrigaba? Su impresionante aspecto, de eso no cabía duda: el alborotado cabello negro con algunas hebras grises, los anchos hombros y la espalda, tan erguida como la de un oficial del ejército. Pero también algo más: una especie de mística; Joshua Masefield producía una sensación de melancolía y sus ojos negros contenían abismos de tristeza. ¿Acaso no le habían parecido sus modales un poco afectados, como si no revelaran su verdadera personalidad sino que ocultaran algo? Y, además, aquel pequeño salón tan conmovedoramente a punto de recibir unas visitas que nunca llegaban.

Este último pensamiento indujo a Samantha a volverse sobre un costado, acurrucada, y parpadear mientras contemplaba ciegamente la oscura pared situada a escasos centímetros de su rostro. ¿Serían figuraciones suyas o era cierto que Joshua Masefield se había mostrado torpe e inseguro en aquel salón, como si no estuviera familiarizado con el inocente ritual de atender a una visita? Pero ¿cómo era posible? Un hombre como aquel debía tener sin duda muchos amigos y debía recibirlos a menudo en su casa.

Samantha le apartó de sus pensamientos haciendo un supremo esfuerzo. Tenía demasiadas cosas en que pensar: adónde dirigirse, cómo alargar el dinero...

4

Cuatro días más tarde llegó el mozo de los recados. Mientras Samantha se encontraba en la calle buscando trabajo, la señora Chatham recibió el paquete y lo dejó en la habitación de Samantha; cuando esta regresó a casa aquella noche tras una jornada desalentadora, encontró la caja y, dominada por la curiosidad, desgarró apresuradamente la envoltura. En el interior, protegido por papel de seda, había un par de guantes de gamuza color gris paloma junto con una nota que decía: «No podrá usted causar buena impresión sin guantes. Por sus excelentes servicios». La nota iba firmada con las iniciales J. M.

Se dijo para sus adentros que le había olvidado, pero no era cierto, y a la mañana siguiente, mientras subía los peldaños de su escalinata, se enojó consigo misma por sentirse tan nerviosa. Se mostraría cortés, pero breve, quizá pudiera incluso entregarle la caja a la señora Wiggen sin necesidad de verle a él y decirle a la criada que apreciaba mucho la generosidad del doctor Masefield, pero no podía aceptar su regalo.

Para su consternación, el vestíbulo estaba lleno de pacientes y a la señora Wiggen no se la podía ver por ninguna parte.

Sintiéndose incómoda bajo las miradas de los demás porque su atuendo era mejor que el de cualquiera de ellos, Samantha trató de encontrar un sitio donde sentarse. Había dos bancos muy largos adosados a las paredes; era el sistema utilizado en los consultorios de todos los médicos: cuando salía el paciente que el médico acababa de visitar, el que se encontraba sentado más cerca de la puerta se levantaba y entraba. Entonces los demás se desplazaban en el banco y los que se encontraban de pie ocupaban el extremo vacío, por orden de llegada. Era un sistema basado en el honor y que raras veces fallaba.

Samantha permaneció de pie al lado de dos hombres y un niño. Para ser una sala tan abarrotada de gente, reinaba un curioso silencio. Una mujer de mejillas arreboladas se estaba abanicando con un pañuelo. Una joven madre estaba tratando de calmar a un niño que se agitaba en sus brazos. Una anciana con la cabeza cubierta por un chal de color negro y un pesado crucifijo sobre el pecho miraba con ojos empañados.

Cuando se abrió la puerta del consultorio, todas las cabezas se volvieron en su dirección y a Samantha le dio un vuelco el corazón. Joshua Masefield, en mangas de camisa, asomó la cabeza y, llamando por señas a uno de los hombres que se encontraban de pie, dijo:

—Signor Giovanni.

El inmigrante se quitó la gorra y entró apresuradamente, cerrando la puerta a su espalda. Si se había percatado de la presencia de Samantha, el doctor Masefield no lo dio a entender.

Los minutos fueron pasando. Se oía un amortiguado murmullo de voces al otro lado de la puerta. Los que aguardaban no parecían preocuparse. Samantha cambió nerviosamente de postura, manoseando la cajita sin cesar.

Cuando volvió a abrirse la puerta, experimentó un sobresalto. El italiano salió rodeando con el brazo a una joven que estaba llorando en silencio, cubierto el rostro con las manos. En el momento en que la pareja salía a la calle, los ojos de Samantha se cruzaron con los del doctor Masefield. Se miraron un instante.

—El siguiente, por favor —dijo él entrando de nuevo en el consultorio.

Cuando un joven que llevaba la muñeca vendada se levantó y entró cerrando la puerta a su espalda, Samantha advirtió que su nerviosismo se trocaba en disgusto.

Todo el mundo se avanzó en el banco, dejando un espacio vacío. El hombre que acompañaba al niño y que la precedía le indicó tímidamente el banco y murmuró algo en un idioma extranjero. Samantha sonrió con indecisión y tomó asiento.

Pasaron nuevos minutos. Samantha empezó a golpear el suelo con un pie. De vez en cuando, alguien la miraba con indiferencia, y después apartaba los ojos.

Cuando se abrió nuevamente la puerta, Samantha reprimió el impulso de levantarse de golpe. Observó cómo el joven estrechaba la mano del doctor Masefield, se encasquetaba su gorra de obrero y se alejaba presuroso.

—El siguiente —dijo enérgicamente la voz, y la anciana del crucifijo entró renqueando en el consultorio.

Samantha mudó de lugar en el banco, mientras su disgusto se convertía en indignación.

Estaba empezando a preguntarse si sería conveniente levantarse y marcharse, cuando oyó un crujir de faldas en el pasillo. La señora Wiggen se le acercó y dijo:

—¿Quiere acompañarme, por favor?

Samantha fue conducida a una estancia contigua al consultorio. Al igual que el salón del otro lado, la habitación daba a la calle y tenía una preciosa chimenea de mármol. Pero ahí terminaban todas las semejanzas. El estudio privado de Joshua Masefield no tenía ninguna pretensión y resultaba evidente que se utilizaba muy a menudo. Había un sofá de crin tapizado de terciopelo, una librería de roble tallado llena de libros a rebosar, unos sillones a juego, de cojines muy gastados, una mesita adornada con muchos tapetes junto a una ventana y con una planta de gran tamaño, y finalmente un escritorio de tapa corredera con papeles, libros, revistas, un tintero manchado y algunas polvorientas figurillas. El papel de la pared estaba descolorido, pero tenía un encantador dibujo de flores primaverales sobre un fondo de color crudo; la alfombra turca era vieja y estaba raída, pero resultaba evidente que era de buena calidad; y sobre un velador, en un rincón, se podía ver un servicio de cristal formado por una licorera y sus vasos. La atmósfera resultaba hogareña y denotaba la personalidad de un hombre amante de la intimidad y el sosiego. Pero no había fotografías en ninguna parte y eso era muy extraño.

—¿En qué puedo servirle, señorita Hargrave?

Samantha giró en redondo. Joshua Masefield había aparecido en la puerta que daba acceso al consultorio; antes de que esta se cerrara, Samantha vio fugazmente, a su espalda, a la señorita Wiggen, que ayudaba a la anciana a descender de la mesa de exploración.

—He venido para devolverle esto —contestó ella, ofreciéndole la caja.

Él arqueó levemente las cejas, pero no hizo ademán alguno de tomarla.

—No puedo aceptar los guantes —dijo ella apresuradamente—. No tengo por costumbre aceptar regalos de caballeros que apenas conozco.

Él la siguió mirando con expresión enloquecedoramente neutra.

—Por consiguiente, tiene usted que quedarse con ellos —dijo Samantha, mirando a su alrededor y dejando a continuación la caja sobre el escritorio atestado de papeles—. Lamento haberle molestado. Buenos días, señor.

Dicho lo cual dio media vuelta para retirarse.

—Me temo que se engaña usted, señorita Hargrave.

Samantha se detuvo y volvió la cabeza.

—¿Y eso?

—Los guantes no fueron un regalo, sino un pago por su ayuda. Cuando visité al ciclista en el hospital, su padre me entregó un cheque por sus servicios. Sabiendo lo mucho que necesitaba usted unos guantes, me tomé la libertad de comprarlos en lugar de enviarle el dinero. Si quiere usted ser médico, señorita Hargrave, tendrá que aprender a aceptar pagos en especie; sus pacientes no siempre dispondrán de dinero en efectivo.

Los dedos de Samantha doblaron el asa de su bolso de punto.

—Jesús, yo pensé que...

—Ya sé lo que pensó usted, señorita Hargrave. Bien, pues —dijo él, tomando la caja y ofreciéndosela— acéptelos. Enmárquelos si quiere, por ser el primer pago de sus servicios médicos.

Samantha aceptó la caja y procuró sonreír.

—Me siento tan estúpida...

Se abrió la puerta y asomó la cofia de la señora Wiggen.

—¿Doctor? La señora Solomon está esperando.

—Un momento, señora Wiggen.

Una vez la puerta se hubo cerrado, Samantha dijo:

—No le gusto, ¿verdad?

Las comisuras de la boca del médico formaron una especie de sonrisa.

—La señora Wiggen me protege demasiado, es como una gallina. Dígame, señorita Hargrave, ¿ha conseguido por fin trabajo?

No lo había encontrado y la doctora Emily no le había dado muchas esperanzas.

—Me temo que las circunstancias me obligarán a buscar algo no relacionado con la medicina, hasta que la Enfermería pueda acogerme.

—No será fácil. Hay cientos de muchachas en su misma situación. Yo he pensado una cosa, señorita Hargrave. El joven a quien he contratado se va a matricular en la Universidad de Cornell. Procede de una familia acomodada y tiene muy buenas referencias. No tendrá ninguna dificultad en encontrar un puesto de ayudante en cualquier consultorio de medicina de Manhattan. Por consiguiente, se me ha ocurrido, señorita Hargrave, que podría contratarle a usted en su lugar. Al fin y al cabo, usted necesita el puesto más que él, ya me ha demostrado sus aptitudes y su amistad con las Blackwell significa mucho para mí. Además, he pensado que una auxiliar me podría ayudar muchísimo con muchas pacientes que a menudo se encuentran incómodas conmigo. ¿Querrá usted tomar en consideración mi ofrecimiento, señorita Hargrave?

Ella le miró con incredulidad.

—Tengo, sin embargo... —el doctor Masefield se volvió de espaldas y se acercó al velador, deteniéndose como un orador al tiempo que apoyaba las puntas de los dedos en la superficie taraceada— otros motivos personales que debo exponerle, pues no me cabe duda de que influirán en su decisión.

Samantha esperó sus siguientes palabras.

—He pensado que usted me podría ayudar en un asunto privado, señorita Hargrave. Verá, se refiere —el doctor Masefield apartó la mirada— a mi esposa.

Guardó silencio un instante y entonces se percibieron con más intensidad los rumores de la calle. Samantha aguardó.

—Está inválida, postrada en la cama, y a veces requiere cuidados que la señora Wiggen no está en condiciones de prestarle. Había pensado en la posibilidad de contratar a una enfermera particular, pero la situación de mi esposa no exige atención las veinticuatro horas del día. Está incapacitada... solo en ocasiones —finalmente Joshua Masefield se volvió a mirarla—. Durante buena parte del tiempo, mi esposa está perfectamente en condiciones de cuidar de sí misma. Pero tiene... recaídas. Es ahí donde me sería útil su ayuda. No obstante, me apresuro a añadir, señorita Hargrave, que tales ocasiones no son frecuentes y que el resto del tiempo trabajaría usted aquí, conmigo.

Ella siguió mirándole largo rato una vez él hubo terminado de hablar. Se sentía extrañamente conmovida. Las palabras habían surgido con tanto esfuerzo y dolor, sus maneras habían sido tan torpes, que era como si le hubiera hecho una gran confesión secreta.

—Querrá usted pensarlo con detenimiento, claro...

Qué incongruente resultaba que aquel hombre impresionante, por regla general tan seguro de sí mismo, tropezara con las palabras como un tímido enamorado.

—No necesito pensarlo, doctor Masefield. Será un honor para mí aceptar.

5

Se mudó aquella misma tarde, con la ayuda de Louisa. La habitación de Samantha se encontraba en el tercer piso, al lado de la que ocupaba la señora Wiggen; ambas compartían el cuarto de baño recién instalado junto a la escalera. La emoción de Samantha estaba empañada por una inquietante incertidumbre: había adoptado una decisión apresurada y ¿qué sabía ella al fin y al cabo de aquel hombre?

No tardó mucho en ordenar su habitación; seguidamente se puso a vestirse delante del espejo y a prepararse para el té. Para gran desencanto suyo, sin embargo, se enteró de que iba a comer en la cocina con la malhumorada señora Wiggen y con Filomena, una joven italiana que acudía a limpiar tres días por semana. La señora Wiggen, que no ocultó el desprecio que le inspiraba la intrusa, le dijo lacónicamente que los Masefield siempre comían en sus habitaciones. Le permitirían utilizar el salón para recibir visitas, pero jamás debería entrar en el estudio del doctor ni tampoco molestar a la señora Masefield más que cuando la llamaran. Los domingos serían sus días libres.

Samantha descubrió muy pronto que el doctor Masefield iba a seguir siendo un hombre distante y reservado. Ya no habrían nuevos momentos de intimidad; las pocas preguntas que le había formulado el día de su encuentro iban a ser las únicas. Joshua Masefield bajaba a las ocho en punto todas las mañanas, saludaba con un cordial «Buenos días» y pedía a la señora Wiggen que hiciera pasar al primer paciente. Se mostraba siempre rígido y profesional, sin preguntarle jamás a Samantha si había descansado bien o si deseaba algo; daba por sentado que la señora Wiggen se encargaba de todas esas cosas. Samantha no lograba introducirse: cuando preguntó inocentemente por la señora Masefield (a quien aún no había tenido ocasión de conocer), recibió un cortés pero frío desaire. Al principio Samantha se preguntó si podría soportar a la dispéptica señora Wiggen y al distante doctor Masefield, pero en cambio disfrutaba con sus maravillosas salidas con Louisa los domingos, y en el consultorio del doctor Masefield reinaba una actividad tan febril que bien pronto Samantha ya no tuvo tiempo de preocuparse por ninguna otra cosa.

Permanecía en el consultorio mientras él examinaba a los pacientes, les hacía preguntas, establecía el diagnóstico, les recetaba el remedio correspondiente, les tranquilizaba amablemente y después los despedía con algún medicamento de su armario de farmacia. Luego, mientras se lavaba las manos, le explicaba cada uno de los casos a Samantha:

—La rabia se puede transmitir a través de la mordedura de cualquier animal, incluso de un animal doméstico, como el gato del pobre Willie. El niño que usted acaba de ver, señorita Hargrave, sufrirá todas las torturas imaginables. Se asfixiará, tendrá dificultades respiratorias y lo peor de todo es que experimentará una sed infernal que no podrá saciar porque la sola contemplación de un vaso de agua o una taza de té le provocará un ataque de nervios. Las sangrías y el opio son el tratamiento habitual, pero no dan resultado.

—¿No hay cura?

—Ninguna. La rabia es más temible que la peste porque nadie sobrevive a ella. Dicen que la enfermedad se oculta en la saliva del animal y tengo entendido que el señor Pasteur está buscando actualmente una cura, pero no llegará a tiempo para salvar al pobre Willie.

Con las pacientes el doctor Masefield se mostraba excepcionalmente amable y cortés, nunca las apremiaba, y respetaba su pudor. Procuraba no herir su sensibilidad, recurriendo siempre al estetoscopio largo Laënnec, para no turbarlas con su proximidad, y era extraordinariamente hábil en la tarea de hacerles preguntas de carácter íntimo, como quien no quiere la cosa. Puesto que, en el caso de las mujeres, el examen físico estaba excluido, el doctor Masefield se lo tomaba con calma, averiguando pacientemente el origen del trastorno, sin examinar de forma directa a la paciente, y después recetaba, aconsejaba y animaba.

—La señora Higginbotham sufre graves calambres —le explicó a Samantha—. Para los padecimientos mensuales de esa mujer existen alivios transitorios, pero no cura, y los sufrirá todos los meses hasta que cese la menstruación. Yo suelo recetar una dosis de arrurruz y láudano. A las mujeres embarazadas que sufren vómitos matinales, les puede ser útil la raíz de colombo y la menta cuatro veces al día.

Y después había algunas dolencias que Joshua Masefield no podía o no quería corregir.

—La señorita Sloan me ha pedido un remedio para recuperar el ciclo. Aunque ella no lo ha confesado, sospecho que está embarazada. Me ha pedido que le devuelva la menstruación.

—Pero eso significaría...

—Un embarazo no deseado es una cosa muy triste, señorita Hargrave. Los remedios abundan, pero dudo que puedan ser beneficiosos. Un té elaborado con la baya del muérdago. Las flores de crisantemos dan a veces resultado, o bien una infusión de poleo o de olmo norteamericano. Tengo entendido que algunas comadronas obtienen saneados ingresos con la práctica de abortos.

—¿Y qué hace usted con esas pacientes?

—Le he aconsejado a la señorita Sloan, si es ese su verdadero apellido, que hable con un sacerdote; pero estoy seguro de que acudirá a la botica de DeWinter y adquirirá uno de sus específicos.

—¿Eso se puede hacer?

—Los reguladores femeninos son un gran negocio, señorita Hargrave, pero no dan resultado. Las píldoras de James Clark. El regulador de Ford. El Remedio Femenino del doctor Kilmer. Cualquier mujer que disponga de cincuenta centavos puede adquirir un frasco de falsas esperanzas.

El doctor Masefield conocía lo bastante de los idiomas hablados en el barrio, para poder formular preguntas básicas a los inmigrantes que acudían a su consulta. Llamaba a menudo a Filomena para que hiciera de intérprete y a veces Samantha le ayudaba con el francés. Con los niños el doctor Masefield se mostraba extremadamente paciente, acariciándoles la frente febril y contándoles historias mientras les curaba los cortes y los rasguños. Samantha jamás dejaba de asombrarse de aquella transformación: solo con ella y con la señora Wiggen, Joshua Masefield adoptaba una rígida actitud ceremoniosa, sin quitarse en ningún momento la máscara. Pero con los enfermos cambiaba, se ablandaba y se convertía en un amigo y confidente.

Sola en su habitación por las noches, tras una agotadora jornada dedicada a observar, a aprender de memoria, a cortar vendas, y tras una triste cena con la silenciosa señora Wiggen, Samantha se sentaba frente a la pequeña chimenea y pensaba en el médico, se hacía preguntas acerca de él y trataba de resolver el misterio de por qué un profesional maravilloso como Joshua Masefield, tan experto y hábil en tranquilizar al más inquieto de los pacientes, no era más que aquello: un desconocido médico de barrio. Además estaba claro que

Joshua Masefield no tenía amigos ni vida social. Aparte de los pacientes, de Filomena y del joven que semanalmente le llevaba los suministros de la botica de DeWinter, nadie llamaba jamás a su puerta. Samantha se preguntaba por qué un hombre tan brillante, tan apuesto y distinguido, se retiraba todas las noches a su estudio, cerrando la puerta al mundo (exceptuadas sus ocasionales visitas a algún enfermo), sin acudir siquiera alguna noche a los clubes de caballeros. ¿Por qué se había convertido en un exiliado en aquella sombría casa?

Tal vez ello tuviera algo que ver con la invisible señora Masefield.

—Pero ¿qué tiene ella? —preguntó Louisa mientras almorzaban en el nuevo salón de té de Macy's.

—No lo sé.

A Samantha no le gustaba hablar de los Masefield y respetaba su deseo de intimidad, pero Louisa sabía ser muy convincente.

Era un caluroso día estival y ambas jóvenes tenían previsto acudir, después del almuerzo, a los Campos Elíseos de Hoboken, para ver jugar al béisbol a los Knickerbockers de Nueva York contra los Red Stockings de Cincinnati. En el mes que llevaba trabajando con el doctor Masefield, Samantha había empezado a explorar Nueva York en compañía de Louisa. Sus paseos eran siempre muy divertidos, pero, por desgracia, Louisa no podía refrenar la intensa curiosidad que le inspiraban los Masefield.

—¿Quieres decir que has de cuidarla y él ni siquiera te ha dicho todavía de qué? —preguntó su amiga, mirándola con sus brillantes ojos verdes—. Samantha Hargrave, ¿cómo puedes soportarlo?

Samantha miró a su alrededor, temerosa de que alguien hubiera podido oír las palabras de Louisa.

—Me lo dirá cuando esté preparado.

—Pero, ¿y si fuera algo francamente espantoso?

—Lees demasiadas novelas, Louisa.

—¿No te parece romántico? Tan guapo y tan desdichado.

—¡Vamos, Louisa!

Samantha no quería reconocerlo, pero Louisa había expresado todo lo que ella sentía. Había ciertamente algo trágico en aquel hombre... Sin embargo, Samantha no quería entregarse a chismorreos con su amiga. El doctor Masefield tenía derecho a proteger su intimidad y, además, Samantha estaba en deuda con él: la había rescatado de unas circunstancias quizá terribles, le había ofrecido un trabajo envidiable (ocho dólares a la semana, además de la comida y el alojamiento) y le estaba proporcionando la mejor preparación médica que ella pudiera obtener. Sería una lástima tener que dejarle al cabo de cinco meses.

—¿Cómo sabes que existe siquiera la tal señora Masefield?

El bocadillo de Samantha quedó detenido junto a los labios de esta.

—¿Cómo dices?

Louisa se inclinó sobre la mesa y le dijo con aliento que olía a comida:

—Al fin y al cabo, es de todo punto incorrecto que una joven viva bajo el mismo techo que su patrón. ¿Qué pensarían sus pacientes? Por eso ha buscado un pretexto y se ha inventado una esposa.

—¡Me escandalizas, Louisa Binford! El doctor Masefield es la corrección personificada. Y, además, la señora Wiggen vive también en la casa.

—Y probablemente se queda dormida como un tronco en cuanto cierra los ojos. —Louisa se reclinó en el respaldo de su silla y ladeó la cabeza—. Le he visto, Samantha, y pienso que toda esa frialdad es falsa. Se trata simplemente de un hombre que vive solo. Y ahí estás tú, tan bonita, tan inocente, ¿cómo puede resistirlo?

—Louisa Binford, ¿qué estás diciendo?

—Que cualquiera de estas noches llamará a tu puerta. Recuerda mis palabras.

6

Lo hizo exactamente seis días más tarde. Era un sábado por la noche, a última hora, y Samantha estaba escribiendo una carta a la doctora Blackwell en Londres. Pese a que ya era casi medianoche, el doctor Masefield iba vestido con levita y pantalones gris oscuro, como si se dispusiera a salir. Su expresión era muy tensa.

—¿Tendría la bondad de acompañarme, señorita Hargrave?

Cubriéndose los hombros con un chal, Samantha tomó la lámpara y bajó la escalera con él, en silencio. El doctor Masefield se detuvo frente a una puerta; el resplandor de la lámpara le permitió observar la severidad de sus facciones.

—Tengo que salir y mi esposa necesita que la atiendan. De esta tarea se ha encargado siempre la señora Wiggen, pero tiene la costumbre de quedarse dormida. Confío en que usted permanecerá despierta.

Samantha no estaba preparada para el espectáculo que se ofreció a sus ojos al otro lado de la puerta. El dormitorio de la señora Masefield era tan elegante como el de una mansión de la Quinta Avenida y ofrecía un deslumbrador contraste con el resto de la lóbrega casa. La madera de ébano pulido, los querubines y las filigranas doradas, la pantalla de chimenea en lana de Berlín, las exquisitas sillas Luis XIV, las escenas prerrafaelistas de la mitología griega y romana y los destellos del cristal, hicieron que Samantha se creyese en el país de las hadas. El fuego crepitaba en la chimenea de mármol de Derby, arrancando reflejos a los bronces y las porcelanas, y unos jarrones de Wedgewood de color azul pálido, contenían unos ramilletes de flores estivales.

La atención de Samantha se centró enseguida en la cama, sobre cuya invisible ocupante se hallaba inclinado el doctor Masefield: del pabellón colgaban unas guirnaldas de borlas y flecos de terciopelo y raso color topacio. Se detuvo en seco, paralizada por el asombro.

—Señorita Hargrave.

Samantha se acercó, sosteniendo en alto la lámpara, y experimentó un segundo sobresalto. Estelle Masefield era la mujer más hermosa que jamás hubiera visto.

Una corona de sedoso cabello color maíz se derramaba sobre la almohada de raso, agitándose, como si fuera un líquido, a cada movimiento de la delicada cabeza. La piel era tan pálida como la de un niño y sus mejillas aparecían manchadas de carmesí: rosas sobre la nieve. Cuando se entreabrieron sus pestañas color azafrán, Samantha vislumbró unos ojos violeta, con motas doradas. Su nariz era fina y clásica y su rostro, en forma de corazón, se ahusaba hacia una barbilla perfecta; era, en conjunto, la viva imagen de las diosas representadas en el cuadro que colgaba sobre la chimenea.

El doctor Masefield tenía entre los dedos la frágil muñeca de su esposa.

—Tiene mucha fiebre. Hay que bajarla. Utilice esto; la temperatura no debe superar los treinta y ocho grados.

Tomó un termómetro que había en la mesilla de noche; era de metal, tenía veintiséis centímetros de longitud y había que mantenerlo en la axila de la paciente durante cinco minutos.

La señora Masefield gemía y movía la cabeza de uno a otro lado.

—Tendrá períodos de lucidez. Dígale quién es usted, ella ya sabe que está a mi servicio, y que he salido para asistir a un parto en Mulberry Street. Si la temperatura pasa de los treinta y ocho grados, frótela con esto —le indicó un frasco de alcohol que había sobre la mesa—. De la cabeza a los pies. Retire las mantas y quítele el camisón. Siga mojándola con la esponja hasta que le baje la fiebre. Procuraré no tardar mucho —a punto de retirarse, se detuvo—. Mi mujer padece leucemia, señorita Hargrave. Tiene la sangre tan floja, que es muy propensa a las infecciones, lo cual puede conducir fácilmente a una neumonía si no se vigila. Ya ha sufrido varios accesos de neumonía y ahora tiene tantas adherencias en la pleura y el pericardio, que tiene constantes dolores, y su circulación y respiración son tan deficientes que el menor esfuerzo la debilita. No debe usted apartarse de su lado ni un momento. En caso necesario, tire de aquel cordón. Suena en el cuarto de la señora Wiggen.

El doctor Masefield dio media vuelta y, sin decir nada más ni mirar a la mujer que yacía en la cama, abandonó la estancia.

Samantha acababa de acercar un silla a la cama cuando llamaron suavemente a la puerta. La señora Wiggen asomó la cabeza y preguntó en voz baja:

—¿Cómo está?

—Duerme.

La criada entró, con los hombros cubiertos por un chal de lana, y se acercó a la cama, arrastrando los pies. Su mofletudo rostro se suavizó mientras sacudía tristemente la cabeza.

—Pobre hombre, y encima tiene que cuidar a todo Manhattan —le dirigió a Samantha una sonrisa compasiva—. Yo la cuidé anoche. Supongo que por eso le ha llamado a usted: quería que yo descansara un poco. Pero, ¿cómo puedo dormir si mi ángel está sufriendo tanto? Puede usted acostarse, señorita Hargrave. Yo cuidaré de ella.

—El doctor Masefield me la ha confiado, señora Wiggen, y he dado mi palabra de que no la dejaría.

Por un instante los ojillos oscuros de la criada se encendieron de furia y sus finos labios se movieron sobre la dentadura postiza. Después dejó caer sus hombros y dijo:

—En fin, supongo que tiene usted razón. Voy a preparar té; va a ser una noche muy larga.

Al salir la señora Wiggen, Samantha le tomó la temperatura a la señora Masefield y se alegró al ver que solo era de treinta y siete grados y medio. Se sentó en el borde de la silla y estudió el delicado perfil, las rubias pestañas que rozaban las arreboladas mejillas, y la transparencia infantil de la piel sobre la trama de las azules venas. Estelle Masefield debía de tener menos de treinta años.

Regresó la señora Wiggen con una bandeja con té y torta escocesa de mantequilla y la colocó encima de una mesa baja con incrustaciones de marfil, entre dos sillones Reina Ana, delante de la chimenea.

—Venga, señorita Hargrave, no es necesario estar pegada a ella.

Samantha se reunió con la criada un poco a regañadientes, pero orientando la silla de modo que pudiera ver el rostro de la señora Masefield. Mientras llenaba las tazas, la señora Wiggen dijo:

—Qué triste es la vida.

—¿Hace tiempo que está enferma?

—No, se le declaró a comienzos del año pasado. Tiene solo veintiocho años. Al principio no sabían lo que era. Se cansaba al menor esfuerzo y se desmayaba a menudo. Todos pensamos que estaba embarazada, lo cual hubiera sido muy bonito, porque deseaban desesperadamente tener hijos. Solo llevan casados tres años,

¿sabe? Pero entonces le descubrieron unos bultos en el cuello y el doctor Washington hizo unos experimentos muy complicados, con un microscopio, y echó un vistazo a unas gotas de su sangre. Bueno, yo no tengo los conocimientos del doctor Masefield, pero es una cosa rara que le pasa en la sangre.

Samantha contempló a la espectral figura que yacía bajo la colcha de raso; Estelle Masefield parecía casi una niña.

—Fue poco después de que el doctor Masefield decidiera traerla a Nueva York.

Samantha parpadeó y le preguntó a la señora Wiggen:

—¿Dónde vivían antes?

—¡Pues en Filadelfia, naturalmente! ¡Y menuda vida aquella! Tenían una mansión impresionante en Rittenhouse Square y alternaban con lo mejor de la sociedad. Había fiestas y bailes, no se conocía un momento de quietud en aquella casa, porque ese ángel mío estaba llena de vida y le encantaba verse rodeada de gente constantemente. Y el doctor Masefield era uno de los mejores médicos de la ciudad. Enseñaba en la universidad y sus pacientes procedían de las mejores familias. No como ahora —la señora Wiggen lanzó un suspiro entrecortado y tomó un sorbo de té—. ¡Qué tiempos aquellos, madre mía, tan distintos!

—¿Por qué se marcharon?

El rostro de la criada se oscureció y esta bajó la voz, pensando en la tercera ocupante de la estancia.

—La leucemia es muy curiosa, señorita Hargrave. Es una de esas enfermedades que no gustan a la gente, cosa que no consigo comprender. Algunos piensan que es contagiosa, supongo. Ya sabe usted cómo es la gente con el cáncer. Sus amigos desaparecieron inmediatamente, dando toda clase de excusas. Y puesto que se cansaba tanto y, además, estaba el problema de la neumonía, Estelle tuvo que quedarse en casa y eso fue como encerrar a un pájaro en una caja. Empezó a marchitarse como una flor falta de sol. El pobre doctor Masefield estaba loco de dolor. Más de una noche le oí llorar a solas...

Recordando súbitamente la situación, la señora Wiggen dirigió una rápida mirada a Samantha.

—Bueno, pero todo eso ya pertenece al pasado. Y supongo que, si él no le ha dicho nada, yo no debo contárselo.

—Pero podría usted decirme alguna cosa acerca de la enfermedad, para que pueda cuidarla como es debido —se apresuró a decir Samantha.

—Yo solo sé lo que el doctor Masefield me ha dicho y lo que he visto con mis propios ojos. La leucemia no ataca a todo el mundo de la misma manera. Hay quien muere enseguida, otros duran y duran, como este pobre ángel mío. Algunos días parece la misma de siempre, feliz como una alondra y dispuesta a salir a pasear en coche; pero al día siguiente está más débil que un gatito recién nacido y yo se lo tengo que hacer todo.

Samantha clavó la mirada en la dorada cabeza que descansaba sobre la almohada.

—¿Cuál es la prognosis?

—¿La qué?

—El probable resultado. ¿Se repondrá?

La señora Wiggen inclinó la cabeza.

—Esa es la tragedia. Nunca se repondrá mi pobre niña. Irá empeorando. Ese es el porvenir que aguarda al doctor Masefield y a su esposa. Ahora ya no hay esperanza de que puedan tener hijos —la señora Wiggen levantó la cabeza y las lágrimas empezaron a rodar profusamente por sus mejillas—. Mire, señorita Hargrave, para eso la trajo a Manhattan. Para que muriera aquí.

—Pero ¿por qué lo hizo? —preguntó Samantha, rozando el brazo de la criada.

—Porque no soportaba tener cerca a los amigos y que ninguno viniera. Una vez le oí suplicar... —la señora Wiggen se sacó un pañuelo del delantal y se sonó ruidosamente—. No quería que Estelle muriera sabiendo que sus amigos la habían abandonado. Y entonces se inventó una historia y dijo que tenía que venir aquí por razones profesionales; ella no sabe la verdad.

—¡Pero no es posible que todos la hayan abandonado!

—No, había algunas damas que seguían viniendo, ¡pero iban tras el doctor! El doctor Masefield es un hombre muy guapo; pensaban que pronto se va a quedar viudo y... —recordando nuevamente la situación, la señora Wiggen agitó una rechoncha mano—. Ya es hora de que le tomemos la temperatura.

El doctor Masefield regresó a casa poco antes del amanecer. Tras entrar a ver a su esposa y comprobar que la temperatura le había bajado y estaba durmiendo tranquilamente, al igual que la señora Wiggen, sentada en su sillón, el doctor Masefield bajó a su estudio, para tomar una copa de brandy. Samantha le siguió.

—Ha tenido una noche tranquila, doctor Masefield —dijo, ocultando los brazos bajo el calor del chal.

—Gracias.

—¿Ha sido niño o niña?

—Niño.

La estancia se encontraba a oscuras, pero las primeras luces del alba penetraban ya por entre las cortinas.

—Hábleme de la enfermedad de su esposa, doctor Masefield —dijo Samantha suavemente.

Él apuró su copa de brandy y la volvió a llenar.

—La leucemia se considera una forma de cáncer —dijo sin mirar a Samantha—: causa, desconocida. Puede afectar a cualquier persona de cualquier edad, rica o pobre; a veces tiene un desenlace fatal en cuestión de días, otras veces no conduce a la muerte hasta pasados tres o más años. Los síntomas son: debilidad, anemia y hemorragias. Las complicaciones: neumonía y tumores. No hay cura y nadie sobrevive.

—Lo lamento —dijo ella en voz baja.

Él levantó la cabeza y la miró fija y largamente. Después dijo con voz cansada:

—Váyase a acostar, señorita Hargrave, la veo muy agotada.

Samantha se deslizó entre las sábanas y permaneció tendida perfectamente inmóvil, turbada por sus pensamientos. La fabulosa mansión de Rittenhouse Square, la brillante sociedad, el torbellino de bailes y fiestas, la fama y la notoriedad en el campo de la medicina. Joshua Masefield había abandonado todo eso a causa de la enfermedad de su mujer...

Samantha contempló en el techo la cinta de luz que se filtraba entre las cortinas. Aquello no cuadraba. No tenía sentido. Algo fallaba: faltaba una pieza del rompecabezas. Su esposa enferma no podía ser la única razón por la que hubiera abandonado aquella vida tan fabulosa. Escondida en algún lugar bajo las capas protectoras, debía haber otra respuesta —Samantha estaba segura—, posiblemente la verdadera respuesta que explicaría el repentino deseo de Joshua Masefield de retirarse y de cortar todos sus lazos con el mundo. Cualquiera que fuera la razón, la enfermedad de su esposa le servía de pretexto...

7

Un lento verano cayó sobre Nueva York y las temperaturas insólitamente elevadas provocaron estallidos de violencia en el Bowery, lugar de cita de maleantes, así como unas violentas fiebres que ni siquiera la famosa agua de Croton conseguía curar. Las bandas de alborotadores mantenían ocupada a la policía metropolitana, las últimas tropas federales se habían retirado del Sur, el presidente Hayes y su esposa, acérrima enemiga del alcohol, se habían ido a descansar a la Casa Blanca de verano de Spiegel Grove, en Ohio, y el consultorio de Joshua Masefield estaba más concurrido que nunca.

Samantha tuvo ocasión de observar toda la gama de enfermedades que afligían a la humanidad; miraba, escuchaba y se aprendía las cosas de memoria. El doctor Masefield le enseñó la función y el adecuado manejo de sus muchos instrumentos: escalpelos con mango de hueso y sierras para amputar, lancetas para sangrar, agujas alemanas para aneurismas, catéteres franceses, trituradores de piedra, y espéculos anales y vaginales, depresores linguales de plata y guillotinas para las amígdalas.

En su colección no faltaba nada. Joshua Masefield tenía un oftalmoscopio Helmholz, jeringas de cobre para enemas, trócares y torniquetes, ventosas medicinales y artesas de porcelana, gemelos plegables y lentes de examen. Había incluso un aparato para administrar éter.

La farmacia resultaba análogamente impresionante; Samantha leía las etiquetas, algunas de las cuales le resultaban familiares gracias a los días pasados con Hawksbill, y trataba de aprenderse de memoria la aplicación y la correcta dosificación de cada una de ellas: polvos blancos, amarillos y grises; líquidos rojos y azules; pastas y píldoras; gelatinas y ungüentos; estantes y más estantes de frascos, latas y tarros. El armario del doctor Masefield estaba tan bien surtido que raras veces tenía este que escribir una receta y enviar al paciente a la botica.

El elevado número de pacientes obligó a Samantha a abandonar su situación de simple observadora; tras haber visitado a un enfermo, el doctor Masefield le rogaba a Samantha que aplicara una cataplasma, cambiara los vendajes o inyectara un analgésico, mientras él pasaba a examinar a otro cliente. Los días eran muy ajetreados y apenas disponían de tiempo para el almuerzo. El vestíbulo estaba constantemente lleno de llorosos niños de pecho y de chiquillos cubiertos de sarpullidos, de ancianos que tosían y de obreros de ojos lacrimosos. Por la noche la casa quedaba en silencio y Samantha se retiraba a leer a su habitación o bien acompañaba a Estelle Masefield mientras el médico se recluía en su estudio o salía a visitar a algún enfermo. Durante aquel agobiante verano hubo pacientes incluso en domingo, pero Joshua insistía en que Samantha siguiera disfrutando de su día libre. Samantha presentó a Louisa y a Luther Arndt, el simpático joven rubio que traía semanalmente los suministros de la botica de DeWinter, y los tres empezaron a compartir sus salidas semanales.

Samantha ya conocía Manhattan tan bien como una neoyorquina. Bajaban por la Quinta Avenida en autobuses de techo arqueado y admiraban las soberbias mansiones que flanqueaban las estrechas calles adoquinadas. Pasaban frente a casas de piedra arenisca, iglesias góticas y el nuevo St. Luke's Hospital, contando los números de las calles, en ascenso conforme se dirigían hacia el norte, la Cincuenta y Cinco, la Cincuenta y Seis..., hasta llegar a las afueras de la ciudad y a los linderos del bosque. El alegre terceto visitó el Central Park con sus barracas y sus granjas ilegales, se rieron de la nueva monstruosidad del edificio llamado el Dakota (por la distancia que le separaba de la ciudad) y visitaron el aislado Museo de Historia Natural. Mientras paseaban por un camino rural, Luther Arndt les mostró a sus dos acompañantes la granja situada en la confluencia de la calles Setenta y Uno y Madison, donde había vivido al llegar de Alemania.

Compraban salchichas y manzanas y merendaban

en las márgenes cubiertas de hierba del río Hudson, contemplando el paso de los vapores de ruedas laterales y de los buques de cruz. Fueron a Madison Square y treparon al interior de un gigantesco brazo de bronce que se estaba exhibiendo al público, un brazo lo suficientemente grande para que cupieran personas en su interior y que, según explicó Luther, formaría parte algún día de una enorme estatua que se iba a levantar en la bahía. Visitaron los elegantes establecimientos de Macy's y de Tiffany's, admiraron los elegantes carruajes que se detenían a la entrada del restaurante Delmonico's; viajaron en el ferrocarril elevado y acudieron a ver el primer tramo del puente que se estaba construyendo en Brooklyn. Paseaban por las callejuelas de Nueva York, escuchando a los músicos ambulantes, comprando comida a los vendedores callejeros y lanzando alguna que otra moneda a los niños mendigos, y a última hora de la tarde, solían regresar a su barrio, donde se encontraba la botica de DeWinter, lugar de trabajo de Luther.

Y a lo largo de todo ese tiempo, Samantha nunca dejaba de pensar en Joshua Masefield.

La botica de DeWinter provocaba el asombro constante de Samantha. A diferencia de las boticas inglesas, tenía escaparates de reluciente cristal, donde se exhibían bragueros y pesarios uterinos, los Genuinos Cinturones Eléctricos del Doctor Scott, corsés y postizos para el busto. En el interior de la tienda, en estantes y bajo mostradores de cristal, había frascos de curalotodo y elixires, tónicos y depurativos, mixturas y linimentos, específicos cuyas etiquetas lo prometían todo: los «frascos de falsas esperanzas» a que se refiriera el doctor Masefield. Sobre los mostradores había colonias y polvos, golosinas y postales; y adosada a una pared, la novedad más reciente y celebrada: la llamada «fuente de soda», donde se despachaban helados y refrescos.

Tras sentarse sus dos acompañantes junto a una de las mesitas que el señor DeWinter había instalado, Luther rodeaba el mostrador de superficie de mármol y llenaba tres vasos con un líquido gaseoso de color oscuro. Era una nueva bebida elaborada con ácido carbónico y zumo de coca que muchas personas ingerían para calmar los nervios.

Después Luther se reunía con las muchachas y empezaba a contarles chismes y anécdotas acerca de los clientes del establecimiento.

—¿Veis a esa? —murmuró al entrar una majestuosa dama con polisón enorme—. Es la señora Bowditch; viene aquí una vez por semana a comprar un frasco de Estomacal Bowker's.

Samantha y Louisa vieron que la dama intercambiaba unas palabras con el corpulento señor DeWinter, tomaba un paquete y se marchaba.

—La señora Bowditch —añadió Luther en voz baja— es la presidenta de la liga antialcohólica local. Dice que bebe el Bowker's porque padece de indigestión. Todas las mañanas y todas las noches como un reloj. —Soltó una discreta carcajada—. ¡Y el Estomacal Bowker's contiene un cuarenta y dos por ciento de alcohol!

Luther Arndt era un acompañante ingenioso y encantador que siempre provocaba las risas de Samantha y Louisa. Todos los miércoles por la mañana acudía al consultorio del doctor Masefield con los pedidos que este había cursado la víspera, y siempre intercambiaba algunas palabras con Samantha. Los domingos, vestido con su mejor traje y tocado con un bombín, acudía a recoger a Samantha y a Louisa y se las llevaba a pasear por la ciudad. A Samantha no le pasó por alto que él y Louisa estaban encaprichados el uno del otro.

—Dice que un día tendrá una botica de su propiedad —comentó Louisa mientras paseaba con Samantha una tarde a última hora por Washington Square. Era el momento en que las damas de la alta sociedad salían a pasear en sus carruajes, para que las vieran; ambas muchachas gustaban de admirar los bonitos vestidos y las sombrillas—. Luther estudió farmacología en Alemania, ¿sabes? Dice que el viejo señor DeWinter le nombrará socio suyo cualquier día de estos. Y, cuando eso ocurra, Luther estará muy bien situado.

—¿Cómo, Louisa Binford, hace apenas dos meses que le conoces y ya piensas en casarte con él?

—¡Supe que me iba a casar con él en cuanto nos presentaste! ¡Es un encanto! —Louisa se levantó delicadamente la falda mientras bajaban de la acera—. Una chica tiene que buscar estas cosas, Samantha. No vas a ser soltera toda la vida, ¿sabes?, y tampoco vas a ser joven eternamente. ¡Cuando pasas de cierta edad, los hombres ya no te quieren! Nunca es demasiado temprano para empezar a buscar un posible marido —miró de soslayo a su amiga—. Supongo que tú no habrás pensado en nadie todavía, ¿verdad?

—No, en nadie en absoluto.

Samantha lo había discutido en su fuero interno muchas veces, apartando con vehemencia los pensamientos que se infiltraban subrepticiamente en su cabeza de día, cuando trabajaba a su lado, y de noche, cuando permanecía tendida en su cama, insomne. ¿Cómo podía enamorarse de un hombre como Joshua Masefield, un hombre que le doblaba con creces la edad, casado, inaccesible e intocable? Llevaba tres meses trabajando como ayudante suya y sabía de él lo mismo que el primer día. La escasa información que algunas veces le facilitaba la señora Wiggen no bastaba para completar el cuadro. Samantha solo conocía al hombre exterior; el Joshua Masefield que había debajo era un perfecto desconocido.

Samantha se mostraba intrigada y desconcertada, pero, desde luego, no se había enamorado de él. Sobre todo teniendo en cuenta la existencia de Estelle.

A partir de aquella primera noche, Samantha empezó a atender cada vez con más frecuencia a la señora Masefield, acompañándola en el trabajoso camino desde la cama al vaso de noche, ayudándola a vestirse, a comer, leyéndole, explicándole lo que había visto en Washington Square.

—El polisón se lleva más grande y están empezando a ponerse de moda unas chaquetitas cortas.

Estelle Masefield, demasiado joven para estar postrada en una cama, estaba deseando que le contaran cosas de la vida social. Samantha le leía el *Register*, donde se publicaban las impresionantes listas de las personalidades que asistían a los famosos bailes de la señora Astor y se decía quién iba a veranear en Newport aquel año. Aunque tenían muy pocas cosas en común, Estelle y Samantha estaban unidas por una amable amistad. Samantha ansiaba a menudo pasar las tardes o las noches en aquella elegante habitación oyendo hablar a Estelle con suave voz de los días de esplendor de Filadelfia; y Estelle se encariñó muy pronto con aquella reposada joven inglesa que la escuchaba con paciencia, le prestaba su femenina atención y compartía sus puntos de vista acerca de la longitud de las faldas, los sombreros y las novelas románticas.

Pese a que ello debiera haber bastado para disipar cualquier idea de intimidad con Joshua Masefield, había otra cosa. Se trataba de la actitud de él para con su esposa, una actitud de la que Samantha había sido testigo con harta frecuencia para tener la absoluta certeza de que Joshua Masefield estaba desesperadamente enamorado de Estelle. La dulzura con que le hablaba, sus modales conmovedoramente afectuosos, el amor que llenaba sus ojos y, finalmente, su forma de sufrir en silencio recordando la brevedad de su vida en común.

Consideradas todas esas cosas, ¿cómo era posible que Samantha se enamorara de él?

8

La temprana escarcha otoñal fue un presagio del duro invierno que se avecinaba y también recordó dolorosamente a Samantha que faltaban tres meses para su partida.

Aunque el elevado número de consultas del verano había disminuido, Samantha seguía encargándose de atender a ciertos pacientes —mujeres y niños—, y en octubre acompañó al doctor Masefield en su primera visita domiciliaria a un enfermo.

Habían enviado a un golfillo. Joshua tomó el maletín y la chistera y fue a llamar suavemente a la puerta de Samantha.

—Hay un niño enfermo y es un vecino, y no la familia, quien me ha mandado llamar. Temo tropezar con resistencia. Puede ser útil que me acompañe una mujer.

Recorrieron unas calles por las que Samantha no se hubiera atrevido a pasar de noche, pero el doctor Masefield era una figura conocida, un hombre querido y respetado que se podía mover por aquel barrio con toda tranquilidad. Era la zona de Manhattan que la Oficina de Estadísticas de Población llamaba el «Distrito de los suicidios»: Hester Street y Mulberry Bend. La gente sentada en los porches o apoyada en las farolas saludaba al médico y a su bonita ayudante a su paso; Samantha, sorteando la basura y los excrementos de perro, oyó gritos y risas y alguna que otra canción a través de las ventanas abiertas. Por un instante experimentó un acceso de añoranza: ¡cómo se parecía aquel barrio al Crescent!

El andrajoso chiquillo les recibió y les acompañó a una casa de vecindad donde tuvieron que subir cuatro tramos de una ruinosa escalera. En el último rellano se encontraron a una nerviosa mujer que se retorcía las manos mientras hablaba apresuradamente en italiano. Joshua y Samantha la siguieron por un pasillo hasta llegar a una puerta abierta.

No se sabía si era una sola familia o bien varias las que compartían un sucio apartamento; sea como fuere, había muchas personas, que miraron recelosas a los intrusos. Samantha no se apartó del doctor Masefield mientras un corpulento y tosco individuo en camiseta y tirantes se adelantaba hacia ellos.

—Aquí no necesitamos a ningún *dottore.* Ya nos sabemos cuidar solos.

Desde una habitación del fondo, llegaba el lloriqueo de un niño pequeño.

—Tal vez pudiera ayudarle —dijo Joshua amablemente.

La familia cerró filas de forma instintiva. Samantha ya había visto gente de aquella clase en el consultorio del doctor Masefield y, tiempo atrás, incluso en el Crescent: niños esmirriados que jamás veían la luz del sol, mujeres jóvenes que se marchitaban prematuramente, ancianos desdentados y de pecho descarnado. Todas las sucesivas fases de una vida de desesperación.

—Lárguense —dijo el hombrón.

El doctor Masefield se quitó la chistera.

—Me gustaría hablar con la madre, si fuera posible.

Una mujercilla escuálida, de expresión preocupada, apareció en la puerta. Samantha vio sus manos manchadas de oscuro y comprendió que era una cigarrera, una de las criaturas más desdichadas de la sociedad, que trabajaba diecisiete horas diarias los siete días de la semana a cambio de unas monedas. Y en caso de que faltara al trabajo aunque no fuera más que una hora, se la despedía y otra desgraciada ocupaba gustosamente su lugar.

La frágil mujercilla apoyó cautelosamente el brazo en el hombro de su marido. Las toscas facciones sicilianas del hombre se crisparon en una mueca de angustia.

Una anciana se adelantó renqueando.

—Yo les acompañaré —dijo con voz cascada.

Samantha siguió a Joshua hasta un dormitorio en el que tuvieron que pasar por encima de varios colchones de paja tendidos en el suelo. En una caja de naranjas, bajo la ventana, yacía inmóvil una niña.

—Ella no comer —chirrió la voz de la anciana mientras Joshua se arrodillaba junto a la caja—. Ella no llorar. Ella no mover.

Joshua palpó la fría y pegajosa piel de la niña.

—¿Cuánto tiempo lleva así?

—Dos, tres días.

—*Trismus nascentium* —dijo el doctor Masefield, mirando a Samantha—. Trismo infantil. Y ellos mismos lo han provocado —tomó muy suavemente a la niña en brazos y empezó a auparla contra su pecho. Mientras Samantha se arrodillaba a su lado, él tomó su mano y la apoyó delicadamente en la nuca de la niña—. ¿Nota usted esa ligera depresión? Colocan a la criatura boca arriba y esta duerme con presión sobre el occipucio. El cráneo de un recién nacido es blando y maleable, el hueso occipital comprime el cerebro e interrumpe la circulación de una zona vital. El niño empieza muy pronto a respirar entrecortadamente, no puede recibir alimento y experimenta violentos espasmos que le producen rigidez en brazos y piernas. Lo llaman el ataque de los nueve días porque eso es lo que tarda el niño en morir. Si se toma a tiempo, se puede salvar. Si se tarda demasiado, ya no hay curación.

Samantha se inclinó hacia él y preguntó en voz baja:

—¿Podrá hacer algo por ella?

—Si la mujer dice la verdad, si solo hace dos o tres días, sí, podremos ayudarla. Lo único que se precisa es acostar de lado a la niña. Eso restablecerá la circulación y las funciones corporales.

El doctor Masefield depositó cuidadosamente a la niña en la caja y le sostuvo la espalda con una manta enrollada. Después se levantó y Samantha hizo lo propio. Al volverse, vieron a toda la familia congregada en la puerta.

—Mantengan a la niña acostada de lado, procuren que no duerma boca arriba y dentro de unas horas se habrá restablecido. —Al ver que los demás le miraban inexpresivamente, se dirigió a la anciana—. ¿Me ha entendido?

—*¡Sí, sí!* —contestó ella, cabeceando—. *Capisco, capisco! Mille grazie, signor dottore!*

El doctor Masefield apoyó delicadamente la mano en el brazo de Samantha y salió con ella del apartamento y de allí a la calle. Mientras atravesaban las manchas de luz que arrojaban las farolas de gas, el médico dijo:

—Algunos casos son fáciles. Es solo cuestión de educación básica. Si hacen lo que les he dicho, la niña estará bien mañana mismo y podrá comer.

Ella tenía que apurar el paso para seguirle. Samantha no habló. Estaba pensando en lo que había sentido cuando él le tomó la mano para colocarla sobre la cabeza de la niña. El contacto de aquella mano alrededor de la suya...

Al consultorio del doctor Masefield acudían muchas prostitutas. La historia de todas ellas era casi siempre la misma: muchachas ignorantes que, tras haberse creído los embustes de las compañías navieras en el sentido de que en Estados Unidos no necesitarían dinero y estarían bien atendidas, gastaban todos sus ahorros en la adquisición del pasaje y, al llegar, descubrían la amarga verdad: que allí las calles no estaban pavimentadas con oro. En el muelle las recibían unos jóvenes judíos muy simpáticos y amables («cadetes» los llamaban, y constituían el grueso de los rufianes de Nueva York) que las invitaban a una fiesta nocturna con gentes de su propia nacionalidad; amigos que las ayudarían a encontrar alojamiento y trabajo. Sin hablar inglés, confiadas e ingenuas, las muchachas aceptaban la invitación, y aquella noche acababan las desventuradas en las redes de un burdel. Perdida la honra en la «iniciación», sin un céntimo y asustadas, raras veces trataban de escapar. Al cabo de algún tiempo acudían apocadas al consultorio del doctor Masefield, pidiendo abortivos o bien algún tratamiento para sus enfermedades venéreas.

Las prostitutas no eran las únicas que sufrían dolencias relacionadas con la sexualidad. Las obreras inmigrantes, para quienes un descanso en sus embarazos hubiera sido una bendición, pedían tímidamente algún consejo para evitar la concepción.

—Lo malo, señorita Hargrave, es que si los maridos se enteraran, las dejarían moradas de una paliza. Por desgracia, no les puedo recetar nada. Las precauciones contra la concepción tiene que adoptarlas el esposo, porque únicamente los hombres tienen el remedio seguro.

Samantha fue invitada a salir de la estancia la mañana en que una angustiada y joven pareja que llevaba menos de un año de matrimonio, acudió a Joshua Masefield en demanda de consejo. Más tarde, cuando ellos se hubieron marchado, el doctor Masefield se lo explicó todo en tono clínico, como si le estuviera haciendo un comentario acerca de un divieso abierto con lanceta:

—El acto sexual resulta doloroso para la joven y raras veces lo realiza. Padece de vaginismo, una contracción de los músculos vaginales durante el coito. Me han pedido que acuda a su casa una noche y administre éter a la esposa para que el marido pueda cumplir con su deber. Están deseando tener hijos. Como es natural, no puedo acceder a su petición, pero le he recetado bromuro a la mujer, para que se le calmen los nervios. El noventa por ciento de los casos de vaginismo obedecen a causas mentales, no fisiológicas.

—¿Causas mentales?

—El acto asusta mortalmente a la joven o bien le repugna, de ahí que se contraiga. Raras veces encontrará usted un caso que pueda tratarse quirúrgicamente o bien con medicamentos.

Samantha procuró disimular su turbación. ¡Qué extraño resulta hablar de un tema tan prohibido, con un hombre que es poco menos que un desconocido para mí! ¡Un tema que ni siquiera se menciona entre marido y mujer! ¿Y cómo tengo que responder, yo que no sé nada del acto como no sea su mecánica? ¿Cómo debe ser? ¿Por qué algunas mujeres lo temen mientras que otras parece que nunca tienen suficiente? ¿Qué tal sería con él...?

A diario acudían a él mujeres que le suplicaban algún remedio anticonceptivo y otras que se lo imploraban, en cambio, para quedar embarazadas. La maternidad que para algunas era una maldición del diablo, para otras resultaba una bendición de Dios. La señora Mallory, una cuarentona que nunca había tenido hijos y ya había perdido la esperanza de concebirlos, acudió una tarde al consultorio para mostrarle orgullosamente al doctor Masefield el abultamiento de su abdomen. Mientras Samantha permanecía de pie a una discreta distancia, Joshua Masefield empezó a interrogarla con delicadeza:

—¿Cuándo tuvo su última menstruación?

—Hace un mes.

—¿Cuándo tuvo sus últimas relaciones íntimas con su marido?

—No lo recuerdo.

—¿Se nota blando el pecho?

—No.

El doctor Masefield se atrevió a examinarle las muñecas y los tobillos, para comprobar que no estuvieran hinchados, pero no pasó de ahí. Radiante y satisfecha, la señora Mallory contestó a todas sus preguntas e incluso le permitió que le palpara suavemente el abdomen a través de la falda. Al recomendarle el doctor Masefield que recabara la opinión de alguno de los excelentes cirujanos del Hospital Femenino, ella rechazó alegremente la sugerencia.

—No será necesario, doctor. Solo quería que me confirmara mis sospechas. Jamás he visto tan feliz a mi esposo. En estos momentos está pintando el cuarto del niño.

Joshua Masefield pidió a Samantha que le sirviera una copa de brandy a la mujer y después le explicó a esta con el mayor tacto que no era un niño lo que estaba creciendo en su abdomen, sino un tumor. Samantha tuvo que esquivar el vaso al volar este por los aires, y más tarde quitó de la pared la mancha de brandy, pero no sin antes haber pasado media hora ayudando a Joshua a tranquilizar a la mujer y acompañarla a su casa.

Raras veces tomaban café juntos, pero aquella tarde lo hicieron, sentados en el estudio, mientras las sombras de finales de otoño se iban alargando gradualmente sobre la alfombra.

—Si la señora Mallory tuviera más instrucción, hubiera comprendido que un mes no es suficiente para que se note un embarazo. Pero, lamentablemente, a la mujer se la mantiene en la ignorancia en lo referente a su cuerpo, y a menudo averiguan la verdad cuando ya es demasiado tarde.

—¿Qué se puede hacer por ella?

—Si tiene suerte, no será más que un tumor ovárico que se podrá extirpar a través de una pequeña incisión. O podría ser un fibroma de la matriz. Los hombres del Hospital Femenino han aprendido a alcanzar rápidamente el interior del abdomen, extirpar la masa y volver a cerrarlo con escasa hemorragia.

—¿Y si fuera otra cosa?

—No se podría hacer nada. En Alemania se están llevando a cabo actualmente algunos experimentos en cirugía abdominal, pero hasta ahora no se ha alcanzado el éxito. Hay un hombre en Inglaterra que está tratando de extirpar el apéndice reventado, pero hasta la fecha todos sus pacientes han muerto. No me cabe la menor duda, señorita Hargrave, de que llegará un día en que la cirugía abdominal será un procedimiento de rutina, pero, de momento, dada la peligrosidad del éter y la imposibilidad de contener las hemorragias, solo unos pocos cirujanos audaces se arriesgan a alguna rapidísima intervención en la cavidad peritoneal.

¿Por qué tenía que hablar siempre de aquella manera? ¿Nunca experimentaba la menor curiosidad acerca de ella? ¿No habría algún medio de penetrar más allá de aquella fachada profesional? Samantha se consolaba a menudo, pensando que con Joshua Masefield estaba aprendiendo mucho más de lo que hubiera podido aprender en un aula universitaria.

Una tarde el doctor Masefield concedió prioridad a una joven obrera polaca de la confección que se había pillado una mano en la máquina de coser. Llorando y sosteniéndose la mano envuelta en un pañuelo ensangrentado, fue acompañada al consultorio por una de sus compañeras, otra delgada muchacha rubia de no más de dieciséis años que hablaba suavemente en polaco, pero que tuvo que regresar a toda prisa junto a su máquina.

—Son casos muy tristes —murmuró el doctor Masefield mientras retiraba suavemente el pañuelo que envolvía la herida—. Tendrá que pasarse varios días sin trabajar y perderá el empleo. Después perderá su pequeño espacio en una abarrotada habitación de una casa de vecindad y acabará en manos de un «cadete».

Samantha rodeó con su brazo los frágiles hombros de la muchacha y observó lo muy pálida que estaba aquella lechosa piel que jamás veía el sol, y cuán raídas tenía la blusa y su falda, sin duda las únicas prendas de vestir que poseía la chica. ¿De qué clase de vida habría huido en Polonia para llegar a aquello?

—Pero cerca de aquí no hay ninguna fábrica, doctor Masefield.

Él contestó sin apartar los ojos de lo que estaba haciendo:

—Casi todo este trabajo se lleva a cabo en los domicilios particulares y no en las fábricas, porque de esa manera, se pueden burlar las leyes laborales. Así es cómo se consuma un genocidio —el doctor Masefield dejó caer el ensangrentado pañuelo a un cubo—. Estas pobres criaturas trabajan como esclavas doce horas al día, están mal alimentadas, respiran aire viciado, duermen con parásitos y procuran conservar su dignidad. En muchos casos, hubieran estado mejor en su país de origen. Aquí tenemos las heridas.

Al intentar extender los dedos de la muchacha, esta lanzó un grito.

—Seis gotas de Magendie's, señorita Hargrave.

El doctor Masefield le había enseñado a preparar narcóticos. Samantha mezcló la morfina con un jarabe dulce y se la administró a la muchacha con una cuchara.

A continuación, el doctor Masefield «congeló» el dorso de la mano rociándoselo con éter. Cuando la piel se quedó dormida, vertió cuidadosamente sobre cada una de las perforaciones una pequeña cantidad de ácido nítrico y este crepitó inmediatamente y arrancó de la carne unas pequeñas espirales de humo.

La muchacha gritó, soltó imprecaciones en polaco y trató de levantarse y escapar, pero Samantha la mantuvo inmovilizada. Tras haber examinado las pequeñas heridas para comprobar que no hubiera quedado algún fragmento de la aguja de coser, Samantha vendó la mano y el doctor Masefield entregó a la muchacha un frasquito de morfina Magendie's y un trozo de papel en el que había escrito las únicas palabras polacas que conocía: «Una cucharadita cada vez que sienta dolor». A Samantha le dijo:

—No vamos a cobrar los dos dólares de la visita.

9

A última hora de una noche de un frío mes de noviembre, Samantha se encontraba sentada junto a la chimenea de su habitación con una manta sobre las piernas y una revista olvidada en su regazo. Aquella tarde había recibido una nota de la doctora Emily en la que esta le comunicaba que podría ingresar en la Enfermería como residente a partir de la primera semana de enero. Mientras Samantha escuchaba el silencio de la casa y el solitario viento del otro lado de las cortinas, no experimentó la emoción que la carta hubiera tenido que producirle. Dentro de seis semanas se alejaría para siempre de los Masefield.

Sacudió la cabeza y tomó de nuevo la revista, que era el último número del *Boston Medical and Surgical Journal.* El primer artículo se titulaba «La cuestión femenina, o el médico inferior».

El autor, un tal doctor Charles Gage, exponía claramente sus intenciones ya de entrada: iba a presentar pruebas *científicas* de por qué las mujeres no podían ser médicos. «Ninguna mujer, *por su naturaleza* —decía el artículo—, está en condiciones de soportar la ansiedad, la tensión nerviosa y los sobresaltos del ejercicio de la medicina. La mujer, *por naturaleza*, carece del valor y la audacia que se necesitan para afrontar las difíciles y a menudo peligrosas decisiones que tiene que adoptar un médico. Además, las mujeres no son, *por naturaleza*, agentes libres, sino más bien unas prisioneras de su propia biología: concretamente, de los trastornos mensuales. Es como si el Todopoderoso, al crear el sexo femenino, hubiera tomado el útero y hubiera construido una mujer a su alrededor; todo lo que ella es en cuanto a salud y carácter, intelecto y alma, depende exclusivamente de su matriz. ¿Qué paciente pondría su vida en manos de una persona cuyo equilibrio se pareciera al de un maníaco, variando de una semana a otra, ora arriba, ora abajo? La dolencia periódica de la mujer influye en su estado mental y esta pasa por una fase de trastorno temporal; de hecho, la mujer se encuentra en tales ocasiones más necesitada de ayuda médica que capacitada para prestarla.

»Siendo un hecho admitido que la mujer es inferior al varón y que en el conjunto de la población el estado inferior es el de la mujer y el superior el del varón, es lógico deducir que una profesión inundada de mujeres verá reducido su prestigio. ¿Qué sociedad necesita mujeres médicos en una época en que se toca demasiado el piano y se cocina y se cose demasiado poco?»

Samantha cerró la revista y recordó un incidente que se había producido justo la semana anterior cuando el doctor Masefield estaba suturando una herida del cuero cabelludo.

—El siguiente, por favor —dijo ella, y una especie de oso entró en el consultorio, sosteniendo en sus carnosas manos una gorra de obrero.

Samantha le preguntó qué le aquejaba y el irlandés le contestó:

—Si no le importa, señorita, esperaré al doctor.

Al explicarle que el doctor Masefield estaba ocupado en aquellos momentos, Samantha trató de tranquilizar al hombre diciéndole que tal vez ella podría ayudarle. Para su asombro, el irlandés se levantó de un salto, enfurecido y con el rostro arrebolado, dijo a voz en grito que su ofrecimiento era una obscenidad y se marchó hecho una furia. Más tarde el doctor Masefield se lo explicó:

—Debía ser Roddy O'Dare. Padece una hinchazón crónica de los testículos. Comprendo muy bien su humillación. De ahora en adelante, señorita Hargrave, déjeme los hombres a mí.

En aquel instante Samantha se enojó tanto como en ese acababa de enojarle el *Boston Journal* que tenía sobre las rodillas: de una mujer se esperaba que discutiera sus problemas más íntimos con un desconocido, y sin embargo, la mera sugerencia de que se hiciera lo contrario era una ofensa moral.

Samantha había adquirido la costumbre de leer una publicación llamada *Woman's Journal*, dirigida en Boston por Lucy Stone, y aunque no estaba de acuerdo con su militante postura feminista, Samantha observó que el *Journal* defendía la causa de las mujeres médicos. «Que no estén los hombres demasiado seguros de tener ellos solos la llave que abre la puerta de la ciencia médica. Atrancan las puertas de los hospitales de Boston contra todas las estudiantes de medicina y arrojan sobre ellas un inmerecido ridículo. Los hombres muestran al mundo la debilidad constitucional de las mujeres como si ellos no tuvieran ninguna debilidad. Pero, con ayuda o sin ella, no está lejos el día en que las mujeres obligarán a los profesionales de la medicina a comprender que, como médicos, son iguales a ellos.»

Recordando las palabras pronunciadas hacía tiempo por la doctora Elizabeth, Samantha pensó en Joshua Masefield. No había observado en él ningún prejuicio visible; es más, sospechaba que la estaba tratando como hubiera tratado a aquel estudiante de la Universidad de Cornell a quien ella había sustituido. Pero ¿qué ocurriría cuando ella ejerciera de médico? ¿Cambiaría su actitud?

Samantha contaba con encontrar obstáculos en su carrera. Pero, ¿iba a empezar con mal pie, graduándose en una facultad femenina? ¿La considerarían una matasanos, tal como Louisa y Luther le anticipaban?

El dilema la mantuvo despierta toda la noche hasta que, poco antes del amanecer, rígida, dolorida y muerta de frío, Samantha se levantó del sillón y adoptó una tremenda decisión.

En bien de su futuro, trataría de obtener el título en alguna prestigiosa universidad masculina. Samantha tenía la certeza de que el hecho de que ello significara permanecer otros nueve meses al lado del doctor Masefield no había influido lo más mínimo en su decisión.

Temía plantearle la cuestión. Su mayor inquietud —la posibilidad de que él tratara de convencerla de que se matriculara en la Enfermería y abandonara la casa cinco semanas más tarde— daba lugar a la aparición de su antiguo defecto de habla: cada vez que se armaba de valor para decírselo, se le trababa la lengua.

El primer día de diciembre cayó una fuerte nevada, y a media noche la capa de nieve era tan alta que a las caballerías tuvieron que vendarles fuertemente los espolones con percal y apenas circulaban peatones por las calles. Samantha no podía dormir. El doctor Masefield había salido después de la cena a visitar a un niño que tenía mucha fiebre, y a la una de la madrugada aún no había regresado a casa. Mientras escuchaba los ronquidos de la señora Wiggen en la habitación de al lado, Samantha se envolvió en la bata, tomó una vela y bajó a ver cómo se encontraba Estelle. La señora Masefield estaba durmiendo como una chiquilla. Temblando de frío, Samantha bajó al último descansillo, porque quería ir a la cocina a calentarse un poco de leche, pero se sobresaltó al oír que se abría repentinamente la puerta de entrada. La gélida ráfaga de viento que penetró en la casa le apartó de los hombros la larga mata de cabello negro y apagó su vela. Joshua Masefield tuvo que cerrar la puerta empujándola con el hombro y después se quitó apresuradamente la chistera y la bufanda.

Sacudiéndose los copos de nieve que le cubrían los brazos, se detuvo súbitamente y levantó los ojos.

—Señorita Hargrave —dijo suavemente.

—Iba a calentarme un poco de leche. ¿Cómo está el niño?

El doctor Masefield se quitó el gabán y lo colgó de una percha.

—Escarlatina. No le quedan ni veinticuatro horas.

Frotándose las manos, Joshua entró en el estudio a oscuras. Samantha le oyó encender una cerilla y después vio el resplandor a través de la puerta.

—Señorita Hargrave —la llamó él—, venga aquí, junto al fuego.

Olvidando que iba en ropa de noche, Samantha se acercó, sosteniendo la vela en alto a pesar de que esta se había apagado. El doctor Masefield se encontraba de espaldas, inclinado sobre el rescoldo de la chimenea y arrojando más carbón.

—Es una noche infernal. Venga a calentarse.

Ella se deslizó a su lado y dejó la palmatoria en la repisa de la chimenea. Al enderezar la espalda, Joshua Masefield le miró un instante con ojerosa fijeza y después se volvió bruscamente y se acercó al velador del rincón.

—Un poco de brandy la ayudará a conciliar el sueño, señorita Hargrave.

Ella le miró mientras llenaba dos copas y se acercaba de nuevo a la chimenea. Al tomar la copa que él le ofrecía, sus dedos rozaron accidentalmente los de Joshua.

—¿Cómo está mi mujer? —preguntó con voz queda el doctor Masefield mientras tomaba un sorbo.

—Durmiendo tranquilamente.

Él la siguió mirando con sus penetrantes ojos negros.

—¿Y por qué no podía usted dormir, señorita Hargrave?

—Yo... —Samantha trató de dominar la voz—, tengo algo que me preocupa.

—Lo imaginaba. Estos últimos días la he visto muy distraída.

El corazón de Samantha estaba latiendo con fuerza bajo la franela del camisón.

—No quería que ello obstaculizara mi trabajo...

—Y no lo ha hecho. Su trabajo ha sido irreprochable, como de costumbre.

Samantha arqueó las finas cejas. En todas las semanas que llevaban juntos, era la primera vez que él le dirigía un elogio.

Las hermosas facciones de Joshua estaban como esculpidas en planos oscuros; el claroscuro acentuaba su atractivo. Su cercanía y la insólita suavidad de su voz confirió al momento una inesperada intimidad.

—¿Se trata de algo que deseaba usted discutir conmigo, señorita Hargrave?

—Sí... —contestó ella en voz baja. ¿Serían figuraciones suyas o los oscuros ojos de Joshua estaban ardiendo de pasión? Tuvo que apartar la mirada—. He estado pensando doctor Masefield, que a lo mejor cometeré un error si voy a la Enfermería.

Al ver que él no contestaba, Samantha descansó la

copa en la repisa de la chimenea y retrocedió unos pasos. Lejos del hechizo de su mirada hipnótica, se sintió más libre para hablar.

—He pensado que sería mejor matricularme en una facultad masculina, tal como hizo la doctora Blackwell, porque ese diploma me podrá ser más útil en caso de que tropiece con futuras contrariedades. No quiero ver limitada mi carrera.

—Estoy de acuerdo —contestó él para asombro de Samantha.

—¿De veras? —dijo ella, girando en redondo.

—Pero le costará Dios y ayuda encontrar semejante facultad.

—Cuento con eso —se apresuró a decir ella—. Me esforzaré al máximo y, en caso de que no tenga suerte, iré a la Escuela de Enfermería. Pero no puedo ingresar allí directamente sin haberlo intentado por lo menos.

—¿Cómo se propone ingresar en la facultad que le interesa?

—Esperaba que usted me ayudara...

—En tal caso, lo haré. —Joshua apuró su copa y se acercó de nuevo al velador—. Elaboraremos una lista de los centros más adecuados y redactaré una carta de recomendación. Tengo cierta influencia en los círculos médicos.

—¿Entonces le parece bien que me quede aquí? —preguntó Samantha, mirándole con incredulidad.

—Naturalmente. Lo fijaremos para el próximo mes de septiembre, cuando usted haya completado un año de aprendizaje aquí.

—Doctor Masefield, no sé cómo agradecerle...

—Lo hago por egoísmo, señorita Hargrave —dijo el doctor Masefield, de espaldas a ella—. Podré contar con su excelente ayuda durante otros nueve meses y Estelle seguirá disfrutando de su compañía, que tanto aprecia. Y ahora... —dijo volviéndose a mirarla—, ya es tarde.

Samantha parpadeó unas cuantas veces; de repente, se le ocurrió pensar en el aspecto que debía ofrecer, enfundada en una bata y con el largo cabello despeinado descendiéndole hasta la cintura. Se encaminó apresuradamente hacia la puerta, súbitamente turbada.

—Buenas noches, doctor Masefield, y muchas gracias.

Él permaneció largo rato inmóvil, escuchando el rumor de sus pisadas escalera arriba y, finalmente, el chasquido de la puerta de su habitación al cerrarse. Después contempló la copa que sostenía en la mano y observó que sus dedos la apretaban con tanta fuerza, que le temblaba todo el brazo.

10

Estelle disfrutó de un período que pareció ser un paso hacia la recuperación: durante febrero y marzo, a pesar de la penetrante humedad y del intenso frío, pudo levantarse de la cama sin ayuda y dar breves paseos por la habitación. Fueron momentos de alegría para Samantha el ver que su pálida tez recuperaba el color de los melocotones. Pero Joshua Masefield rehusaba abrigar falsas esperanzas y por esa razón no sufrió tanto como Samantha cuando la recaída se abatió sobre Estelle con más crueldad que nunca. Faltaban pocas fechas para el Día de la Conmemoración. Se trataba de una fiesta recientemente establecida para honrar a los caídos en la Guerra de Secesión, y Samantha y Estelle habían elaborado un plan secreto para dirigirse en coche a la Quinta Avenida y presenciar el desfile. Habría bandas de música, bomberos con sus equipos contra incendios, espléndidos regimientos de veteranos de aquella guerra, con sus uniformes azules, seguidos por veteranos de la campaña mexicana e incluso de algunos supervivientes de la de mil ochocientos doce. Después engatusarían a Joshua para que las llevara al Central Park a merendar a base de pollo frito, encurtidos caseros y bizcochos de clara de huevo y azúcar. Pero una semana antes del acontecimiento, Estelle se enfrió con una corriente de aire y cayó víctima de una fiebre tan despiadada que todos temieron por su vida.

Samantha sufría viendo cómo escapaba la salud de aquel rostro angelical. Y sufría más si cabe ante las interminables horas que Joshua pasaba junto a su lecho. El amor que ambos le inspiraban indujo a Samantha a dudar por primera vez en su vida de la supuesta justicia y compasión del Todopoderoso.

La pragmática actitud de Louisa irritaba a Samantha.

—Por mucho que te aflijas, no la vas a curar. Enfréntate a la verdad: esa mujer se está muriendo. Y cuando ella ya no esté, él será libre de casarse.

Durante una charla, allá por marzo, mientras ambas permanecían sentadas junto al crepitante fuego de una chimenea, recortando calcomanías de pollitos de Pascua para unos huevos duros que se iban a regalar a los niños del Bellevue Hospital (en ocasión de otra nueva fiesta nacional establecida por el presidente Hayes), ambas amigas habían compartido momentos de intimidad femenina, Louisa había expresado su convencimiento de que ahora Luther correspondía a su profundo afecto y Samantha, a su vez, le confesó finalmente la ternura que le inspiraba Joshua Masefield.

Luego lamentó aquel momento de sinceridad y deseó haber guardado el secreto encerrado en su corazón, pues Louisa estaba expresando una vez más con palabras las oscuras esperanzas que Samantha temía reconocer en su fuero interno.

—Estelle no va a morir pronto, Louisa. Un enfermo de leucemia puede vivir hasta diez años. Para entonces yo me habré ido de aquí.

Pero los pícaros ojos de Louisa brillaron de astucia mientras echaba atrás la cabeza agitando sus rizos dorados, como queriendo decir: Sabemos muy bien que eso no va a ocurrir, ¿verdad?

En junio se empezaron a recibir las respuestas a las instancias que Samantha había cursado a veintiséis escuelas de medicina.

«Señora —rezaba la de un importante colegio universitario del norte del estado—, hágase un favor a sí misma y a la sociedad, abandonando esa locura y regresando a las enseñanzas que recibió junto al regazo de su madre. Solo una joven de dudosa moral podría presentar una instancia a una facultad masculina de medicina.»

Otra decía: «La invito a recordar, señorita Hargrave, la Creación: la mujer fue una idea tardía».

Aunque contaba con las negativas, a Samantha le sorprendió y desalentó la vehemencia del tono; a juzgar por el vitriólico contenido de algunas de ellas, parecía ser que, por alguna razón, había despertado la indignación masculina. Tras recibir nuevas cartas que iban de un cortés rechazo a una rotunda condena de sus iniciativas, Samantha se enfureció. La carta de la Universidad de Harvard la llevó a la decisión de hacer algo para defenderse.

10 de junio de 1879

Estimada señora:

Aunque personalmente su instancia de ingreso en nuestra facultad de medicina me parece ejemplar e irreprochable, y por más que en los estatutos de este centro no encuentro nada que niegue a las mujeres el derecho de asistencia a las clases, mis colegas me han exigido someter su petición a la votación del Cuerpo de Alumnos. He aquí su respuesta:

«Considerando que ninguna mujer auténticamente delicada estaría dispuesta, en presencia de hombres, a escuchar discusiones acerca de los temas que necesariamente tiene que considerar un estudiante de medicina.

»Considerando que nos oponemos a la compañía de una mujer que está dispuesta a prescindir de su condición femenina y a sacrificar su pudor en un aula ocupada por hombres.»

El Cuerpo de Alumnos y el Claustro de Profesores han acordado, señorita Hargrave, rechazar su petición. Sinceramente le deseo suerte en otro lugar.

La carta llevaba la firma de Oliver Wendell Holmes, decano de la Facultad de Medicina de Harvard.

—Dieciséis negativas, doctor Masefield, y en todas ellas sin otro motivo que mi condición de mujer. Yo no puedo quedarme así y permitir que me humillen por un simple accidente de nacimiento.

—¿Qué se propone hacer?

—Me iré a Boston —contestó ella, contemplando la carta que sostenía en la mano.

Juzgaba, por el tono del escrito, que el doctor Holmes era un hombre razonable; Samantha abrigaba la esperanza de que si se personaba allí, presentaba su caso y demostraba su valía, haciéndoles ver que no era simplemente una «hembra» sino una estudiante seria de medicina, él utilizaría su influencia y trataría de modificar el voto estudiantil.

Estuvo ausente dos días, y cuando acudió a recibirla a la estación con un coche de alquiler, el doctor Masefield comprendió inmediatamente que el intento había fracasado.

Regresaron a casa en silencio. Al llegar, Samantha le entregó el sombrero y la capa a la solícita señora Wiggen y después se sentó en uno de los sillones del salón. Joshua Masefield permaneció de pie junto a la chimenea.

—Dígame qué ha ocurrido.

Samantha echó la cabeza hacia atrás y miró al techo.

—Me entrevisté con el doctor Holmes y, aunque estuvo muy amable, me dijo que no podía exponerse a las injurias y las críticas. Dijo que lo desaprobaría no solo la universidad sino también el Colegio de Médicos de Massachusetts. Añadió que habían votado a favor de la exclusión para proteger el buen nombre de la facultad, ya que mi presencia dañaría su prestigio.

Joshua arqueó una ceja.

—Yo le dije que estaba dispuesta a llegar a cualquier clase de acuerdo y a aceptar cualquier condición que quisieran imponerme con tal que, por último, pudiera obtener el título. Pero ahí está lo malo. Cuatro profesores se mostraron favorablemente impresionados por mi expediente, superior, según dijeron, a los de muchos estudiantes varones, y esos cuatro hubieran estado dispuestos a darme clase, pero no podían permitir que yo obtuviera el título en Harvard, porque soy mujer. Dijeron que ello podía desacreditar el título. —Samantha miró a Joshua—. ¿Sabe qué otra cosa me dijo el doctor Holmes? Que los estudiantes consideraban socialmente repulsiva la presencia de una mujer en las aulas —se acercó a los ojos una mano cerrada en puño—. Santo Dios, socialmente repulsiva...

El doctor Masefield se apartó de la chimenea y se sentó en el otro sillón.

—¿Le ofreció alguna recomendación?

—Sí —contestó Samantha, bajando la mano—. Me dijo que la Universidad de Michigan está aceptando ahora alumnas en su Facultad de Medicina y que él tendría mucho gusto en darme una carta de recomendación.

—Michigan —murmuró Joshua, parpadeando—. Está tan lejos...

—¿Tan desesperada le parece la situación, doctor

Masefield? ¿He de rendirme sin antes haber luchado? No tengo armas. ¡Mi preparación no vale nada en cuanto ven que soy una mujer!

Él le dirigió una larga mirada y después se levantó en silencio y abandonó el salón. Samantha permaneció sentada, retorciéndose las manos mientras las lágrimas asomaban a sus ojos y el desencanto se trocaba en frustración. Al principio, no vio lo que él le ofrecía, tuvo que parpadear para librarse de las lágrimas y entonces le oyó decir:

—Estas se recibieron en su ausencia. Me tomé la libertad de abrirlas.

Samantha tomó los dos sobres sin levantar los ojos. La primera procedía de la Facultad de Medicina de la Universidad de Pensilvania; unas palabras de disculpa dirigidas al doctor Masefield por no poder aceptar a su magnífica ayudante, «dado que no disponemos de instalaciones adecuadas para acoger a alumnas». Samantha la arrojó al suelo. Dominada por una sensación de fatalismo, empezó a leer la segunda:

14 de junio de 1879

Apreciada señorita Hargrave:

Puesto que su instancia de ingreso en nuestra escuela no tiene precedentes y que en nuestros estatutos no está prevista semejante posibilidad, el claustro de profesores de Lucerne sometió su instancia a votación del Cuerpo de Alumnos. Su respuesta fue la siguiente:

«Considerando que uno de los principios radicales de un gobierno republicano es la educación universal de ambos sexos; que la puerta de todas las ramas de la educación científica tiene que estar abierta a todos por igual; que la instancia por la cual Samantha Hargrave solicita incorporarse a los estudios en nuestro centro cuenta con nuestra total aprobación; expresamos nuestra unánime invitación y nos comprometemos a observar una conducta que no la induzca a arrepentirse de su decisión de estudiar en nuestra institución.

»Le rogamos, señorita Hargrave, que busque hospedaje dentro de la semana anterior al comienzo del nuevo curso, que será el último lunes de septiembre, y acuda a mi despacho la mañana de dicho día».

Suyo afectísimo,
Henry Jones, doctor en Medicina.
Decano de la Facultad de Medicina de Lucerne.

Samantha se quedó paralizada un instante, inmóvil en el borde del sillón y con los ojos clavados en la carta hasta que por fin, levantó la mirada y dijo en voz baja:

—¿Me aceptan?

—Felicidades.

Samantha se levantó de un salto y echó impulsivamente los brazos alrededor del cuello del doctor Masefield.

—¡Me han aceptado, doctor Masefield, me han aceptado!

Aturdido, Joshua retrocedió, tambaleándose. Samantha se apartó de él dando vueltas y apretando la carta contra el pecho mientras danzaba por la habitación. Él observó las piruetas de bailarina, que la hacían entrar y salir del dorado sol que penetraba a través de la ventana y con el rostro resplandeciente. Después, Joshua Masefield apartó la mirada, incapaz de contemplarla por más tiempo.

11

Fue una ceremoniosa despedida bajo el toldo a rayas de la nueva estación del Grand Central Terminal. Tras haberse encargado de los trámites del billete y el equipaje de Samantha, el doctor Masefield estrechó torpemente su mano enguantada y regresó a su coche de alquiler mientras ella le observaba alejarse por la calle Cuarenta y Dos.

Cuando el tren se puso en marcha con una sacudida unos minutos más tarde, Samantha recordó las partidas y despedidas de su vida pasada y pensó que, de entre todas ellas, esa había sido sin duda la más dolorosa. En el último momento había dudado de la oportunidad de su decisión: el hecho de matricularse en la Enfermería de la doctora Blackwell le hubiera permitido permanecer cerca de él. Y posteriormente había recibido otras dos respuestas positivas, procedentes de centros universitarios más próximos. Sin embargo, el doctor Masefield conocía la excelente fama de Lucerne y había insistido en que Samantha aprovechara aquella oportunidad. Después se había despedido tristemente de Estelle, cuyos ojos violeta expresaron en silencio su temor de no llegar a ver el regreso de Samantha. Incluso la señora Wiggen había abrazado a Samantha, y tanto Louisa como Luther le habían prometido, con los ojos empañados por las lágrimas, escribirle muchas cartas.

A pesar de la triste despedida, a Samantha le quedaba un consuelo: el de su regreso al cabo de nueve meses.

Fue un viaje largo y agotador. La ciudad de Lucerne, a unos quinientos kilómetros de Manhattan, en la punta norte del Canadaigua (el «pulgar» de los lagos del Dedo) era accesible viajando primero hasta Albany y haciendo después trasbordo al tren de Rochester, que bordeaba el río Mohawk, cambiando en Newark a un tren de cercanías que cruzaba Geneva, a orillas del lago Seneca, y, desde allí, cubriendo los últimos veinticinco kilómetros en un coche de alquiler. Samantha tardó en total dos días y una noche en llegar a la puerta del único hotel de Lucerne a última hora de la segunda tarde.

No sabía nada de la ciudad que iba a ser la suya durante nueve meses, no sabía nada de las mezquinas mentalidades provincianas que muy pronto iban a provocarle cólera y frustración. De momento le pareció una tranquila población a orillas de un lago tranquilo. Al día siguiente se presentaría en la facultad y buscaría alojamiento, y una semana más tarde, empezaría las clases. Todo le estaba saliendo muy bien.

—¿Quién ha dicho usted que es?

Un poco desconcertada por la reacción del hombre, Samantha repitió cuidadosamente sus palabras.

El doctor Jones parecía un poco irritado tras sus gafas, y después empezó a revolver los papeles que había sobre su escritorio.

—Ya veo. Sí. Hargrave. Nos presentó usted la instancia en junio.

Samantha se revolvió inquieta en su asiento. La actitud del decano disparó pequeñas alarmas en su cabeza.

—Confío en que todo esté en orden, doctor Jones. He venido en el momento adecuado, ¿verdad? Su carta decía...

—Sí, sí —repuso él, agitando una rechoncha mano—. Ya sé lo que decía mi carta. Solo que... —dejó en suspenso sus palabras mientras la miraba con expresión muy seria—. Bueno, le seré sincero, señorita Hargrave, no es usted en absoluto tal como yo la imaginaba. *En absoluto.*

—¿Resulto desagradable en algún sentido? —preguntó ella, arqueando las cejas.

—¡No, por Dios! ¡Muy al contrario, señorita Hargrave! —Su rostro se puso colorado como un rábano—. Lo que quiero decir es que esperábamos una persona... de *más edad.*

—Pero no me rechazarán, ¿verdad?

Él sacudió la cabeza y se acarició los bigotes con expresión desalentada.

—En fin. Ahora ya está aquí, ¿no? Santo cielo, esto va a provocar una conmoción —jugueteó un poco más con el papel y después sacó un pliego impreso—. Tendrá que rellenarlo. Datos para nuestro archivo. Devuélvaselo a mi secretario cualquier día de esta semana.

Samantha dobló cuidadosamente el impreso y se lo guardó en el ridículo.

—Doctor Jones, me estaba preguntando si podría usted ayudarme a encontrar alojamiento. Estoy actualmente en el hotel, pero es terriblemente caro...

—Tenemos algunas casas de huéspedes aquí, señorita Hargrave, pero todas ellas están ocupadas por estudiantes. Una alumna es algo muy insólito, como usted comprenderá.

Samantha frunció el ceño. El doctor Jones le había escrito la carta de aceptación. ¿Por qué parecía ahora que intentaba desanimarla?

—Gracias, doctor Jones —dijo, levantándose suavemente—. ¿Cuándo tengo que presentarme a clase?

—El lunes, a las ocho en punto.

—¿Y dónde?

—Acuda primero a mi despacho.

Encontrar alojamiento resultó imposible. Los rumores habían corrido con tanta rapidez por la pequeña ciudad, que Samantha descubrió que las patronas ya la conocían y la rechazaban incluso antes de haber llamado a su puerta. A última hora de la tarde, ya había visitado nueve casas de huéspedes y recibido nueve negativas.

El hotel tenía un salón de té solo para señoras, donde no se permitía fumar ni estaban autorizadas las bebidas alcohólicas. Samantha se sentó junto a la ventana y pidió un bocadillo de pepino. Apoyando la barbilla en las manos, contempló la hermosa tarde y procuró apartar la nube de depresión que amenazaba abatirse sobre ella.

En el transcurso de sus idas y venidas de aquel día, había observado que Lucerne era una tranquila ciudad de calles arboladas y casas blancas, de madera, de estilo colonial. Samantha se extasió ante los cambiantes colores de los olmos y los robles, las manzanas maduras que colgaban de las ramas y los verdes pastos constelados de ranúnculos y varas de oro. Se había detenido para admirar el vuelo de los halcones de hombreras rojas en el claro cielo y para observar a los chiquillos paseando a la orilla del lago con sus cestos llenos de truchas y percas. Las mariposas, las mariquitas y los mosquitos llenaban el aire de principios de otoño e intermitentes ráfagas de aire frío rizaban la brillante superficie del lago, recordando a todo el mundo que el verano tocaba a su fin.

Pero no había sido suficiente. La tranquilidad de la ciudad, los corteses saludos y sonrisas de los viandantes, aquel pausado ritmo tan agradable después del bullicio de Manhattan..., nada de todo aquello pudo librar a Samantha de su sensación de alejamiento y desolación.

Oyó una voz gutural que decía:

—O sea que aquí está. ¡Menuda desilusión!

Sobresaltada, Samantha levantó los ojos. La mujer se encontraba de pie, con los brazos en jarras y la cabeza ladeada. Llevaba el abundante cabello rojizo recogido sobre la cabeza y en su rostro pecoso se observaba una expresión divertida.

—¿Cómo dice? —preguntó Samantha.

—A juzgar por lo que han estado diciendo de usted, pensaba que debía tener dos cabezas o algo así. ¡He venido hasta aquí para echarle un vistazo, y menuda desilusión!

Samantha miró a la mujer con desconcierto.

—¡Me llamo Hannah Mallone y estoy encantada de conocerla!

La mujer le tendió una mano enguantada y Samantha la estrechó.

Hannah Mallone tomó la otra silla y se sentó, sin que la invitaran, haciendo crujir las ballenas de su corsé. Era una mujer corpulenta, de voluminoso busto y polisón todavía más voluminoso, con una sonora voz que denunciaba su origen irlandés.

—¡He sabido de sus dificultades, cariño, y no me importa decirle que me he puesto furiosa!

—Hoy me han cerrado la puerta en las narices nueve veces. ¿Puede usted decirme por qué?

—Es que nadie quiere a una persona rara en su casa, niña.

—¿Rara?

Los ambarinos ojos de Hannah adquirieron la tonalidad de la miel y su voz se suavizó como el terciopelo.

—Pobre cariño mío. Cuenta usted con toda mi simpatía, puede estar segura. Cuando oí hablar hace una hora en la tienda del señor Kendall de esa descarada joven que andaba paseando por nuestras calles en pleno día, pensando que podría encontrar alojamiento en una de nuestras honradas casas, y todos los chismorreos acerca de la desvergüenza de usted y de lo revuelto que anda el mundo si mujeres de su condición pueden venir aquí, a Lucerne, como si tal cosa...

—¿Mujeres de mi condición?

—Piensan que es usted una perdida.

Samantha se echó hacia atrás, presa del asombro.

—Pobrecilla, no tenía ni idea, ¿verdad? Hay en esta ciudad unas mentes tan estrechas que un hilo no podría pasar a través de ellas. No quieren ninguna estudiante de medicina, y sanseacabó. Algunas de las casas que ha visitado tenían habitaciones de sobra, pero no para una mujer a la que llaman desvergonzada. La comprendo muy bien, porque yo también tuve que enfrentarme aquí a los prejuicios de la gente.

Samantha frunció el ceño.

—Recibí cartas de algunas facultades de medicina que me achacan falta de moral por empeñarme en ser médico, pues ninguna mujer *decente* aspiraría a semejante cosa —volvió la cabeza y miró a través de la cortina de encaje, recordando el extraño comportamiento del doctor Jones—. Empiezo a preguntarme por qué me ha aceptado esta facultad.

—Ahora no tiene que preocuparse por eso. Lo que necesita es un lugar donde vivir.

—¿Puede usted ayudarme? —preguntó Samantha, volviéndose para mirar a la mujer.

—¡Tengo una casa muy grande y me siento muy sola porque mi marido se ausenta muy a menudo! Será agradable tener un poco de compañía.

A Samantha le gustó el rostro de Hannah Mallone. Era cuadrado y sincero y sus ojos color ámbar derrochaban vitalidad.

—Es usted muy amable, señora Mallone.

—¡Quiero que me llames Hannah!

La casa de los Mallone era, efectivamente, muy grande: un edificio colonial de dos plantas, construido en una gran parcela cubierta de hierba, en las afueras de la ciudad. Sean Mallone se había trasladado a Lucerne hacía quince años en compañía de la mujer con quien se había casado recientemente, en la esperanza de tener muchos hijos. Pero ahora casi todas las habitaciones del piso superior estaban vacías.

—No estamos lejos de la fábrica de tirantes —dijo Hannah mientras tomaban el té aquella noche—. Sean trabajó allí algún tiempo antes de dedicarse a la caza con trampa.

Samantha contempló el espacioso salón.

—Es una casa enorme, Hannah. ¿Por qué no alquila algunas habitaciones?

—Sean no querría. Es un irlandés moreno y yo soy pelirroja. ¡Los morenos tienen un orgullo tremendo y Sean es de los peores! No quiere que la ciudad vaya a pensar que necesitamos dinero. Sean se gana muy bien la vida y, cuando hayamos reunido lo suficiente, Sean colgará los avíos y se quedará conmigo para siempre.

—¿A qué ha dicho que se dedica su marido?

Hannah se levantó del sillón y se acercó a una mesa redonda que había junto a una ventana. Ahora lucía un vestido verde con volantes, frunces y holgadas mangas. Hannah despreciaba las limitaciones del atuendo femenino —los dolorosos corsés, las anchas faldas, los dobladillos hasta el suelo— y siempre se rebelaba cuando estaba en casa.

Tomó un daguerrotipo y se lo mostró a Samantha.

—Este es mi Sean. Corre por sus venas la sangre de los antiguos reyes irlandeses.

Samantha se quedó boquiabierta de asombro. Apoyado con naturalidad en su rifle de pedernal, con una pícara sonrisa en su hermoso rostro, Sean Mallone iba vestido con calzones de ante y chaqueta de piel y tenía a sus pies el pellejo de un animal.

—Cuando le conocí, hace dieciséis años, él trabajaba en las tejerías de Haverstraw. Pero a él le gustaba el aire libre y la libertad, no matarse a trabajar como una bestia hasta morir prematuramente. Se fue a Manhattan en busca de otras posibilidades y allí nos conocimos. Yo tenía entonces veinticuatro años. Había llegado a Norteamérica en uno de aquellos veleros que salvaban a los irlandeses del hambre. Cuando conocí a Sean ya llevaba aquí cuatro años...

Samantha apartó los ojos del daguerrotipo. La voz de Hannah adquirió un tono distante.

—Desde luego, fue una vida muy dura para una chica de veinte años que había perdido a sus padres en la travesía y que después perdió su dinero a manos de compatriotas ladrones. Llegué a las costas norteamericanas sin un céntimo. Solo con mi melena pelirroja y mi orgullo... —Hannah sacudió la cabeza—. Pero eso es ya agua pasada. Sean me salvó de la muerte. Me estaban propinando una paliza tan fuerte en una calleja, que ni todos los santos me hubieran podido ayudar. ¡Y entonces apareció como llovido del cielo aquella especie de oso insensato que era el condado de Cork y le aplastó contra un tonel la cabeza a aquel malnacido!

»A Sean no le importó mi pasado y tampoco que yo no fuera la Virgen María: me quería por mí misma. Había oído decir que aquí, en el Norte, se podían hacer muy buenos negocios: veinte dólares por los pumas y treinta por los lobos grises. Y nos vinimos a Lucerne. La caza empieza a escasear y ahora tiene que desplazarse más al norte. Está ausente casi todo el año, pero regresa con buenas ganancias y a veces con una bonita piel de castor para que yo me haga un manguito. Vivimos muy bien, pero lamento no haberle dado hijos.

—Aún hay tiempo —dijo Samantha amablemente.

—¡Dios la bendiga, muchacha, pero no hay manera! Tengo cuarenta años y llevo dieciséis intentándolo... —Hannah echó la cabeza hacia atrás y soltó una carcajada—. ¡Jesús, María y José, si lo hemos intentado! —miró sonriendo a Samantha—. Una cosa hay que reconocerle al hombre con quien me casé. No me echa en cara que sea estéril. Bueno, cariño —añadió, entrechocando las palmas—, debe estar hecha polvo. Me voy a callar y dejaré que se acueste y recupere fuerzas. ¡Me da el corazón que va a necesitar toda su fuerza en los próximos días!

Samantha necesitó no solo fuerza, sino también mostrarse sorda y ciega. Al principio la actitud de los habitantes de Lucerne la sorprendió, pero muy pronto su sorpresa se trocó en enojo. Como si padeciera alguna enfermedad contagiosa, las mujeres cruzaban la calle para no tener que compartir con ella la misma acera, hablando en voz baja al amparo de las sombrillas y sacudiendo la cabeza. Los niños se burlaban y le gastaban bromas, siguiéndola mientras cantaban: «Doctor, doctor con enaguas, ¿curas callos o curas nalgas?». Los hombres ya no se quitaban el sombrero y ella observaba al pasar que las cortinas de las ventanas se movían.

Tras haber rellenado el impreso que le había facilitado el doctor Jones, Samantha acudió una tarde a la facultad para entregarlo. Algunos estudiantes ociosos estaban apoyados en las columnas del impresionante atrio de estilo romano; callaron a su paso, la miraron con descaro y después estallaron en carcajadas a su espalda. El secretario del doctor Jones, un joven afecto de rigidez cadavérica, tomó delicadamente el impreso sin decir palabra y lo dejó encima del escritorio del decano. Al profesor no se le veía por ninguna parte.

—No sé si podré soportarlo, Hannah. Dos años en este plan, no sé... —dijo Samantha aquella noche mientras preparaban juntas la cena.

—Pues claro que sí, cariño. —Hannah estaba terminando unas natillas en una cazuela de latón; había arrojado en ella diez canicas para evitar que la masa se pegara—. Todo pasará, ya lo verás. Ahora eres una novedad, pero, a su debido tiempo, se cansarán de ti y buscarán a otra persona que martirizar. ¿Crees que fue muy fácil para Sean y para mí, un par de irlandeses zarrapastrosos en una altanera ciudad protestante? Pero ahora ya se han acostumbrado a nosotros, y también se acostumbrarán a ti.

Samantha procuró sonreír y se pasó la manga por la frente. Tal vez Hannah tuviera razón: sería difícil durante algún tiempo, pero después todo se arreglaría.

12

Otra vez aquel extraño comportamiento. Como si esperara en cierto modo que ella desapareciera. Al llegar el primer lunes de clase, Samantha se presentó en el despacho del señor Jones. Este parecía una mezcla de asombro, desaliento y disgusto. Tras dirigirle unas indiferentes palabras acerca de la conducta propia de una dama, el rollizo decano la acompañó al aula del piso superior.

No utilizaron la puerta principal. Samantha fue acompañada antes a una pequeña antesala que utilizaban, según le explicó el doctor Jones, los pacientes y los profesores. El doctor Jones insistió en que tomara asiento. Después, alisándose ceremoniosamente el chaleco, el profesor entró en el aula.

A través de la puerta cerrada, Samantha había oído un estruendo de gritos, silbidos y pateos; sin embargo, al aparecer el decano, se hizo el silencio en el auditorio.

Tanto el doctor Masefield como Emily Blackwell se lo habían advertido: la profesión médica era famosa por su carácter alborotador. Los estudiantes de medicina tenían fama de jóvenes alocados que se desahogaban durante las clases; incluso al gran doctor Lister, en el University College de Londres, apenas se le podía oír sobre el fondo de los silbidos y los pateos de sus alumnos. Tal vez se debiera a eso el nerviosismo del doctor Jones: ¿qué tumulto se iba a producir cuando apareciera una bella y joven estudiante?

El profesor se estaba dirigiendo a los alumnos. A Samantha no le sorprendió la inesperada cortesía de estos; probablemente sentían curiosidad por averiguar lo que el decano les iba a decir. Su voz sonaba amortiguada y ella no pudo captar ni una sola palabra.

Cuando se abrió la puerta, experimentó un sobresalto.

—¿Señorita Hargrave?

Ella se levantó con un gracioso movimiento y siguió al doctor Jones hasta el aula.

El brillante sol matutino atravesaba los ventanales, inundando de luz toda la sala. La transición desde la oscura antecámara obligó a Samantha a parpadear. A su izquierda pudo ver, mientras atravesaba la tarima, una pared cubierta de láminas anatómicas y pizarras; a su derecha, sentados en los bancos que, en forma de herradura, se elevaban hasta las ventanas, el joven auditorio la contemplaba en silencio. El único rumor en la tranquila atmósfera matinal era el susurro de sus faldas sobre el entarimado. El doctor Jones la acompañó a un banco especial adosado a la tarima y separado de los demás, y Samantha se sentó, de espaldas a la clase. Se quitó el sombrero y lo depositó debajo de su silla. Después abrió el cuaderno de apuntes que se había traído, introdujo la pluma en el tintero y miró al profesor con aire expectante.

Ambos hombres semejaban un daguerrotipo. El corpulento doctor Jones y el alto y delgado doctor Page. A su espalda, ciento diecinueve jóvenes permanecían sentados como estatuas.

Después, como volviendo en sí, el doctor Jones carraspeó súbitamente, saludó con una leve inclinación de cabeza al perplejo doctor Page y se retiró con toda la rapidez que le permitieron sus cortas piernas.

Parpadeando, el doctor Page se puso las gafas, aspiró un poco de aire por la nariz y dijo en tono vacilante:

—La circulación de las arterias coronarias, el arco aórtico y las cuatro cavidades del corazón.

A su espalda, sobre el estruendo de los fuertes latidos de su corazón, Samantha oyó un suspiro colectivo, seguido por un rumor de cuadernos de apuntes y de movimiento de pies.

El doctor Page habló por espacio de dos horas. Sin interrupciones. Sin preguntas difíciles. De vez en cuando, se detenía y miraba a la nueva alumna, la cual mantenía la cabeza inclinada mientras arañaba el papel con la pluma, y parpadeaba con expresión perpleja. En todos sus años de docencia, jamás había tenido una clase tan tranquila. ¡Los muchachos estaban tomando apuntes en serio!

Al finalizar la clase, el doctor Jones apareció en la puerta, al otro lado de la tarima. Samantha recogió sus cosas, se acercó a él y entró en la antecámara. En cuanto la puerta se cerró a su espalda, el aula estalló en gritos y en ruidosos pateos.

—Tendré que hacer eso todos los días durante dos años —le dijo a Hannah aquella noche mientras ambas permanecían sentadas frente a la chimenea.

—No te veo muy satisfecha de tu primer día de universidad, cariño.

—No sé si lo estoy o no. Hoy he asistido a cinco clases. En cada una de ellas, he tenido que esperar en aquella estúpida salita y salir, obedeciendo a una señal. Ocupar un asiento especial y sentir todos aquellos ojos quemándome la espalda.

—Aun así, es una victoria. Y parece que vas a domesticar a esos demonios. —Hannah hizo un nudo en el hilo y cortó el resto con los dientes—. Me dijeron que cierta vez en una escuela tomaron a una estudiante y la arrojaron literalmente a la calle.

Samantha asintió con aire pensativo. La doctora Elizabeth le había contado aquella historia y otras más horribles todavía. El simple hecho de haber sido aceptada no era una garantía de que pudiera proseguir sus estudios en la facultad: tendría que habérselas con los estudiantes. Pero, ¿acaso no habían propiciado ellos su admisión? La carta decía que el voto de aceptación había sido unánime.

Sentada frente a la chimenea, con la carta que le estaba escribiendo a Louisa interrumpida sobre las rodillas, Samantha empezó a experimentar una vaga inquietud. Toda la semana la había estado asaltando la vaga sensación de que algo fallaba, de que las cosas no eran lo que parecían. Y ahora se estremeció, a pesar del fuego de la chimenea.

Samantha iba a descubrir muy pronto la respuesta.

A la mañana siguiente la primera clase se centró en los contagios y, tras haber entrado Samantha, los estudiantes se mostraron corteses y empezaron a tomar apuntes. No obstante, a media clase, un dardo de papel voló desde los bancos de arriba y le rozó la manga. Aunque le ardían las mejillas, Samantha fingió no advertirlo y dejó el dardo donde estaba. Minutos más tarde, otro proyectil de papel le dio en la nuca. Al finalizar la clase, recogió tranquilamente sus cosas y salió sin mirar ni a derecha ni a izquierda, manteniendo alta la cabeza.

Durante la clase de la tarde, dedicada a los trastornos nerviosos, Samantha notó escozor en la garganta y tosió ligeramente. A su espalda, ciento diecinueve estudiantes tosieron al unísono. Hacia el final de la clase, se le cayó accidentalmente la pluma. Ciento diecinueve plumas cayeron al suelo. El profesor Watkins se ruborizó y empezó a tartamudear, pero siguió hablando. Al término de la clase, Samantha salió extremándose en afectar calma.

Al regresar a casa, tras un solitario paseo durante el cual procuró no prestar atención a las miradas de la gente, Samantha se hundió en un sillón, a punto de llorar.

—Eso es lo que ellos quieren ver, cariño. No les des esa satisfacción.

—¡No podré soportarlo, Hannah! Me están sometiendo a una prueba y me vigilan, esperando que cometa el primer error. Estoy tan nerviosa que no me puedo concentrar en lo que dice el profesor. ¡Y ahora me siento demasiado trastornada para estudiar! ¿Por qué me hacen eso? ¿Por qué no tienen la misma consideración que a un estudiante varón? ¿Acaso es un pecado haber nacido mujer?

—¿No podrías hablar de ello con el doctor Jones?

—Tengo la impresión de que le encantaría poder decirme que, si no consigo soportarlo, me vuelva a Manhattan. No lo entiendo, Hannah. Yo creía que me aceptaban. Ahora buscan que me marche. Bastante difíciles son los estudios de medicina para que encima tenga que pasarme los días hecha un manojo de nervios. ¡Es como si tuviera que caminar por la cuerda floja!

—No te rindas, cariño. ¡Si quieren pelea, dales pelea!

La confrontación se produjo a la mañana siguiente. Samantha se encontraba en la salita escuchando la cacafónica barahúnda del otro lado de la puerta, la cual cesó del todo al aparecer el doctor Page. Samantha atravesó con paso rígido la tarima, notando que todas las miradas se clavaban hostiles en ella, y procuró no temblar. Al llegar a su banco, se quitó el sombrero, dispuesta a sentarse, pero se detuvo a tiempo. En el centro de la silla había un charco de tinta negra.

En su interior algo se disparó como un resorte. Contemplando el charco de tinta, Samantha advirtió que la cólera y la indignación se apoderaban de su alma. Muy lentamente, para evitar que la vieran temblar, se volvió y, por primera vez, contempló la clase cara a cara. Ante ella se levantaban cinco hileras de bancos ocupados por trajes negros y rostros borrosos. Se oyó una risita y una carcajada reprimida.

Con las manos cerradas en puño a ambos lados, Samantha se adelantó rígidamente tres pasos y se situó delante de los alumnos del extremo del primer banco. Dos de ellos apartaron la mirada, uno esbozó una tímida sonrisa, y el cuarto sonrió sin disimulo.

Con una voz que la sorprendió a ella misma, Samantha preguntó en tono firme y decidido:

—Disculpe, señor, ¿tiene usted un pañuelo?

La sonrisa se esfumó inmediatamente.

—¿Cómo?

—¿Tiene usted un pañuelo? —repitió ella, tendiendo la mano.

—Mmmm, sí. Quiero decir, sí señora.

El joven rebuscó en un bolsillo y, frunciendo el ceño, le entregó un limpio y almidonado rectángulo de tejido.

—Gracias.

Samantha regresó a su asiento y limpió el charco de tinta.

Tras lo cual, mientras la clase la observaba conteniendo la respiración, se acercó de nuevo al sorprendido muchacho, le devolvió el pañuelo empapado de tinta y le dijo con sonora voz:

—Muchas gracias. Es usted muy amable.

Hubo solo un momento de vacilación; después toda la clase estalló en un aplauso ensordecedor. Samantha levantó los ojos asombrada y vio, rodeándola y elevándose por encima de ella, rostros iluminados por radiantes sonrisas. Estaban batiendo palmas y golpeando el suelo con las botas; gritaban y se llamaban unos a otros y se daban mutuamente palmadas en la espalda. Incluso el joven cuyo pañuelo había quedado inservible sonreía vergonzosamente mientras golpeaba con los nudillos la superficie de su pupitre.

Samantha había superado la primera prueba.

13

—No son malos chicos, señorita Hargrave. Muchos son simples muchachos granjeros de los alrededores. No lo hacen con mala intención.

—Pero no lo entiendo, doctor Jones. Son los que votaron a favor mío. ¿Por qué parece como si mi llegada hubiera sorprendido a todo el mundo?

Se encontraban en el despacho del decano, tomando el té. Un débil fuego ardía en la estufa del rincón y, a través de la ventana y de las frondosas ramas de los castaños del jardín, penetraba un poco de pálido sol. El doctor Jones añadió otro terrón de azúcar a su té.

—Es un poco embarazoso, señorita Hargrave —dijo sin mirarla—. Verá usted... su solicitud de ingreso se consideró algo así como una broma.

La taza se quedó inmóvil junto a los labios de Samantha.

—El claustro de profesores no la tomó así —se apresuró a añadir el decano—. Todos sabíamos que era una solicitud auténtica, pero algunos estudiantes creyeron que yo les estaba gastando una broma...

—Siga, doctor Jones, se lo ruego.

El doctor Jones levantó los ojos y la miró a la cara.

—La verdad, señorita Hargrave, es que, cuando recibí su carta, se me planteó un dilema. Aunque su expediente académico era excelente, puedo añadir que mejor que el de la mayoría de nuestros estudiantes, yo no quería aceptar a una alumna. Era y soy todavía contrario a su presencia aquí. Allá en junio, este centro llevaba a cabo una campaña para allegar fondos y no estábamos consiguiendo nuestro objetivo. Sus relaciones con las Blackwell y con el doctor Masefield me hicieron temer que, en caso de que la rechazara, ellos utilizarían su influencia para privarnos de ciertas fuentes de recursos. Entonces pensé que, si quienes la rechazaban eran los *estudiantes*, yo y la escuela quedaríamos libres de culpa. Por desgracia... —el decano inclinó la cabeza y la luz del sol iluminó su reluciente calva—, mi brillante plan fracasó y me salió el tiro por la culata.

—¿Y eso?

—Presenté su petición a los alumnos, en la certeza de que la rechazarían sin contemplaciones. Para mi asombro, dijeron que deseaban someterla a votación. Se produjo una acalorada discusión y yo me retiré para permitir que los jóvenes deliberaran más libremente, pero después me comunicaron el resultado.

Se quitó las gafas e hizo como que se las limpiaba con el pañuelo: cualquier cosa con tal de evitar mirarla a los ojos.

—Verá usted, señorita Hargrave, yo no gozo de simpatías aquí. Los estudiantes hacen todo lo posible por oponerse a mis deseos. Puesto que les constaba que yo me opondría a la presencia de una alumna, votaron deliberadamente a favor de usted, para hacerme rabiar. Casi todos los votos fueron una venganza contra mí; algunos pensaron que sería una juerga tener a una mujer en clase, y los demás creyeron, simplemente, que era una broma por mi parte.

—Comprendo —dijo Samantha en tono frío—. Y yo fui lo suficientemente ingenua para pensar que me habían aceptado por mis méritos. Ahora descubro que me han utilizado para burlarse de usted.

—No se lo tome a mal, señorita Hargrave. Al fin y al cabo, ya ha sido usted aceptada completa e incondicionalmente por ellos. Creo que ahora se alegran de tenerla aquí.

—Sin embargo, nada de lo que usted me ha dicho explica el recibimiento que me hicieron. ¿Por qué se sorprendieron tanto al verme?

Él volvió a colocarse las gafas sobre la pequeña prominencia de su nariz.

—Señorita Hargrave, nadie esperaba que usted viniera. Estábamos seguros de que, antes de que se iniciara el curso, se percataría usted de la locura de sus aspiraciones, que su familia o sus amigos la disuadirían, como ocurre en el caso de muchas mujeres que expresan su deseo de estudiar medicina, o incluso que tal vez se casara. Y cuando el señor Rutledge, el propietario del hotel, nos comunicó que la estudiante había llegado aquella noche... —el doctor Jones se encogió de hombros— y después, cuando entró usted en mi despacho, bueno, estoy seguro de que lo comprende.

—Doctor Jones, ¿qué está usted diciendo?

El rubor empezó a subirle al decano desde el cuello de la camisa.

—¡Señorita Hargrave, todos esperábamos que midiera usted metro ochenta de estatura, que hablara con voz gutural y que tuviera bigote!

Samantha le miró un instante y después se acercó rápidamente una mano enguantada a la boca, para contener la risa.

Muy azorado, el decano volvió a concentrarse en su taza de té y le echó otro terrón de azúcar.

—Pero ahora está usted aquí, señorita Hargrave, y supongo que tendremos que aceptarlo. Ya tiene de su parte a los estudiantes y a algunos miembros del claustro de profesores. Pero aún no me ha demostrado su valía. Se lo diré con toda franqueza: soy contrario a la presencia de mujeres en la profesión médica.

—Pero, doctor Jones, la mujer es médico por *naturaleza.* En su calidad de madre, tiene que cuidar los cuerpos, tener a mano una serie de remedios, cuidar a los enfermos, arrancar astillas, limpiar heridas, vendar, reparar, arreglar e incluso reducir fracturas de huesos. A lo largo de toda la historia, mientras los hombres estaban ausentes, las madres han sido médicos en los pequeños hospitales de sus hogares. ¿De dónde han sacado ustedes, señor, que Dios solo quería que fueran médicos los hombres?

—Lo hemos sacado del hecho de que ahora los remedios caseros han cedido el paso a la *ciencia*, señorita Hargrave —contestó el decano con voz estridente—. De ahí que, al haberse elevado el nivel de la medicina, el estudio de la misma tenga que estar reservado a una inteligencia superior, como es la del hombre.

—Pero las mujeres también podrán tener su lugar. En la Enfermería Blackwell, las mujeres médico...

—Ahórrese el aliento para enfriar las gachas, señorita Hargrave —dijo el doctor Jones, levantando una mano—, no pienso discutir con usted. Por si no se hubiera dado cuenta, le diré que esta zona del estado de Nueva York es el semillero de ciertas amazonas que se llaman feministas y que nos agobian con sus gritos a propósito de los derechos y de la *liberación* de la mujer. Ya conozco el inadmisible argumento: el de las mujeres que ayudan a las mujeres. ¡En mi vida he oído cosa más absurda! Un perro en dificultades no acude a otro perro para que le ayude, ¿verdad? Y tampoco un niño busca la ayuda de otro niño. Pues claro que no. Esa responsabilidad recae en el *amo*. Y el hombre, por su innata superioridad sobre la mujer, ha recibido de Dios la misión de velar por el bienestar de la mujer. Y ya no quiero discutir más este asunto. Como he dicho, usted se encuentra aquí y tendremos que sacar de ello el mejor partido. Soy un hombre muy ocupado, señorita Hargrave, y no puedo perder el tiempo con esto todo el día. Quiero exponerle algunas normas a las que deberá usted atenerse.

Para conservar la calma, Samantha tuvo que posar la taza en el escritorio y entrelazar las manos sobre el regazo.

—Aparte de las normas habituales, se comportará usted en todo momento como una dama y no confraternizará ni con los estudiantes ni con los profesores...

—¿Confraternizar, doctor Jones? No lo entiendo.

Ellos son mis compañeros. Tenemos que estudiar juntos, comentar los temas del día...

—Señorita Hargrave —el doctor Jones cruzó los brazos sobre el escritorio y se apoyó en ellos para conferir más fuerza a sus palabras—. Tenemos que proteger el buen nombre de esta institución. Cualquier intento de trato social con los alumnos o con algún profesor fuera del recinto de las aulas, será motivo de expulsión inmediata. ¿Está claro?

Ella asintió.

—Además —añadió el decano, reclinándose en su asiento—, habrá ciertas clases a las que usted no podrá asistir. Aquellas que no resulten aptas para el pudor femenino. En concreto, cualquier discusión relacionada con los órganos de reproducción y las enfermedades correspondientes.

—¡No lo dirá usted en serio, señor!

—Tampoco podrá usted entrar en el laboratorio de disección.

Ella le miró perpleja.

—Doctor Jones, ¿cómo podré adquirir unos buenos conocimientos de anatomía si...?

—Tampoco podrá examinar a ningún paciente de sexo masculino más que de cuello para arriba.

Las palabras se le quedaron atascadas en la boca y la voz le falló.

—Y ahora, señorita Hargrave... —el doctor Jones se levantó, empujando su sillón hacia atrás—, creo que no hay más que decir.

14

En noviembre, llegado el día del comienzo de las prácticas en el laboratorio de anatomía, Samantha tuvo que adoptar una decisión.

—No te opongas a sus deseos, cariño —le dijo Hannah mientras paseaban del brazo por la orilla del lago, con las sombrillas abiertas para evitar que las hojas de los árboles les cayeran encima—. Es una locura. Él espera que le desafíes para poder expulsarte.

Samantha vio un conejo que corría velozmente por entre la alta hierba; a su izquierda, las serenas aguas reflejaban el cielo otoñal. ¡Si pudiera hablar con el doctor Masefield! Pero llevaba siete semanas en Lucerne y aún no había recibido noticias suyas.

—No me podría considerar un médico, sin preparación anatómica, Hannah. El laboratorio es la esencia de mis estudios aquí.

—¿Qué piensas hacer, entonces?

Samantha había decidido poner a prueba las órdenes del doctor Jones. Esperaba que, si en la primera sesión demostrara ser una buena alumna, él suavizara sus injustas normas. Y para protegerse de las muestras de debilidad femenina que todos estarían aguardando, Samantha había forjado un plan.

La doctora Elizabeth Blackwell le había contado a Samantha una de sus vivencias en la Facultad de Medicina.

—Todos me vigilaban constantemente, para poder criticarme al menor resbalón —le había dicho la doctora—. Aunque yo me sabía capaz de presenciar una disección como cualquier hombre, me constaba que mi cuerpo podía traicionarme con el único reflejo que no podía dominar: el rubor. Entonces elaboré un plan. En las semanas previas al inicio de las prácticas de disección de cadáveres, me esforcé al máximo en dominar ese traicionero reflejo. Practicaba todas las noches de pie delante del espejo, tratando de imaginar las situaciones más horrendas, turbadoras y escandalizadoras, cualquier cosa que pudiera provocarme sonrojo. Y después procuraba apagar el rubor mediante la fuerza de voluntad. Inicié, además, una dieta de casi inanición, absteniéndome de la carne, del vino y de los medicamentos, incluso cuando sufría dolores de cabeza o calambres, ya que todo ello dilata los vasos sanguíneos faciales y proporciona color a la tez. Finalmente, me empolvaba ligeramente el rostro con talco todas las mañanas. La prueba más difícil se produjo cuando íbamos a estudiar los órganos genitales masculinos. Allí estaba nuestro cadáver y, mientras el profesor hablaba, señalando con el puntero, yo me concentré tanto en no ruborizarme en el transcurso de la hora que duró la clase, que al salir del laboratorio, ¡me di cuenta de que no me había enterado de nada de lo que él había dicho!

Samantha llevaba tres semanas preparándose: la dieta espartana, las restricciones y abstinencias, las prácticas delante del espejo. Y esa mañana se había empolvado ligeramente las mejillas con alumbre. Pero no le sirvió de nada. Cuando llegó a las diez en punto al laboratorio de disección, situado en el tercer piso, Samantha se encontró con la puerta cerrada y con los alumnos aguardando en el pasillo. El señor Monks, profesor de anatomía, no quería dar clase en presencia de una mujer.

Al día siguiente ocurrió lo mismo. La puerta estaba cerrada y los estudiantes fueron despedidos.

Samantha acudió al doctor Jones.

—¡No querrá usted que esta situación se prolongue todo el año, señor! Si no entro yo, que lo hagan por lo menos los demás.

—Señorita Hargrave, eso depende del señor Monks. ¡Él sabe que usted tiene el propósito de asistir, y eso ofende tanto su sentido de la decencia, que prefiere no dar la clase!

—Los demás se están perjudicando por mi culpa —le dijo a Hannah aquella noche, paseando arriba y abajo delante de la chimenea—. Acabarán enojándose conmigo. ¡Es un dilema tremendo, Hannah! Ambas alternativas son perjudiciales. Si me empeño en asistir, la puerta seguirá cerrada y los demás estudiantes pedirán muy pronto que me expulsen de la escuela. Si obedezco y no acudo al laboratorio, ¡habré fracasado y obtendré el título con engaño! ¡Un médico que nunca ha estudiado anatomía! ¡Qué locura!

Hannah siguió atravesando tranquilamente con la aguja el lienzo tendido sobre el bastidor mientras su exuberante busto palpitaba suavemente. Al cabo de un rato, dijo en tono pausado:

—El problema tiene fácil solución, cariño.

Samantha se detuvo en seco.

—¿Qué quieres decir?

Hannah la miró con un destello en los ojos.

—Desde luego, me sorprende que a una persona tan lista como tú no se le haya ocurrido —descansó el bordado en su regazo—. Hay una solución satisfactoria a un tiempo para ti, para el doctor Jones y para los demás estudiantes.

—¿Cuál? —preguntó Samantha parpadeando.

Pasó por el despacho del doctor Jones antes de dirigirse a la primera clase y le dijo, mientras se sacudía las gotas de lluvia otoñal que le cubrían el abrigo:

—Puede decirle al señor Monks que ya no intentaré entrar en su laboratorio.

El doctor Jones la miró con expresión escéptica.

—Tiene usted mi palabra, señor. Me ha estado remordiendo la conciencia. Mi obstinación no debe impedir que los demás estudiantes puedan entrar en el laboratorio. El señor Monks puede dejar franca la puerta: yo no entraré.

Y no lo hizo. Lo que hizo Samantha fue tomar una silla de una de las aulas y colocarla delante de la puerta del laboratorio de disección, una vez iniciada la clase.

Aunque la puerta estaba cerrada, ella pudo inclinarse y escuchar a través del ojo de la cerradura, tomando apuntes de todo.

Uno de los estudiantes que se había quedado dormido se acercó corriendo por el pasillo y se detuvo en seco al verla.

—¿Qué está usted haciendo aquí afuera, señorita Hargrave?

Ella se lo explicó. Él reflexionó un instante y después dio media vuelta y se dirigió a un aula cercana. Cuando momentos más tarde salió con una silla y se sentó frente a ella, tomando apuntes de lo que se oía por la bocallave, Samantha se quedó asombrada.

El doctor Jones, deseoso de ver si la primera sesión en el laboratorio de anatomía se estaba desarrollando sin incidentes, se presentó allí minutos más tarde. Tras preguntar a Samantha y a su compañero qué estaban haciendo, se puso hecho una furia ante la explicación y les mandó retirarse del pasillo.

Aquella noche Samantha, mohína, le dijo a Hannah que la idea no había resultado, a fin de cuentas, muy buena.

—Me hubieran podido expulsar. ¡Y no tenía derecho a poner a ese pobre chico en una situación tan apurada!

—Pruébalo otra vez, cariño —le dijo Hannah sonriendo—. Tienes en poco a tus compañeros. Fíate de una mujer que conoce a los hombres. Mañana repite lo que has hecho hoy, y que me aspen si no obtienes algún resultado.

Al día siguiente, al subir al piso del laboratorio de disección, Samantha vio, para su gran asombro, que todo el pasillo estaba lleno de sillas y bancos sacados de las aulas y ocupados por sus compañeros. Se quedó sin habla. Uno de los estudiantes, elegido como portavoz, se levantó tímidamente y le explicó lo que estaban haciendo. El joven que el día anterior se había reunido con ella, dijo, les había contado el incidente y todos habían decidido que, si el pasillo era bueno para «nuestra» señorita Hargrave, también lo sería para ellos.

Ella procuró reprimir las lágrimas (otro reflejo corporal que tenía que dominar) y se esforzó más, si cabe, en ser «nuestra» señorita Hargrave cuando se presentaron el doctor Jones y el señor Monks, exigiendo explicaciones por aquella afrenta. El incidente del pasillo fue desagradable —con amenaza de expulsión para todos—, pero el resultado final constituyó una capitulación por parte del señor Monks (el cual, tras haber visto a Samantha por primera vez, llegó a la conclusión de que no le importaría tenerla en clase) y se tradujo en una mirada enfurecida por parte del doctor Jones, que, luego de dar su aprobación a regañadientes, se retiró.

Tradicionalmente, la disección empieza por el brazo. En las semanas sucesivas, sin embargo, mientras la nieve caía sobre Lucerne y los estudiantes temblaban en las aulas sin calefacción, la clase de anatomía fue pasando gradualmente a partes más delicadas del cuerpo y a Samantha le falló el rígido adiestramiento que había estado practicando con vistas a todo aquello.

Y se ruborizó.

15

—¿No podrías quedarte conmigo, cariño? Sean no volverá a casa hasta la primavera.

Samantha no se interrumpió en su tarea de preparar el equipaje, doblando unas prendas y ahuecando otras, y tampoco miró a Hannah, apoyada en el marco de la puerta.

—Voy a sentirme muy sola sin ti.

Por fin Samantha se detuvo y la miró.

—Lo siento, Hannah, de veras que sí, pero mis amigos me echan de menos.

Lo cual era parcialmente cierto. En su última carta, Louisa suplicaba a Samantha que regresara a casa por Navidad, pero ella seguía sin recibir noticias de los Masefield. Samantha estaba alarmada porque temía que Estelle hubiera sucumbido a lo inevitable.

Apoyada en la jamba de la puerta y con los brazos cruzados Hannah estaba contemplando a su joven amiga mientras esta disponía sus efectos. Tenía acerca de Samantha Hargrave algunas opiniones muy precisas que jamás expresaría con palabras, y una de ellas se refería al peregrino empeño de convertirse en médico que tenía aquella muchacha. Samantha hubiera debido dedicarse a romper corazones masculinos, no a curarlos. No era natural; una chica tan bonita, rodeada a diario de galantes jóvenes y sin experimentar el menor interés por el amor. Y la culpa no era de los chicos; Hannah había observado durante sus paseos por las tardes que algunos de ellos se inclinaban en profunda reverencia y se quitaban el sombrero, mirando con anhelo a Samantha. No, los jóvenes no tenían nada de malo, era la chica la que fallaba.

Hannah no sabía nada acerca de Joshua Masefield. Samantha le había hablado vagamente de él allá en septiembre, pero no había vuelto sobre el asunto. Hannah, sin embargo, había observado con qué interés examinaba Samantha la correspondencia de la tarde y el desencanto que siempre experimentaba. ¿De quién estaría esperando carta? Tenía que ser de un hombre, y un hombre muy especial, capaz de lograr que Samantha fuera ciega a las atenciones de aquellos encantadores estudiantes de medicina. Pero, ¿quién? ¿Y por qué guardaba ella tan celosamente el secreto?

Hannah sacudió la cabeza y se apartó de la puerta.

—Pues entonces voy a buscarte un coche.

Cuando se despidieron, Hannah sorprendió a Samantha con un regalo de Navidad consistente en un manguito de piel de nutria.

Samantha solo pudo decirle:

—Yo no tengo nada para ti.

El aliento de ambas se condensó en el aire cuando se abrazaron bajo la nieve.

—Ahora eres una estudiante pobre, cariño, pero cuando llegues a ser una gran dama, esperaré que me devuelvas la atención. Y ahora lárgate y disfruta de unas alegres Navidades con tus amigos.

Nadie acudió a recibirla a la estación Gran Central, pero ella tampoco lo esperaba. Mientras el coche de alquiler bajaba chirriando por Bleecker Street, Samantha notó que el pulso se le empezaba a acelerar a causa de la emoción. Habían transcurrido casi cuatro meses; ¿cómo iba a recibirla Joshua?

Encontró algunos pacientes en el vestíbulo; los que la conocían la saludaron con una sonrisa. Dejando la maleta junto a la puerta, Samantha se quitó el abrigo y el sombrero, los colgó y fue en busca de la señora Wiggen.

La criada se encontraba en la cocina, secando y guardando los platos del desayuno. Al ver a Samantha, esbozó una ancha sonrisa y le tendió los brazos.

—¡Me alegré mucho al leer la carta donde decía que iba a venir a pasar las fiestas! —exclamó la anciana mientras se secaba las lágrimas con una esquina del delantal.

—¿Cómo se encuentra Estelle?

—No muy bien, pobrecilla. El frío la afecta mucho. Tiene muchos dolores y le cuesta mucho respirar. El doctor Masefield dijo no sé qué de que tenía los pulmones pegados al revestimiento del pecho.

—Y él, ¿qué tal?

—Como siempre. En estos momentos se encuentra con la señora Creighton.

Mientras comprobaba al tacto que no hubiera en su cabeza ningún rizo despeinado y se alisaba la falda, Samantha tuvo que refrenar el impulso de salir corriendo.

Llamó suavemente a la puerta del consultorio con los nudillos y le oyó decir:

—¡Pase, señora Wiggen!

Samantha entró despacio y cerró la puerta. Vaciló al verle dando unos golpecitos en las rodillas de la señora Creighton con un pequeño martillo de caoba.

—Es la artritis, ¿verdad, doctor Masefield? —preguntó la mujer de mediana edad, todavía con el sombrero y los guantes puestos.

—Por los síntomas, parece que sí, señora Creighton —contestó el doctor Masefield, enderezando la espalda—. Pero no se preocupe, creo que tengo algo que le será útil. Señora Wiggen, ¿quiere darme, por favor, las tabletas especiales de la señora Creighton?

Samantha se acercó al armario, tomó el frasco y lo depositó en la mano extendida del doctor Masefield.

—Gracias —murmuró él, apartando la mirada y volviendo después rápidamente la cabeza en dirección a ella—. ¡Señorita Hargrave!

Ella sonrió tímidamente.

—He vuelto para las fiestas, doctor Masefield.

—Está delgada —le dijo él con expresión muy seria.

Samantha bajó la mirada y observó que el vestido le sobraba por todas partes a causa de las semanas de dieta para evitar el rubor.

—¿Hay algo en la facultad que le impide comer como es debido?

—Yo... —su tono enojado la desconcertaba: se sentía como una chiquilla a la que hubieran regañado—. No, doctor Masefield, no ocurre nada. Yo solo...

—Una píldora cada noche antes de acostarse, señora Creighton —dijo él, volviéndose—. Procure no aumentar la dosis ni olvidarla ninguna noche. Es muy importante.

—Sí, doctor.

Mientras la pequeña mano enfundada en un guante de cabritilla tomaba el frasco, Samantha abandonó discretamente el consultorio.

Una vez arriba, mientras deshacía el equipaje, empezó a temblar, no a causa del frío sino de la humillación. Si él no deseaba que regresara por Navidad, hubiera tenido que enviarle un telegrama. Samantha solo quería estar con personas que la apreciaran y ahora lamentaba haber abandonado el cálido hogar de Hannah Mallone.

Al día siguiente, sin embargo, Louisa y Luther lo mejoraron todo. Mientras paseaban en trineo por el Central Park tomando pastelillos y llamando a gritos a los patinadores, Samantha empezó a tranquilizarse: no debía juzgar con tanta severidad a Joshua..., él no tenía muchos motivos de alegría, ya que Estelle se estaba apagando como un ferrotipo que se desvanece poco a poco. Comentaría con la señora Wiggen la posibilidad de colocar un árbol en el salón y adornarlo con velas encendidas.

Y se reanudó la antigua rutina: Samantha le ayudaba a atender a los pacientes y le acompañaba en sus visitas domiciliarias a los enfermos. Pero él nunca le hacía preguntas acerca de los estudios y de sus nuevos amigos, jamás mostraba el menor interés por su vida ni por sus progresos. Joshua Masefield se mantenía tan distante como siempre.

Por esta razón, cuando dos semanas antes de Navidad él llamó a su puerta un frío sábado por la tarde para pedirle un favor, Samantha se quedó asombrada.

—¿Me permite hablar con usted unos momentos, señorita Hargrave? Es un asunto de cierta importancia.

Ella retrocedió un paso mientras Joshua entraba, cerraba la puerta y se quedaba inmóvil, como sin saber qué hacer. El doctor Masefield permaneció de pie un instante junto a la chimenea y por fin tomó asiento en uno de los dos sillones colocados frente al fuego.

—Tengo que pedirle un favor muy grande, señorita Hargrave, y no sé ni cómo empezar —el doctor Masefield se mantuvo de perfil mientras hablaba; Samantha observó que tenía la boca y las mandíbulas en tensión—. No debería pedírselo, pero me encuentro en un apuro.

Guardó silencio mientras contemplaba el fuego. Samantha lo consideró una invitación a rogarle que siguiera hablando. Sentándose en el otro sillón, dijo:

—Siga, por favor, doctor Masefield.

—¿Sabe usted, señorita Hargrave, que en toda la ciudad de Nueva York no existe un solo hospital que acepte enfermos de cáncer?

—Lo ignoraba.

—La gente teme que el cáncer sea contagioso y, aunque los médicos saben que ello no es cierto, no podemos convencer al público de lo contrario. Si algún hospital admitiera a un solo canceroso, las salas se quedarían inmediatamente vacías y el hospital tendría que cerrar. Por eso los enfermos de cáncer, como mi esposa, tienen que recibir tratamiento en su casa o bien en las clínicas particulares que son muy caras y están muy lejos. De ahí que muchos no reciban ningún tipo de tratamiento ni cuidado y mueran lenta y solitariamente —el doctor Masefield la miró de pronto a los ojos—. Se ha puesto en marcha un movimiento en favor de la construcción de un pabellón de cancerosos en el Hospital Femenino. Es una causa muy noble porque permitiría prestar la adecuada atención a muchas mujeres que están sufriendo en la soledad sin alivio ni ayuda.

Samantha había oído hablar del Hospital Femenino, un centro de mucho prestigio fundado por el gran doctor Marion Sims, el cual, pese a vivir todavía, se estaba convirtiendo rápidamente en una leyenda.

—Habrá un baile benéfico la víspera de Navidad en la residencia de la señora Astor, para allegar fondos con destino a ese pabellón. Yo he recibido una invitación.

El doctor Masefield guardó nuevamente silencio mientras contemplaba el fuego de la chimenea. Samantha esperó, atenta al silencio que les rodeaba mientras Nueva York adormecía bajo la suave capa de nieve que estaba cayendo.

—Mi problema, señorita Hargrave —dijo él al cabo de un rato en tono distante—, es el siguiente. Jamás le he hablado a nadie de la enfermedad de mi esposa, en Manhattan nadie lo sabe. Me imagino que a estas horas la señora Wiggen ya le habrá hablado de Filadelfia y le habrá dicho que Estelle y yo nos trasladamos a vivir a Nueva York el año pasado. Bien. Estelle desea que nadie se entere de su enfermedad y yo tengo que proteger sus sentimientos. Las pocas personas que trato aquí, en Nueva York, no conocen a Estelle, pero creen que se encuentra perfectamente bien. En ocasiones he llegado a inventar inocentes historias acerca de la activa vida social de Estelle. Por desgracia, a la señora Masefield se le exige ahora que aparezca en público.

—Pero eso es imposible.

—Claro está que lo es. Sin embargo, tengo que encontrar una solución. Debo asistir. Rechazar una invitación de los Astor sería inimaginable. Sobre todo porque deseo ardientemente participar en el proyecto de ese pabellón.

—Podría usted decir que Estelle se encuentra temporalmente indispuesta.

—En todo el tiempo que llevo en Nueva York —dijo él, levantándose de un salto— he asistido a cuatro acontecimientos sociales. En cada una de las ocasiones he utilizado esa excusa..., una vez un dolor de cabeza, otra un resfriado. Ya no puedo volver a utilizarla, so pena de poner mi sinceridad en tela de juicio. La señora Astor se ofendería y pensaría que mi esposa no es una persona sociable.

—Pues entonces dígales la verdad.

Él se apartó y su figura arrojó unas móviles sombras sobre las paredes.

—No puedo. Por Estelle...

—¿Qué camino le queda, entonces?

Los hombros y la espalda de Joshua entraron en tensión al momento. Luego se volvió lentamente y miró a Samantha.

—Señorita Hargrave, ¿aceptaría usted acompañarme al baile de los Astor como esposa mía?

Samantha abrió de par en par los ojos.

—Es una impostura, lo sé —se apresuró a añadir Joshua—, y le estoy pidiendo que me ayude en ese engaño. Pero es una simulación inofensiva, nadie sufrirá ningún daño por ello. En realidad, todos saldrán beneficiados. La fama de Estelle quedará a salvo y yo tendré la satisfacción de participar en esa noble causa.

—Pero ¿qué pensará Estelle?

—Ha sido idea suya.

Samantha tuvo que apartar la mirada. Le miró las manos y se preguntó si él podría oír los tumultuosos latidos de su corazón.

—¿Dará resultado?

Visiblemente aliviado, Joshua Masefield regresó a su sillón.

—Nadie ha visto jamás a Estelle. Se le exigiría a usted muy poco, señorita Hargrave. Me encargaré de que no la agobien. Permaneceremos allí un tiempo prudencial y después nos marcharemos.

Samantha estaba aturdida. Las mujeres con sus vestidos importados de Worth de París o de Lucile de Londres. Los apellidos que a menudo le había leído a Estelle en el *Social Register*: Stuyvesant, Belmont, Roosevelt. Joshua, impresionante, con su chistera y su capa. Y ella convertida en su esposa por una noche...

—La mansión de los Astor —dijo Samantha—. ¡No tengo nada que ponerme!

—Entonces, ¿me ayudará usted?

—Sí, doctor Masefield —contestó Samantha sonriendo—, le ayudaré...

16

Tenía la intención de alquilar un vestido, pero Joshua se opuso rotundamente, alegando que su esposa no acudiría a un baile de los Astor con un vestido alquilado. Entonces Samantha recurrió a la ayuda de Estelle. Ella no quiso ni oír hablar de la posibilidad de que Samantha alquilara un vestido e, insistiendo en que le confeccionaran uno especial para la ocasión le facilitó la dirección de un pañero de la Quinta Avenida y el nombre de una modista acreditadísima.

—Ya no hay tiempo —dijo Samantha con inquietud.

Reclinada sobre unos almohadones de raso, Estelle dijo en voz baja:

—La señora Simmons está acostumbrada a recibir encargos urgentes, sobre todo en esta época del año. Puede obrar milagros. Y, cuando le digas que es para el baile de los Astor, pondrá a trabajar en ello día y noche a sus costureras. —Estelle añadió melancólicamente—: Ojalá pudiera asistir, pero me alegra que vayas tú en mi lugar, Samantha, por Joshua. El pabellón significa mucho para él. Un pequeño engaño inofensivo..., es muy amable de tu parte...

Samantha acudió muy nerviosa a la pañería y eligió

varios metros de tafetán color carbón y un poco de terciopelo negro para los adornos. Rechazó los encajes y las cintas por ser demasiado caros. A la señora Simmons, tan atenta y cordial como Estelle le había dicho, Samantha le explicó que deseaba un modelo discreto: falda no demasiado ancha, polisón mediano, hombros apenas descubiertos y nada que resultara llamativo.

Al llegar el vestido cinco días antes de Navidad, Joshua Masefield estalló.

En presencia del atemorizado chico de los recados, arrojó el vestido al interior de la caja y dijo:

—Pero, ¿en qué demonios estaba usted pensando, señorita Hargrave, al pedir una cosa semejante?

Samantha se sobresaltó y no pudo contestar. Cinco minutos antes, ella y el doctor Masefield se habían llevado la caja al salón para examinar la prenda antes de que se fuera el chico. Tras haber cortado el cordel y levantado la tapa, Joshua contempló el vestido, presa de gran confusión. Después acusó al chico de haberse equivocado de vestido. Samantha intervino para decir que era el vestido que ella había encargado y entonces Joshua Masefield estalló.

—¿Cómo se le ha ocurrido, señorita Hargrave? ¡Si no tiene gusto en el vestir, hubiera tenido que pedir consejo a la señora Simmons!

—¿Qué tiene el vestido? Yo pensaba que...

—¿Qué tiene? ¡Que es horrendo! ¡Es el vestido de una sencilla muchacha trabajadora! ¿De veras pensaba usted presentarse en público junto a mí y como esposa mía vestida con *eso*?

Los ojos de Samantha se posaron fugazmente en el chico de los recados.

—La verdad, doctor Masefield —empezó a decir, presa del asombro—. Yo solo intentaba...

Él se volvió de espaldas, tomó la caja y el envoltorio y se los arrojó al muchacho.

—Lléveselo. No lo queremos.

Estupefacto, el joven trató de apresarlo todo en los brazos.

—De veras, doctor Masefield, no será necesario. Puedo introducir algunos cambios, añadir algunos adornos, si usted quiere. La señora Wiggen me puede ayudar...

Él giró en redondo. En torno a los labios y a las ventanas de la nariz le había surgido una extraña coloración; sus pupilas estaban curiosamente inmóviles.

—¡Esa monstruosidad no la arregla más que el fuego!

Ella retrocedió.

A su espalda, el chico de los recados se agitaba, muy nervioso. Joshua Masefield volvió a mirar enfurecido a Samantha y después movió un brazo.

—Llévese eso de aquí. Dígale a la señora Simmons que me mande la factura.

El chico se alejó a toda prisa y salió cerrando ruidosamente la puerta principal. En el salón, Samantha y Joshua se miraban uno a otro con expresión enfurecida.

—Ahora tendremos que buscar otra cosa —dijo Joshua—. Cinco días no es mucho tiempo.

—Si me hubiera dado usted alguna idea de antemano —dijo Samantha en tono glacial—, en lugar de dejarlo todo de mi cuenta...

—¡Maldita sea, señorita Hargrave! ¡No creí que fuera necesario! ¡Por Dios bendito, encargar un vestido tan sencillo!

—¿Qué tenía de malo?

—¡Era espantoso! ¡Mi mujer no puede presentarse en público vestida con un pingo!

—¡Ni era un pingo ni yo soy su mujer! Yo solo trataba de...

—Supongo que debo agradecerle que no sea mi esposa.

—¿Me permite, por una vez, que termine la frase?

Él guardó silencio y apretó los labios, que se convirtieron en una raya blanca.

—Se comporta usted como si lo hubiera hecho a propósito para enfurecerle y humillarle, doctor Masefield. Cuando mandé confeccionar ese vestido, pensaba en usted. Estaba tratando de ahorrar dinero.

—Sin duda bromea usted —dijo él, arqueando las cejas.

—En absoluto.

—¿Piensa que soy *pobre*, señorita Hargrave?

—Doctor Masefield, a mí me enseñaron a respetar el ahorro...

—¡Me importa un bledo lo que le enseñaron, señorita Hargrave!

Ella parpadeó asombrada y después dijo, esforzándose en dominar la voz:

—No hay razón para que me hable usted así.

Joshua le dirigió una mirada de furia con sus ardientes ojos negros y después giró en redondo y abandonó la estancia.

Sin poder moverse, sin poder siquiera respirar, por temor a venirse abajo y echarse a llorar, Samantha permaneció rígidamente de pie en el salón. Momentos después, oyó cerrarse de golpe la puerta de entrada y vio por el mirador a Joshua Masefield, que, con gabán y bufanda, bajaba los helados peldaños y se lanzaba a la turbulenta nevada.

El incidente no se volvió a mencionar y tampoco se volvió a hablar de la fiesta. Él regresó muy entrada la noche, cenó a solas en su estudio y se retiró enseguida a su dormitorio, contiguo al de Estelle. A la mañana siguiente Samantha no hizo el menor intento de mostrarse falsamente cordial con él. Tras desayunar en silencio en compañía de la señora Wiggen, Samantha hizo pasar al consultorio al primero de los pacientes que ya aguardaban y ayudó al doctor Masefield, sumida en un enfurruñado silencio.

La víspera de Navidad el doctor Masefield tuvo que salir para asistir a un parto. Samantha permaneció sentada frente a la chimenea del salón, contando ansiosamente las horas. Tenía en el regazo una postal que acababa de recibir: dos chiquillos de rostros sonrosados, acurrucados a los pies de un esbelto Papá Noel. En su interior, en una bonita lámina de cobre, había una alegre felicitación de Hannah Mallone.

El doctor Masefield regresó a primeras horas de la noche. Samantha se encontraba en su habitación, escribiendo cartas junto a la chimenea, cuando oyó que la puerta principal se abría y cerraba y que él golpeaba el suelo con las botas, para sacudirse la nieve. Sus pisadas ascendieron por la escalera hasta el primer piso, donde se encontraban su dormitorio y el de Estelle; pero, para asombro de Samantha, el doctor Masefield empezó a subir el otro tramo. Cuando los pasos se detuvieron frente a su puerta, Samantha contuvo la respiración.

El doctor Masefield llamó con los nudillos.

Apartando cuidadosamente a un lado el papel y el tintero y pasándose apresuradamente la mano por el cabello, para cerciorarse de que no estaba despeinada, Samantha abrió la puerta.

Un enfurruñado Joshua Masefield se encontraba al otro lado, portando un enorme paquete.

—No disponemos de mucho tiempo —dijo, entregándole el paquete—. El coche estará aquí dentro de una hora.

Desconcertada, Samantha tomó el paquete, observó que pesaba mucho y preguntó:

—¿Qué es esto?

—Su vestido, señorita Hargrave. Hubiera tenido que recogerlo más temprano en casa de la señora Simmons, pero el niño de los Levy no ha colaborado.

El doctor Masefield hizo ademán de retirarse.

—No lo entiendo. ¿Qué vestido?

Él se dio la vuelta con gesto de evidente impaciencia.

—El que se va a poner esta noche —dijo como si hablara con una chiquilla.

—¿Qué quiere usted decir? Pensaba que no iría a la fiesta.

—¿De veras? —la irritación de él se trocó en leve asombro—. ¿Y por qué no?

—¿Que por qué no? Doctor Masefield, ¿hace falta que le recuerde la desagradable escena que se produjo en el salón hace cinco días?

—¿Qué tiene eso que ver? —preguntó él en tono de absoluta inocencia.

—Me pareció deducir de su enfado que esta noche no iría a la fiesta.

—¿Mi enfado? ¡Por el amor de Dios, señorita Hargrave, yo me enfadé con el maldito vestido, no con usted!

—¡Usted me humilló en presencia del mozo de los recados! ¡Me dirigió toda clase de insultos! ¡Y ahora espera que yo le acompañe alegremente a ese... ese *maldito* baile!

—Está enojada conmigo, señorita Hargrave —dijo él con expresión de incredulidad.

—¡Sí, lo estoy!

—Y yo que la creía tan apocada...

Ella le miró con rabia, con el pecho agitado.

—He estado esperando su disculpa.

—Comprendo. ¿Y eso bastará para que me acompañe al baile? ¿Una disculpa?

—Sí —dijo ella, mirándole atrevidamente a los ojos.

—Pues, le pido disculpas. Y ahora, ¿podrá estar lista dentro de una hora?

17

Mientras bajaba la escalera, a Samantha le pareció estar flotando en una nube. Jamás en su vida había lucido un atuendo tan hermoso. El vestido era de raso color azul pavo real y la señora Simmons, a pesar de las prisas, había obrado maravillas para adaptarlo a las medidas de Samantha. La cintura era muy ajustada y la redondez del busto quedaba muy realzada. La holgada falda, fruncida en la parte delantera como los cortinajes de una ventana, se recogía en la parte de atrás en un polisón y formaba una cola. Un adorno de tul azul cielo con flores y arabescos plateados le rodeaba los hombros desnudos, los cuales, al igual que la suave elevación de su busto, quedaban atrevidamente al descubierto gracias a un amplio escote. Los complementos eran unos mitones de seda de Lyon y un abanico de encaje.

Samantha se movía como en un sueño, pero, al ver a Joshua esperándola al pie de la escalera y mirándola fijamente como si fuera una aparición, volvió a la realidad. Es a Estelle a quien está viendo, pensó, no a mí.

Llevaba doblada sobre el brazo una voluminosa prenda que ofreció a Samantha para que se la pusiera. Ella se quedó boquiabierta de asombro. El tejido exterior de la capa con capucha era de lana merina, pero el forro era de chinchilla, y Samantha se estremeció cuando la lujosa piel envolvió sus brazos y sus hombros desnudos.

—Es de Estelle. Ha insistido en que se la ponga.

Samantha acarició la piel de color humo como si perteneciera a un animal vivo, mientras Joshua se situaba a su espalda y le colocaba la pesada capa alrededor de los hombros. Según él extendía las manos para ajustarle el corchete, a Samantha le pareció percibir el calor de su cuerpo a través de la capa y, antes de apartarse, las manos de Joshua se posaron un instante en sus hombros.

—Está usted encantadora esta noche, Samantha.

—Gracias, doctor Masefield.

Él retrocedió unos pasos.

—Tiene que acordarse de llamarme Joshua esta noche.

Samantha se volvió para mirarle; sus facciones aparecían envueltas en sombras. Claro, iban a interpretar una suplantación.

Joshua la ayudó a bajar los helados peldaños y entrar en el coche que estaba aguardando. Una vez en el interior, se sentó a su lado y cubrió las piernas de ambos con pesadas mantas. Durante el largo trayecto, no pronunciaron ni una sola palabra.

Cuando vio el desfile de carruajes frente al 350 de la Quinta Avenida, Samantha empezó a acobardarse. La mansión de los Astor resplandecía de luz y las ventanas brillaban como el oro. Los invitados que estaban descendiendo de los carruajes aún resultaban más deslumbrantes: caballeros envueltos en capas, damas cubiertas de joyas y pieles. Al verlas, Samantha se sintió repentinamente fuera de lugar. Una auténtica apocada.

La invadió el pánico. ¿Cómo habría concebido la esperanza de pasar por quien no era? ¿Qué locura la había inducido a creer que podría superar aquella prueba? Su carruaje avanzó con una sacudida para situarse detrás de otro.

—Doctor Masefield...

—Mi nombre de pila, por favor —cuando les abrieron la portezuela, él añadió—: Y no olvide que es mi esposa.

Se incorporaron a la procesión que estaba subiendo la escalinata y entraron en el resplandor de la casa. Tomando del brazo a Joshua, Samantha levantó la cabeza y se acercó con paso firme a la anfitriona, que, de pie bajo un retrato que le había pintado Carolus Duran, estaba acogiendo a los invitados que iban llegando como una reina que recibe pleitesía.

La señora de William Astor, que prefería ser llamada simplemente señora Astor, era una dama bajita y rechoncha, tan agobiada por el peso de la ropa y las joyas que no se podía inclinar y apenas podía moverse; el efecto resultante era un porte regio que no poseía realmente y un exterior que impresionaba a quienes la veían por primera vez. Samantha procuró no mirar, pero el vestido de Redfern ya era un monumento de por sí: terciopelo color púrpura con ribetes de raso azul pálido, todo bordado con lentejuelas doradas. La parte delantera y la posterior llevaban tantas incrustaciones de cuentas y piedras que el vestido producía la impresión de haber sido confeccionado alrededor de su cuerpo. El corpiño de orquídeas, tan insólitas en diciembre, era el más conservador de sus adornos. Alrededor del cuello, la señora Astor lucía un collar de brillantes de tres vueltas, sobre el pecho llevaba un broche con un enorme diamante que, según se afirmaba, había pertenecido a María Antonieta, y las muñecas y los dedos aparecían constelados de diamantes mientras que, entretejida en la peluca color ala de cuervo que llevaba (sus cabellos eran demasiado escasos para poder peinárselos), podía verse una redecilla también de diamantes, rematada por una diadema real.

Tras haber observado cómo saludaban a la señora Astor las damas que la habían precedido, Samantha reprimió el impulso de hacer una reverencia. Cuando Joshua se presentó a sí mismo y a su «esposa», la señora Astor les saludó amablemente, dirigió una breve sonrisa a Samantha y les dio las gracias por ayudarla en aquel noble empeño. Después, un lacayo con librea azul recogió sus capas y el bastón y sombrero de Joshua y la pareja se unió a los que desfilaban por la alfombra de Aubusson camino del salón de baile.

Samantha se quedó boquiabierta al contemplar el soberbio salón.

Era la famosa galería Astor, donde los cuadros aparecían colgados uno sobre otro hasta el elevado techo: obras de Jean François Millet, Constant Troyon y otros pintores de la escuela de Barbizon. Miles de relucientes luces brillaban en los enormes candelabros italianos; flores y plantas de Klinder por valor de once mil dólares habían transformado la nevada noche en una noche estival. Criados con libreas azules, copia exacta de las que se utilizaban en el castillo de Windsor, se movían por entre los invitados portando bandejas con champán y otras exquisiteces. Había en el salón más de seiscientos invitados.

—¿Te apetece comer algo? —le preguntó Joshua.

—¡No, gracias! ¡No podría tragar!

—Un poco de champán entonces.

Joshua la acompañó a un sector del salón, donde, instaladas entre palmas, se veían sillas alrededor de veladores adornados con rosas «Gloire de París»; después dio media vuelta y se abrió paso por entre la concurrencia. Abanicándose nerviosamente, Samantha miró a Joshua y le pareció que caminaba un poco envarado; y cuando él desapareció de la vista, Samantha hizo acopio de valor y miró a su alrededor.

Las mujeres eran increíbles: tan distintas de ella como si pertenecieran a otra raza. Se preguntó qué debían hacer, cómo debían vivir. Todas, independientemente de la edad y del tamaño, se esforzaban en conseguir la popular cintura de cuarenta y ocho centímetros e iban dolorosamente encorsetadas, lo cual daba lugar a que la carne desplazada de su sitio se levantara formando el exuberante busto que exigía la moda. Estelle le había dicho en cierta ocasión que el típico vestuario estival de una de aquellas mujeres estaba integrado por noventa vestidos con sombrillas a juego y guantes de cabritilla largos hasta el codo.

Vio a Joshua acercándose con dos copas. Cojeaba.

Bebieron en silencio durante unos minutos —parecía que a él no le apetecía conversar— y cuando la orquesta, situada en una galería oculta por unos adornos florales, empezó a tocar los acordes de *El Danubio azul* y las parejas se dirigieron a la pista de baile, el corazón de Samantha empezó a latir esperanzado. Estaba segura de que Joshua la sacaría a bailar por lo menos una vez.

Pero según la orquesta iba pasando de uno a otro vals y otras parejas empezaban a evolucionar en la pista, Samantha comprendió que su silencioso acompañante no la iba a invitar; al parecer, la velada iba a consistir en permanecer sentados, observando a los demás.

—Creo que ahora me apetece comer algo —dijo Samantha descansando la copa vacía mientras empezaba a experimentar los primeros efectos del champán—. ¿Es correcto que vaya sola? Me encantaría ver la mesa.

Para su asombro, él no protestó, sino que se limitó a asentir con la cabeza, lo cual indujo a Samantha a preguntarse fugazmente si no sería que deseaba estar solo.

La mesa, adosada a una de las paredes, era un auténtico sueño; Samantha solo pudo identificar menos de la mitad de los platos, y no tenía la menor idea de cómo se comían los demás. La señora Astor era famosa por sus cocineros: había sopa de tortuga, *mousse au jambon, terrapin, filet de boeuf* con trufas, *riz de veau à la Toulouse, pâte de foie gras en Bellevue* con salsa de alcachofas, sorbete de marrasquino, queso de Camembert con panecillos, y budín Nesselrode. Samantha no sabía ni por dónde empezar.

—¿Puedo recomendarle el bistec? —preguntó una voz grave a su lado.

Al volverse sorprendida vio una encantadora sonrisa y unos suaves ojos castaños.

—¿Decía usted?

El caballero, alto y delgado y de unos treinta años, se inclinó hacia la humeante bandeja de *filet de boeuf*.

—Me temo que se lo recomiendo porque es lo único que reconozco.

Samantha volvió a recorrer con los ojos los diversos platos.

—Espero que terminen toda esta comida.

—No ocurrirá tal cosa. No es de buen tono atiborrarse en estas fiestas. Pero no se preocupe, toda la comida que sobre y todas las flores serán enviadas al Hospital Bellevue.

—¿De veras? —preguntó ella, mirándole.

El apuesto caballero contempló a aquella joven sin nombre, intrigado por sus ojos plateados, tan grandes e inquisitivos, y desconcertado por su evidente desconocimiento de la vida social. ¿Quién demonios era y quién la acompañaba?

—Cada vez que la señora Astor organiza un baile, los pacientes del Hospital Bellevue caen de rodillas agradecidos. Porque normalmente comen la bazofia directamente de la superficie de la mesa, dado que carecen de cubiertos. Y es auténtica bazofia.

—¡No hablará usted en serio!

—Completamente en serio. Un comité ha investigado recientemente las condiciones del Bellevue y ha descubierto no solo la espantosa costumbre de hacer comer a los pacientes directamente con los dedos, sino también el hecho de que no hubiera ni una sola pastilla de jabón en todo el centro.

Samantha posó el plato de porcelana que tenía en la mano.

—Creo que no me apetece comer.

—Discúlpeme, le he estropeado el apetito. Y he olvidado, además, los buenos modales. Puesto que no hay nadie aquí cerca que pueda hacerlo, permítame que me presente yo mismo. Mark Rawlins.

—Encantada. ¿Pertenece usted a la sociedad?

Él la miró un instante, y después, echando atrás la cabeza, rió.

—¡No, por Dios!

A Samantha no le hizo demasiada gracia que se burlaran de ella. Miró hacia el otro lado del salón, buscando a Joshua, pero no pudo verle. Su acompañante añadió:

—Estoy aquí en calidad de símbolo. Soy uno de los pobres médicos sobrecargados de trabajo, mal pagados y poco estimados a quienes la señora Astor ha invitado a su fiesta benéfica.

Por su aspecto y por el elegante corte de su levita y del pantalón a rayas, el doctor Rawlins no daba la impresión de estar mal pagado ni sobrecargado de trabajo, y Samantha pensó que se estaba burlando de ella.

—¿Es usted médico, señor?

—Cirujano —contestó él, inclinándose levemente—. Y ahora que he tenido el gran atrevimiento de presentarme, ¿me permite la audacia de pedirle un baile?

Ella frunció el ceño con expresión indecisa.

—Es usted muy amable, pero he venido acompañada.

—¿De un caballero? ¡En tal caso, debo pedirle perdón! Yo pensaba... —maldita sea, pues ¿qué demonios estaba haciendo allí, sola, eligiendo la comida? Mark Rawlins la miró. Puesto que no parecía tener demasiada prisa por reunirse con su acompañante, le preguntó cautelosamente—: ¿Cree usted que se opondría a que me concediera un baile?

Samantha trató de nuevo de localizar a Joshua entre los invitados, pero en vano. Contempló el rostro sonriente de Mark Rawlins... Tenía en la comisura de la boca una pequeña cicatriz que confería una expresión pícara a su sonrisa... y la tentación la indujo a decidirse. Le apetecía mucho bailar y estaba claro que Joshua no iba a sacarla.

—Quizá no haya inconveniente...

Cuando Samantha quiso darse cuenta, él estaba evolucionando con ella sobre el entarimado, una mano apoyada en su cintura y la otra estrechando la suya. Experimentó la sensación de cobrar vida súbitamente: la música, la libertad, el salón girando a su alrededor y la radiante y encantadora sonrisa de Mark Rawlins derramándose sobre ella.

—No me ha dicho cómo se llama.

—Sam... —empezó a decir ella—. Estelle Masefield. *Señora* de Masefield.

La expresión del doctor Rawlins no se alteró.

—¿La esposa de Joshua Masefield?

—Sí... —contestó ella, conteniendo la respiración.

—Debo decir que ha mejorado usted mucho desde la última vez que la vi, señora Masefield —comentó él sin dejar de sonreír.

Samantha tropezó y le pisó. Ambos se detuvieron.

—Oh, lo siento...

Otras parejas los sortearon hábilmente mientras Samantha, con el rostro arrebolado, miraba al hombre que aún la tenía abrazada.

—No me ha lastimado —dijo él galantemente—. Puedo seguir bailando.

Volvieron a empezar, uniéndose a las demás parejas, y Samantha observó que muy pronto estarían bailando delante de Joshua.

—Está usted muy colorada —le dijo Mark Rawlins—. No se me irá a desmayar, ¿verdad?

—No sé qué decir.

El doctor Rawlins contempló su cabeza inclinada, vio el rubor que se extendía por su delicado cuello y se preguntó qué misteriosa relación tendría con Joshua Masefield. Era una joven de la que un hombre podía enamorarse fácilmente; ¿habría sucumbido Joshua?

—O sea, ¿que está usted aquí con Joshua? Me encantará volver a verle.

Samantha le miró con sus grandes ojos grises.

—¿Le conoce usted?

—Éramos amigos allá, en Filadelfia. Yo estaba con Joshua cuando él recibió el veredicto del doctor Washington —se estaban deslizando sin esfuerzo por la pista, arrastrados por el hechizo de los numerosos violines—. Siento curiosidad por el acertijo...

—Estelle está demasiado enferma para asistir, y el doctor Masefield no quería dar excusas. Nos pareció inofensivo que yo simulara ser su esposa por una noche.

Inofensivo y ligeramente emocionante, ¿verdad?, pensó Mark Rawlins. Me pregunto qué debe saber acerca de Joshua. Seguro que él no se lo ha contado todo...

—Y ahora dígame —preguntó en voz alta—, ¿de dónde la conoce Joshua?

Ella se lo dijo y, de repente, el doctor Rawlins empezó a mirarla de un modo distinto.

—Una estudiante de medicina. Estoy asombrado. Discúlpeme la observación, pero, viéndola, nadie lo diría.

Samantha abrió la boca, pero no le salió la voz porque, justo a la espalda del doctor Rawlins, acababa de vislumbrar el severo semblante de Joshua Masefield. Este se estaba levantando muy despacio, con el rostro extrañamente pálido y sus negros ojos clavados en Samantha.

Mark Rawlins dio una vuelta, impidiéndole la visión, y, cuando ella pudo volver a mirar, Joshua ya había desaparecido.

Cesó la música y Samantha empezó a abanicarse.

—Doctor Rawlins, ¿sería usted tan amable de traerme un poco de champán?

Él se encargó primero de acompañarla a un asiento entre las palmeras y después se perdió entre los invitados. Samantha empezó a inquietarse mientras buscaba afanosamente a Joshua.

—Su champán, señora Masefield.

Samantha levantó los ojos sobresaltada y vio al doctor Rawlins, ofreciéndole una copa.

—Gracias...

Él se sentó a su lado y tomó un sorbo de la suya.

—Pero, ¿dónde está Josh esta noche? No le veo.

Samantha estiró el cuello y se revolvió en su asiento, mirando de un lado para otro, sin percatarse de la admiración que reflejaban los ojos del doctor Rawlins.

—Estaba aquí hace un minuto.

Un oscuro pensamiento cruzó por la mente de Mark Rawlins: Ya sé dónde está. En voz alta, sin embargo, dijo con forzada indiferencia:

—Vendrá enseguida. No comprendo cómo ha podido Josh dejar sola a una joven tan hermosa.

Samantha tomó un sorbo de champán y procuró refrenar el nervioso abaniqueo.

—¿Qué le parece la Facultad de Medicina? ¿Ha tropezado con algún problema por el hecho de ser mujer?

Agradeciendo aquella posibilidad de distracción, Samantha le contó a Mark Rawlins cómo se habían desarrollado sus primeras semanas en Lucerne. Puesto que él era un interlocutor atento y se mostraba evidentemente interesado, y dado que el champán estaba empezando a ejercer un efecto tranquilizador por todo su cuerpo, Samantha notó que su nerviosismo se desvanecía y se animó un poco.

—Hay una vieja grulla llamada doctor Page que, al principio, no aprobaba mi presencia allí. ¡Es tan alto y delgado que a veces, durante las clases, pienso que va a levantar una pierna y se sostendrá sobre un solo pie!

Rawlins se rió y tomó otras dos copas de la bandeja de un criado que pasaba.

—Me siento constantemente observada, como si el menor error pudiera ser motivo de expulsión. —Samantha se abanicó: estaba empezando a sentirse un poco aturdida—. Llegué a pensar que aquellos primeros días iban a ser los últimos porque todo el mundo estaba en contra mía.

Mark Rawlins estudió en silencio a su acompañante, admirando el brillo de sus ojos y el encanto que le daban los negros rizos que se habían escapado de su peinado y le acariciaban la nuca.

—Estoy seguro —dijo suavemente— de que ahora se habrán enamorado totalmente de usted.

Samantha posó la copa vacía.

—Le aseguro que el afecto es fraternal —dijo.

Mark Rawlins echó un vistazo al salón.

—Me parece que Joshua está ocupado en otro lugar. ¿Bailamos de nuevo?

Lo hicieron otras dos veces, hasta que Samantha quedó sin resuello y tuvo que agarrarse entre risas al brazo del doctor Rawlins. Era casi medianoche y la fiesta se encontraba en su apogeo. Setecientos invitados, la flor y nata de la sociedad de Nueva York, bailaban, bebían y trataban de ganarse los unos el favor de los otros. Mark Rawlins acompañó a Samantha por el salón, contándole chismes de la gente que pasaba, escuchando fragmentos de conversaciones y presentándola a otros invitados. Para ser un hombre «mal pagado y sobrecargado de trabajo», Mark Rawlins conocía muy bien a muchas figuras de la aristocracia neoyorquina.

Se detuvieron junto a un grupo.

—¿Quiénes son? —preguntó Samantha, estirando el cuello para ver algo por encima de las cabezas.

—Lo sabremos enseguida.

Estaban rodeados por la fama y la riqueza. A la izquierda de Samantha se encontraba la hija de la señora Astor con su nuevo marido James Roosevelt; a su derecha, la célebre Ellin Dynley Prince, que tenía el privilegio de estar casada con el único judío aceptado por la buena sociedad de Nueva York. Los retazos de conversación que se arremolinaban a su alrededor se le antojaban a Samantha un idioma desconocido: veranos en Newport; tomar el sol en la playa de Bailey; veladas en Beechwood, la mansión estival que tenía en Newport la señora Astor, jugar al tenis sin corsé en el casino, el descaro de un nuevo rico que había pretendido introducirse en Newport, siendo cosa sabida que había que empezar por Bar Harbor. Y, como era natural, el tema preferido de chismorreo: ¿dónde estaba William Astor mientras su mujer ofrecía aquella gran fiesta?

Mark Rawlins inclinó la cabeza y le dijo en voz baja a Samantha:

—El marido de la señora Astor se encuentra en estos momentos en Florida, disfrutando de la compañía de unos amigos en su yate. Dicen que ha donado dinero al gobernador de Florida para que organice una partida de mercenarios que busquen a indios seminolas hostiles en los pantanos de los Everglades.

Súbitamente se produjo una conmoción en el núcleo del pequeño grupo. Alguien en su centro, oculto por los trajes de noche y los fracs, estaba farfullando y jadeaba pidiendo agua. Un inquieto murmullo corrió entre los invitados; estaban llamando a un médico. Rawlins se abrió paso inmediatamente, seguido de Samantha. Encontraron a un caballero bajito y con barba bebiendo agua, y a su lado una voluminosa mujer sosteniendo otro vaso.

—¿Qué ha ocurrido? —preguntó Rawlins, arrodillándose al lado del hombre sentado.

—El cigarro —contestó la mujer que, según pudo observar Samantha, tenía un ojo artificial que no se movía juntamente con el otro—. Se ha puesto accidentalmente el extremo encendido en la boca.

Aunque la gente parecía mostrarse solícita y preocupada, Samantha vio que algunos invitados se guiñaban el ojo y reprimían la risa. Mark Rawlins consiguió que el hombre dejara de beber y le permitiera examinarle la boca.

—Todo se arreglará, señor; le saldrá una ampolla, y nada más.

El caballero de la barba se enjugó el hermoso rostro cuadrado con un pañuelo y rechazó el segundo vaso de agua.

—Prefiero whisky, Julia querida.

A su espalda, Samantha oyó que alguien murmuraba:

—Parece que de *eso* ya tiene bastante.

Ulysses S. Grant era una maravilla de hombre y, cuando Samantha comprendió quién era, recordando los muchos retratos suyos que había visto, se impresionó. Los cuidados médicos que Mark Rawlins le había prestado dieron lugar a que este y su acompañante fueran presentados al hombre que hacía apenas dos años había sido presidente de Estados Unidos.

Rawlins le dio al señor Grant algunos consejos acerca de los cuidados que debía prestar a la pequeña herida y Samantha observó que, cada vez que el hombre tomaba un sorbo de whisky, hacía una ligera mueca. Lo atribuyó a la herida del labio sin saber, como ni siquiera el propio Grant sabía entonces, que el famoso héroe de la guerra civil padecía un cáncer de garganta que le llevaría a la muerte cinco años más tarde.

Rawlins se retiró con Samantha para permitir que otros invitados se acercaran y le presentaran sus respetos; en aquel momento, se acercó un lacayo e informó al señor Grant que el director de la orquesta tendría mucho gusto en interpretar la pieza musical que él le pidiera.

—La cosa tiene mucha gracia —le dijo Rawlins a Samantha en voz baja conforme la tomaba por el codo para apartarla del bullicio—. El señor Grant es tan poco aficionado a la música, que una vez dijo que solo conocía dos canciones: una era *Yankee Doodle* y la otra no lo era.

Samantha se rió detrás del abanico, mientras sus ojos buscaban de nuevo a Joshua; hacía horas que no le veía.

—¿Le apetece bailar otra vez?

—Si no le importa, doctor Rawlins, prefiero sentarme.

Regresaron a la mesa que anteriormente habían ocupado, tomando al pasar otras dos copas de champán de una bandeja.

—¿Sabe que aún no me ha revelado cuál es su verdadero nombre? —dijo Rawlins mientras se sentaba.

—Es Estelle Masefield —replicó una voz a su espalda.

Se volvieron y vieron a Joshua de pie detrás de una de las macetas de palmas.

—¡Josh! —exclamó Mark Rawlins, levantándose de golpe—. ¡Cuánto me alegro de volver a verte! ¡Te hemos estado buscando!

Joshua clavó en Samantha sus ojos de granito.

—¿De veras?

—¿No quieres reunirte con nosotros? ¿Quiero decir si no te importa que me *quede* contigo y con tu encantadora acompañante? —Rawlins le dio a Joshua unas palmadas en la espalda—. ¿Cuánto tiempo hace que no nos veíamos, Josh? Ahora estoy en el St. Luke's. Llevo allí seis meses.

Al principio, pareció que Joshua no quería reunirse con ellos, aunque seguía mirando a Samantha con expresión sombría; pero después rodeó la maceta y se acomodó en la otra silla. Mientras lo hacía, Samantha observó que tenía el labio superior empapado en sudor.

—Me gustaría conocer la verdadera identidad de la joven —dijo Rawlins.

—Es mi esposa.

Mark Rawlins miró a Joshua un instante sin dejar de sonreír y después carraspeó y se removió en su silla, la cual chirrió ruidosamente sobre el suelo.

—Comprendo muy bien la razón de tu engaño, Josh. La joven me lo ha explicado todo.

—¿De veras, querida? No ha tardado usted mucho en olvidar el trato.

—No se lo reproches, Josh. Prácticamente la he sometido a tortura hasta que me ha dicho la verdad. Pero sigo sin saber cómo se llama.

—Y no lo sabrás.

El doctor Rawlins volvió a agitarse en su asiento, intuyendo con toda claridad la corriente oculta que fluía entre sus dos acompañantes mientras ambos se miraban el uno al otro. Antes se había preguntado si Josh se sentiría atraído por ella. Bien, pues, ahora le parecía que la joven estaba tan hechizada por Joshua como él lo estaba por ella. Curiosa relación. Ella parecía sentirse subyugada por él y, al mismo tiempo, temerle.

—Le estaba diciendo antes a la señorita que no parece una estudiante de medicina.

Como si despertara súbitamente, Samantha volvió a animarse. Se apartó de la dominante mirada de Joshua y empezó a abanicarse, mirando al doctor Rawlins.

—También me han dicho, señor, que, en mi calidad de estudiante de medicina, tendría que ser más gorda y más vieja. Eso fue cuando trataron de impedirme la entrada en el laboratorio de disección.

Rawlins procuró hacer caso omiso de la mirada que Joshua le dirigía de soslayo.

—¿No le permiten entrar en el laboratorio de disección?

—Ahora sí, pero tuve que luchar para conseguirlo. —Mientras relataba el conflicto surgido en el pasillo de la universidad, Samantha se percató de la ardiente mirada de Joshua—. Desde entonces, nos hemos dividido en grupos de cinco y trabajamos por las noches por nuestra cuenta. A veces, los estudiantes de mi grupo prefieren ir a una taberna y entonces me quedo sola, cosa que lamento mucho porque la Facultad me pone nerviosa de noche.

Mark Rawlins le estaba escuchando solo a medias. La transformación había sido extraordinaria: la sola presencia de Joshua Masefield la turbaba. ¿Qué extraño poder ejercía este sobre ella?

—Dicen que hay allí fantasmas.

—¿Cómo? —preguntó Mark, parpadeando.

—Viene de una leyenda india... —la voz de Samantha adquirió un tono distante mientras refería la historia de los desventurados amantes que habían hallado una trágica muerte en el lugar donde ahora se levantaba la rotonda—. Un joven del clan del Lobo estaba enamorado de una muchacha del mismo clan, y ella lo estaba de él. Pero la madre de la chica ya había dispuesto su boda con otro joven del clan de la Tortuga. La víspera de la boda, el enamorado secuestró a la muchacha; ambos huyeron y consumaron su amor en los bosques. El ofendido joven del clan de la Tortuga los encontró, mató a su prometida y castró al joven. A los ojos del clan del Lobo, los amantes habían cometido incesto y por esa razón la ignominia había caído sobre el clan; el joven fue desterrado y, sin saber adónde ir, se tendió al lado del cadáver de su amada y murió al cabo de largos días. Dice la leyenda que los espíritus de los amantes vagan por las salas de la Facultad llamándose el uno al otro; pero, debido a la maldición que pesa sobre ellos, jamás pueden reunirse.

Al finalizar Samantha su relato, la oculta orquesta empezó súbitamente a tocar con gran estruendo. Mark Rawlins estaba mirando al suelo, profundamente inmerso en sus pensamientos; fue Joshua quien rompió el hechizo:

—Parece que el amor nunca trae más que desdicha.

—Puede traer felicidad —dijo Samantha suavemente—, cuando uno lo quiere.

De repente, todo le resultó muy claro a Mark Rawlins.

—¡Vaya! —exclamó en voz alta, irguiéndose en su asiento—. Allí está el doctor Barnesy con su caballuna mujer. No veo a Barnesy desde nuestros tiempos de la Facultad. —Mark Rawlins se levantó y le tendió la mano a Joshua—. Siento largarme tan de improviso, pero tengo un asunto que resolver con Barnesy. Ya sabes dónde estoy, Josh. En el St. Luke's. ¿Te parece que nos veamos alguna vez? —se estrecharon la mano. Después Rawlins se dirigió a Samantha—: Ha sido un placer, Dama Misteriosa. Espero que volvamos a vernos. Y no tema —añadió significativamente—. Su secreto está a salvo conmigo. —Ya se disponía a marcharse, pero se detuvo como si acabara de ocurrírsele algo—. Mira, Josh, tu pequeño engaño ha sido todo un éxito, pero podría parecer extraño que un hombre no bailara por lo menos una vez con su propia esposa. Buenas noches.

Le vieron alejarse por entre los invitados y cruzar finalmente la puerta principal. Samantha abrió y cerró el abanico, intensamente consciente del silencioso hombre que tenía al lado. Él la sorprendió diciéndole:

—¿Bailamos?

Samantha hubiera querido negarse, Mark Rawlins casi le había obligado con su comentario.

—Sí, me encantaría.

Mientras se dirigían a la pista, Samantha se percató nuevamente de la cojera.

—¿Se ha lastimado, doctor Masefield?

—No es nada.

Él extendió el brazo casi por completo, manteniéndose a una buena distancia y apoyando suavemente la otra mano en la cintura de Samantha. Cuando la orquesta empezó a tocar, se perdieron entre las demás parejas, pero no fue en absoluto como bailar con Mark Rawlins, porque Joshua se movía mecánicamente, como si estuviera ejecutando una tarea molesta, y no miraba a Samantha sino que mantenía los ojos fijos por encima de su cabeza.

—Estaba preocupada por usted, doctor Masefield —dijo ella cautelosamente al cabo de varios minutos—. Ha tardado mucho.

—Pero no ha estado sola en mi ausencia.

Samantha se preguntó si la profusa iluminación del techo tendría algo que ver con ello, pero lo cierto era que la tez de Joshua tenía un color muy extraño.

—El doctor Rawlins dijo que eran ustedes muy amigos. Creí que tendrían más cosas que contarse.

Joshua no contestó. Con la mirada fija en la lejanía parecía tratar de concentrarse. Un fino velo de sudor le cubría la frente.

—El doctor Rawlins parece un hombre simpático.

Al final, Joshua la miró.

—¿Le volverá usted a ver?

—¿Para qué?

—Sería perfecto para usted. Mark está muy acreditado, gana mucho dinero, tiene muchos clientes, carece de vicios, es un hombre honrado y se ha enamorado de usted.

Samantha le miró. El vals alcanzó un crescendo. Mientras daban una vuelta, Joshua la atrajo hacia sí.

—¡Estoy segura de que en lo último se equivoca! —dijo ella casi sin resuello.

—Conozco a Mark hace tiempo y nunca le había visto mirar a una mujer como la miraba a usted. No es una idea absurda, Samantha. El hombre con quien usted se case influirá muchísimo en el éxito de su carrera. Yo creo que Mark la respaldaría mucho.

—No deseo pensar en el matrimonio en estos momentos...

Él perdió el compás y pareció como si estuviera a punto de caerse.

—Doctor Masefield, ¿se encuentra usted bien?

Joshua hundió un poco los hombros y se apoyó brevemente en Samantha.

—Si pudiéramos sentarnos un momento...

Se apartaron de las demás parejas y se dirigieron hacia unas sillas vacías. La cojera resultaba ahora más visible y él se estaba enjugando el rostro con el pañuelo.

—¿Quiere que le traiga algo, doctor Masefield?

Él agitó una mano.

—No me he encontrado muy bien en todo el día. Debe de ser el principio de un resfriado invernal. Creo que será mejor que nos vayamos en cuanto recupere un poco las fuerzas...

Diez minutos más tarde, ella le ayudaba a bajar los resbaladizos peldaños. El lacayo, en la creencia de que el médico se había excedido con el champán, rodeó a Joshua con su brazo y le ayudó a subir al coche. Samantha le siguió y cubrió rápidamente las rodillas del doctor Masefield con la manta. El rostro de Joshua estaba aterradoramente pálido.

Durante el largo camino de regreso, mientras el caballo avanzaba sobre los helados adoquines sorteando los montones de nieve acumulada por el viento, Joshua se estremeció y sudó bajo la manta. Pero rechazó la ayuda de Samantha mientras subían la escalinata, afirmando que el aire fresco le había reanimado e insistiendo en que ella se fuera a la cama. Después, el doctor Masefield se dirigió a toda prisa a su estudio y cerró la puerta.

Mientras Samantha subía la escalera, desabrochando el cierre de la capa de chinchilla, llegó a la conclusión de que, en conjunto, la velada había sido un éxito. Aunque estaba un poco triste porque todo había terminado, sonrió al pensar en las maravillosas sensaciones que había vivido e incluso reconoció, al llegar al primer rellano, que sería agradable ver de nuevo a Mark Rawlins.

Había luz bajo la puerta de Estelle. Samantha supuso que Estelle estaba aguardándola para que le contara noticias y chismes y para ver el vestido; pero, cuando llamó suavemente con los nudillos y entró, se encontró a la señora Wiggen inclinada sobre la cama.

—¿Qué ocurre? —dijo, acercándose a toda prisa.

Estelle parpadeó y abrió los ojos.

—Ah, Samantha querida... —murmuró—. Parece que no puedo respirar. Oh, el vestido es precioso, has elegido muy bien el color, da a tus ojos un tono azul cielo.

El color lo ha elegido Joshua, no yo, pensó Samantha mientras dejaba la capa a los pies de la cama y se sentaba para tomar las frías manos de Estelle entre las suyas.

—¿Qué tal ha ido el baile? Cuéntame...

Procurando mostrarse alegre, Samantha citó apellidos, describió atuendos, refirió el divertido incidente del presidente Grant y se esforzó en introducir el baile de la señora Astor en aquel patético dormitorio. Pero, cuanto más hablaba y conforme las palabras surgían atropelladas de sus labios, más se intensificaba el dolor de su corazón. Omitió la desaparición de Joshua, su descortesía con un viejo amigo, la forma en que la había mirado, la prematura partida y muchas otras cosas...

Estelle cerró los ojos y sonrió con expresión soñadora, recordando sus tiempos de anfitriona en Filadelfia.

—¿Y Joshua se ha divertido? ¿Has bailado mucho con él, Samantha? A Joshua le gusta tanto bailar...

Samantha apartó el rostro, temiendo que Estelle viera sus lágrimas.

—He tenido que arrancarle del baile. Yo estaba cansada y no me tenía en pie, pero él hubiera seguido toda la noche...

¡Mentiras y engaños!

—Así es Joshua. Siempre ha sido el hombre más popular de las fiestas y las damas siempre se arremolinan a su alrededor, en la esperanza de que las saque a bailar. Ya le estoy viendo en el baile de la señora Astor, convertido en el centro de atracción. Gracias, Samantha, por haberle permitido disfrutar nuevamente de todo eso...

Samantha abandonó a toda prisa la estancia, subió a trompicones la escalera y, entrando en su habitación, cayó de rodillas junto a la cama.

Por primera vez en su vida, le resultó difícil rezar; las pocas palabras deshilvanadas que consiguió invocar no le producían el menor alivio. Recitó las trilladas frases de su infancia, rezando como su padre le había enseñado, mientras sentía como una especie de estremecimiento en el alma. Se imaginó a Dios con el aspecto de su padre —remoto y vengativo—, enfundado en los negros ropajes de un predicador y sosteniendo una Biblia en una mano. Se le representó diciéndole desde las alturas: ¿Por quién rezas, Samantha Hargrave, por esa pobre mujer de abajo o por ti?

¡Por Estelle!, gritó su alma dominada por el remordimiento.

Extendió los brazos y comprimió el rostro contra la colcha, ahogando sus sollozos. ¡Estoy rezando por Estelle! ¡Deseo *de veras* que se recupere!

Pero el ceñudo rostro de Samuel/Dios mostraba una expresión de condena y Samantha notó que se le petrificaba el espíritu. Era inútil. Por mucho que rezara y por muy a menudo que repitiera su deseo de que Estelle pudiera vivir, él oía la terrible verdad que murmuraba su corazón y la condenaba severamente: No puedes borrar tu pecado rezando por esta pobre mujer. Solo hay un medio de limpiar el pecado de adulterio que has cometido en tu corazón...

Se oyó un estruendo procedente del piso bajo.

Samantha levantó la cabeza y prestó atención. Alguien se agitaba en las habitaciones de la planta.

Tomó de la mesilla de noche la lámpara que había encendido la señora Wiggen y salió silenciosamente al pasillo. No viendo luz bajo la puerta de la criada, Samantha descendió y se detuvo en el rellano. Ambos dormitorios se encontraban a oscuras y en silencio; los Masefield estaban durmiendo. Se apoyó en la barandilla y advirtió que en la planta baja se filtraba luz bajo la puerta del consultorio. Conteniendo la respiración, Samantha continuó el descenso y se detuvo al pie de la escalera, escuchando. Alguien estaba revolviendo en el armario de los medicamentos, volcando frascos y tarros.

Consideró la situación. Debía de ser un paciente que, necesitando con desespero algún medicamento, no podía pagarlo. Tenía noticia de que les había ocurrido a otros médicos: pacientes que entraban a robar; pero a Joshua raras veces le ocurría, pues todos sabían que, si alguien no podía pagar, él entregaba gratuitamente el remedio. Quienquiera que fuera, Samantha estaba segura de que podría hacerle entrar en razón.

Hizo girar lentamente el tirador y, con sigilo, empujó la puerta.

Se le cortó el aliento.

Joshua Masefield, de pie en el centro del estropicio que había organizado, se volvió en redondo y le preguntó, con los dientes apretados:

—*¿Dónde está, señorita Hargrave?*

Samantha se había quedado muda de asombro. Joshua había revuelto sin el menor cuidado los armarios de las medicinas atropellándolo todo. Un frasco de quinina se había hecho añicos a sus pies.

—¡La morfina! ¿Dónde está? —Joshua sostenía en una mano una aguja hipodérmica; llevaba la manga del otro brazo arremangada—. Esta mañana había aquí un frasco de Magendie's. ¿Dónde está?

—El chico de los Evans —contestó Samantha apresuradamente—. Esta tarde. Se hizo un corte en la cabeza jugando al jockey. He tenido que suturárselo. Ocurrió en su ausencia. Le administré una inyección...

—¿*Toda*?

—La aguja le daba miedo. Me golpeó la mano y se me cayó la jeringuilla. Después tiró el frasco y se derramó el contenido.

—¿Quiere decir que no queda *nada*?

—Yo... no le entiendo, doctor Masefield.

—¡Maldita sea, mujer! ¿Quiere decir que ha terminado la morfina y no me ha dicho nada?

—No pensé que fuera nec...

—¡Mañana es Navidad! —gritó él, adelantándose un paso—. ¿Cómo voy a reponerla?

Samantha observó que tenía las pupilas anormalmente dilatadas, le lagrimeaban los ojos y sudaba copiosamente. Pensando con rapidez, posó la lámpara y cerró la puerta.

—Si le duele algo, doctor Masefield, tenemos comprimidos.

Él se apartó y regresó renqueando al armario.

—¿Se ha lastimado la pierna, doctor?

—Necesito el inyectable —farfulló él, rebuscando entre los frascos del estante.

Cuando Joshua golpeó accidentalmente el frasco de solución de ácido fénico, Samantha se acercó a toda prisa, pero ya era demasiado tarde: el frasco, estrellándose en el suelo, le salpicó el vestido de noche y llenó súbitamente la atmósfera de su acre olor intoxicante.

—¿Qué ocurre, doctor Masefield? ¿Cómo se ha lastimado?

—¡Maldita sea, mujer! ¿Hace falta que hable claro? ¿No ha aprendido nada en este último año y medio? ¡No me he *lastimado*, soy un morfinómano!

A Samantha se le aflojó la mandíbula. Joshua la estaba mirando como un loco, con el cabello despeinado y los ojos más negros que nunca, debido a la dilatación de las pupilas. Jadeaba como si hubiera corrido y la camisa estaba pegada a su cuerpo en distintos puntos.

Se miraron largo rato y después, percibiendo en la nariz el cosquilleo del ácido fénico, Samantha se acercó a él y se detuvo frente al armario. Tuvo que entrelazar fuertemente las manos para evitar que le temblaran y después dijo con voz trémula:

—Aquí tiene que haber algo que pueda usted tomar de momento, doctor Masefield. Mañana iré a DeWinter...

—No será suficiente —dijo él a su espalda, en tono extrañamente sereno—. Tomo tres gramos al día.

Samantha vio el armario nadando a través de un muro de lágrimas. De repente, todo estaba brutalmente claro: la verdadera razón de que hubiera abandonado Filadelfia, la verdadera razón de su vida retirada, la *verdadera* tragedia de aquella casa... Extendió la mano y sus dedos rodearon ciegamente un frasco.

—La morfina es un derivado del opio, ¿no es cierto?

—El láudano no me servirá de nada. Necesito tres gramos por vía intravenosa.

Procurando conservar la calma, Samantha se volvió muy despacio y le ofreció el frasco.

—Por lo menos, aliviará los peores síntomas. Mañana por la mañana acudiré al señor DeWinter. Si no está en casa, me iré al domicilio del doctor Newman. Aun en Navidad, hay que atender los casos urgentes.

Él la miró con ojos llenos de tristeza y vergüenza, y después tomó dócilmente el frasco y se retiró.

El doctor Masefield se dirigió a su estudio y cerró cuidadosamente la puerta. Sin preocuparse de los estragos que estaba provocando en su elegante vestido de raso, Samantha se arrodilló y empezó a limpiar pacientemente el suelo del consultorio.

Diez minutos más tarde estaba en la puerta del estudio, observándole. Joshua, sentado en el sillón, contemplaba fijamente la chimenea apagada; tenía en una mano el frasco vacío. Por fin, sin levantar los ojos, dijo:

—Lamento los destrozos —su voz sonaba apagada, como si se le hubiera escapado toda la vida—. Y las cosas que le he dicho. No puede imaginarse el pánico que sentí cuando... Dios mío —agregó con un gruñido—, qué pánico tan espantoso...

Samantha entró en el estudio y tomó un escabel. Sentada a su lado, con los codos apoyados en el brazo de su sillón, le preguntó suavemente:

—¿Se encuentra mejor?

—Me ha aliviado un poco —contestó él, asintiendo con la cabeza—. La crisis... ha pasado. Pero mañana por la mañana...

—No se preocupe, doctor Masefield, yo iré a primera hora a DeWinter.

—No puedo pedirle que lo haga.

—Usted no estará en condiciones de hacerlo. Me servirá de aprendizaje frente a las situaciones de emergencia.

Él consiguió mirarla por último. Sus pupilas habían recuperado el tamaño normal, la piel estaba seca, pero su color era todavía ceniciento.

—Cuánto debe despreciarme ahora.

—Me ofende usted, doctor Masefield, considerándome capaz de juzgarle así. Si no confía en usted, confíe por lo menos en la lealtad que yo le profeso.

Las palabras de Samantha parecieron causarle dolor, pues hizo una mueca y apartó la cabeza.

—Admirablemente dicho —contestó él en tono muy seco—. Me considera un simple problema médico; francamente admirable. Pero yo soy un desdichado, señorita Hargrave, y, tanto si usted quiere reconocerlo como si no, no hay hombre más despreciable que el esclavo de los estupefacientes.

Samantha extendió la mano y le rozó la manga.

—¿Cómo ocurrió? —le preguntó suavemente.

Joshua contempló ausente la chimenea, tan oscura como una cueva. Y después habló en tono apagado y distante.

—Ocurrió hace casi veinte años, en la primera batalla de Bull Run. Cuando estalló la Guerra de Secesión, yo me enrolé en el ejército de la Unión, en calidad de cirujano de campaña. El conflicto se había iniciado hacía apenas dos meses y los que servíamos a las órdenes del general McDowell estábamos seguros de que derrotaríamos a los rebeldes y que el combate terminaría. Pero... la cosa se prolongó. Las tropas confederadas de Beauregard recibieron refuerzos de Jackson, el cual se ganó con toda justicia el apodo de «Muralla de Piedra» en aquella batalla, humillando a la Unión. Una bala confederada que me alcanzó en el muslo me destrozó el fémur —el doctor Masefield lanzó un suspiro entrecortado y apoyó una mano en la de Samantha—. Cinco hombres corpulentos tuvieron que sujetarme mientras el cirujano vertía vaporoso ácido nítrico sobre mi carne desgarrada. Por suerte, me desmayé antes de que me extrajera la bala, ya que entonces no se disponía de anestesia en el frente. Nunca sabré cómo conseguí sobrevivir. Las dos semanas siguientes fueron un puro infierno, y a menudo pedía la muerte. La fiebre y el dolor me convirtieron en un loco y, para aliviarme, me atiborraron de morfina. Nadie sabía por aquel entonces que los narcóticos producen hábito. Se administraba generosamente y muchos hombres salieron de la guerra con ese vicio. La «enfermedad del soldado» la llaman —hizo una pausa para pasarse la lengua por los labios—. Supongo que he de considerarme afortunado. Por una parte, lograron salvarme la pierna, y por otra, cuando el ejército se desplazó, me llevó con él. La batalla de Bull Run se produjo antes de que la Unión hubiera organizado hospitales de campaña con enfermeras. Los que estaban gravemente heridos y no podían andar fueron abandonados en el campo de batalla cuando nos retiramos; pero puesto que yo era médico, les resultaba muy valioso y me llevaron consigo. Me desplacé con las tropas, alternándose los períodos en que sufría intensos dolores con otros en que tenía los sentidos adormecidos. Por fin, me recuperé y conseguí ver la batalla de Gettysburg, que fue el momento crucial de la guerra, y me incorporé al ejército de Sherman en su marcha hacia el mar. Entretanto me había convertido en un morfinómano sin remedio. No tiene usted idea de la pesadilla que vivo diariamente —añadió, volviéndose finalmente para mirarla.

Samantha contempló la fuerte mano que asía la suya. No ignoraba lo que eran las drogas, tal como él parecía suponer. Había visto de qué modo el opio y la morfina esclavizaban a sus inocentes consumidores; dos profesoras de la Playell's eran consumidoras de opio, puesto que ambas tomaban el Tónico Nervioso del doctor Richter. La cosa empezaba siempre de la misma manera: una mujer acudía a la farmacia para aliviar los calambres menstruales. Se adquirían preparados en bonitas botellas que garantizaban alivio o la «devolución del dinero». El alivio siempre se producía porque los preparados contenían fuertes dosis de narcóticos, aunque eso no se mencionaba jamás en los frascos. Unas cuantas cucharaditas al día y la consumidora se sentía mucho mejor. Pero después llegaba el día inevitable en que trataba de dejarlo y descubría, para su asombro, que no podía. Samantha, tendida en su cama de la Playell's, había oído por las noches los gritos de la profesora que se había quedado inadvertidamente sin suministros. Los sudores, los violentos temblores, los vómitos y los terribles dolores. Y después la desesperada visita a primera hora de la mañana al farmacéutico, la compra del frasco, la ávida ingestión del líquido en la intimidad del coche, la angustiosa conciencia de ser ahora una prisionera de aquella sustancia y la consiguiente humillación.

—¿No podría seguir un tratamiento? —preguntó Samantha en voz baja.

—¿Un tratamiento? —dijo él, emitiendo una risa breve y amarga—. ¿Para la enfermedad del soldado? No hay más tratamiento que la pura abstinencia y, créame, Samantha, lo he intentado —añadió, volviendo a mirarla y acercando el rostro a escasos centímetros del suyo—. Santo cielo, cómo lo he intentado y cuánto he rezado; me he apartado de la droga y he suplicado de nuevo la muerte —estaba hablando con voz entrecortada—. ¿Sabe usted lo que significa abandonar el hábito de la morfina, Samantha? La primera fase es casi soportable: irritabilidad, lagrimeo, bostezos. Pero después se pasa inmediatamente a una sublime forma de tortura. Se notan los nervios como en carne viva. Se experimentan unos espasmos musculares mucho más dolorosos que la extracción de una muela. Todos los poros rezuman sudor. Se experimentan unos insoportables calambres abdominales. Al mismo tiempo, la mente y el alma libran una batalla mortal porque, aunque la mente sabe que debe abstenerse de la droga, el alma la pide a gritos, como a gritos pediría comida un hombre que se estuviera muriendo de hambre. Es como si te estrujaran el cerebro con una prensa, pareces una naranja a la que se exprime el zumo, hasta que llega la fase final de la locura. Créame, Samantha, *he intentado dejarlo*.

Ella le miró fijamente, estrechando su mano.

—¿Es eso lo que ha intentado esta noche? ¿Dejarlo?

Él retiró bruscamente la mano y se levantó.

—Sí.

—Pero ¿por qué?

—Tenía mis motivos.

Samantha se quedó donde estaba, sentada en el escabel, mientras Joshua paseaba arriba y abajo delante de ella, ahora con paso firme.

—La última vez que intenté dejarlo fue hace dos años. Entonces fracasé, pero pensé que en cierto modo esta vez sería distinto porque... —se detuvo y la miró—. Usted ya habrá adivinado ahora por qué tuve que abandonar Filadelfia. Algunos de mis amigos se habían percatado de mi hábito. Si mis pacientes se hubieran enterado... —sacudió la cabeza—. No puede usted imaginar la tensión de tener que contenerme constantemente. Ejerzo tan poco dominio sobre mi cuerpo y mis emociones, que todos los minutos de mi vida son una batalla para mantener el equilibrio. Tuve que marchar para no venirme abajo. Estelle fue una excusa perfecta.

Joshua se volvió impulsivamente y cruzó la estancia.

Al ver que estaba llenando una copa de brandy, Samantha se levantó. Se acercó a él, tropezando con las faldas y las enaguas.

—¡No beba eso!

Él ingirió el contenido de la copa de un solo trago.

—¡Joshua! —exclamó ella—. ¡Con el opio no lo haga!

—¿Por qué no? —dijo él, esbozando una humilde sonrisa—. Mi cuerpo lo puede soportar.

—No sea tan duro con usted, Joshua. No es culpa suya.

Él la miró fugazmente y después apartó los ojos. Su voz adquirió de improviso un tono contrito.

—Yo... quiero disculparme por el episodio del vestido. Fui totalmente absurdo.

—No, no es cierto —dijo ella amablemente—. Debí comprender su deseo de que la gente viera lo bien que vestía su esposa. Yo solo pensé en el dinero...

—¡Maldita sea, Samantha! —gritó él, sobresaltándola—. ¡Yo no quería impresionar a la gente con la forma de vestir de mi esposa! ¡Quería que usted luciera su figura! Siempre viste como una ratita y parece como si se escondiera. Posee una bonita figura... —Joshua se alejó y volvió a tomar la botella—. Debe lucirla. Quería verla, por una vez, tal como debería usted ser vista —volvió a llenarse la copa—. Una rosa no se coloca en un tarro de hojalata, ¿verdad?

Samantha le miró asombrada.

Esa vez bebió despacio y, después de los primeros sorbos, dijo, como hablando para sus adentros:

—Hace un año y medio una orgullosa joven entró aquí para devolverme un par de guantes. Simulaba haberse ofendido por el regalo; pero el calor de sus mejillas...

Joshua se volvió y la miró con ojos turbios. Luego se adelantó y alargó la mano, para acariciarle la mejilla con las yemas de los dedos.

—Es Navidad, Samantha.

Ella cerró los ojos, en la certeza de que sus dedos le habían dejado una marca.

—Nunca le he dicho lo orgulloso que me siento de usted —recomenzó él con torpeza—. Debo reconocer que tenía mis dudas cuando empezó a trabajar conmigo. Parecía tan joven, tan desvalida. Pero ahora... mire cómo ha cambiado, cómo ha crecido, tan confiada, tan segura de lo que quiere. Lucerne ha hecho con usted un buen trabajo.

—No ha sido Lucerne —dijo ella suavemente—. Ha sido usted, Joshua. Le quiero.

—No debe decir eso —protestó con una mueca.

—Y sin embargo, es verdad.

Trémulo el cuerpo y crispadas sus hermosas facciones, forcejeó con la indecisión; después, como si le hubieran catapultado, la rodeó con sus brazos y la estrechó contra sí.

—Yo también te quiero —murmuró sobre su cabello—. Hace mucho tiempo que te quiero...

Samantha hubiera deseado reír y llorar al mismo tiempo; pero, en vez de eso, se quedó inmóvil en sus brazos, saboreando aquel momento. Era el abrazo con el que tanto tiempo había soñado y habiéndolo vivido incontables veces en sus fantasías, ahora tuvo que hacer un esfuerzo para convencerse de que era verdad. Samantha se aferraba a todas las sensaciones táctiles en un intento de conferir realidad al momento: el masculino olor de Joshua, la profunda resonancia de su voz junto a su oído, el calor que percibía a través de sus prendas de vestir, los rítmicos latidos de su corazón contra su pecho.

Un instante más tarde, su boca cubrió la suya y ella se sobresaltó de tal manera ante la súbita materialidad de todo ello, el desconocido sabor de sus labios y de su lengua y las sensaciones que durante tanto tiempo había tratado de imaginar sin conseguirlo por falta de experiencia, que contuvo la respiración hasta que la habitación empezó a dar vueltas a su alrededor. Estaba cayendo, precipitándose en un oscuro vacío, y no existía más que el tempestuoso beso de Joshua, el febril movimiento de su lengua y la sensación de cosquilleo en lo más profundo de su abdomen mientras la dureza masculina comprimía imperiosa su falda...

De repente, él se apartó.

—¡No, no puedo hacer esto! No tengo ningún derecho. No te arrastraré conmigo.

Se apartó de ella y la dejó súbitamente fría y abandonada.

Joshua buscó a tientas la pared, apoyó las palmas de las manos en ella, se mantuvo erguido, con los brazos extendidos y los codos inmóviles, e inclinó la cabeza, mirando al suelo.

—No tengo derecho. Este gozo no es para mí. Te quiero demasiado, Samantha, para arrastrarte a mis abismos.

Al apoyar las manos en sus anchos hombros en actitud de súplica, notó que sus tensos músculos habían adquirido la dureza del mármol.

—¡Joshua, Joshua, no me arrastras a los abismos sino a las alturas!

—Tú no lo entiendes —gimió él—. Mi querida, mi queridísima Samantha, tú no lo entiendes. —Haciendo un supremo esfuerzo, Joshua se apartó de la pared y se volvió, mirándola con ojos que ardían como un volcán—. Samantha, tú no eres una mujer corriente. Eres singular, mucho más de lo que tú te figuras. Naciste para un gran propósito, naciste para un destino superior. Hace tiempo que lo sé y mi única alegría en la vida ha sido saber que te estoy ayudando a alcanzar ese objetivo. Pero ahora todo ha cambiado. En mi debilidad, me he privado de esa recompensa.

—Joshua, no te entiendo —dijo ella, escudriñando rápidamente su rostro.

—Si sucumbimos esta noche, nos convertiremos en amantes. Y yo sé adónde conducirá ese camino, adónde debe conducir. A la obsesión. Al aborrecimiento de mí mismo. En estos momentos, Samantha, te consume el sueño de llegar a ser médico; pero si me convirtiera en tu amante, yo sustituiría ese sueño. Tu carrera ya no sería el centro de tu vida; lo sería yo.

—¿Y eso sería muy malo?

—Si tú fueras una mujer corriente, no. Pero no lo eres. En mi egoísta afán de satisfacer mi deseo, no tengo derecho a privarte del verdadero propósito de tu vida.

—Puedo continuar mis estudios y amarte al mismo tiempo.

—¿De veras? —la boca de Joshua se torció en una mueca—. Sé la energía que requiere el estudio de la medicina, la dedicación que hace falta y lo clara que tiene que estar la mente. ¿Cómo podrá estar libre tu mente cuando te sientes junto al lecho de enferma de mi esposa de día y vengas después a mis brazos por las noches? ¿Podrás alejar de ti el sentimiento de culpa y el recuerdo de mi persona hasta que solo quede lugar para los estudios? Y una vez obtenido el título, ¿podrás continuar tu preparación y seguir la meritoria carrera que te aguarda con el estorbo de un morfinómano? Antes de que aparecieras en mi vida, mi existencia era un largo camino de desesperación al término del cual me esperaba la aguja definitiva que acabaría con mi desdicha. Pero entonces viniste tú y, a través de ti, renacieron mis esperanzas. Aunque yo no tuviera posibilidad de salvarme, por lo menos tendría la satisfacción de verte convertida en alguien, de verte crecer y transformarte en una mujer que va a dejar una huella indeleble en el mundo. Mi alegría consistía en saber que estaba contribuyendo a tu triunfo. Pero ahora, si seguimos con esta locura, todo se perderá..., tú seguirás mi desgraciado camino y yo tendré que soportar la angustia de haberte alejado de tu senda. Oh, Samantha...

Las lágrimas asomaron a sus ojos mientras un sollozo se escapaba de su garganta.

Ella se deslizó entre sus brazos tan fácil y automáticamente como si lo hubiera hechos miles de veces.

—Te quiero, Joshua.

—Si de veras me quisieras, abandonarías esta casa y no regresarías jamás.

Pero, mientras hablaba, la estrechó con más fuerza, su cuerpo se apretó contra el suyo y sus labios le rozaron el cabello, se deslizaron por su mejilla y, por último, encontraron su boca.

Todo lo que había dicho se desvaneció, todo el sentimiento de culpa, el remordimiento y los presagios de un desastroso porvenir se disiparon ante la oleada de pasión súbitamente desatada y no reprimida ya; dos hambres se estaban alimentando la una de la otra, olvidando en un instante toda la prudencia de las palabras anteriores y la locura de lo que estaban a punto de hacer. Olvidándolo todo menos su mutua desesperación, cayeron sobre la alfombra; en lo más profundo de su mente, Samantha se asombró de su frenesí, pero no fue consciente de haber hecho semejante observación. Su alma y su cuerpo solo eran conscientes de Joshua, de su deseo de borrar su soledad y de sustituirla por su ardiente amor, en un afán de hacerle suyo para siempre y de ser a su vez suya a perpetuidad.

En todos sus sueños y fantasías jamás había imaginado que pudiera experimentar aquel dolor y aquel éxtasis, la sensación de una copa que nunca se pudiera llenar, el anhelo, el sufrimiento, el grito ahogado en su garganta, la delirante sensación de tenerle dentro, el peso de su cuerpo ahogándola, la visión a través de los párpados entreabiertos de su rostro extático y, finalmente, la inesperada explosión que desgarró y derritió simultáneamente su cuerpo. Y después las dulces caricias el uno en brazos del otro, sin prestar atención al polvoriento olor de la alfombra ni a la sensación del áspero tejido contra su espalda desnuda, con la cabeza de Joshua descansando sobre su pecho al descubierto, la deliciosa satisfacción, la abrumadora sensación de paz.

Tras haberse recuperado un poco, subieron a la habitación de Samantha, donde nadie pudiera oírles, y pasaron allí las últimas horas que faltaban para el frío amanecer navideño, viviendo solo el uno para el otro, explorando, experimentando, satisfaciendo, todo bajo el velo protector de la noche. Cuando los primeros atisbos de azulada luz penetraron por entre las cortinas y Samantha se adormeció con el cabello derramado sobre la almohada blanca como la nieve, Joshua se levantó y abandonó silenciosamente la estancia. Y más tarde, mientras bebía el chocolate que la señora Wiggen le había traído, sintiéndose inmensamente satisfecha de sí misma, Samantha encontró la nota.

«Cuando leas esta nota, queridísima Samantha, yo andaré por las calles buscando morfina; a mi regreso solo me interesará la inyección... y nada más. Estelle está muy mal esta mañana; el frío ha provocado más adherencias pleurales; mientras tú y yo nos entregábamos a nuestros egoístas deseos, mi esposa yacía sola en la cama, sufriendo. Lo hecho, hecho está, queridísima Samantha, pero jamás podremos repetirlo. Si de veras me amas y si aprecias el destino que te aguarda, te irás hoy mismo de esta casa. Concédeme, en mi desdicha, ese último retazo de dignidad.»

18

Estaba paseando sola por las calles de Lucerne; subiendo a montones de nieve tan altos que podía extender los brazos y tocar los hilos del telégrafo; caminando atenta al crujido de sus botas en la nieve, único rumor que turbaba aquel prístino silencio de enero. Anduvo varios kilómetros, con el rostro quemado por el frío mientras la gélida falda mojada se le pegaba a las piernas y las puntas de los dedos se le entumecían incluso en el interior del manguito de piel de nutria. De vez en cuando penetraba en su conciencia el distante sonido de las campanillas de un trineo, pero Samantha procuraba evitar los caminos donde habían retirado la nieve y las zonas del lago en que se deslizaban y evolucionaban los patinadores. Sus pasos la llevaron a las solitarias afueras de Lucerne, donde no corría el riesgo de encontrar a nadie, donde no se vería obligada a saludar, sonreír o tan siquiera mirar a la gente. Necesitaba estar sola.

En la cálida casa, Hannah apartaba de vez en cuando las cortinas y miraba a la calle en la esperanza de ver su silueta envuelta en una capa oscura, destacada sobre el blanco paisaje, y después sacudía la cabeza, dejaba caer la cortina y regresaba a la cocina o la costura, desconcertada, pero convencida a su sencilla manera de que, fuera lo que fuese, lo que turbaba a la chica, lo que le hubiera ocurrido en Navidad, se desvanecería con el tiempo como sucede con todas las cosas buenas y malas, y ella volvería a ser la misma de siempre.

El hecho de que Samantha jamás volvería a ser «la misma de siempre» no cruzaba tan siquiera por la imaginación de Hannah; ella que nunca experimentaba la necesidad de penetrar en los recovecos y entresijos de la mente, creía con firmeza que el único cambio real que se podía producir en una persona era la muerte. Al fin y al cabo, ¿acaso no era ella la misma chica amante de la vida que había crecido hacía años a orillas del Shannon? Hannah creía no haber cambiado; pero si se hubiera detenido alguna vez a analizarse por dentro, como ahora estaba haciendo Samantha en medio de la nieve, hubiera descubierto algunas sorprendentes y probablemente desalentadoras verdades acerca de sí misma. Por eso Hannah Mallone no se molestaba en hacer introspecciones y dejaba semejante tarea a los sacerdotes y a los filósofos; ella sabía quién era, qué quería y adónde iba, y no consideraba necesario andar enredando las cosas. Tal como Samantha estaba haciendo en esos momentos. En fin, si eso es lo que necesita la chica, que lo haga. A su debido tiempo recapacitará y lo olvidará todo.

A su regreso Samantha no había sentido la necesidad de darle una explicación a Hannah. Se presentó inesperadamente en su puerta dos días después de la Navidad, con el rostro atormentado y exangüe, y se sumergió en el envolvente calor y en la protección hogareña del pequeño y cómodo mundo de Hannah. Tras unas pocas palabras, se entregó a la rutina de una vida superficial, comiendo sin saborear, durmiendo sin descansar y saliendo por las mañanas, envuelta en su capa, en busca de algo que no lograba identificar.

Samantha tenía la vaga sensación de haber llegado al término de una fase de su vida, de que algo —aún no sabía qué— se había cerrado para siempre; salía de la casa en medio del aire glacial, echaba un vistazo a la sábana de nieve que cubría el mundo y pensaba: Mi futuro empieza hoy.

Le parecía extraño porque, en general, uno solo podía ver las fases de su propia vida en forma retrospectiva y mediando el tiempo y la distancia suficientes para poder contemplarlas con objetividad. Una mujer de cuarenta años, como Hannah, podía mirar hacia atrás y decir: «Ese fue el día en que mi vida cambió», pero ella solo podía ver las cosas desde la perspectiva de sus veinte años. ¿Sería posible que una muchacha de esa edad alcanzase a ver la línea divisoria en el momento de atravesarla? ¿Sobre todo teniendo en cuenta que no sabía de *dónde* se estaba alejando?

Samantha se detuvo junto a la orilla del lago y dejó que el viento le apartara la capucha de la cabeza. Frente a ella, como un espejo colocado boca abajo, se extendía el lago helado, su lechosa superficie más oscura en los puntos donde la capa de hielo era peligrosamente delgada. Permaneció de pie, luchando con sus pensamientos hasta que su piel gritó de dolor, recordándole que, incluso en medio de su combate espiritual, tenía que prestar atención a la carne. Estaba escudriñando aquella vasta superficie blanca en busca de algo. ¿Qué sería lo que andaba buscando y que se zafaba de ella en forma tan crispadora? Sabía que había llegado a un final, pero, ¿qué era? A veces, cuando se tropezaba con una blanca liebre que, sobresaltada, se quedaba inmóvil moviendo los bigotes, Samantha creía estar a punto de encontrar lo que andaba buscando. Pero entonces el animal escapaba velozmente y el pensamiento, como una pluma que los dedos no lograran alcanzar, huía volando.

A su debido tiempo Samantha lo averiguaría, pero ello no ocurriría hasta que los años y la distancia le permitieran mirar hacia atrás y decir: «Sí, ese día mi vida cambió. Fue el día en que terminó mi inocencia».

El invierno fue sustituido por una primavera de lluvias y de barro, y después por una primavera renacida que trajo de nuevo al zorzal y al urogallo y llenó los prados de zanahorias silvestres y peines de Venus. A finales de mayo, Sean Mallone regresó a casa y Hannah experimentó una transformación prodigiosa. Empezó a agitarse con juvenil energía y volvió a ser la chica del Shannon que ella imaginaba ser. Sus ojos color ámbar brillaban como las ventanas de la mansión de los Astor y sus mejillas tenían el arrebol de los melocotones y de las rosas; se preocupaba por su cabello, hizo acopio de whisky y de los alimentos que más le gustaban a Sean, y llenó la casa de ramilletes de capullos de fresa y margaritas amarillas.

Alegrándose por su amiga, Samantha se retiró discretamente. El regreso de Sean no introdujo ningún cambio en su vida: para poder sobrevivir, Samantha seguía acudiendo a sus clases, estudiaba hasta muy tarde por las noches y dedicaba los fines de semana a dar solitarios paseos y a veces a recoger bayas silvestres para ayudar a Hannah a elaborar mermeladas y jaleas. La rutina le permitía seguir adelante.

Descubrió el calvero durante la última semana de clases.

Los estudiantes de medicina se habían desmandado, rebasando todos los límites tolerables, y los habitantes de Lucerne, tal como hacían cada año por aquella época, murmuraban entre sí: ya sabían ellos que jamás debió permitirse la construcción de la Facultad. Cuatro estudiantes llegaron demasiado lejos: una noche de borrachera, sacaron a la calle un cadáver, le cosieron torpemente los brazos y las piernas, abiertos durante la autopsia, y lo sentaron en la estatua ecuestre de la plaza principal, asido a la cintura del olvidado general; después, ocultos entre risas detrás de unos arbustos, esperaron a que amaneciera, para ver la reacción de la gente. Pero les venció el sueño y así les encontraron: plácidamente dormidos en el césped. Fueron expulsados aquel mismo día.

Para mantenerse alejada de sus turbulentos compañeros, Samantha celebró el fin de curso dando largos paseos por la campiña. Encontró el claro por casualidad, mientras paseaba profundamente inmersa en sus pensamientos. Deteniéndose en el centro del calvero, empezó a dar vueltas lentamente. Parecía una pequeña habitación: los altos álamos y los abedules eran las paredes; las ramas de los árboles se juntaban en lo alto formando un techo a través del cual se podían ver retazos de azul; el suelo era la tierra reseca alfombrada de hojas; un viejo tronco, derribado hacía tiempo por un rayo, hacía las veces de banco. Samantha se sentó en él, preguntándose si alguien visitaría alguna vez aquel paraje; no parecía que fuese así, pues las moras colgaban abundantemente de las enredadas zarzas sin que las tocaran ni siquiera los pájaros, y algunas yacían podridas en el suelo.

Samantha, para quien el más sagrado de los misterios —el cuerpo humano— ya no constituía un misterio, necesitaba un poco de misticismo en su vida y empezó a imaginar que aquel calvero estaba encantado. Habiendo encontrado una punta de flecha india, se preguntó si en otros tiempos, cuando se encontraban en estado puro y salvaje, los indios habrían utilizado el claro como lugar de culto. Ellos adoraban espíritus muy prácticos, dioses que vivían en el maíz y en los árboles y el agua, dioses que se podían tocar y saborear y con quienes cabía establecer *comunicación*, no como el Dios remoto y sin rostro de Samuel Hargrave; con sus intensos aromas de tierra arcillosa y hojas secas y con el acre olor de las moras en descomposición, el calvero era algo así como un templo de los sentidos y el aire que allí se respiraba constituía un embriagador vino sacramental que le hacía sentir la presencia de los antiguos dioses. Por lo menos, era un lugar muy tranquilo para la meditación, y Samantha, que acababa de cumplir veinte años, cayó víctima de su lánguido hechizo estival: imaginó que el claro había estado esperándola a ella...

Era un lugar perfecto para clasificar las cosas, para desenredar el embrollo en que se había convertido su vida desde las Navidades. Acudía allí con un cesto con jamón y panecillos y un frasco de té al limón, vestida con un traje de algodón y luciendo un sombrerillo almidonado, y se abandonaba al hechizo. A menudo, tras haber almorzado en casa a base de conejo o pollo asado con patatas y salsa y pastel de manzana, Samantha observaba que en los ojos de Sean aparecía una mirada perezosa y que su mano se extendía para tocar con ademán soñador el brazo de Hannah, y entonces se inventaba una excusa para salir —necesitaba hilo o bien un bote de talco—, y dirigiéndose primero hacia el lago, para cerciorarse de que seguía en su sitio, tomaba luego el camino que conducía al claro, donde se encerraba en la tranquilidad de aquel santuario; con frecuencia el mero hecho de penetrar bajo sus frondosas ramas le producía un alivio inmediato. (Samantha había intentado una vez asistir a los servicios religiosos de la iglesia presbiteriana de Lucerne, pero había salido como si acabara de abandonar un gran festín y todavía se sintiera hambrienta. Puesto que no había ninguna iglesia católica, Hannah rezaba el rosario todos los domingos por la mañana y Samantha, para complacer a su amiga, aprendió también a rezarlo, pero eso tampoco le producía satisfacción alguna. El calvero colmaba una necesidad esencial.)

A Samantha no le importaba ser excluida de las relaciones de Sean y Hannah: su necesidad de estar sola era tan grande como la que experimentaban ellos de estar juntos, y a veces imaginaba dulcemente lo que debían estar haciendo en aquellos momentos, experimentando una pequeña satisfacción indirecta al pensar en aquellas relaciones amorosas vespertinas, alegrándose por ellos puesto que también ella había conocido un poco aquella dicha y procurando después centrar sus pensamientos en otra cosa, para respetar la intimidad de sus amigos.

Al principio pensaba casi siempre en Joshua. Pero, a cada día que pasaba, se sentía un poco más curada y un poco más libre de él. ¿Había sido verdadero amor? Ya no estaba segura. No podía compararlo con ninguna vivencia anterior. En otros tiempos Samantha creía haber amado a Freedy, pero aquella emoción resultaba ahora antigua y borrosa, estaba demasiado desenfocada para que pudiera recordarla con exactitud, era como un ferrotipo en el que alguien se ha movido. Quizá hubiera distintas clases de amor. Por Joshua había sentido algo más cercano a la idolatría; había sido amor, pero no la clase de amor que conduce naturalmente al encuentro sexual. En esto último era en lo que más pensaba Samantha porque, curiosamente, tras el acto sexual, su amor por Joshua había cambiado.

A medida que los días estivales se sucedían, sin que ninguno fuera más extraordinario que los demás, Samantha tuvo una revelación en el claro del bosque: Joshua era un símbolo. Era como la flor que se aplasta entre las páginas de un libro; no se ama la flor, sino lo que esta representa: un momento querido. Joshua era el símbolo de algo, representaba el paso de la adolescencia a la edad adulta, y Samantha le apreciaba por eso: porque jamás volvería a pasar por aquel camino. La primera vez solo se puede experimentar en una ocasión; y ella se alegraba de que hubiera sido con Joshua.

Con la ayuda del calvijar y de sus antiguos espíritus, Samantha pudo finalmente situar a Joshua en un pequeño rincón de su corazón, donde permanecería siempre y donde ella le visitaría ocasionalmente. Con la llegada del otoño y el comienzo del nuevo curso, consiguió aceptar el hecho de que jamás volvería a verle ni volvería a saber de él.

Una vez resuelto el asunto de Joshua, Samantha pudo imprimir un giro de ciento ochenta grados a sus pensamientos, olvidando el pasado para mirar hacia el futuro. Tuvo, además, otra revelación que, al principio, le pareció extraña, pero que después, cuanto más la analizaba, tanto más agradable le resultaba hasta que terminó por considerarla un axioma: había nacido para estudiar medicina. Retrocediendo en el tiempo, vio los momentos que más destacaban en su vida, empezando por la curación del gato herido y pasando por los cuidados que había prestado a Freedy y a su padre tras sufrir este las quemaduras, hasta llegar finalmente a la señora Steptoe; eran los instantes en que había sido ella misma con más plenitud, los que estaban más en consonancia con su naturaleza. Lo habían visto el señor Hawksbill, la doctora Blackwell y también Joshua, y ahora lo veía la propia Samantha. Y tras haberlo visto y aceptado y haber comprendido que estaba bien, Samantha llegó a la conclusión, allá en su pequeño claro del bosque, de que el curso de su vida ya estaba trazado y de que, con independencia de lo que pudiera ocurrir, jamás volvería a desviarse de él.

En agosto recibió la gozosa noticia de que Louisa y Luther se iban a trasladar a Cincinnati para casarse y, echando mano de sus pequeños ahorros, cada vez más menguados, les envió un regalo consistente en un juego de té, adquirido en la tienda de Kendall. El otoño llegó rápidamente a Lucerne y envolvió la ciudad y la campiña en su manto de rojos, dorados y pardos, e inmediatamente se inició un nuevo y bullicioso año escolar. En el segundo curso, el trabajo se intensificaba —ahí solían abandonar los estudios muchos alumnos— y Samantha, libre de preocupaciones e inquietudes, tal como Joshua deseaba, se entregó por entero al trabajo y a la búsqueda de su propio destino.

Sean regresó a las montañas en octubre, dejando la casa extrañamente vacía y desolada, y al empezar las lluvias de noviembre, Hannah volvió a centrar su atención en Samantha. Aunque ella no quisiera reconocerlo, la chica había cambiado en cierto modo.

A Hannah no le gustaba analizar a la gente, su sencilla mentalidad se sentía incómoda con las conjeturas y las cuestiones abstractas; pero aquella vez no pudo evitarlo: Sentada al amor de la lumbre con una tetera a su lado mientras la lluvia golpeaba los cristales detrás de los pesados cortinajes, Hannah dejaba de coser, contemplando la joven cabeza inclinada sobre un libro de medicina —abierto por la página de una ilustración indecente— y se preguntaba por qué, a diferencia de cualquier otra mujer creada por el buen Dios, Samantha Hargrave jamás hablaba de sus cosas.

Era natural, femeninamente natural, que dos mujeres que compartían una casa, sentadas al amor de la lumbre con una tetera al lado mientras la lluviosa noche se consumía en el tictac del reloj, se sintieran inducidas a compartir sus pequeñas intimidades, a confesar sus problemas femeninos, a buscar alivio en la comprensión de una hermana. Las mujeres nunca se cansaban de intercambiarse, como si fueran recetas culinarias, sus confidencias más personales. En noches como aquella siempre hacían aflorar a la superficie cosas que en otros momentos permanecían ocultas: remedios para los calambres menstruales, los curiosos sueños que se habían tenido últimamente, la deliciosa novela subida de tono que se guardaba bajo la almohada, la inquietante noticia del nuevo dependiente de la tienda Kendall...

Hannah estudió una puntada y decidió intervenir, en el firme convencimiento de que una buena confesión, como pudiera ocurrir con un purgante, traería consigo la recuperación de Samantha; le hablaría de una preocupación personal, de algún sueño o alguna observación, y aguardaría la tradicional reacción. Pero la reacción jamás se producía. Samantha daba una amable respuesta («Ya sé lo que quieres decir, Hannah: yo también tengo sueños más vivos durante la regla; no creo que sea motivo de preocupación») y después volvía a cerrar la puerta.

Aquello no estaba bien, sobre todo teniendo en cuenta lo que la chica estaba estudiando. Una ocupación de lo menos secreta que pueda haber, pensó Hannah, en la que se examinaban los más ocultos rincones del cuerpo humano. Nada escapaba al médico: ninguna grieta, orificio o mecanismo interior quedaba al margen de su inspección; él veía la desnudez de la gente y era probable que se le confesaran más intimidades que a un sacerdote, y Samantha estaba aprendiendo a ser precisamente una persona así, una persona ante la cual se revela todo lo que es humano... ¿cómo era posible que permaneciera tan cerrada?

En fin, pensó Hannah, quizá fuera esa la respuesta pura y simple. Tal vez cuando se te revelan con tanta claridad todas las cosas humanas y corporales, empiezas a experimentar el deseo de conservar un último baluarte de intimidad. Tal vez la naturaleza más profunda de una persona intuye que no es natural tener una visión tan clara de las cosas, y entonces uno se aferra a esa última reserva de intimidad y santidad. Bien mirado, pensó Hannah mientras reanudaba su costura, el mismo viejo doctor Shaughnessey era un tipo muy cerrado: lo sabía todo acerca de todos los habitantes del lugar, pero él constituía un enigma. ¿Serían así todos los médicos? Tal vez. Samantha Hargrave estaba siguiendo sin duda ese camino.

Hannah se revolvió en su asiento, lanzó un suspiro, volvió a mirar a su amiga, alegrándose de que esta ya hubiera pasado la página de aquella indecente ilustración, estudió su perfil de camafeo —largo y esbelto cuello, nariz y barbilla clásicas, espesas pestañas, finas cejas y aquella frente tan sorprendentemente despejada—, dedicó otro minuto a pensar en ella (bueno, ya sabemos lo que se dice de las aguas mansas) y se encogió de hombros, pensando que sus torpes intentos de análisis habían sido un fracaso.

Pero lo cierto era que Hannah había dado en el blanco.

19

—Jamás en mi vida me había sentido tan humillada —dijo Samantha mientras zurcía un agujero de sus medias—. Respiraré tranquila cuando termine los estudios y consiga el título. Entonces seré médico y no tendré que sufrir más indignidades.

Hannah miró de soslayo a su amiga, como diciendo: «No cuentes con ello, cariño». Pero guardó silencio. Hannah Mallone tenía otras cosas en que pensar en aquellos momentos.

Era una grisácea tarde de enero y el calor de la estufa de hierro colado parecía no poder competir con las árticas corrientes de aire que se filtraban al interior de la casa. Las manos de Samantha estaban heladas y su cólera no le ayudaba a manejar la aguja. Se sentía inquieta y agobiada; le hacía falta su pequeño claro del bosque, pero este se encontraba ahora enterrado bajo la nieve.

Hannah se encontraba de espaldas a ella, cortando daditos de zanahorias para el estofado de conejo que estaba preparando.

—¿Por qué te han obligado a sentarte detrás de un biombo, querida?

El recuerdo la enfureció de tal modo, que no podía ni hablar. El conferenciante forastero, el delicado tema de su disertación, su furor al descubrir a una *hembra* en la clase, su negativa a pronunciar la conferencia, la súplica del doctor Jones a Samantha, rogándole que se retirara «solo por una vez», su propia obstinación, la confrontación y el arreglo final de compromiso, por el cual el conferenciante pronunciaría su lección siempre y cuando la alumna no apareciera ante su vista y no le ofendiera con su presencia. Colocaron un biombo en un rincón y acomodaron a Samantha detrás, para que pudiera oírle disertar acerca de la sexualidad humana, sin provocarle al caballero un ataque de apoplejía. En determinado momento, cuando estaban hablando de la manera en que se tenía que llevar a cabo una exploración vaginal, Samantha había estornudado y el distinguido invitado se tuvo que sentar para recuperarse del sobresalto.

—Normalmente, los estudiantes se ríen y sueltan carcajadas y hacen comentarios atrevidos durante esa clase —le explicó el doctor Jones al finalizar la primera de las cinco lecciones—. Pero sabiendo que usted se encuentra en el aula, aunque esté escondida, procuran reprimirse.

Por primera vez, Samantha se enojó con sus compañeros; el doctor Miller había aconsejado a los jóvenes observar un comportamiento de total desinterés durante un examen vaginal, fijar la mirada en algún objeto de la estancia, realizar el examen por debajo de la ropa de la dama y no introducir *nunca* más de un dedo a la vez.

Un estudiante se rió y otro tosió para disimularlo, pero Samantha lo oyó.

Sin interrumpir el ritmo de su trabajo, Hannah dijo ahora:

—Estoy de acuerdo con el profesor. No me parece bien que estuvieras presente durante una cosa así. No es respetable.

—Un médico tiene que aprender esas cosas.

—El marido es el que tiene que enseñarle a la esposa las cosas del sexo. Ninguna dama como es debido se puede sentar con un grupo de hombres para oír semejantes barbaridades. No irás a tu lecho matrimonial con inocencia, y eso no les gusta a la mayoría de los hombres.

—Tú no eras inocente, Hannah, y a Sean no le importó.

Hannah se encogió de hombros. Su caso era distinto.

Samantha dejó su labor. Estaba recordando la última clase del doctor Miller. «Recuérdenlo, caballeros; puesto que casi todas las dolencias femeninas son incurables, el papel de un médico debe ser simplemente el de llevarle la corriente a la dama. Descubrirán ustedes que casi todas las pacientes acudirán a su consultorio por motivos baladíes sobre los cuales se quejarán muchísimo. Por citar las palabras del respetado doctor Oliver Wendel Holmes, "La mujer es un bípedo estreñido al cual le duele la espalda".»

Hannah se inclinó y abrió el horno para echar un vistazo a las dos enormes patatas que se estaban asando. Normalmente, la cocina le encantaba, pero en aquella ocasión parecía distraída. A diferencia de Samantha, Hannah no había sido favorecida con una mente ordenada y sus pensamientos eran siempre un revoltijo. Los hombres, su inquietud tenía que ver con los hombres.

Su mente indisciplinada regresó al día de Navidad, hacía apenas tres semanas, y al triste fracaso de aquel día. Sería bonito, pensó Hannah, invitar a uno de los compañeros de Samantha a compartir con ellas la comida navideña. Alguien que no tuviera hogar ni familia con quien reunirse durante las fiestas, alguien que fuera un caballero y agradeciera la oportunidad de pasar una tarde con Samantha. Había muchos que podían incluirse en esa categoría.

El joven se presentó luciendo una levita verde oscuro y unos pantalones grises de corte y tejido tan excelentes que Hannah tuvo la certeza de que era rico y de que sería, por tanto, un buen partido para Samantha. En el salón, donde el fuego de troncos de pino producía un agradable aroma, el muchacho ofreció tímidamente un regalo a sus anfitrionas: a Hannah un saquito con perfume de lavanda y a Samantha un ejemplar de *Ben-Hur*, que acababa de escribir el gobernador del Territorio de Nuevo México. Hannah se inventó toda clase de excusas para pasarse mucho rato en la cocina mientras los jóvenes permanecían en el salón.

Hannah había oído la conversación:

—Se habla por ahí, señorita Hargrave, de un cirujano, un polaco de Viena, que está experimentando con el uso de guantes esterilizados, de hilo, durante las intervenciones quirúrgicas. Los demás estudiantes se ríen, pero yo creo que la cosa podría ser interesante.

—Es muy posible, señor Goodman, que las heridas se infecten al contacto con las manos del cirujano.

Todo depende de si se acepta o no la teoría microbiana. Si existen esos llamados *gérmenes*, se comprendería que las manos de los operadores pudieran provocar infección. De todos modos, parece que el cirujano perdería el sentido del tacto en caso de utilizar guantes.

El muchacho, en un torpe intento de encauzar la conversación por derroteros más amenos, dijo cautelosamente:

—Espero que le guste este libro, señorita Hargrave, es una excelente versión de la vida de Cristo.

—Lamentablemente, dispongo de muy poco tiempo para leer novelas, señor Goodman. Pero, hablando de lecturas, justamente el otro día leí en el *Boston Journal* que un tal doctor Tait ha conseguido en Inglaterra extirpar con éxito el apéndice de un paciente que ha sobrevivido. Hizo una cosa extraordinaria, señor Goodman. *Esterilizó* el instrumental antes de la intervención...

Hannah tuvo que reprimir el impulso de salir corriendo y darle a Samantha una sacudida. ¡Condenada muchacha! ¿No ves lo bien que te lo pone? ¡Abre el corazón y déjate querer por ese chico! ¡Vas en camino de la soltería perpetua, tenlo por seguro!

Hannah recogió los trozos de zanahoria y nabo y los echó en la salsa que estaba hirviendo a fuego lento. Después se pasó el dorso de la mano por la frente; ¿qué demonios le ocurría hoy? Parecía una gallina clueca. Se detuvo delante de la estufa. Su rostro se ensombreció. Hannah Mallone sabía muy bien lo que le ocurría, y el hecho de disimularlo no iba a librarla de ello. Lo malo era que no sabía cómo actuar. Bien, varias semanas atrás había adoptado una audaz decisión; lo que tenía que hacer era armarse de valor y plantearle a Samantha la tremenda cuestión...

Aunque se encontraban en la misma estancia, ambas se hallaban en mundos distintos. Hannah estaba angustiada por un terrible problema y Samantha tenía otra preocupación. Las últimas cartas de Louisa habían adquirido un tono inquietante. Samantha no acertaba a identificar la razón, pero no cabía duda de que había dificultades.

Hannah se lavó las manos, se las secó con el delantal y acercó una silla a la mesa.

—Estoy hecha polvo. Tengo que sentarme.

—¿Te encuentras mal, Hannah?

La mujer no contestó. Levantó la funda de la tetera, se llenó una taza y echó dos cucharaditas de miel silvestre. Tomó la taza entre ambas manos, como si quisiera calentárselas, a pesar de que parecía enrojecida y acalorada.

Pensándolo bien, se dijo Samantha mientras doblaba la prenda que había estado zurciendo y la guardaba en el costurero, Hannah llevaba un par de semanas sin demasiado apetito. En la mesa había las sobras de la empanada de carne que habían comido para desayunar; Samantha levantó el lienzo, cortó un trocito y se lo metió en la boca.

—Creo que necesitas un tónico, Hannah. A algunas personas se les debilita la sangre en invierno.

Hannah reflexionó un instante.

—Tal vez tengas razón, cariño.

Con insólito cansancio, Hannah se levantó, se dirigió a la alacena y sacó una botella del whisky irlandés de Sean. Regresó a su silla, la destapó y echó un poco de whisky en su taza de té. Después mantuvo la botella en suspenso y miró inquisitivamente a Samantha.

Entonces Samantha vio algo en los ojos de su amiga —lo había visto ya en los de una paciente que había sido presentada a la clase mientras el doctor Page anunciaba en tono profesoral que la señorita Bates padecía de cáncer—, un temblor desolado, como si, por una décima de segundo, su alma se hubiera desmoronado.

Pero desapareció inmediatamente y Hannah volvió a mirarla con expresión cansada.

—Gracias, Hannah. Me vendrá bien un tonificante.

Bebieron en silencio durante unos minutos; se oía un suave crepitar procedente de la estufa y, de vez en cuando, un carámbano se desprendía del alero y caía al suelo con un ruido sordo. Cuanto más se prolongaba el silencio, tanto más se intensificaba el convencimiento de Samantha de que algo estaba ocurriendo.

—He estado pensando en una cosa —dijo Hannah finalmente.

Samantha esperó.

—Supongo que te habrás fijado en el nuevo... —Hannah levantó un poco la taza y, con la otra, empezó a girar el platillo en círculo—, el nuevo caballero de Kendall, ¿verdad?

Sí, Samantha le conocía, aunque ella no le hubiera calificado de caballero. Nadie sabía gran cosa acerca de él. Se había presentado en la ciudad un día de octubre y el señor Kendall le había ofrecido trabajo por una jornada, para que se pagara la cena; pero resultó ser un empleado tan dispuesto, amable y eficiente que el señor Kendall se quedó con él. Lo único que sabía Samantha era que se llamaba Oliver y que no le gustaba su forma de mirarla cuando el señor Kendall no estaba cerca.

—¿Qué hay de él, Hannah?

—Bueno, cariño... —el platillo seguía dando vueltas y raspando la pulcra superficie de la mesa—. Resulta que se ha encaprichado de mí y que ha sido muy amable, procurando que ahorrara algún dinerillo cuando compro tela. Ya sabes lo tacaño que es el señor Kendall; pero cuando él no está, Oliver siempre me trata muy bien. Incluso me ha traído los paquetes a casa y yo le he invitado a tomar el té.

Samantha mantuvo los ojos clavados en el platillo, que no cesaba de girar.

—Bueno, una tarde, mientras tú estabas haciendo aquel examen tan importante...

A finales de noviembre. Samantha regresó a casa tan distraída que no prestó atención al extraño silencio de Hannah durante la cena. Pensando en ello, ahora se dio cuenta. El plato se detuvo y la taza volvió a acoplarse sonoramente a la muesca.

Samantha notó que la intensa sensación de vergüenza de Hannah invadía su propio cuerpo.

—Y no fue solo aquella vez.

Samantha levantó la mirada. Los ojos color ámbar de Hannah aparecían muy secos y abiertos. Pero su voz sonaba como si estuviera llorando, aunque no se vieran lágrimas.

—Tengo miedo, Samantha.

—¿De que Sean se entere? ¿Cómo podría?

—Lo hicimos con mucho sigilo, no hay modo de que Sean pueda descubrirlo —contestó Hannah, sacudiendo la cabeza.

—¿Ha... terminado?

—¡Por Dios bendito, muchacha, duró solo dos semanas y después lo dejé!

—¿Por qué te inquietas entonces?

—Estoy embarazada.

Samantha se la quedó mirando fijamente.

—¿Estás segura? ¿Has ido al médico?

—¡No necesito que ningún médico me diga qué significa la ausencia de menstruación y los vómitos por la mañana y los tobillos hinchados como melones! ¡Lo he visto lo bastante en otras mujeres para saber de qué va la cosa!

—Oh, Hannah...

La mujer ladeó la cabeza y apretó las mandíbulas.

—Por eso te cuento todo eso, Samantha. Quiero que me ayudes.

—¿Qué puedo hacer?

—Librarme de eso.

Samantha parpadeó como si la hubieran abofeteado. Al ver la expresión de su rostro, Hannah tuvo que apartar la mirada. Se levantó, se acercó a la estufa y dio una hurgonada al conejo.

—Te estarás preguntando —dijo con voz distante— por qué lo hice. Por qué teniendo a un hombre como Sean Mallone en mi cama cinco meses al año, por qué me he liado con otro, y nada menos que con un tipo como Oliver.

Samantha miró a su amiga, pero no contestó.

—Bueno, cariño, es posible que en estos momentos no lo entiendas. Tienes veinte años y estás delgada, tienes la piel suave y con la lozanía que gusta a los hombres. Yo también era así. Hace tiempo... —Hannah empezó a pasear por la cocina, como si buscase conservar el contacto con las cosas corrientes—. En estos últimos tiempos me he estado mirando al espejo y he visto que me saldrán arrugas y que la cintura se me está ensanchando y que hay algunas hebras grises en el precioso cabello que era todo mi orgullo. Y he pensado por las noches que a lo mejor Sean me amaba porque se había acostumbrado a mí y se sentía a gusto conmigo. Y después, que a lo mejor ya no atraía a los hombres igual que antes —se volvió y miró a Samantha—. Y he pensado en los años futuros. Yo cada vez más gorda y canosa, hasta que llegue el día en que, al despertar, Sean me eche un vistazo y me vea tal como soy. La cosa no sería tan mala, Samantha... —su voz adquirió un tono angustiado...—, si hubiera hijos. Si tienes hijos, no importa que seas gorda y fea. Tienes algo de que enorgullecerte. Demuestra que fuiste una vez una mujer útil y deseable. Pero ¿qué tengo yo? Te digo, muchacha, que me asusté.

Regresó a su silla y volvió a echarse whisky en la taza.

—No estaba enamorada de Oliver, ni siquiera experimentaba pasión por él, pero me hacía sentir joven con sus galanteos y con eso de llamarme *señorita* Mallone, y, cuando él me tocaba, me hacía sentir como cuando tenía veinte años y que mi espíritu volviera a la vida como Sean no lo consigue hace muchos años —tomó un buen trago de whisky—. Pero, al cabo de dos semanas, el sentimiento se desvaneció y fui simplemente una mujer que andaba tonteando con un hombre más joven, y entonces le despedí y le dije que no volviera...

La mano de Samantha se desplazó sobre la mesa y rodeó la muñeca de Hannah.

—Tú sabes lo que se puede hacer, muchacha. Has aprendido todas esas cosas. Tú sabes lo que hay que hacer para librarme de este desastre. Algo para beber, quizá...

—Hannah —dijo Samantha en voz baja—. ¿De veras quieres tú eso?

—No, la verdad es que no, pero no tengo más remedio —las lágrimas asomaron finalmente a sus ojos color topacio—. Bien sabe Dios lo mucho que deseaba tener un hijo. Me he arrodillado tanto rezándole a la Virgen, que hasta me han sangrado las rodillas. Y ahora pensar... —se miró el abdomen con expresión de asombro—. Pensar que este chiquitín está aquí dentro por fin, acurrucadito y dormido, aguardando a salir a este mundo soltando patadas como un irlandés... —su rostro se nubló—. Quiero a este niño mío, Samantha, pero quiero más a Sean. Por consiguiente, tengo que librarme de él.

—¡Pero si no tienes por qué elegir entre las dos cosas! Puedes tener lo uno y lo otro. Dile a Sean que el hombre entró por la fuerza y te amenazó. Sean es un hombre afectuoso y comprensivo, se quedará con el niño y lo cuidará como si fuera suyo...

—No se trata de eso, muchacha. No lo hago por

mí, no es mi reputación lo que me preocupa, sino la de Sean. Oh, cariño, ¿acaso no lo ves? Todos estos años hemos estado pensando que yo era la causa de que no tuviéramos hijos. Y ahora esto significaría que Sean no puede engendrar hijos, y le despojaría de su virilidad. No tengo derecho a hacerle eso. Tienes que ayudarme a salvar el amor propio de Sean.

—¿Se lo has dicho a Oliver? —preguntó Samantha, mirando a su alrededor como si buscara una respuesta.

—No.

—Tiene derecho a saberlo.

—No tiene ningún derecho. Lo que quería, lo consiguía arriba. Estamos en paz, yo no le debo nada —se inclinó sobre la mesa con expresión angustiada—. No hace falta que sea una cosa rápida e indolora, no te pido eso. Supongo que el Señor querrá que sufra a cambio. ¡Solo quiero que me prometas que todo terminará!

Samantha empezó a temblar. Si no lo supiera, si no supiera preparar la mezcla capaz de obtener aquel resultado, la decisión no sería suya; pero tenía los conocimientos necesarios, tenía la respuesta en los labios y era una cosa muy sencilla: una infusión de semillas de algodón o una dosis de olmo norteamericano; incluso aceite de hierba lombriguera que se podía comprar en la farmacia..., y Hannah se vería libre de su angustia a la mañana siguiente.

—Hannah —murmuró—. ¿Estás segura?

—Oh, cariño, ¿crees que no lo he estado pensando una y otra vez desde hace diez noches, crees que no sé lo que te pido? ¿Crees que no me está matando tener que hacer lo que te ruego? —Se levantó tratando de conservar la dignidad, pero ahora las lágrimas rodaban por sus mejillas y formaban grandes manchas en su vestido—. Es el castigo que recibo por mis actos. No tenía derecho a acostarme con otro hombre. Es el juicio del buen Dios. Nunca iré al cielo, muchacha; iré al fuego eterno del infierno, pero... —se tambaleó y tuvo que asirse al respaldo de la silla—. ¡Lo haré para evitarle a Sean el dolor de conocer esa verdad acerca de sí mismo!

Samantha se levantó de inmediato para estrechar en sus brazos a la llorosa Hannah. Notó que las lágrimas pugnaban por aflorar también a sus ojos, pero las reprimió.

—¡Ayúdame, te lo suplico! —sollozó Hannah sobre sus manos—. Que todo vuelva a ser como antes y yo cargaré con todo. Sé que no es justo que te lo pida, pero no puedo recurrir a nadie más —su voz se convirtió en un susurro—. Estoy sola en esta situación...

—No, no lo estás, Hannah. Me tienes a mí. Estamos juntas en esto —le acarició suavemente el rojizo cabello—. Hannah, ¿estás segura de que no hay modo de que puedas tenerlo? ¿Y si nos fuéramos juntas a alguna parte y le dijéramos a Sean, cuando vuelva, que el niño es mío?

Hannah resolló ruidosamente y empezó a hipar.

—Bendita seas muchacha, ¿tú harías eso por mí? Pero tendrías que dejar la universidad y tu reputación quedaría destrozada, y entonces quizá no podrías obtener el título; yo no querría tener esta responsabilidad sobre mi conciencia. Ni podríamos decir que era de otra, porque su cabello rojizo le diría a todo el mundo que era mío. No, cariño, he pensado en todas las soluciones posibles y ese es el único medio.

Samantha clavó los ojos en la hilera de cacharros que colgaba sobre los fogones y habló con voz tensa.

—Hannah, yo creo firmemente en la preservación de la vida. A eso me he consagrado. No puedo... matar a una criatura...

Hannah se apartó las manos del rostro y miró a Samantha con ojos anegados en lágrimas.

—¿Y qué piensas que creo yo? Voy a cometer un

pecado mortal. Iré al infierno por eso. ¿Y piensas que no amo la pequeña vida que llevo dentro?

—Lo siento, Hannah, no quería hablarte así. Creo que sé lo que estás sufriendo. Solo quería hacerte comprender por qué..., por qué tengo que pensarlo. Estoy trastornada, Hannah. Dame un poco de tiempo. Esperemos a mañana y para entonces habré resuelto algo.

El exuberante busto de Hannah se estremeció en un último suspiro mientras se apartaba de los brazos de Samantha y tomaba el delantal, para enjugarse las lágrimas.

—Me siento muy cansada, cariño. Creo que voy a subir y echarme un rato.

Se desató las cintas del delantal y lo colgó cuidadosamente.

—Hannah, intentaré discurrir algo.

—Pues claro, cariño. Pero recuerda que no quiero aplazarlo mucho. Si tú no me lo puedes hacer, tendré que ir donde la viuda Dorset, que vive a treinta kilómetros de aquí.

—¿La viuda Dorset?

Hannah procuró esbozar una valiente sonrisa.

—Una discreta anciana que no hace preguntas y que es muy de fiar. Me sorprende que no hayas oído hablar de ella. La mejor comadrona de la comarca. Cuida de que el conejo no se cueza demasiado.

Samantha no comió. Tras colocar la cazuela del asado en unas trébedes, envolvió los panecillos duros en una estopilla húmeda y dejó la leche en el antepecho de la ventana. Hecho eso, subió a su cuarto.

Las horas pasaron volando y ella ni siquiera percibió su transcurso. Había oscurecido cuando subió, pero ahora el cielo estaba completamente negro y hacía un frío que helaba los huesos. Envuelta en un chal, Samantha estaba paseando arriba y abajo frente a la chimenea, obligando a su cuerpo a recorrer un interminable camino, como si el ejercicio físico pudiera facilitarle la tarea de encontrar una respuesta.

Estaba enojada y no sabía con quién: ciertamente no con Hannah, que solo le inspiraba una profunda y triste compasión; tal vez su enfado fuera con el relamido Oliver, que era como un gato que, después de beberse la leche, se ha salido de rositas. Incluso era posible que estuviera enojada consigo misma, por su incapacidad de afrontar la situación y de adoptar una postura firme; Samantha detestaba sentirse impotente. Experimentaba también temblores de culpabilidad, culpabilidad por un acto que había cometido otra mujer; y a ello se añadía la inquietud de haber abandonado en cierto modo a su amiga.

Samantha luchó contra sí misma toda la noche, tratando de desenredar los enmarañados hilos de sus pensamientos, pero siempre llegaba a la misma conclusión: tenía que ayudar a Hannah.

En realidad, fue muy fácil, una vez lo hubo comprendido; Hannah estaba en apuros y necesitaba ayuda. De la misma manera que yo necesité ayuda una vez, pensó Samantha, deteniéndose finalmente tras varias horas de pasear por la habitación. Nadie quería darme alojamiento, todas las puertas de la ciudad se habían cerrado para mí, pero Hannah tuvo la bondad y la generosidad de aceptarme. ¿Qué hubiera hecho yo si ella no me hubiera ayudado?

Sin embargo, se trataba de algo mucho más hondo que una simple amistad o la devolución de un favor. Tenía que ver con el hecho de que Hannah fuera una mujer en apuros, con un problema que solo una mujer puede tener, que recurría a otra mujer en demanda de ayuda. ¿Cuántas miles de veces se había interpretado aquel drama a lo largo de los siglos: una mujer asustada y sola, recurriendo a una amiga/hermana/viuda Dorset en demanda de ayuda? Era un ritual tan antiguo como la misma condición femenina.

Samantha se encontraba de pie en el centro de su habitación, su alta sombra danzando sobre la alfombra, cuando se percató de que ya no tenía más que pensar. Al principio le había pasado por la mente esta pregunta: ¿Tengo yo derecho a arrebatarle la vida a un niño no nacido? Y había contestado: ¿Tengo yo derecho a negarle a Hannah unos conocimientos que deberían ser suyos tanto como míos? Samantha llegó a la conclusión de que el momento de las deliberaciones ya había pasado, salió del cuarto y acercándose a la puerta de Hannah, llamó suavemente con los nudillos.

No le sorprendió no obtener respuesta. La cruda frialdad del pasillo le decía que ya estaba muy entrada la noche, que probablemente estaba a punto de amanecer, y Hannah debía estar durmiendo.

Llamó de nuevo, más fuerte. Después probó a mover el tirador y la puerta se abrió. La habitación estaba oscura y fría como una cueva y Hannah no se encontraba allí. Bajó corriendo la escalera, llamando a su amiga y asomando la cabeza a las puertas de todas las frías y silenciosas habitaciones, y después se dirigió al vestíbulo, donde se puso a toda prisa las botas y los guantes, se enrolló una bufanda alrededor del cuello y se echó su gruesa capa sobre los hombros. Al abrir la puerta de entrada, el gélido aire se levantó ante ella como un muro de cristal.

Había nevado durante la noche y una limpia manta cubría el mundo. El rastro que se alejaba de la casa resultaba muy visible, como la huella que deja un dedo sobre la nata batida: las fuertes pisadas de Hannah y su holgada falda habían trazado un camino en la nieve; eran como una flecha que señalara el camino.

Cubriéndose la cabeza con la capucha y sujetándose la prenda por el cuello, Samantha se adentró en aquel mundo espectral. Mantenía los ojos clavados en el rastro, respirando despacio y superficialmente, porque el gélido aire hacía que le doliesen los pulmones; trató de no prestar atención a las pavorosas siluetas que la rodeaban: retorcidos árboles negros y arbustos grotescamente encorvados, deliciosos durante el día, pero de noche extrañamente siniestros y amenazadores. El rastro bordeaba el bosque y bajaba al lago.

Descendiendo con cuidado por la peligrosa pendiente y oyendo tan solo su sonora respiración, amplificada en el interior de la capucha, Samantha se percató con horror de que las pisadas de Hannah se adentraban en la helada superficie del lago.

Ahuecando las manos alrededor de la boca, Samantha llamó a gritos a su amiga. Su voz sonó tosca y grosera en el glacial silencio. Volvió a llamar. La luz era muy escasa; el lago formaba un fantasmagórico paisaje de blanco sobre blanco, rodeado por gigantescos guardianes negros. Samantha trató de distinguir algún movimiento, contuvo la respiración por si pudiera oír algún rumor, pero era como si el mundo hubiera sido apresado en un ferrotipo y se hubiera quedado allí congelado, insonoro y sin vida.

El frío hacía algo más que estremecer la carne; no era como el que hace que la nariz y los dedos parezcan mordidos y levanta protuberancias de la piel; era un cuchillo que cortaba la esencia más profunda de una persona y la congelaba desde dentro. Samantha no se notaba manos ni pies. Trató de moverse, de agitar los brazos y de patear, pero un extraño hechizo la había convertido en una habitante permanente del ferrotipo invernal.

Entonces lo oyó. Leve, distante, como el quebrarse de clavícula de ave. Volvió la cabeza en aquella dirección. Sí, había movimiento allá, en el hielo.

—¡Hannah! —gritó.

Samantha se adentró en el lago y procuró avanzar con rapidez sobre la resbaladiza superficie. Cayó y tuvo la certeza de que se le habían roto todos los huesos. Trató de levantarse, mientras llamaba a Hannah, casi sin resuello. Empezó a caminar cautelosamente sobre el hielo, extendiendo los brazos hacia delante para no perder el equilibrio. Se detenía a cada pocos pasos, para cerciorarse de la dirección que estaba siguiendo. A su izquierda, el cielo estaba empezando a aclararse por detrás de los árboles, una extraña luz pastel se derramaba sobre el bosque y el lago. Entonces vio a Hannah con toda claridad. Su amiga estaba extrañamente inmóvil, contemplando algo, sin prestar atención al sonido de su nombre gritado contra el cielo.

—¡No te muevas! —gritó Samantha—. ¡El hielo se está rompiendo! ¡Oh, Dios mío...!

Osciló hacia delante y hacia atrás, mientras sus brazos describían pequeños círculos en el aire. Trató de darse prisa. A su alrededor, pequeños crujidos, como de astillas que se rompieran, le hacían amenazadoras advertencias.

Cuando estuvo lo suficientemente cerca, Samantha vio que Hannah se tambaleaba; y lo más absurdo era que llevaba puestos sus patines de madera.

—Hannah... —dijo jadeante—. No te muevas...

Pero Hannah no debió oírla, porque adelantó un paso y, en un abrir y cerrar de ojos, desapareció.

Samantha parpadeó. Se frotó los ojos con los congelados puños. Después intentó correr, notó que los pies le resbalaban y cayó de rodillas. Samantha avanzó a gatas, notando que el hielo se movía angustiosamente debajo de ella. Alcanzó el oscuro agujero y gritó:

—¡Hannah! ¡Hannah!

Parte de la capa se hallaba extendida todavía sobre el hielo, perdiéndose en las revueltas aguas. Samantha tendió ciegamente la mano y trató de tirar con todas sus fuerzas. Entonces oyó nuevos crujidos, y notó que el hielo se combaba bajo sus rodillas, se levantaba y caía después súbitamente.

El agua estaba demasiado fría para que se pudiera percibir la sensación, la envolvió, privándola de toda sensibilidad. Samantha jadeó y el agua le llenó los pulmones. Agitó los brazos y las piernas, pero la falda y la capa tiraban de ella hacia abajo. Por debajo de la superficie, sus pies rozaron algo sólido. Buscando frenéticamente el borde del hielo que se le estaba escapando de la mano, Samantha introdujo la otra mano en el agua y agarró un mechón de cabello. Pero no pudo tirar de Hannah hacia la superficie. Samantha se hundió como una piedra y la negrura le cubrió la cabeza.

Todo ha terminado, pensó con inesperada calma. Y todo porque yo vacilé...

En un instante y de modo absurdo, se encontró boca arriba, jadeando y contemplando el pálido cielo. Después notó que la asían fuertemente por las axilas y comprendió que la estaban arrastrando hacia atrás sobre el hielo.

En medio de su delirio, tenía momentos de lucidez y oía fragmentos de conversaciones. La voz cascada del señor Kendall:

—Pero ¿cómo es posible que estuvieran patinando a esas horas?

El doctor Jones:

—Disuelva media cucharadita de estos polvos en agua caliente y oblíguela a beberlo cada cuatro horas.

La maternal señora Kendall:

—Pobrecilla. Menos mal que ha sido rápido. Ni siquiera se ha dado cuenta de lo que ocurría.

Cuando dormía, no descansaba con tranquilidad puesto que la atormentaban las pesadillas. Los fantasmas surgían entre agitadas brumas: Freedy, con su hermoso rostro tan nítido como si lo tuviera delante; Matthew escalando como una araña los muros de piedra del manicomio y saltando al otro lado; James tendido sobre una mesa de disección, con el cuello descolorido por la soga del verdugo; Samuel, espantosamente mutilado; y el viejo señor Hawksbill atrapado en el interior de un frasco y tratando de salir. Samantha se despertaba a menudo con el camisón empapado en sudor y veía a la señora Kendall inclinada sobre ella y arrullándola maternalmente. Por fin, cuando los diligentes cuidados de la tendera y las atenciones del doctor Jones la sacaron de lo peor, a finales de febrero, cuando descubrió para su asombro que se había pasado seis semanas con fiebre y al borde de la muerte, Samantha supo que quienes la habían sacado del agua fueron el granjero McKinney y su hijo. Estos lamentaron decirle que habían llegado demasiado tarde para salvar a Hannah.

El doctor Jones se sentó junto a su cama, asiéndole delicadamente la muñeca mientras miraba su reloj. Después, con expresión satisfecha, cerró el reloj, se lo guardó en el bolsillo del chaleco y posó suavemente el brazo de Samantha sobre la cama.

—Bueno, jovencita, parece que va usted a escapar de esta —dijo con una afable sonrisa—. Tiene una constitución muy fuerte, señorita Hargrave. Son pocos los que se recuperan de una pulmonía como la que usted ha sufrido.

Samantha le miró con expresión apagada.

—No se preocupe por nada. La señora Kendall le va a ceder esta habitación para lo que resta de curso, y el señor Kendall le ha traído las cosas que tenía usted en casa de la señora Mallone. Por lo que respecta a las clases, es usted una alumna tan excelente que no me cabe la menor duda de que conseguirá ponerse al día. De todos modos, seremos indulgentes.

Tenía los labios resecos y agrietados. Trató de humedecérselos con la lengua antes de murmurar:

—¿Y... Sean...?

—Será informado en cuanto le localicen —contestó el doctor Jones, con expresión sombría—. Y ahora descanse, querida. Ha pasado por una prueba espantosa. Unos segundos más en aquellas aguas y hubiera muerto congelada.

Cuando se inició el deshielo, Hannah Mallone fue enterrada. Fue una semana muy ajetreada para el reverendo Patterson, que hubo de presidir los funerales de todas las personas que habían fallecido durante el invierno. Puesto que la tierra estaba demasiado congelada para cavar sepulturas en ella, los cadáveres eran conservados en el sótano de la iglesia y el reverendo Patterson, que tenía una morbosa aversión a los muertos, se alegraba muchísimo cuando los enterraban. Hannah tuvo una tumba muy sencilla y una ceremonia que todavía lo fue más. Se celebró uno de aquellos días de finales de marzo en que el invierno no sabía si quedarse o marcharse; mientras la tierra iba cubriendo el humilde ataúd de Hannah, de madera de pino, empezó a nevar.

El doctor Jones le había denegado a Samantha el permiso para asistir al entierro, considerando que se encontraba todavía demasiado débil, pero Samantha hubiera ido incluso a gatas en caso necesario y él acabó por ceder, ofreciéndose a acompañarla; pero, curiosamente, Samantha pidió a la señora Kendall que fuera con ella. Y, de ese modo, el pequeño y silencioso grupo rodeó el sepulcro mientras el reverendo Patterson se esforzaba en añadir un toque católico a sus oraciones protestantes.

Todos contemplaron la tumba con la cabeza solemnemente inclinada mientras cada cual se entregaba a sus propias meditaciones. El señor Kendall lamentaba la pérdida de una buena cliente, la señora Kendall estaba preocupada por el guiso que había dejado cociendo a fuego lento en la cocina, el doctor Jones observaba con curiosidad el pálido rostro de Samantha (la verdad, ¿cómo se les había ocurrido salir a patinar a semejante hora?), y Samantha, apoyada en la señora Kendall, admiraba el cuidado con que algunos parientes quitaban la nieve de las tumbas, como si ello pudiera servirles de algo a los huesos y el polvo que reposaban debajo.

Sin embargo, cuando el tiempo empezó a mejorar y pudo visitar la tumba a solas, Samantha empezó a plantar delicadamente semillas en el pequeño montículo, arrancando las malas hierbas y cuidando aquella parcela de tierra con tanta dulzura, como si estuviera mimando a la propia Hannah.

El claro del bosque era accesible de nuevo, pero Samantha se sentía inexorablemente atraída por la tumba. Acudía allí todos los días en busca de respuestas. ¿Qué ocurrió, Hannah? Tú sabías que yo iba a ayudarte, ¿no es cierto? ¿Tuvo la culpa mi torpeza? ¿Acaso mi vacilación y mis palabras acerca de lo sagrado de la vida te hicieron ver tu pecado desde una perspectiva que no podías soportar? Yo no te ayudé, querida amiga, hice que te avergonzaras. Te abandoné. No existía la tal viuda Dorset, ¿verdad? Me lo dijiste tan solo para que pudiera librarme sin remordimiento de una decisión que no estaba en condiciones de adoptar. Y los patines también te los pusiste por mí, ¿no es cierto? Para protegerme de la necesidad de explicar tu muerte. Yo no estaba preparada, Hannah; me enseñan lo que es la sangre y los huesos, pero falta en la clase el estudio del alma humana. No hay libros donde yo pueda aprender a sanar un espíritu herido.

Una fría ráfaga primaveral se levantó del barroso suelo y le llevó el espectral susurro de Hannah: «No te preocupes por eso, cariño. Es mi castigo. No tenía derecho a acostarme con otro hombre. Es el castigo del buen Dios por lo que hice».

El alma de Samantha se inflamó. ¿Y dónde está el castigo de Oliver, Hannah? Él no tenía derecho a acostarse contigo. ¿Dónde está el castigo que Dios le ha enviado a *él*?

A medida que pasaban los días, Samantha fue recuperando las fuerzas y adquiriendo sabiduría a través de sus cotidianas conversaciones con Hannah; la profunda tristeza se transformó gradualmente en cólera y, junto con la cólera, Samantha sintió que se le fortalecía el espíritu. Los hombres no tenían ni idea de lo que ocurría realmente, no tenían la menor sospecha del asombroso significado de la acción de Hannah y, en los casos en que la tenían, en los casos en que estaban peligrosamente a punto de comprenderla, se alejaban a toda prisa, temerosos de la verdad que allí descubrían. La verdad de que *no son lo que creen ser*. Los hombres se equivocan al creerse los amos, los guardianes instituidos por Dios de la vida y de la muerte en la tierra. Solo creen que tienen en sus manos los postreros veredictos porque las mujeres les permiten esa ilusión a fin de que se sientan tranquilos; las decisiones primordiales de la vida y de la muerte corresponden exclusivamente a las mujeres, las cuales constituyen una mística hermandad de guardianas de secretos... Hannah lo ha demostrado. A lo largo de los siglos ha habido encuentros secretos, raspados y lavados, recetas transmitidas en voz baja de madre a hija, vidas ahogadas antes de haber empezado, como esa pequeña vida enterrada aquí con Hannah; y los hombres sin enterarse, sin enterarse jamás...

Oh, qué poder tan pavoroso ostentan las mujeres. No es de extrañar que los hombres nos tengan tanto miedo.

Un ventoso día de abril en que el aire traía el aroma de las varas de oro y ella luchaba contra el viento por la posesión de su capa, Samantha tuvo una sorprendente revelación. Como si Hannah la murmurara en voz baja desde la fosa, Samantha oyó la frase que iba a cambiar su vida para siempre: «Los hombres nos tienen esclavizadas porque nos temen, pero solo porque nosotras lo consentimos; ellos son nuestros carceleros, pero nosotras somos sus guardianas».

Samantha cayó de hinojos y empezó a recitar el Ave María que Hannah le había enseñado. Después, dirigiéndose al montículo de serena hierba verde, dijo:

—Te resarciré, Hannah, te prometo que lo haré. No puedo devolverte la vida, no puedo corregir mi error, pero te puedo hacer un voto solemne. Te prometo, Hannah Mallone, queridísima amiga, que te conservaré siempre a mi lado, que tu alma hallará la inmortalidad en mí y que tu muerte no habrá sido en vano, porque de ella ha surgido mi nueva fuerza. Nunca más dejaré que me gobiernen; yo soy dueña de mí misma. Siempre llevaré conmigo tu consejo, querida amiga, de manera que, cuando a lo largo de mi camino encuentre a otras desdichadas hermanas como tú, sepa lo que debo hacer; y te prometo, querida Hannah, que, en recuerdo tuyo, jamás volveré a vacilar...

20

Exteriormente daba la impresión de estar tranquila, pero por dentro Samantha estaba nerviosa y tensa. El cortejo de la graduación se había detenido ante los peldaños de la iglesia a fin de que los fotógrafos pudieran sacar retratos, y mientras permanecía de pie con la cabeza orgullosamente erguida, Samantha no consiguió librarse de la nube de tristeza que había invadido su alma. Primero el escurridizo sueño de la noche anterior, siniestro y profético, pero que no había logrado fijar en su recuerdo, y ahora el boicot de las mujeres.

¿Por qué, al cabo de dos años, le hacían aquello?

Le constaba que seguían teniendo ciertos prejuicios en relación con ella; la amable señora Kendall no le había ocultado su opinión de que perjudicaba gravemente su reputación con su empeño en asistir a una facultad masculina, y algunas obstinadas mujeres seguían negándose a mantener tratos con ella y cruzaban a la otra acera cuando la veían acercarse; pero Samantha pensaba que, al cabo de dos años, las mujeres ya la habrían aceptado en su inmensa mayoría, habrían descubierto que no era una casquivana y que su asistencia a la facultad no había traído el escándalo a la población. Era un golpe terrible. Si viviera, Hannah hubiera acudido...

Sean Mallone regresó a casa durante el Festival de la Flor del Manzano, que se celebraba anualmente. Al llegar a la enorme casa próxima a la fábrica de tirantes, se volvió loco de dolor, pero Samantha guardó el terrible secreto y le dejó a Sean el consuelo de pensar que la muerte de su mujer había sido un accidente, y a su debido tiempo Sean se sobrepuso, encomendó el alma de Hannah a la Legión de los Santos, vendió la casa y regresó para siempre a las montañas.

Tras haber conseguido finalmente dar descanso al espíritu de su amiga y a su turbada conciencia, Samantha se dedicó con tanto ahínco a estudiar durante el último mes del curso, que para asombro de todos, pasó del vigésimo lugar de la clase (consecuencia de las semanas de enfermedad) al tercero. Los fotógrafos y reporteros habían tomado buena nota de ello, sorprendidos de que una muchacha tan joven y bonita hubiera podido destacar de esa manera. Un auténtico bicho raro.

Los indios se situaron a un lado, iniciaron de nuevo la interpretación de *América* y el cortejo se puso otra vez en marcha. Cuando penetró en el oscuro interior de la iglesia, Samantha se quedó asombrada al oír el crujido de las sedas y el coro de murmullos mientras las tocas y los sombreros adornados con plumas se volvían hacia ella.

¡Las mujeres!

Llenaban los bancos y las galerías de arriba; un mar de brillantes colores y complicados peinados; los abanicos se agitaban y las joyas centelleaban; las mujeres se habían puesto sus mejores galas para rendirle homenaje. *Para rendirle homenaje a ella.* El corazón de Samantha se llenó de gozo y dos enormes lágrimas asomaron a sus ojos. Al final, las mujeres no la habían abandonado.

Mientras los graduados ocupaban los primeros bancos, los hombres entraron en el templo, ocupando todos los espacios posibles. El aire estaba cargado como en el preludio de una tormenta de verano; era un gran día para una pequeña ciudad. El doctor Jones subió apresuradamente al estrado que se había construido delante del altar y se encasquetó su birrete de terciopelo. Mientras su voz resonaba por todo el templo, pronunciando el discurso anual (y maldiciendo mentalmente al parsimonioso Simon Kent y su condenado diploma manuscrito), Samantha experimentó un segundo sobresalto. Sentado en el estrado con el resto de los profesores y de cara al público, estaba el doctor Mark Rawlins.

Sin poderlo evitar, Samantha se quedó mirándole. ¿Cómo no se había dado cuenta antes? Mark Rawlins era un hombre extraordinariamente apuesto. De pronto vio lo que se había perdido en el baile de los Astor a causa de su obsesión por Joshua Masefield: el abundante cabello castaño atrevidamente largo y terminando en rizos que jugueteaban con el cuello de su chaqueta, habitual en los artistas y los actores, pero insólito en un médico; los suaves ojos castaño, la nariz fuerte y recta y la mandíbula cuadrada. Era alto y delgado, pero algo en su forma de sentarse, el mismo tejido de sus pantalones, tirante sobre los muslos, sugería la existencia de una sólida musculatura debajo, como si fuera un atleta y no ya un hombre que repartía sus horas entre un escritorio y una sala de hospital.

Mark Rawlins miró distraídamente en su dirección. Los ojos de ambos se encontraron y se mantuvieron inmóviles un instante; después él esbozó una leve sonrisa, levantando una comisura de la boca, donde Samantha observó, como antaño, la pequeña cicatriz que tenía en la boca y que le daba aquella pícara expresión. Después ambos volvieron a centrar su atención en el doctor Jones.

Resultó que el doctor Rawlins era el orador invitado para la ceremonia de la graduación, y el doctor Jones le estaba presentando en ese momento. Samantha le vio levantarse de su asiento, su alta estatura acentuada por la del bajito Henry Jones, y dirigirse con paso seguro y firme hacia la tribuna. Samantha recordó la sensación que había experimentado al bailar con él.

Mark Rawlins habló con soltura y confianza; sus gestos reposados y su acento bostoniano sugerían, más bien, una charla junto a la chimenea en compañía de un pequeño grupo de amigos. Consiguió atraer al público con sus palabras y, mientras él hablaba, Samantha trató de recordar algo de lo que le había dicho acerca de sí mismo. Pero era inútil. En su preocupación por Joshua Masefield, Samantha apenas había prestado atención a las palabras de Mark Rawlins la noche del baile. Era como si se encontrara en presencia de un perfecto desconocido.

Tras regresar el doctor Rawlins a su asiento, el doctor Jones, ocupando de nuevo la tribuna, llegó a la conclusión de que ya no podía entretenerse más para dar lugar a que Kent se presentase con el diploma especial de la señorita Hargrave, y empezó a llamar a los graduados.

Lo hizo por orden alfabético. Cuando llamó a *Domine* Gower y después a *Domine* Jarvis, Samantha pensó que a ella la iba a dejar para el final. La cosa pareció prolongarse indefinidamente. Uno a uno, los graduados subían a la tribuna, tomaban el pergamino y estrechaban la mano del decano. Nadie observó el nerviosismo del doctor Jones ni supo que, entre aquel montón de diplomas, faltaba uno. Los graduados procuraban mostrarse tranquilos y Samantha tuvo que luchar contra el impulso de mirar de nuevo al doctor Rawlins.

Se produjo una pequeña conmoción al fondo del pasillo. Un hombre estaba acercándose discretamente por uno de los laterales. Al llegar al primer banco, se inclinó, le murmuró algo al profesor auxiliar, le entregó un objeto y después se retiró de nuevo a las sombras. El profesor se levantó a medias, se inclinó hacia delante y depositó el objeto sobre la mesa del doctor Jones en el momento en que este llamaba a *Domine* Young. Henry Jones lanzó un suspiro de alivio apenas perceptible, tomó el último diploma que quedaba sobre la mesa y llamó orgullosamente a *Domina* Hargrave...

Procuraron que el cortejo desfilara con compostura mientras abandonaba la iglesia, pero una vez fuera, los nuevos médicos arrojaron al aire los sombreros y empezaron a saltar y gritar como chiquillos a la salida de la escuela. Los alrededores de la iglesia eran un caos; progenitores abrazando a sus hijos, caballeros estrechándose las manos, damas enjugándose las lágrimas con el pañuelo, niños metiéndose por entre las piernas de la gente, reporteros tropezando unos con otros, perros ladrando. Samantha miró a su alrededor. El doctor Rawlins había desaparecido.

—Señorita Hargrave —era aquel pelmazo, el periodista del *Sun* de Baltimore—. ¿Cómo hay que dirigirse a usted? ¿Señorita doctor? ¿Doctora?

Ella simuló no haberle oído y siguió mirando.

¿Cómo era posible que aquel gentío hubiera cabido en la iglesia? La señora Kendall se acercó llorosa y habló casi sin resuello de lo bonito que era todo y lo preciosa que estaba Samantha con su vestido. Después se acercó el doctor Jones abombando el pecho como un gallo y dijo que Samantha era el orgullo de la Facultad, hablando en voz alta para que le oyera el reportero. Se acercaron otras personas para darle sus parabienes con una sonrisa; Samantha era la figura del día. La gente le estrechaba la mano y le dirigía elogios; mujeres que antes no se habían dignado hablar con ella, se comportaban ahora como si fueran viejas amigas suyas. Otros graduados, los profesores y nuevos periodistas se habían congregado alrededor de Samantha. Ella sonrió cortésmente, sin apenas enterarse de lo que le decían. ¿Dónde se había metido Mark Rawlins?

Una voz profunda y cultivada dijo en tono pausado:

—Doctora Hargrave, ¿nos permite ofrecerle nuestra más sincera felicitación?

Se volvió. De pie ante ella se encontraban dos mujeres que jamás había visto. La que había hablado era una mujer de sesenta y tantos años que, a pesar de lucir un vestido de fustán negro y llevar el entrecano cabello recogido en un severo moño, era sorprendentemente hermosa. Sus profundos ojos, sus tensas mejillas y su fuerte mandíbula le conferían un aspecto impresionante; pero cuando extendió la mano y sonrió, su rostro se llenó de cordialidad y simpatía.

—Soy la señorita Anthony y esta es mi amiga la señora Stanton.

—Encantada —dijo Samantha estrechando su mano.

La otra dama era la antítesis de su sobria compañera. Metida en un vestido de raso rosa con muchos volantes y encajes, la señora Stanton era increíblemente baja y rechoncha y tenía un rostro de luna llena rodeado por una masa de bucles blancos.

—Hemos venido a presenciar su triunfo y ofrecerle la cordial felicitación de sus hermanas de todas partes —dijo la señorita Anthony—. Lo que ha hecho usted, doctora Hargrave, constituye un logro muy importante que no pasará inadvertido. Ha dado usted un campanazo en favor de la causa femenina mundial.

Samantha frunció levemente el ceño.

—Es posible que no sepa —dijo la señorita Anthony, volviéndose hasta quedar casi de perfil— quiénes somos ni la causa que representamos, pero ahora eso no tiene importancia. No estamos aquí para organizar una cruzada ni para hacer proselitismo; hemos venido, simplemente, a darle las gracias.

—¿Las gracias? ¿Por qué?

—Por lo que usted ha hecho hoy. El caso es, doctora Hargrave, que las mujeres de esta nación están encadenadas y que su esclavitud resulta humillante en mayor medida porque ellas no la perciben. Lo que ha hecho usted, doctora Hargrave, es dar un paso para obligarlas a ver y a sentir, para infundirles valor y conciencia de la necesidad de hablar y actuar en favor de su propia libertad.

Samantha estaba perpleja ante la curiosa postura que mantenía la señorita Anthony: siempre de perfil. Susan B. Anthony tenía un defecto físico: un ojo descentrado. Un cirujano inepto, tratando de corregírselo, había desviado el ojo en la dirección opuesta. Muy sensible a ello, la señorita Anthony procuraba ponerse siempre de perfil, sobre todo en los retratos.

La señora Stanton apoyó una mano en el brazo de Samantha y dijo suavemente:

—Doctora Hargrave, usted es la nueva generación. La señorita Anthony y yo somos mayores, iniciamos la lucha y combatimos lo mejor que pudimos. Ahora encomendamos el final de la batalla a la siguiente generación de mujeres.

Muy desconcertada, Samantha las vio alejarse, sin advertir que Jack Morley, del *Sun* de Baltimore, se había acercado a ella.

—¿Amigas suyas?

Ella se volvió para mirarle, vio el lápiz apoyado en el cuaderno de notas y dijo amablemente:

—Discúlpeme, señor, pero tengo que reunirme con los demás.

Siguiendo con la mirada su alta y esbelta figura mientras se alejaba, el reportero humedeció la punta del lápiz con la lengua y anotó en el cuaderno lo que más tarde le telegrafiaría a su director: «¡La encantadora doctora Hargrave debería limitarse a curar las dolencias del corazón!».

Se encontraba de pie en la escalinata de la iglesia, conversando tranquilamente con el doctor Page. Samantha se detuvo a escasa distancia y se quedó mirando. La contemplación de Mark Rawlins le hizo recordar muchas cosas olvidadas largo tiempo: el baile de la señora Astor, los vertiginosos valses, el champán, el beso de Joshua, su noche de amor. Viendo al doctor Rawlins tan sereno, su forma de mover pausadamente las manos para subrayar algún detalle, Samantha recordó otras cosas de aquel pasado lejano: la embarazosa escena con Joshua en presencia del doctor Rawlins, la visible turbación de Mark Rawlins, la forma en que este había obligado a Joshua a bailar con ella y, más tarde, las palabras de Joshua que tanto le habían dolido y desconcertado. «Conozco a Mark desde hace mucho tiempo y jamás le había visto mirar a una mujer como te miraba a ti..., está enamorado. Sería perfecto para ti.»

Dolorosas palabras inmediatamente rechazadas. Pero ahora, contemplando en realidad a Mark Rawlins por primera vez, se preguntó si Joshua estaría en lo cierto. Era posible que la agradable música y el champán indujeran a cualquier hombre a mirar a una mujer de una manera especial. Pero había pasado un año y medio; ¿se acordaría el doctor Rawlins de aquella noche, se acordaría de *ella*, y podía ser su presencia allí algo más que una simple coincidencia?

Él miró hacia donde ella se encontraba, como si ya supiera que estaba allí, y sus ojos volvieron a encontrarse brevemente. Después se dirigió al doctor Page, le murmuró unas corteses palabras de despedida y bajó los peldaños.

—Doctora Hargrave —dijo con una radiante sonrisa—, permítame ofrecerle mi felicitación.

—Gracias, señor. ¿Recuerda que ya nos conocíamos?

—¡Pues claro! ¿Pensaba usted que lo había olvidado? —Mark Rawlins miró a Samantha, la cual, a pesar de ser alta, debía medir quizá veinte centímetros menos, y la expresión de sus ojos castaño se intensificó—. Poco me imaginaba yo, durante las horas que pasé en su encantadora compañía, que me encontraba en presencia de una joven que iba a escribir una página de la historia.

Samantha permaneció inmóvil por un instante —¡él se acordaba de ella!—, pero enseguida se rompió el hechizo.

—Ah, está usted aquí —dijo el doctor Jones a su espalda.

Sudaba a mares y su rostro parecía una cereza.

—Perdóneme por haberle dejado, doctor Rawlins, ¡pero es que un sujeto del *Boston Journal* me ha acorralado prácticamente! —El doctor Jones tomó la mano de Mark Rawlins y la estrechó con fuerza—. ¡Nunca le agradeceré bastante su asistencia, señor! Ha añadido un toque de prestigio a nuestra pequeña ceremonia de graduación. Pero, ¿no le acompaña la señora Rawlins?

—Siento que no estuviera en condiciones de hacer el viaje.

—¿Nada serio, espero?

—En absoluto, una leve indisposición.

Abstrayéndose de aquellas voces, Samantha pensó: ¡Tiene mujer!

—... será a las cuatro en punto —estaba diciendo el doctor Jones—. No puede usted faltar. Es aquel edificio blanco de la esquina, el de las persianas amarillas.

El doctor Jones saludó a ambos, descubriéndose, y se alejó a toda prisa. Mark Rawlins se dirigió a Samantha:

—¿Asistirá usted a la fiesta?

—Desde luego. Yo vivo en casa de la señora Kendall.

—En tal caso, le ruego me disculpe, doctora Hargrave. Tengo que resolver un asunto en mi hotel. —El doctor Rawlins esbozó una sonrisa vacilante, como si quisiera decirle algo, pero después se quitó la chistera, hizo una leve reverencia y dijo—: La veré a las cuatro.

La señora Kendall había echado la casa por la ventana. La mesa estaba a punto de hundirse con el peso de todo lo que había encima; la plata y la porcelana resplandecían y la fragancia de los capullos de rosa se mezclaba con los aromas de las humeantes bandejas. Se había pasado cuatro horas preparando el festín y ahora ocupaba la cabecera de la mesa, con expresión satisfecha, mientras los invitados disfrutaban de los sabrosos platos. El señor Kendall, desde su asiento del otro extremo de la mesa, asentía con la cabeza en gesto de aprobación, observando cómo los invitados tomaban sopa de crema de ostras, jamón asado con salsa de uva, chuletas de ternera, empanada de tomates, apio y repollos encurtidos y pan de azafrán con mantequilla, todo ello regado generosamente con vino de los viñedos del lago Canandaigua. Y en la cocina aguardaban el budín de castañas, tartas de jalea de ciruelas y melocotones al brandy.

Samantha estaba sentada a uno de los lados de la larga mesa en el centro, entre el doctor Jones y su esposa. Junto a estos se sentaban el doctor Page y su mujer; al otro lado de la mesa estaban el reverendo Patterson y su esposa, el periodista del *Boston Journal* señor Collins, el reportero local de Lucerne y, finalmente, justo frente a Samantha, Mark Rawlins.

Todo el mundo conversaba. Mientras la señora Jones le hablaba a Samantha de sus nietos; su marido, sentado a la derecha de la joven, se enzarzó en un animado diálogo con Mark Rawlins.

—¿Es médico también su padre, señor?

El doctor Rawlins le dirigió una encantadora sonrisa a Henry Jones.

—Mi padre es abogado, señor, como también lo fue mi abuelo. Ambos estudiaron en Harvard, y mi bisabuelo tuvo el honor de servir a George Washington.

—¿De veras? Es curioso que, viniendo de un linaje de juristas, no haya usted seguido su ejemplo.

—Lo hice precisamente por eso. Le seré sincero, doctor: decidí estudiar medicina para fastidiar a mi padre, que es algo así como un déspota en mi familia. A la edad de dieciocho años, pocas son las cosas que puede hacer un joven para desafiar la autoridad paterna, exceptuando, naturalmente, los actos de inmoralidad y de rebelión social. Yo no sentía deseos de desafiar a la sociedad, solo quería desafiar a mi padre. Y lo quería hacer de una manera respetable. Él ordenó que estudiara para abogado. Y yo, en lugar de eso, estudié para médico.

—Vaya —dijo el doctor Jones, riéndose mientras se acercaba la servilleta a los labios—, reconozco que es usted muy sincero. Pero, ¿de veras la medicina solo es para usted algo que poder arrojarle a su padre a la cara?

—Lo fue al principio. Pero cuando me matriculé en Cornell, descubrí para mi alegría, que sentía una inclinación natural por la medicina. Desde entonces le he agradecido en mi fuero interno a mi padre que me empujara a dar aquel paso.

—Y ahora, ¿qué piensa él al respecto?

—El día que le anuncié mi propósito de estudiar medicina, que fue aquel en que cumplí los dieciocho años, me desheredó. Hace de eso trece años, y desde entonces no hemos vuelto a cambiar una sola palabra.

—¡Es una pena! —dijo el doctor Jones, reclinándose en su asiento, mirándole con simpatía.

—En absoluto, señor. Mis tres hermanos están dominados en este momento por mi tiránico padre y son muy desdichados. Yo, en cambio, soy un hombre libre.

—¡Pero a qué precio! ¡Al de verse privado de su herencia!

—Reconozco que, al principio, fue difícil, pero ahora estoy muy contento. Cuando uno tiene un consultorio en la Quinta Avenida, no es un pobretón.

—A lo mejor he oído hablar de su padre.

—Es posible. Se llama Nicholas Rawlins.

—¿El Rey del Hielo? ¡Pues claro que he oído hablar de él! Me preguntaba si estaría usted emparentado con él, ¡pero no tenía idea de que fuera su hijo! Me encantaría que me contara su historia, señor, porque tengo entendido que es extraordinaria.

Mark Rawlins miró a Samantha, la cual apenas comía y cuyos ojos, aunque simulaban prestar atención a lo que la señora Jones le estaba contando acerca de sus nietos, revelaban su distracción. La mente de Samantha estaba muy lejos, y Mark Rawlins se preguntó dónde.

—La historia de mi padre, señor, es realmente interesante...

En su juventud, Nicholas Rawlins había observado en cierta ocasión que el hielo invernal de un cercano lago se podía vender de la misma manera que se vendían los productos del campo. En una jugada tan atrevida como el espíritu del hombre que la fraguó, Nicholas Rawlins invirtió diez mil dólares en una «cosecha» de hielo y acompañó personalmente el envío, de ciento treinta toneladas, a la tórrida Martinica, donde dijo al propietario del famoso Jardín Tívoli que estaba en condiciones de elaborar rápidamente helados a muy buen precio. Inmediatamente los helados causaron furor en la isla; al cabo de seis semanas, el hielo se acabó y Nicholas sufrió una pérdida de cuatro mil dólares, pero los habitantes de la Martinica quedaron convencidos de que ya no podrían vivir sin helados.

En La Habana Nicholas vendía bebidas heladas al mismo precio que las naturales, con el fin de fomentar la preferencia por el consumo de hielo en las bebidas. Cuando los competidores trajeron hielo desde Nueva Inglaterra, Nicholas empezó a vender el suyo a un centavo la libra, hasta que el hielo de los competidores se derritió en los muelles. Carecía de principios y de escrúpulos, pero terminó haciéndose con los monopolios legales del comercio del hielo y con la exclusiva de construcción de fábricas de hielo desde Charleston a St. Goix. Fue entonces cuando elevó los precios, resarciéndose de las tremendas pérdidas anteriores y, antes de su trigésimo cumpleaños todo el mundo, desde Nueva Orleans a Tortola, consumía ya la llamada agua de Nueva Inglaterra.

—Supongo que a su padre no le molesta que le llamen el Rey del Hielo, ¿verdad?

—¡De ninguna manera, señor!

Mark levantó su copa de vino, tomó un sorbo y, apartando los ojos del doctor Jones, vio sorprendido que Samantha le estaba mirando abiertamente.

La señora Jones se había vuelto para intercambiar anécdotas de nietos con la señora Page; el doctor Jones centraba ahora su atención en el señor Collins, sentado delante de él; y los demás comensales estaban charlando con quienquiera que tuvieran a mano. Solo Samantha y Mark guardaban silencio, mirándose el uno al otro a través de la mesa.

Al cabo de un minuto, Mark tomó una rebanada de pan de azafrán y la untó generosamente con mantequilla.

—Dígame, doctora Hargrave, ¿qué planes tiene para cuando deje Lucerne?

—Quiero abrir un pequeño consultorio en algún barrio.

Mark no pudo menos de pensar: Como el de Joshua.

—Verá usted, doctor Rawlins, quiero ir adonde sea necesaria. He estudiado un poco las estadísticas y parece ser que en Nueva York se registra un terrible desequilibrio en la distribución de médicos. Paradójicamente, allí donde las densidades de población son mayores es donde menos médicos hay.

Fue entonces cuando Mark Rawlins descubrió en los ojos de Samantha algo que no había visto en ellos año y medio atrás; no cabía duda de que Samantha Hargrave había experimentado un cambio. Por fuera era la misma, encantadora y bonita, aunque ahora tal vez se mostrara un poco más segura; sin embargo, en sus ojos brillaba una fuerza interior que no poseía la vacilante joven rescatada por él en el baile de la señora Astor. Año y medio atrás, Samantha Hargrave se mostraba ligeramente nerviosa e infantilmente asombrada de las extravagancias de la alta sociedad. Frente a él se sentaba ahora una Samantha Hargrave segura, confiada y decidida. Ya no era una muchacha, sino una mujer.

—Dígame, doctor Rawlins. ¿Cómo están los Masefield?

Él se agitó en su asiento, abandonando sus elucubraciones.

—Siento comunicarle, doctora Hargrave, que la señora Estelle Masefield sucumbió a su enfermedad hace algún tiempo. Tuvimos un enero muy duro en Manhattan y la pobrecilla no tuvo fuerzas para superarlo.

—Oh... cuánto lo lamento... —murmuró Samantha.

Todo volvió de golpe, inundándola como si se hubiera roto una compuerta, antiguas pasiones, olvidados recuerdos contradictorios: su pesar por la muerte de Estelle..., su alegría por la súbita libertad de Joshua. No: le prometió a él, se prometió a sí misma, que todo había terminado...

—Por cierto —dijo la cercana voz del doctor Jones—, parece que ustedes dos ya se conocen, ¿verdad?

—Nos presentó un amigo común —contestó Mark Rawlins con voz forzada.

—¡Comprendo! Entonces la señorita Hargrave es la amistad a que se refería usted en su carta.

—¿Cómo dice, doctor Jones? —preguntó Samantha, volviéndose para mirarle.

—El doctor Rawlins me escribió hace algún tiempo, preguntándome la fecha de nuestra ceremonia de graduación. Él y la señora Rawlins deseaban asistir porque conocían a una persona que iba a graduarse.

—¿Es eso cierto? —preguntó Samantha, mirando a Mark—. ¿Ha venido usted por mí? Entonces no ha sido una casualidad.

El doctor Rawlins abrió la boca, pero fue el doctor Jones quien habló.

—Cuando recibí la carta, empecé a pensar rápidamente. Puesto que la mayoría de nuestros alumnos son muchachos de los contornos, hijos de granjeros, raras veces tenemos el honor de que asista un caballero de tanto prestigio como el doctor Rawlins, motivo por el cual tuve la audacia de contestar, rogándole que pronunciara un discurso como invitado de honor. Sin embargo, no tenía idea, señorita Hargrave, de que fuera usted la persona a quien él conocía.

—Me halaga mucho, señor, que se tomara usted la molestia de venir solo por mí —dijo Samantha, mirando fijamente al doctor Rawlins.

Una expresión de turbación apareció de nuevo en las hermosas facciones de Mark, y esa vez Samantha lo percibió. El doctor Rawlins se estaba angustiando por momentos y ella se preguntó cuál sería el motivo.

Ambos volvieron a centrar su atención en la comida y terminaron en silencio. Cuando las sirvientas quitaron la mesa, el señor Kendall se levantó e invitó a los caballeros a reunirse con él en el salón, para fumar y tomar unas copas. La señora Kendall, que ardía en deseos de aflojarse el corsé, pidió café para las damas. Samantha se levantó para acompañar a las mujeres al farragoso salón de la señora Kendall, pero el doctor Rawlins la retuvo.

—¿Puedo hablar con usted un momento? —le preguntó en voz baja—. ¿En privado?

—Desde luego.

Indicándole a la anfitriona que se reuniría con ellas enseguida, Samantha cerró la puerta del comedor, del que todo el mundo se había retirado, y se volvió hacia Mark Rawlins.

—Doctora Hargrave, he querido hablar a solas con usted porque tengo algo que decirle. Y que darle.

Ella esperó, de espaldas contra la puerta, mientras el doctor Rawlins introducía la mano en el bolsillo de su chaqueta y sacaba un sobre. Lo manoseó unas cuantas veces, examinándolo con el ceño fruncido, antes de mirar a Samantha directamente a los ojos y decirle:

—Doctora Hargrave, el motivo de mi visita no es el que usted supone. La idea de asistir a la ceremonia de graduación no se me ocurrió a mí sino a Joshua.

Ella contuvo la respiración.

—Y esto es de Joshua. Me pidió que se lo entregara.

Samantha contempló el sobre de color amarillo y vaciló una fracción de segundo antes de tomarlo.

—Gracias, señor.

Trató de abrirlo sin estropearlo, pero le temblaban tanto las manos, que el sobre se desgarró. Desdoblando la única hoja que contenía, vio que la carta no era de puño y letra de Joshua. Empezaba así: «Mi querida doctora Hargrave: Me dirijo a usted así porque he dado instrucciones a Mark de que le entregue esta carta solo después de su graduación; cuando lea estas palabras, ya será usted médico... y mi más ferviente deseo se habrá cumplido. Lamento no poder asistir personalmente y tener que enviar a Mark en mi lugar, pero mientras dicto estas palabras, la vida está abandonando mi cuerpo y, cuando usted las lea, ya habré muerto».

Ella mantuvo la cabeza inclinada, con los ojos fijos en la última palabra; vagamente, en segundo plano, Samantha oyó la voz de trueno del señor Kendall desde el estudio, acompañada por un coro de carcajadas masculinas. La carta se borró súbitamente de su vista.

—Debe usted disculparme, doctor Rawlins, pero no puedo leer esto aquí...

Él musitó unas comprensivas palabras en voz baja mientras Samantha extendía la mano hacia el tirador, abría la puerta y salía corriendo al pasillo. Tomó su capa en un impulso automático, pues no sabía qué tiempo hacía fuera, bajó corriendo los peldaños con la carta en la mano y se dirigió hacia el lago.

El sol se estaba poniendo cuando llegó al calvero; las sombras eran alargadas y oscuras y el cielo presentaba un color rosa salmón. Se sentó en el mismo tronco donde tantas importantes decisiones había adoptado durante el año anterior y, a la luz del ocaso, trató de leer el resto de la carta de Joshua. «Mark Rawlins me ha diagnosticado una congestión cardíaca; el ventrículo izquierdo no se vacía del todo antes de volver a dilatarse. Yo creo que es una endocarditis. El señor Pasteur de París diría que me la han producido las bacterias de la aguja hipodérmica. Tal vez tuviera razón. ¿Quién puede decir lo que es verdad en medicina? Hemos estado cometiendo errores imperdonables en nuestra ignorancia. Recuerde, Samantha, que la ignorancia médica fue causa de que yo me habituara a la morfina; si los médicos hubieran sabido hace veinte años lo que sabemos hoy en día, yo no me encontraría en este miserable estado. Eso tiene que cambiar. Los médicos tienen el sagrado deber de hacer solo lo conveniente. La medicina, querida amiga, se encuentra todavía en la Edad Media y nosotros somos poco más que unos charlatanes.

»Le escribo esta carta, doctora Hargrave, para arrancarle una promesa. Y sé que, en nombre de lo que en otros tiempos compartimos, usted cumplirá mi último deseo. Quiero que usted trabaje de firme, Samantha, para llevar la luz a la oscuridad de la medicina. Que luche por lo que es justo; le suplico que no se entierre en un mediocre ejercicio de la profesión, como yo me vi obligado a hacer; cualquier médico de segunda categoría puede hacer lo que yo he estado haciendo, pero usted está destinada a cosas más grandes. Sé que está usted capacitada para ello, Samantha. Utilice sus conocimientos y su habilidad en mejorar la ciencia de la medicina; siga adelante y no se conforme con un simple diploma. Déjeme morir sabiendo que he legado al mundo un médico que introducirá cambios.

»Le dejo mi instrumental médico, querida Samantha. Mark se encargará de que usted lo reciba. Se lo confío en la absoluta certeza de que usted hará de él mejor uso del que hice yo.

»No era nuestro destino, amor mío; estuvimos condenados desde un principio. No me queda aliento para decirte más. El corazón me falla a cada latido. Mark te contará el resto. Él sabe qué decir. Adiós, amor mío.»

Había al pie un garabato que apenas parecía la firma de Joshua.

Samantha volvió a leer la carta pese a que ya casi no había luz y resultaba muy difícil distinguir las palabras. Las lágrimas asomaron a sus ojos, cayeron sobre la carta y la tinta se emborronó. Samantha no sollozaba ni gemía, su llanto era sereno como un susurro y las lágrimas rodaban por sus mejillas sin enrojecerle los ojos. Oyó una rama que se quebraba, levantó la vista y vio el rostro en sombras de Mark Rawlins.

Samantha, al verlo, abrió la boca y solo pronunció una palabra:

—¿Cuándo?

—Hace seis semanas.

De una forma absurda, como si ello significara algo, Samantha trató febrilmente de recordar qué había estado haciendo seis semanas atrás; por alguna razón desconocida, le parecía importante saber qué había estado haciendo, qué había estado pensando en la hora de la muerte de Joshua.

—Fue rápido e indoloro —dijo Mark suavemente—. Al darse cuenta de que estaba enfermo, me mandó llamar. Le encontré muy afligido, pero no permitió que le administrara más que digital por vía intravenosa. Lo suficiente para disponer de una hora y dictar esta carta. Quería morir.

Ella le miró mientras las lágrimas asomaban a su rostro y empezaban a rodar por sus mejillas.

—¿Por qué? —musitó—. ¿Por qué quería morir?

El doctor Rawlins avanzó por la alfombra de crujientes hojas —como una sombra que pasara ante la mirada de Samantha— y se sentó a su lado en el tronco. Tenues franjas de luz lunar se filtraban a través de las ramas altas, arrojando un pálido resplandor sobre el húmedo rostro de Samantha. Mark Rawlins pensó que era la mujer más hermosa que había visto en su vida.

—Discutí con él. Joshua deseaba que le dijera a usted una cosa, pero yo no veía razón para ello. Sin embargo, él insistió en que usted debía saberlo. Y añadió que usted comprendería su insistencia. —Mark hablaba en tono apagado, como si su voz viniera de muy lejos—. Estelle no murió a causa de su enfermedad. Joshua la mató.

Samantha no se movió, no dio muestras de haberle oído. Sentada junto al doctor Rawlins en la oscuridad del bosque y rozándole con el brazo, clavó la mirada en él.

—Estelle estaba sufriendo muchísimo —añadió Mark—. Las infecciones se sucedían incesantemente; tenía dolores constantes; cada vez estaba más débil, y tan delgada que parecía un esqueleto. Ella se lo pidió... —Irónicamente, Samantha extendió la mano y la apoyó en la de Mark, como si fuera este quien necesitara ser consolado—. Le administró una sobredosis de la morfina que él consumía y, mientras exhalaba el último aliento libre del dolor, ella le dio las gracias...

Sí, Joshua, pensó Samantha con tristeza. Comprendo por qué querías que yo lo supiera. En medicina no hay decisiones sencillas y claras, nada es blanco o negro. Matar a un niño no nacido para salvar la vida de una mujer; matar a una mujer para acabar con su sufrimiento... A veces los médicos tienen que optar por la muerte para preservar la vida, a veces han de preguntarse: ¿Qué es más importante, la cantidad de vida o la calidad? No todas las respuestas figuran en los libros de texto; algunas de ellas el médico tiene que buscarlas en su interior..., eso es lo que tú querías transmitirme al pedirle a Mark que me dijera la verdad sobre Estelle; incluso en tu confesión final, Joshua, me has dejado una herencia valiosa. Esa es la singular cualidad que distingue a los grandes médicos de los mediocres...

Él lo sabía, murmuró la mente de Samantha mientras esta se apoyaba en Mark Rawlins, sintiéndose súbitamente muy cansada. Joshua sabía que yo poseo esa cualidad. Y hasta en la muerte me guía...

—Doctor Rawlins —dijo en voz baja—, ¿quiere, por favor, dejarme sola?

—¿Aquí? —él miró a su alrededor el calvero apenas iluminado por el resplandor de la luna—. ¿Es seguro?

—No ocurrirá nada. Ningún daño me puede suceder aquí.

—Pero...

—Se lo ruego. Hay algo que debo meditar y este es el único lugar donde puedo hacerlo. No tardaré mucho. Discúlpeme ante la señora Kendall, por favor.

Mucho después de que el doctor Rawlins se hubiera marchado, Samantha seguía sentada inmóvil en el tronco, contemplando la noche y atenta a los conocidos rumores del bosque que habían acompañado tantas decisiones y revelaciones suyas en el pasado. Samantha percibía dulces presencias a su alrededor: los dioses que habitaban en los árboles y en las enredaderas, los espíritus de los indios que habían visitado aquel claro en otros tiempos y sus queridos amigos Hannah y Joshua querían ayudarla a comprenderse a sí misma.

Un temible y peligroso camino se abría ante ella, un camino por el cual nunca se había adentrado mujer alguna. Y Samantha vio de pronto, con insólita claridad, que ese era el camino que deseaba seguir. Con la ayuda de Dios y de quienes había conocido y conocería en el futuro, Samantha Hargrave iba a luchar para llevar la luz a la oscuridad de la medicina.

TERCERA PARTE

NUEVA YORK

1881

1

Samantha sabía lo que se proponía el doctor Prince, había comprendido su plan: desde su ingreso en el St. Brigid's, debido a una triquiñuela técnica, hacía cuatro semanas, el doctor Prince había estado tratando de hallar un medio de librarse de ella. Ahora le había tendido una trampa; pero en sus intrigas el doctor Prince había cometido un error fundamental: menospreciar a Samantha Hargrave. Ella había urdido otro plan.

Lo que iba a hacer aquella noche, jamás lo había hecho mujer alguna en la historia; pero como en otras ocasiones la desesperación la había obligado. Tras regresar a Manhattan procedente de Lucerne, Samantha acudió a todos los hospitales que tenían establecido un programa de internos. El doctor Jones le había asegurado que era el único medio de elevarse en el mundo de la medicina; un diploma lo podía tener cualquier médico; sin embargo, lo que distinguía a un médico de primera clase era un certificado de práctica como interno. Samantha decidió, por tanto, hacerse con esa credencial, pero descubrió que en ningún hospital de Nueva York había sitio para una mujer médico.

Fue rechazada en todos; en cuanto entraba, los administradores le echaban una ojeada y, sin molestarse en examinar su expediente, le decían que sus programas estaban completos. Al cabo de dos semanas, Samantha comprendió la situación y se dio cuenta de que, antes de agotar la lista de hospitales, tendría que cambiar de táctica. En lugar de presentarse personalmente, escribió cartas a los últimos cuatro centros que le quedaban por visitar, incluyendo un resumen de su excelente historial académico y cartas de recomendación del doctor Jones y del doctor Page. Y firmó las cartas: S. HARGRAVE, D.M.

La espera de las respuestas fue angustiosa, pero muy fructífera. Los cuatro hospitales escribieron inmediatamente al doctor Jones para comprobar la autenticidad de las recomendaciones y recibieron informes en extremo favorables; los cuatro escribieron a S. Hargrave que la aceptaban en sus programas de internos.

Ella eligió el St. Brigid's por dos razones: era un gran centro hospitalario de cuatrocientas camas, y ofrecía un programa de especialización en cirugía. Samantha estaba inmensamente satisfecha, pero no así el doctor Silas Prince. Cuando se presentó en su despacho y él comprendió, tras unos momentos de confusión, que S. Hargrave era *ella*, el sexagenario jefe del equipo médico le comunicó, sin apenas poder contener su indignación, que no les era posible aceptarla en su programa. Pero Samantha ya había previsto la respuesta y, en tono sereno y educado, informó al doctor Prince de que su cambio de actitud era un incumplimiento de contrato legal y ella se vería obligada a solicitar los servicios de un abogado.

Fue un farol, claro, porque a Samantha le quedaba muy poco dinero; pero el doctor Prince se tomó sus palabras en serio y la despidió diciendo que tendría que consultar el asunto con los administradores.

Resultó que, por culpa de la negligencia del doctor Prince, Samantha llevaba, legalmente, todas las de ganar: tenía en su poder una carta de aceptación con la firma de Prince y, aunque pareciera una ironía, contaba con el apoyo del propio hospital, cuyos estatutos no prohibían expresamente la contratación de mujeres médicos. Vaya, se dijeron, nadie había pensado en la necesidad de excluir específicamente a las mujeres en los estatutos porque se daba por sentado que ninguna mujer tendría la osadía de presentarse. Los abogados estarían de enhorabuena, al igual que las feministas y la prensa liberal. La querella de Samantha Hargrave contra el St. Brigid's daría lugar a una publicidad desfavorable —un gran hospital metropolitano ensañándose con una mujer indefensa— y algunos protectores financieros del centro fruncirían el ceño.

—Muy bien, doctor Prince, nos vemos obligados a aceptarla. Entretanto se redactarán nuevos estatutos que eviten futuras repeticiones de semejante caso y esperamos que en adelante sea usted más cuidadoso en la selección de los solicitantes. Además procurará usted silenciar el hecho de que tenemos una mujer en nuestro equipo médico. No conviene que se acentúe esa tendencia, ¿no cree?

—¡Pero, señores, esto no se puede tolerar! Se trata de una mujer. ¿Cómo puedo incluir en mi equipo a una mujer que examine a los pacientes en compañía de hombres, que viva en la sección destinada a los internos, que utilice los mismos servicios...?

—Eso es precisamente lo que queremos, doctor Prince. Esa señorita esperará un trato especial, en atención a su sexo. Pues, bien, le espera una sorpresa. Se encargará usted, doctor Prince, de que la doctora Hargrave participe en *todas* las facetas del programa de internos y de que se le dispense el mismo trato que a un hombre. Eso la obligará a largarse enseguida.

Un terrible error de juicio. En primer lugar, a Samantha le gustaba que no le tuvieran ninguna consideración especial por el hecho de ser mujer; y, en segundo lugar, si bien era posible que una mujer de más elevado rango considerara que la situación era excesivamente radical para su sensibilidad, a una chica que se había criado en el Crescent, el hecho de tener su alojamiento en una sección en la que solo vivían hombres, de compartir con estos el cuarto de baño del fondo del pasillo y de escuchar sus procacidades mientras bebían whisky a última hora de la noche, no la acobardaba lo más mínimo.

Pero no iba a ser fácil. El doctor Prince había sufrido una humillación y se iba a vengar.

El jefe del equipo médico no era el único en sentirse molesto por su presencia. Aparte de los demás internos, convencidos de que sus horas nocturnas de esparcimiento masculino se resentirían de la intrusión de una mujer, a las enfermeras les molestaba tener que acatar sus órdenes (Samantha había trastornado su sentido de las categorías... los médicos eran sus superiores, las mujeres eran sus iguales..., pero, ¿dónde quedaban las cosas con una mujer médico?), y quien más se oponía a ella era la señora Knight, la jefa de las enfermeras.

Aparte de dirigir a las mal pagadas, mal educadas y mal instruidas enfermeras (el sistema Nightingale aún no había llegado al St. Brigid's), la señora Knight era la encargada de las habitaciones de los internos. Y tras haber asignado a Samantha un aposento libre situado al final del pasillo, la señora Knight no disimuló su disgusto.

—Mandaré que el portero coloque un candado en la puerta del cuarto de baño —dijo, haciendo sonar el llavero que llevaba colgado del cinturón—. Hasta entonces, deberá usted cantar en voz alta para evitar una situación embarazosa. Deberá usted cerrar con llave su puerta por las noches y no saldrá al pasillo en ningún caso, como no sea completamente vestida. El comedor del equipo médico se encuentra en el tercer piso; hay que acudir puntualmente, so pena de quedarse sin ración. He pedido que comiera usted con las enfermeras, pero el doctor Prince insiste en que, como miembro del equipo, tiene usted que reunirse con ellos.

La señora Knight era una mujer obesa, de pelo color gris acero; a Samantha le recordaba el personaje de Úrsula la Marrana en la obra *La feria de San Bartolomé*, de Ben Johnson, autor inglés del siglo XVII. La jefa de enfermeras cruzó los brazos sobre su enorme busto y miró a Samantha con expresión de despectivo reproche.

—Quiero que sepa, doctora Hargrave, que soy muy contraria a su presencia aquí. Este experimento se llevó a cabo una vez en el Hospital de Pensilvania, allá en el sesenta y nueve. Las llamadas doctoras no duraron allí ni un día. Les escupían encima tabaco mascado. Las mujeres no están hechas para ser médicos, no tienen capacidad para esta clase de responsabilidad. Yo le doy un mes —volvió a agitar las llaves para recordarle a Samantha su autoridad—. Y una última cosa. Deberá usted ausentarse de las salas durante el período. Las enfermeras no están autorizadas a entrar allí en esas fechas, y usted tampoco lo estará. No podemos permitir que una mujer inestable atienda a los pacientes.

Era una mísera habitación, con una ventana tan mugrienta que apenas se podía ver el exterior, un tocador cojo y una cama combada, pero a Samantha se le antojó un palacio. El trabajo era muy duro y la jornada muy larga, pero el entusiasmo y la determinación que experimentaba le dieron la fuerza necesaria para afrontar los rigores de la práctica de interna (para gran asombro de todo el mundo). La entristecía únicamente el hecho de que los demás internos no la aceptasen. Había nueve en el programa, y siete tras la admisión de Samantha, puesto que dos se marcharon, negándose a tolerar aquella ofensa; los demás estaban muy molestos por su presencia, pensando que ello restaba prestigio al hospital y les convertía en el hazmerreír de la gente.

Todos se quejaron ante el doctor Prince y a todos se les dieron seguridades en el sentido de que aquella mujer no duraría allí mucho tiempo. La trataban como si no existiera: nadie se sentaba a su lado durante las comidas, la excluían de todas las conversaciones y por la noche, cuando descansaban de su agotadora jornada, las risas y la música de los banjos flotaban por el pasillo, pero nadie llamaba jamás a su puerta.

Samantha constituía para el doctor Prince un recuerdo constante del error que había cometido, hasta que, al cabo de cuatro semanas, llegó el día de la venganza.

Su plan era el siguiente: Samantha Hargrave se había introducido en el hospital a través de un subterfugio legal y lo iba a abandonar por el mismo medio.

En primer lugar, el reglamento exigía de las empleadas del hospital comportarse con corrección en todo momento, no utilizar tabaco, palabras malsonantes ni bebidas alcohólicas, y su aspecto tenía que reflejar constantemente el decoro de la institución: los vestidos debían cubrir los tobillos, las muñecas y el cuello. Cualquier atuendo ofensivo o indecente sería motivo de inmediata expulsión.

En segundo lugar, todos los internos tenían que dedicar un número determinado de horas a cada una de las especialidades: sala de accidentes, maternidad, ambulancias. Sin ninguna excepción. Ni siquiera para la interna, a quien resultaría imposible trabajar en el departamento de ambulancias, dadas las restricciones impuestas en la indumentaria. La doctora Hargrave no podría subir a la parte trasera de los furgones como no fuera desgarrándose la falda o cayendo de bruces. Y, puesto que no se le permitía ponerse pantalones (estos se consideraban una prenda «indecente» en la mujer), al doctor Prince le parecía que Samantha Hargrave no podría cumplir su servicio en aquella sección. Y entonces podrían despedirla legalmente, con rapidez y discreción.

Pero Samantha se le adelantó. Al ver con una semana de antelación que su nombre figuraba en la lista de ambulancias, Samantha comprendió que tendría que encontrar alguna solución y acudió inmediatamente a un sastre de la cercana calle Cincuenta, con una petición de lo más insólita.

Para pagar el vestido, tuvo que empeñar el precioso estetoscopio biauricular de plateado vientre que el doctor Jones le había ofrecido como regalo de graduación; pero el viejo judío rechazó el dinero. El vestido era un reto, le dijo, y una buena publicidad. Si ella se comprometía a decirle a todo el mundo que era de Rabinowitz, se lo confeccionaría gratuitamente.

Una semana después, sin que nadie lo supiera en el hospital, Samantha regresó a la tienda del señor Rabinowitz.

El vestido era un inteligente engaño. Lo suficientemente corto para resultar cómodo, pero lo bastante largo como para garantizar el pudor; severo pero femenino, el uniforme era de sarga azul marino, con una chaqueta ajustada y una falda que era una maravillosa ilusión: separada como unos pantalones de holgadas perneras, pero conservando todo el aspecto de las sayas. El doctor Prince no podría decir que vestía con indecencia y ella estaría en condiciones de subir y bajar de la ambulancia con toda comodidad. Los toques finales eran varios bolsillos con tapas abrochadas mediante botones y el nombre del St. Brigid's bordado en oro en las mangas.

La prueba iba a ser aquella noche y Samantha estaba paseando arriba y abajo por su habitación.

Casi todos los internos procuraban dormir un poco cuando estaban de guardia en la sección de ambulancias, pues la campana se podía oír desde sus habitaciones del tercer piso y conseguían vestirse y bajar al departamento en los tres minutos reglamentarios. Pero aquella ocasión era demasiado importante para que Samantha pudiera dormir; todo el mundo estaría pendiente de su actuación. Y el doctor Prince, que raras veces pernoctaba en el hospital, había abandonado su cómodo dormitorio de la Avenida del Parque para estar presente en el momento de la victoria.

Mientras paseaba por el cuarto, Samantha no pensaba en la reacción de los demás ante su atuendo especial: ahora no le importaba que lo aceptaran o lo rechazaran. Lo que la inquietaba era la inminencia de su primer caso urgente. ¿Qué sería? ¿Estaría ella en condiciones de resolverlo? Había bajado previamente al departamento de ambulancias, para familiarizarse con el vehículo y el conductor, y había regresado a toda prisa a su habitación, calculando el tiempo empleado. ¿Qué otra cosa podía hacer para prepararse?

Se detuvo bruscamente y giró en redondo. Fuera, acercándose por el pasillo, oyó las conocidas pisadas y se enfureció inmediatamente. ¡Tú otra vez!, pensó. ¡Y precisamente esta noche!

La primera noche de su estancia allí, hacía cuatro semanas, Samantha despertó de un ligero sueño al oír unos pasos en el corredor. Al principio no se preocupó, pero al oírlos más próximos y recordar que el cuarto de baño estaba al otro extremo del pasillo (allí solo había una salida de urgencia) se alarmó. Las pisadas se detuvieron ante su puerta. Ella permaneció tendida y expectante, conteniendo el aliento, y se preguntó quién estaría allí afuera, fisgoneando. Tenía la desagradable impresión de que estaban mirando por el ojo de la cerradura. Al cabo de un minuto, sin embargo, los pasos volvieron a alejarse y Samantha pensó: «Parker el Fisgón». Tras lo cual, se durmió. Pero las pisadas habían vuelto repetidamente, por regla general tres veces por semana, deteniéndose por espacio de un minuto, como si alguien quisiera escuchar o mirar. Samantha pensó en la posibilidad de quejarse ante la señora Knight, pero llegó a la conclusión de que la jefa de enfermeras le diría que la culpa era suya. Quienquiera que fuese, no parecía que se propusiera causarle ningún daño, y lo más probable era que sintiera curiosidad por la doctora, motivo por el cual Samantha decidió no hacer caso.

Aquella noche, sin embargo, se enojó. Al oír que los pasos se acercaban, Samantha tomó del tocador un pulverizador de colonia y se situó junto a la puerta. Cuando cesó el taconeo y ella estuvo segura de que el mirón estaba atisbando, Samantha acercó el pulverizador al ojo de la cerradura y apretó varias veces con fuerza. Al otro lado de la puerta sonó un grito de asombro y después un golpe sordo, como de alguien que hubiera caído sobre las posaderas. Momentos después, las pisadas se alejaron ruidosamente por el pasillo.

Samantha se apoyó en la pared y, enfurecida, arrojó el pulverizador sobre la cama. Poco después, el silencioso aire nocturno quedó desgarrado por el estrépito de una campana. Venía del departamento de ambulancias.

Los caballos estaban temblando bajo sus arreos. Jake, el cochero, se apeó para ayudarla, pero Samantha le hizo señas de que regresara a su sitio. Sospechaba que el doctor Prince la estaba observando, oculto en alguna parte. Se agarró a la barandilla y subió con tanto empuje, que a punto estuvo de caer de cabeza al interior de la ambulancia. Antes de que pudiera recuperar el equilibrio, el vehículo se puso en marcha con una sacudida y abandonó velozmente la cochera, haciendo que Samantha cayese de rodillas.

Mientras bajaban por la calle Quinta haciendo sonar las campanillas, Samantha tuvo que agarrarse con ambas manos y se alegró de tener tantos bolsillos donde guardar su material médico. Eran las primeras horas de la noche y había algunos peatones por las calles; los que se percataron de que el médico sentado en la parte de atrás del coche era una mujer, se detuvieron y la señalaron con el dedo. Samantha solo pudo ver fugazmente el cuadro: estatuas en la acera, mirándola boquiabiertas. El corazón le latía al ritmo de los sonoros campanillazos. No sabía adónde se dirigía.

Cerca del East River, se detuvieron ante una casa de piedra arenisca profusamente iluminada, con un farol rojo sobre la puerta de entrada. Una multitud había seguido a la ambulancia y ahora se estaba arremolinando para ver a la doctora, y cuando Samantha se abrió paso por entre el gentío, unos chiquillos andrajosos empezaron a cantar:

—¡Que venga un hombre, que venga un hombre!

Samantha y Jake fueron recibidos por una mujer de rostro enjuto, vestida con un severo atuendo de fustán gris, que les condujo al piso superior. Había allí mujeres de todas las edades y tipos sucintamente vestidas, algunas sollozando y otras mirando con morbosa curiosidad.

—No ha estado muy bien estos últimos días —dijo la severa propietaria mientras Samantha entraba en la habitación.

Tendida en la cama había una niña de no más de catorce años con su delgado cuerpo cubierto tan solo por una bata de encaje. Parecía dormida y tenía las manos cruzadas sobre el estómago. Al ver el tono azulado de los labios y las ventanas de la nariz, Samantha preguntó:

—¿Qué ha tomado?

La mujer señaló un frasco vacío que había junto a la cama. Elixir del doctor Hansen.

—Todas mis chicas lo toman de vez en cuando. Dice en la etiqueta que es completamente inofensivo. No comprendo cómo ha podido ocurrir.

Samantha levantó los párpados de la enferma y vio

que sus pupilas estaban inmóviles. Apenas respiraba, pero su pulso era todavía bastante firme.

—Es una sobredosis de opio, Jake. Tendremos que llevarla al hospital a toda prisa.

Mientras tendían a la muchacha en la camilla y bajaban con ella a toda prisa por la escalera, la remilgada mujer les siguió, diciendo:

—Yo no tengo la culpa, ¿saben? Yo regento un establecimiento muy limpio. Ninguna de mis chicas, ninguna ha tenido jamás...

Una vez la ambulancia se hubo puesto en marcha, Samantha se inclinó angustiada sobre la muchacha y le frotó las frías manos mientras le suplicaba mentalmente: *¡No te mueras! Por favor, no te mueras...*

La sala de urgencias estaba vacía. Tendieron a la niña en la mesa de exploraciones y Samantha envió a Jake en busca de ayuda. La pequeña estaba amoratada.

Samantha intentó primero practicarle un lavado de estómago, pero, al ver que el tubo aspiraba muy poco «elixir», comprendió que ya era demasiado tarde para eso. Tenía que recurrir a medidas «heroicas». Le pareció estar oyendo la voz del doctor Page: «Restablezcan la respiración artificialmente, mojen el abdomen con una toalla húmeda, calienten las manos y los pies, administren café cargado, obliguen a caminar al paciente...».

Cuando Jake regresó, Samantha estaba moviendo los flácidos brazos de la niña, levantándolos por encima de la cabeza, bajándolos sobre el abdomen y ejerciendo presión. Detrás de Jake, abrochándose todavía el cuello de celuloide, se encontraba uno de los residentes de mayor antigüedad. Se acercó a la mesa, apoyó las puntas de los dedos en el cuello de la niña, echó un vistazo al azulado rostro y dijo:

—Amiga mía, está trabajando usted con un cadáver.

Samantha hizo una pausa para buscar el pulso en la

muñeca. Tras cerciorarse de que había pulso, reanudó la reanimación artificial.

—Necesito ayuda, doctor. Hasta que respire espontáneamente, lo tenemos que seguir haciendo nosotros por ella.

—Pierde usted el tiempo, señorita Hargrave —contestó él, sacudiendo la cabeza—. Está tratando de resucitar a una niña muerta. Le aconsejo que firme la defunción y se vaya a la cama. A juzgar por la profesión que al parecer ejerce, más le vale morir.

—¡Tráigame a alguien! —le ordenó Samantha a Jake una vez el médico se hubo retirado.

El esfuerzo que requerían los ejercicios de reanimación había agotado a Samantha, la cual estaba a punto de venirse abajo cuando Jake regresó acompañado por la señora Knight. Sin una palabra, la jefa de enfermeras ocupó el lugar de Samantha y reanudó los ejercicios de bombeo, sin romper el ritmo. Pero Samantha no se sentó. Por lo que sabía de las víctimas de sobredosis de drogas, tendrían que pasarse allí toda la noche. Se quitó el sombrero y la chaqueta y, sirviéndose del estetoscopio, se dedicó a auscultar periódicamente el débil corazón de la niña. A intervalos de quince minutos, se iba turnando con la señora Knight, que seguía sin pronunciar ni una sola palabra.

Hacia medianoche, cuando ambas mujeres seguían trabajando afanosamente en la desierta sala de urgencias, uno de los jóvenes internos apareció en la puerta. Las estuvo observando en silencio unos minutos y después se quitó apresuradamente la chaqueta y se acercó para relevar a la enfermera jefe. Desde su rincón, Jake observaba la escena fascinado. Estaba claro que la puta la iba a palmar; pero aquella doctora Hargrave era formidable, había que reconocerlo.

El interno, menos entusiasta en los ejercicios de bombeo, dijo:

—Está perdida, doctora. Creo que debe usted declararla muerta.

—No mientras haya pulso, por débil que sea. Si está cansado, doctor, yo puedo hacerlo.

Pero él siguió. Trabajaron dos horas más, haciendo ejercicios de bombeo, auscultándole el corazón, practicando masajes en las azuladas manos y en los pies, hasta que, por fin, cuando en la frente del interno ya brillaba un velo de transpiración, el color de la chica empezó a cambiar. Poco a poco, el amoratamiento fue desapareciendo y las mejillas empezaron a adquirir un tono sonrosado, como la noche cuando cede paso al amanecer, y por último la chica aspiró entrecortadamente y tosió.

El interno dejó de practicar los ejercicios de bombeo y, mientras él y la señora Knight la miraban, Samantha tomó una toalla que había dejado en un cubo de agua helada, separó la bata, para dejar al descubierto el abdomen, y procedió a darle golpecitos con la toalla mojada. A cada gélido toque, la chica emitía un jadeo y movía la cabeza. Al ver que parpadeaba, Samantha dijo:

—Señora Knight, vamos a necesitar mucho café cargado.

Muy pronto levantaron a la chica, sosteniéndola por las axilas, y la obligaron a caminar y a beber ingentes cantidades de café.

Era casi el amanecer cuando Samantha consideró que se podía enviar a la niña a una cama de la sala. Tras recoger su sombrero y su chaqueta, Samantha se encontró cara a cara con el interno.

—Me ha convencido, doctora Hargrave —le dijo, tendiéndole la mano—. En mi opinión, es usted magnífica.

Durante el desayuno no se habló más que del intento de asesinato perpetrado contra el presidente Garfield, el cual había suscitado más conmoción entre los ciudadanos que el de Lincoln dieciséis años antes. Cuando Lincoln fue abatido a balazos, los norteamericanos llevaban viviendo cuatro años de matanzas y atrocidades; Lincoln no fue más que otra baja de la guerra. En cambio, James Garfield había llegado en tiempo de paz, era el símbolo de la prosperidad y suscitaba, por ello, el fervor popular. El presidente Garfield yacía ahora en la Casa Blanca, muriéndose un poco cada día. Le hurgaban la herida en busca de la bala faltante, utilizando a veces un catéter de metal y a veces el dedo sin desinfectar de un médico. El profesor Alexander Graham Bell había diseñado un aparato para la localización de metales ocultos; sin embargo, el somier confundía al aparato y lo hacía sonar en cualquier punto del cuerpo del presidente. Los prestigiosos médicos que le atendían las veinticuatro horas del día, no sabían qué hacer. Y ese era uno de los temas de conversación preferidos de los médicos del St. Brigid's a la hora del desayuno.

—¡Los demócratas están detrás de todo el asunto! —anunció un viejo cirujano mientras saboreaba con fruición su plato de huevos con tocino.

—Les digo, señores, que abrir el abdomen es una locura —dijo la voz de uno que tomaba tostadas con mantequilla y café—. No importa que tenga la bala todavía alojada en el cuerpo. Abrirle el abdomen equivale a una muerte segura.

Samantha entró en aquel momento y el comedor entero enmudeció; todas las cabezas se volvieron hacia ella (incluida la del joven y avergonzado interno cuyos ojos aparecían enrojecidos, congestionados y llorosos a causa de la rociada de agua de colonia). El doctor Prince se levantó de su mesa y se acercó lentamente a ella, sosteniendo en la mano un ejemplar de la edición matutina del *Tribune.* Los ojos del jefe ardían fríamente y sus blancas patillas estaban erizadas.

—¿Ha visto usted esto, doctora Hargrave? —preguntó, mostrándole el periódico.

Samantha estaba al tanto. Alguien había dejado un ejemplar delante de su puerta y ella lo había encontrado al salir aquella mañana para dirigirse al cuarto de baño. Aparecía en primera plana una pequeña noticia relativa a su heroico comportamiento de aquella noche.

—Yo no apruebo estas cosas, doctora Hargrave. El responsable de todo es Jake, el conductor de la ambulancia, que, al parecer, buscaba un poco de notoriedad contándole la aventura de esta noche a un reportero que acertó a entrar en la cochera. Ahora hay seis reporteros abajo, todos ellos preguntando por la *doctora.* He reprendido a Jake y le abrirán expediente. Y le aconsejo, doctora Hargrave, que sea discreta y evite la notoriedad fácil. El St. Brigid's no es un teatro.

Ella mantuvo la cabeza erguida y le miró fijamente. Su voz fue el único sonido que se oyó en la silenciosa sala:

—Descuide, doctor Prince.

Él entornó los ojos. Estaba evidentemente molesto por la pequeña victoria de Samantha. Aquella mujer era muy astuta; no volvería a menospreciarla.

—Y otra cosa, doctora Hargrave. Dedicar toda la noche a una indigna prostituta denota su poco discernimiento médico. El esfuerzo la ha dejado agotada para las visitas de esta mañana, ha causado usted gastos innecesarios al hospital, requiriendo los servicios de nuestra jefa de enfermeras y de otro interno, y no hubiera estado usted disponible en caso de que se hubiera producido otra llamada urgente. Tendrá que aprender a reprimir sus excesos médicos, doctora Hargrave.

—Descuide, doctor Prince.

Parecía a punto de añadir algo, pero, volviéndose bruscamente, abandonó la sala. Dominada por la cólera, Samantha se dirigió a su habitual asiento, junto a una mesa vacía y se sentó con pausados movimientos. Cuando se acercó la chica con el té y los bizcochos de miel, Samantha procuró no prestar atención a los veinte pares de ojos que la estaban mirando.

Y después, con mucha suavidad, como cuando empieza a caer una lluvia primaveral, el interno de la mesa vecina empezó a aplaudir.

Samantha levantó los ojos asombrada.

Los demás se habían unido a los aplausos. Por un instante, estos atronaron el comedor de los médicos, y Samantha, contemplando perpleja las sonrisas y las expresiones de aprobación, no pudo beberse el té.

2

Samantha estaba sorprendida de lo mucho que había cambiado su amiga. No era solo su aspecto exterior —los kilos de más, el descuidado cabello, el rostro abotagado—, sino algo más, patente en la actitud de Louisa: sus gestos dejaban entrever una corriente nerviosa subterránea, sus ojos verdes no descansaban ni un momento y su voz adquiría a menudo un tono estridente. No era lógico en una mujer embarazada de ocho meses. Samantha estaba consternada. ¿Era posible que un año de matrimonio provocara aquellos efectos?

Cuando Louisa se llevó una mano a la parte inferior de la espalda, se levantó del sofá con un gemido y abandonó la estancia con paso cansino, Samantha aprovechó para echar un vistazo a su alrededor.

Luther se estaba ganando muy bien la vida en su calidad de nuevo socio del señor DeWinter; en un rincón, había una nueva máquina de coser musical, símbolo de la prosperidad burguesa de los Arndt: mientras el pedal se movía, giraban unos rodillos que producían la música. Por desgracia, la máquina estaba cubierta por una capa de polvo. Louisa siempre había sido un poco descuidada y desordenada en sus cosas, pero aquel salón sucio y polvoriento revelaba un auténtico abandono y constituía un reflejo de la mujer que lo ocupaba todo el día, una mujer que no parecía interesarse por nada.

—Garfield, Garfield, Garfield —dijo Louisa con un suspiro, regresando al sofá con una bandeja en la que había dos vasos de un líquido oscuro, unos trozos de pastel de semillas de amapola y una cosa nueva de la que Samantha jamás había oído hablar: oleomargarina (Louisa seguía mostrando inclinación por lo más moderno a expensas del buen gusto)—. Se llama cerveza de raíces —aclaró Louisa— y es una novedad —Samantha hizo ademán de tomar un vaso—. No, ese es el mío —dijo ella, tomándolo.

Samantha observó que aquel vaso no tenía tanta espuma.

Louisa apoyó los hinchados pies sobre el sofá, tirando al suelo un catálogo de venta por correo de la firma Montgomery Ward.

—Lo llaman el Verano del Presidente. Todo el mundo habla de Garfield. Estoy hasta la coronilla.

Samantha procuró disimular su decepción; anhelaba reunirse de nuevo con Louisa después de tanto tiempo. Tras conseguir finalmente un día libre en el hospital, se había puesto su mejor vestido y había tomado el autobús de la Quinta Avenida, llena de emoción; pero la Louisa que ella esperaba ver en la puerta —la Louisa de los preciosos rizos dorados como la miel, que un día tratara de animar a Juana de Arco— había desaparecido.

Aunque Louisa la acogió con entusiasmo, abrazándola con tanta fuerza que Samantha notó que un piececito invisible le propinaba un puntapié en el estómago, al cabo de quince minutos de alegres evocaciones del pasado, pareció empezar a aburrirse, como si Samantha fuera un juguete nuevo del que ya se hubiera cansado, y ahora se encontraba tendida en el sofá, hinchada e incómoda, moviendo sus ojos verdes de uno a otro lado.

Samantha hubiera querido preguntarle: ¿Qué ocurre?, pero temía lastimar los sentimientos de su amiga.

—¿Cómo está Luther?

—Muy bien —fue la vaga respuesta.

—Debéis estar muy contentos con la participación en el negocio.

La inquieta mirada de Louisa encontró finalmente un lugar donde posarse y contempló con aire ausente el polvoriento y descuidado helecho de la ventana.

—Ahora pasa mucho tiempo en la farmacia. Van a vender helados. En una tienda de artículos diversos.

Tenía que haber algo que interesara a Louisa; si el tema de su marido no la seducía —aunque tras solo un año de matrimonio, hubiera tenido que haber un poco más de entusiasmo—, sin duda la atraería el tema del niño.

—Tienes que estar muy ocupada con el cuarto del niño.

Louisa la miró inexpresivamente.

—¿Lo tienes preparado? Me gustaría verlo.

Louisa se encogió de hombros y se levantó trabajosamente. Siguiéndola por la escalera, Samantha se preguntó si el embarazo ejercería aquel efecto en todas las mujeres; quizá los ocho meses de esperar un acontecimiento que parecía no llegar jamás, apagaban el interés por cualquier otra cosa. Cuando naciera el niño, Louisa volvería a ser la de antes.

—Oh —exclamó Samantha, deseando no haber mencionado el cuarto del niño. Estaba en el piso de arriba, al lado del dormitorio principal, en el que Samantha vio una cama por hacer, y no había nada allí, a excepción de una cuna a medio pintar y algunos rollos de papel de pared en el suelo desnudo—. Bueno, aún tienes tiempo.

Louisa volvió a dirigirle la misma inexpresiva mirada de antes y Samantha pensó: Esto no marcha nada bien.

Estuvo reflexionando mientras bajaban por la escalera, y por fin, cuando ya se encontraban de nuevo en el salón, preguntó:

—¿Qué sucede, Louisa?

Para su asombro, su amiga contestó con vehemencia:

—Todo, Samantha —al final, el rostro de Louisa se animó—. No quiero agobiarte con mis desdichas, pero tengo que decírselo a alguien. Llevo encerrada tanto tiempo en esta casa, que me voy a volver loca. No es justo, Samantha, que las mujeres embarazadas tengan que estar recluidas. La gente es muy hipócrita. Quiere a los niños, pero no desea que le recuerden de dónde vienen. Eso hace que me avergüence. La sociedad insiste en que te cases y tengas hijos, pero, en cuanto viene uno de camino, se siente violenta y te obliga a esconderte. Si saliera a la calle, la gente me miraría y sabría inmediatamente lo que he hecho. Bueno, Luther también lo ha hecho, pero él puede salir a la calle y nadie se lo nota. Las mujeres quedan marcadas después del acto sexual; en cambio, en los hombres pasa inadvertido. ¡No es justo!

No se trata solo del embarazo, pensó Samantha, captando un mensaje distinto del que transmitían las palabras de Louisa. El tono de sus cartas había empezado a cambiar antes del embarazo; el problema de Louisa era más hondo de lo que ella quería reconocer, como si deseara expresarlo pero no encontrara el medio adecuado. Samantha trató de ayudarle preguntando suavemente:

—¿Tienes algún problema en el lecho matrimonial?

Louisa tiró del volante fruncido de uno de los puños de su bata y asintió en silencio.

—Tú no sabes lo que es eso, Samantha; tú no estás casada.

Samantha pensó con angustia en Joshua e inmediatamente después, para su propio asombro, en Mark Rawlins. No le había vuelto a ver desde aquella velada en casa de la señora Kendall. Él le había facilitado su dirección en Manhattan e invitado a recoger allí el instrumental de Joshua cuando quisiera; pero Samantha lo aplazaba, diciéndose que en su pequeña habitación no tenía dónde guardarlo, que todavía no lo necesitaba y que estaba más seguro en casa del doctor Rawlins; cualquier pretexto con tal de no verle. Durante los últimos dos meses lo venía atribuyendo a que el doctor Rawlins le recordaba a Joshua, pero ahora, en el agobiante saloncito de Louisa, la verdad se le presentó con claridad meridiana: todo obedecía a los sentimientos no deseados que él despertaba en ella...

Louisa levantó sus ojos verde musgo.

—No sé qué esperaba, Samantha. Pero pensaba que en cierto modo iba a ser limpio y puro. Tuve un sobresalto en nuestra noche de bodas. Luther me decía que estaba bien, que eso era lo que se hacía. Lloré cada vez que lo hizo. ¡Me dio asco, Samantha! Él no quería detenerse. Decía que era natural que a mí no me gustara, que eso únicamente les tiene que gustar a los hombres. Me alegró descubrir que estaba embarazada, porque entonces Luther me dejó en paz.

Louisa no decía la verdad. Lo cierto era que, en su noche de bodas, se había entusiasmado y emocionado con lo que hacía Luther, pero inmediatamente se escandalizó y avergonzó al descubrir en sí unos sentimientos tan vulgares; Louisa se asqueó de sí misma y despreció a Luther por haber despertado en ella aquellos pensamientos y deseos tan repulsivos. Se odiaba a sí misma por el hecho de desear a Luther, lloró al descubrir que deseaba acostarse con él y llegó a pensar que era una mujer perdida y degenerada. Pero, puesto que no se encontraba a gusto despreciándose a sí misma, consiguió, a lo largo de los meses, transferir a Luther el aborrecimiento que ella misma se inspiraba, diciéndose que tales sentimientos no existían en ella, que era Luther quien se los hacía imaginar, hasta que, al cabo de un año, se convenció de que no había disfrutado con la sexualidad sino que esta le había parecido repugnante, como debía ser.

—Luther me hace unas cosas terribles. Ni siquiera tiene la decencia de dejar que me desnude, me ponga el camisón y me acueste antes de entrar él en el dormitorio. Insiste en quitarme él mismo... las prendas íntimas. ¡Y con las luces encendidas! —Louisa se estremeció—. Me obliga a mirarle y a tocarle. ¡Oh, el solo hecho de pensarlo me produce náuseas!

Samantha se afligió por sus dos amigos. Qué curioso le parecía que el mismo acto, realizado por personas diferentes, produjera resultados tan distintos. Con Joshua ella hubiera podido hacer el amor todas las noches, y también de día, y en la cumbre de las colinas, sin cansarse jamás.

—¿Le has dicho a Luther lo que sientes?

—¿Quieres decir..., comentarlo con él? —preguntó Louisa, abriendo mucho los ojos—. ¡Qué ocurrencia, Samantha!

—Pero sin duda habréis intercambiado algunas palabras...

—¡Palabras sí, desde luego! ¿Quieres que te cuente algo auténticamente repulsivo? Cuando hace el amor, Luther *habla.* Me dice al oído unas palabras horribles. Algunas de ellas ni siquiera sé lo que significan...

—Louisa —dijo Samantha amablemente—, a lo mejor Luther no se da cuenta de lo mucho que eso te desagrada. Muchas novias lloran al principio y después se acostumbran a ello e incluso les gusta. A lo mejor Luther piensa que lo superarás. Louisa, acabarás sufriendo trastornos nerviosos si no arreglas este asunto.

—¡No puedo hablar de ello con Luther, de ninguna

manera! Tú eres la única persona del mundo a quien puedo contarle estas cosas, Samantha, porque eres mi mejor amiga y, además, médico. Y es fácil hablar contigo. Eres comprensiva. Nunca tengo la impresión de que estás pensando: ¡Estúpida mujer!

—¿Te producen los demás esa impresión?

—¡El doctor McMahan! Es un odioso hombrecillo que me trata como si fuera una niña. Cuando me quejo de lo incómoda que me encuentro, me da unas palmadas en la cabeza y se ríe. Adivino, por su mirada, que no me tiene la menor simpatía. Dice que tendría que encontrarme muy bien porque estoy desarrollando una función sagrada. ¡Mírame, Samantha! ¡Fíjate en este cuerpo! ¡Si los hombres quedaran embarazados, muy pronto dejarían de pensar que es «hermoso»!

Samantha frunció el ceño. ¿Por qué se comportaba Louisa de aquella manera? Una mujer embarazada *podía* estar hermosa e incluso radiante: daba casi la impresión de que Louisa descuidara la casa y su propia persona en un deliberado acto de rebelión.

—Samantha —dijo ella súbitamente, en voz baja—, voy a decirte una cosa que jamás le he dicho a nadie. Odio al niño. Odio lo que ha hecho con mi figura y le aborrezco por tenerme prisionera en esta casa. ¡Samantha, pienso unas cosas terribles! ¡No quiero al niño! No *siento* nada por él. Es como un pequeño parásito que ha invadido mi cuerpo y se alimenta de mí. Si no fuera por él, yo saldría, iría de compras y podría seguir trabajando en la Compañía Bell.

Samantha trató de animar a su amiga, simulando disfrutar con la merienda, pero la tibia cerveza de raíces no la estaba ayudando a tragarse el pastel y la oleomargarina. Retirando con la mano las migas que le habían caído en la falda, dijo:

—¡Pues entonces tienes que salir, Louisa! Tienes que hacer ejercicio y tomar el aire. Te sería beneficioso.

—¡Samantha Hargrave, el hecho de ser médico te ha cambiado de arriba abajo! —exclamó Louisa, escandalizada—. ¡Yo no puedo salir así! ¿Qué pensaría la gente?

—Louisa, el embarazo no es una enfermedad: no hay razón para que una futura madre no haga ejercicio y tome el aire. Podríamos pasar un día como los de antes. Almorzar en Macy's e ir después al hotel Everett, para ver las nuevas lámparas incandescentes del señor Edison, ciento una en total. Te gustaría, Louisa, ¡son una auténtica maravilla!

—¿Cuándo? —preguntó Louisa, animándose un poco.

—¿Cuándo? Pues, no sé. Tengo libres los domingos en semanas alternas, pero necesito lavar y remendar...

—No importa, Samantha. De todos modos, tampoco podría salir así. Quizá cuando nazca el niño...

El rostro de Louisa se ensombreció y sus ojos se oscurecieron al pensar en algo que últimamente la venia inquietando: «no puedo ir a ninguna parte y no tengo amigos. Nadie dispone de tiempo para una mujer embarazada. Pero, si el niño muriera, todo el mundo me compadecería y la gente vendría y me tratarían de forma especial. O, si Luther muriera en un accidente, yo sería viuda y todo el mundo me trataría con amabilidad y no se esperaría de mí que volviera a casarme y tuviera hijos».

Sin que ella se diera cuenta, los pensamientos de Louisa se transformaron en palabras habladas.

—Bien, no pienso soportarlo otra vez. Luther tendrá que aprender a pasarse sin eso. O, si tiene que satisfacer su repugnante lujuria animal, hay muchas mujeres que...

El sonido de su propia voz la sobresaltó y, al mirar los ojos de Samantha, se sintió inmediatamente avergonzada. Durante un embarazoso momento Louisa parpadeó rápidamente y balbució unas palabras inconexas. Después Samantha dijo:

—Hoy hace mucho calor, querida. Creo que me voy a refrescar un poco. ¿Dónde está el lavabo?

Mirándola con unos ojos que suplicaban *No me odies*, Louisa le indicó en silencio el fondo del pasillo, en la trasera de la casa. Viendo que Louisa se había terminado la cerveza y el pastel, Samantha tomó la bandeja y se la llevó a la cocina.

La afortunada Louisa tenía todos los aparatos y las comodidades modernas que hubiera podido desear una mujer, pero también allí el desorden y el abandono estropeaban el efecto. Dejando la bandeja junto al fregadero, Samantha vio las dos botellas vacías de la cerveza de raíces de la marca Levis y Hires y, a su lado, uno de aquellos preciosos abrelatas «automáticos». Lo tomó y, mientras jugueteaba con él distraídamente, descubrió una tercera botella junto al fregadero. El «Jarabe Tranquilizante del Dr. Poole para Mujeres Embarazadas». Samantha la destapó e inhaló. Un aroma dulzón le llenó las ventanas de la nariz sin poder ocultar todo lo que pretendía ocultar: el elixir del Dr. Poole contenía una droga —Samantha no pudo identificarla— y Louisa la estaba tomando.

Momentos más tarde, Samantha se aplicaba a la nuca un paño empapado de agua fría en el cuarto de baño recién reformado (los Arndt habían instalado incluso un nuevo excusado con cadena para el agua). Al lado del tarro de jabón de afeitar de Luther había una botella del «Cordial Vigorizante del Dr. Raphael para la Maravillosa Prolongación de los Atributos de la Virilidad».

¿Qué estaba ocurriendo allí? Samantha recordó a los dos alegres jóvenes con quienes solía pasar los domingos, a la coqueta y alegre Louisa y al gallardo y generoso Luther. Ahora le parecían poco menos que unos desconocidos. Ella y Louisa no tenían nada en común;

sus diálogos estaban llenos de silencios cada vez más largos. Louisa necesitaba otras amigas, amigas casadas, mujeres con hijos.

Samantha dobló cuidadosamente el paño y lo colgó de nuevo en su sitio. Nuestros caminos se están separando, Louisa. ¿Lo ves? ¿Es por eso que estás enojada conmigo y con el mundo? Cuando nazca el niño, el abismo será tan grande que ya no podremos tender ningún puente. ¿También de eso le echas la culpa a Luther?

Oyó cerrarse la distante puerta de entrada. Estudiándose por última vez en el espejo, Samantha salió al pasillo y se encontró con Luther, que le estrechó cordialmente la mano. Él no había cambiado lo más mínimo: seguía siendo alto y delgado, con su cabello rubio platino elegantemente peinado con raya en medio y alisado y sus pálidos ojos azules llenos de afectuosa amistad. Al inclinarse para besar a su mujer, Louisa le ofreció la mejilla y, al preguntarle el cómo se encontraba, ella se quejó de dolor en la espalda. Samantha pensó: Le está castigando.

Se sentaron en el salón, simulando encontrarse en una situación normal.

—Tengo entendido que ahora estás muy ocupado en la farmacia, Luther.

—Es mucho el trabajo y la responsabilidad —contestó, mirando constantemente a su mujer—, pero a mí me gusta. El señor DeWinter es viejo y está anticuado; tiene intención de dejarme algún día la farmacia a mí. Yo trato de ponerla al día, pero a veces él opone cierta resistencia.

Louisa bostezó ruidosamente sin molestarse en cubrirse la boca con la mano.

Luther se inclinó hacia delante, juntando las manos entre las rodillas.

—Quiero llevar la farmacia a los tiempos modernos, ¿comprendes? Te gustará, Samantha. En mi país ha aparecido un nuevo medicamento prodigioso. Son unos polvos cristalinos, de color blanco, que curan todos los dolores y bajan la fiebre sin ejercer ningún efecto perjudicial en el organismo. Se llaman ácido salicílico y la Compañía Bayer de Berlín tiene intención de comprimirlos en tabletas y venderlos con el nombre de Aspirina. ¿Y sabes una cosa? ¡El señor DeWinter no quiere ni oír hablar de eso!

Samantha miró a hurtadillas a Louisa; mientras que Luther se esforzaba demasiado en disimular, Louisa no se esforzaba lo suficiente, y ello provocaba un visible desequilibrio en el ambiente.

—Parece que eso podría sernos útil en el hospital. ¿Aspirina, has dicho?

—Louisa, amor mío, ¿tenemos algún plan para la cena?

—La tenías que haber traído tú.

Él se ruborizó hasta las transparentes cejas.

—Claro, lo olvidé. Quizá podríamos invitar a Samantha...

—Me encantaría quedarme, si a ti te parece bien, Louisa.

—Oh, sí...

—¡Estupendo!

Luther se levantó y se dirigió al aparador, para servir unas copitas de cordial. Samantha le dijo a Louisa en voz baja:

—Quizá podamos hablar más adelante, ¿te apetece?

—Sí, Samantha —contestó Louisa, sonriendo—. Me apetece mucho.

Después de la cena y tras una prolongada conversación, Luther acompañó a Samantha a la puerta. En voz baja, para que Louisa no pudiera oírle desde el salón, dijo:

—Es un mal período para ella, Samantha. Tenemos que tener paciencia.

—Lo comprendo. Cuando haya nacido el niño, todo se arreglará.

—Samantha, estoy preocupado por Louisa. Tiene mucho miedo.

—¿De qué?

—Del parto. Está convencida de que se va a morir. No quiere pasar por ese trance, Samantha. Se pone histérica de solo pensarlo.

Samantha dirigió la mirada hacia el salón en dirección a Louisa con expresión pensativa.

—Cuando llegue el momento, Luther, mándame llamar.

3

Era una tórrida tarde de septiembre sin un soplo de aire que arrastrara consigo los miasmas del hospital. Los ocho internos que rodeaban a uno de los médicos se agitaban nerviosamente y se pasaban los dedos bajo los cuellos de celuloide mientras trataban de prestar atención a las explicaciones que les estaban dando en la sala.

—Por consiguiente, doctores, el diagnóstico de esta paciente es asma. ¿Cuál debería ser el tratamiento, doctor Weston?

—Marihuana, tres veces al día —contestó un joven interno.

—Exactamente. Y aquí tenemos a una mujer que...

El médico fue interrumpido por la súbita conmoción que acababa de producirse unas camas más allá.

Reclinada en el cabezal de hierro de la cama y con las sábanas subidas hasta la barbilla, una rolliza mujer de cuarenta y tantos años contemplaba horrorizada a un caballero de levita inclinado hacia ella, estaban discutiendo.

—La verdad, señora —dijo el hombre exasperado—, ¿cómo quiere que la ayude si usted no colabora?

—¡Usted a mí no me toca!

El doctor Miles extendió las manos y levantó la mirada al techo. Después se adelantó un paso y la mujer lanzó un grito.

—¡Maldita sea, so estúpida! —tronó—. ¡O hace usted lo que le digo o mandaré que la saquen de este hospital!

La mujer estalló en sollozos y hundió el rostro en la manta.

Mientras los internos se reían, Samantha se apartó de ellos y se acercó corriendo a la cama de la enferma. Sentándose en el borde, rodeó con los brazos sus trémulos hombros.

—Vamos, vamos.

—¡No deje que me toquen! —gimoteó la mujer contra la manta—. ¡Me moriría de vergüenza!

—¿Qué le ocurre? —preguntó Samantha, mirando directamente al doctor Miles.

—¿Y cómo puedo saberlo? La muy estúpida no permite que la examine...

—¡No! —gritó la mujer, levantando la cabeza y mirándole enfurecida—. Usted cree que porque no pago no tengo dignidad. ¡Pues la tengo y usted no me va a tocar!

Samantha siguió acariciando a la mujer y hablándole con cariño. La escena se repetía tantas veces en las salas de las mujeres, que Samantha no necesitaba más información para saber lo que ocurría.

Por fin, y tras haberse calmado un poco, la mujer miró a Samantha con su rostro de luna llena.

—Usted lo entiende, ¿verdad?

—Pues claro que sí.

Era el problema que planteaban casi todas las enfermas. En una sociedad que obligaba a las mujeres a defender su recato a toda costa, y en una época en que la contemplación de un tobillo femenino podía despertar la pasión de los hombres, casi todas las mujeres preferían soportar sus dolencias íntimas antes que someterse al examen de un médico varón.

—Ingresó anoche con fuertes dolores abdominales —dijo el doctor Miles en tono irritado—. Podrían ser dolores de parto, pero, con esa gordura, la tonta de ella no sabe si está embarazada o no.

Samantha le preguntó amablemente a la mujer:

—¿Cree usted que pueden ser dolores de parto?

—No lo sé.

—¿Tiene hijos?

—Me viven nueve.

Samantha reflexionó un instante.

—La tienen que examinar para ver cuál es su estado...

—¡No! ¡No permitiré que me toque un desconocido!

—Yo soy médico. ¿Qué le parece si la examino yo?

—¿Que es usted médico? —preguntó la mujer, abriendo los ojos.

—Bueno, verá usted... —Samantha miró al doctor Miles—. Creo que la paciente dejará que yo la examine, doctor. Si usted me lo permite, en un momento puedo descubrir de qué se trata.

—¡Pero que él no esté delante! —murmuró la mujer.

—¿Nos podría dejar a solas, por favor?

Indignado, el doctor Miles musitó algo acerca de la *pestis mulieribis* y se retiró unos pasos.

—¿Qué va usted a hacer? —preguntó la mujer, estrechando la mano de Samantha.

—Efectuaré una rápida exploración bajo las sábanas. No se verá nada, se lo prometo. Y ahora, si quiere usted aflojar los músculos...

Momentos después Samantha se reunía con el doctor Miles.

—Tiene un prolapso uterino, señor.

—Mmmm. Sin duda se lo ha provocado el corsé. ¡La muy estúpida lo llevaba demasiado ajustado!

—Doctora Hargrave. —Samantha levantó los ojos y vio al doctor Prince de pie en la puerta del fondo de la sala—. ¿Puedo hablar con usted en el pasillo? No tenía usted derecho a intervenir en el caso de esa paciente —le dijo a Samantha una vez fuera—. No es de las nuestras.

—Necesitaba ayuda y el doctor Miles no estaba consiguiendo ningún resultado.

—¿Y qué se puede esperar si la desdichada se ha puesto histérica?

—Gritarle no servía de nada.

—A menudo, es la única manera de tratar a esas mujeres. Hay que ser severo, demostrarles que uno es el amo. No podemos malcriarlas, doctora Hargrave. ¡La verdad es que no entiendo lo que les ocurre a estas estúpidas! ¡Al fin y al cabo, somos médicos!

Samantha comprimió los labios, para guardar silencio. Hubiera deseado preguntarle si le gustaría que una doctora le examinara los testículos.

—No debe usted entrometerse nunca más, doctora Hargrave. Puede dar gracias de que el doctor Miles es un hombre indulgente.

Se disponía a retirarse, pero Samantha le atajó:

—Perdone, señor, ya que está usted aquí, desearía que discutiéramos un asunto muy importante.

Él se volvió con gesto de mal disimulada impaciencia, como si tuviera intención de marcharse enseguida. Era el truco que utilizaba para que su interlocutor se diera prisa en hablar, tropezara con las palabras y quedara en situación de inferioridad. Por regla general, le daba resultado; el doctor Prince solía triunfar en todas las discusiones con ayuda de esa táctica. Pero Samantha se negaba a dejarse manipular. Habló despacio y con seguridad, provocando la irritación del médico.

—Mi nombre no figura en la lista de cirugía de este mes, doctor Prince. Llevo aquí ocho meses, he pasado por todos los servicios y ahora me encuentro de nuevo en Maternidad, que es donde empecé. Me toca cirugía, señor, ¿acaso ha habido algún descuido?

—No es un descuido, doctora Hargrave. No va usted a participar en el programa de cirugía.

Samantha estaba preparada y pudo disimular su enojo.

—Doctor Prince, eso es injusto. ¿Por qué me excluyen de la sala de operaciones?

—Porque la sala de operaciones no es sitio para una mujer, como no sea una enfermera. Las enfermeras friegan los suelos y las ventanas, vacían los cubos de sangre y nada más. La cirugía, doctora Hargrave, está reservada a los hombres. Las mujeres no son físicamente aptas para practicarla.

—Permítame disentir...

—¡No pienso discutir aquí con usted un principio tan incontestable, doctora Hargrave! ¡Preferiría disputar acerca del color del cielo! La inestabilidad mensual de la mujer le impide, por su misma naturaleza, intervenir en los delicadísimos procesos que se desarrollan en una sala de operaciones. Reconozco que algunas mujeres excepcionales tienen el valor y la perspicacia necesarios para operar; no obstante, ¡una vez al mes están tan delicadas como los pacientes a quienes atienden! ¡Es inconcebible que una persona sujeta a períodos mensuales de inestabilidad y a fallos de juicio, pueda actuar como cirujano! Eso no me lo puede discutir ni siquiera usted, doctora Hargrave.

—A mí me habían dicho, doctor Prince, que habría de realizar todos los servicios del programa de internos, y que no se me tendría ninguna consideración especial por razón de sexo.

—Y no se le tiene ninguna consideración especial,

doctora Hargrave. No es por usted que la mantenemos alejada de la sala de operaciones, sino en atención a la seguridad de los pacientes.

Al doctor Prince le encantaba subrayar sus frases con gestos espectaculares; era su forma de recordar a los demás su superioridad. Sabiendo que la doctora Hargrave era capaz de sostener una sana y prolongada discusión, eligió ese momento para poner punto final a su frase, dando media vuelta y alejándose mientras ella le miraba enfurecida.

Samantha esperó a calmarse antes de regresar junto a los pacientes. Sí, había estado esperando aquello desde que vio excluido su nombre de la lista de cirugía. Pero el doctor Prince no se iba a salir con la suya; aunque aún no sabía cómo, estaba segura de que encontraría el medio de franquear la puerta celosamente guardada de la sala de operaciones.

A punto de retirarse, se detuvo en seco. Al final del pasillo, doblando la esquina desde el vestíbulo de entrada, había dos personas cuya elegancia y refinamiento contrastaban vivamente con el triste ambiente del hospital. El caballero era alto y caminaba con la combinación de indiferente soltura y rigidez militar que constituía el confiado porte de la aristocracia. Vestía una levita de excelente corte que acentuaba la anchura de los hombros y la perfección de la cintura, y al quitarse la chistera, dejó al descubierto ondas y rizos que, más largos de lo que era habitual, descansaban sobre el cuello de la levita y libres de aceite de macasar. La dama no le iba a la zaga. Esbelta y llena de donaire, elegantemente ataviada con un vestido de seda azul que armonizaba con el azul de sus ojos y realzaba el color rubio plateado de su cabello recogido sobre la cabeza, debía contar unos veintidós o veintitrés años, tenía una risa como de cascabeles y caminaba asiendo con desenvoltura el brazo del caballero.

Samantha no pudo menos de mirarlos con fijeza; su imaginación había sido injusta con la señora Rawlins. Aquella mujer era impresionante.

El doctor Rawlins la miró y la sonrisa se le congeló en el rostro. Cuando los ojos de ambos se encontraron, Samantha experimentó en su interior una reacción que ya creía haber superado y, por un instante, luchó con la indecisión. Deseaba evitar al doctor Rawlins, pero, al mismo tiempo, se sentía magnéticamente atraída por él; sin embargo, cuando decidió regresar a la sala, él ya la había reconocido.

Al ver su expresión, la mujer que le acompañaba siguió la dirección de su mirada y entonces también su sonrisa se congeló, pero de una manera distinta: se endureció y solidificó y, cuando ella y el doctor Rawlins se acercaron, la dureza ya se había apoderado de sus ojos. En aquellos momentos y por razones que solo más tarde podría entender, Janelle sintió inmediata antipatía por Samantha Hargrave.

—Doctora Hargrave —dijo él suavemente mientras hacía una leve reverencia.

—¿Qué tal, doctor Rawlins? Qué agradable sorpresa.

De repente Samantha se percató con angustia de que una parte del dobladillo de su vestido estaba deshilachada y se volvió ligeramente para ocultarla.

—Me temo, doctora Hargrave, que no es ninguna casualidad. Encontrarla aquí no ha sido una sorpresa. Es más, casi esperaba tropezarme con usted.

—¿De veras, doctor? ¿Cómo supo que estaba en el St. Brigid's?

Él se rió cordialmente, en contraste con la frialdad que emanaba de su silenciosa acompañante.

—¡Mi querida doctora Hargrave, toda la ciudad anda revuelta con la doctora que consiguió burlar las defensas del St. Brigid's! ¡Me la han descrito como una amazona y como una hechicera, y en ambos casos como algo menos que una dama!

—¡No tenía la menor idea!

—Y, por su causa, todos los hospitales de la ciudad están siendo asediados por doctoras acompañadas de abogados. ¡Ha provocado usted una auténtica conmoción, doctora Hargrave!

Ambos se echaron a reír y, al notar que su acompañante le apretaba el brazo, el doctor Rawlins añadió:

—He olvidado los buenos modales, discúlpeme. Janelle, permíteme presentarte a la audaz doctora Samantha Hargrave.

Janelle no participaba de su buen humor y, mirando a Samantha con ojos duros como el cobalto, murmuró:

—Encantada.

—Mucho gusto, señora Rawlins.

Mark se desconcertó un instante y después dijo:

—¡Señora Rawlins! ¡Santo cielo, Janelle no es mi mujer! No he sabido explicarme. Doctora Hargrave, le presento a la señorita MacPherson, una antigua y querida amiga.

¿Habrían sido figuraciones de Samantha o aquellas negras pupilas se habían encendido al oír la palabra «antigua»?

—Le ruego disculpe mi error, señorita MacPherson. Supuse que era usted la esposa del doctor Rawlins.

Janelle guardó silencio, demostrando bien a las claras que el error no le había hecho gracia; su deseo era justamente el de ser tomada por su esposa. Pero los ojos de Mark chispearon como si se lo estuviera pasando muy bien.

—Pero, ¿de dónde ha sacado usted la idea de que yo tenía esposa?

—¿No tiene?

—La última vez que miré, no tenía.

—Pues estoy confundida, doctor. En Lucerne, al

finalizar la ceremonia de la graduación, el doctor Jones preguntó por la señora Rawlins.

—Ah, sí. Mi madre. Quería acompañarme, pero uno de sus periódicos ataques de artritis la obligó a permanecer en casa. —Sus atractivos ojos castaño se posaron suavemente en el rostro de Samantha—. Conque creía usted que yo estaba casado...

—He tenido mucho gusto en conocerla, doctora Hargrave —dijo una gélida voz—. Mark, cariño, vamos a llegar tarde.

Él dio distraídamente unas palmadas a la mano enguantada que se aferraba a su brazo.

—Solo un minuto, Janelle, te lo ruego. Doctora Hargrave, estaba esperando que viniera usted a recoger su herencia.

Una rápida mirada al frío y marfileño rostro de Janelle MacPherson le dijo a Samantha todo lo que necesitaba saber acerca de aquella «antigua y querida amiga». Como un gato que vigilara a un ratón, la señorita MacPherson parecía estar desafiando a Samantha a que intentase robarle lo que era suyo. Aún no eres su mujer, pensó Samantha fugazmente, pero quieres serlo. El hecho de casarte con el hijo del Rey del Hielo te convertiría en la Princesa del Hielo. Muy apropiado.

—Dispongo de muy poco tiempo para salir, doctor Rawlins. Pero iré en la primera oportunidad. Confío en que no sea una molestia para usted guardar las cosas de Joshua.

—En absoluto. Dígame, ¿qué le parece el trabajo en el hospital?

Samantha recordó al doctor Prince.

—Resulta cansado y estimulante a un tiempo.

—¿Cuánto tiempo le falta?

—Otros trece meses.

—¡Apenas pude creerlo cuando me dijeron que iba usted en la ambulancia!

—Sin la amable ayuda de Jake, no sé qué hubiera hecho. Hace muchos años que es cochero de la ambulancia, y a veces resulta mi mejor profesor. Me ha enseñado a subir a la trasera del vehículo sin caerme de bruces y tiene mucha vista para diagnosticar los casos urgentes, que requieren un regreso inmediato al hospital, y los que nos permiten un ritmo más pausado.

—He leído los artículos acerca de sus aventuras. Extraordinario.

Por desgracia, y a causa de las baladronadas de Jake, toda la ciudad había podido conocer a través de los periódicos las andanzas de la atrevida doctora del St. Brigid's.

—Me temo que el doctor Prince está furioso. Ha tratado de imponer silencio a Jake, pero parece que algunas de las personas que nos respaldan económicamente aprueban esa notoriedad. ¡Y, desde luego, el St. Brigid's ya no se considera un hospital atrasado!

—Su vida debe ser muy emocionante —dijo él, estudiándola misteriosamente con ojos risueños.

—En cierto modo sí y en cierto modo no —contestó ella, sin añadir nada más.

Samantha no quería confesarle a Mark Rawlins que el precio de su fama y de su excepcional actuación médica era la soledad. Aunque los demás internos habían acabado por aceptarla y muchos de ellos admiraban su valor, ella seguía excluida de su círculo. Debido a una aguda sensibilidad ante la singularidad (y a veces el discutible decoro) de la situación, los internos se esforzaban, al término de la jornada laboral, en respetar la intimidad de Samantha por temor a ofenderla. Eran caballerosos en extremo, radicalmente corteses y exageradamente correctos en su intento de no transgredir ninguna norma social. Muchas noches, mientras leía algún libro o cosía, Samantha oía a través de los tabiques risas de mujeres y taponazos de botellas. El precio que tenía que pagar a cambio de su carrera resultaba de lo más irónicamente injusto puesto que, pese a haber conseguido introducirse en un mundo totalmente masculino y aunque tal vez otras mujeres le envidiaran su trato constante con los hombres, el estar rodeada por ellos, trabajando, comiendo y viviendo en su compañía, Samantha estaba más lejos de ellos que las mujeres corrientes. A veces Samantha echaba de menos las íntimas atenciones de un hombre.

Con un crujido de la fría seda de su vestido, Janelle les recordó su presencia.

—Perdóname, querida Janelle, tienes mucha razón —dijo el doctor Rawlins—, debemos marchar. Doctora Hargrave, la señorita MacPherson es presidenta de la Liga Benéfica de Señoras de la Avenida Madison. El St. Brigid's es uno de los beneficiarios de sus nobles y dignas obras. Y, puesto que yo pertenezco a la plantilla de este hospital, me han invitado a asistir a su reunión de esta tarde.

Samantha asintió cortésmente, tratando de disimular el efecto que parte de las palabras de Mark habían ejercido en ella.

—¿De veras? ¿Pertenece usted a la plantilla del St. Brigid's? Nunca le había visto por aquí.

—El St. Brigid's les queda muy lejos a casi todos mis pacientes y por eso suelo hacer buena parte de mi trabajo en el St. Luke's. A veces, sin embargo, traigo aquí a algunos de mis pacientes de cirugía, porque las instalaciones de quirófano son excelentes. ¿No lo cree usted así?

—No he tenido oportunidad de averiguarlo, doctor, pero lo haré. Y ahora, si me disculpan, he de pasar visita. Doctor Rawlins, señorita MacPherson, muy buenos días.

4

Samantha estudió el pequeño reloj que tenía en la mano y, cuando la manecita llegó a las doce, lo dejó y tomó el escalpelo. La rapidez era de primordial importancia; aunque el paciente estuviera anestesiado, corría peligro de sufrir un choque traumático. Tres cortes limpios y Samantha dejó el escalpelo y tomó la sierra. Eso era lo más difícil.

Buscó el retractor y este se le escapó de la mano y cayó ruidosamente al suelo.

—Maldita sea —murmuró Samantha, empujando enfurecida la almohada sobre la cama.

Permaneció de pie un instante, con los pies y la espalda doloridos, y pensó en la posibilidad de dejarlo por esa noche. Pero entonces sus ojos se posaron en la caja abierta en el suelo, con sus compartimientos y divisiones y el nombre grabado en la placa de plata: JOSHUA MASEFIELD, D. M. Y pensó: Muy bien, Samantha, inténtalo otra vez.

No iba a ser fácil en absoluto, pero Samantha estaba dispuesta a conseguirlo. Tras enviar a Jake a recoger el instrumental de Joshua a la casa del doctor Rawlins en la Avenida Madison, Samantha se compró el mejor texto de cirugía que pudo encontrar, se familiarizó con todos los instrumentos y las partes anatómicas correspondientes y empezó a estudiar un curso autodidáctico de cirugía. Sus únicas ayudas eran los instrumentos, el libro y la almohada, cortada y cosida tantas veces, que ya no resultaba apta para dormir sobre ella.

Se situó de nuevo junto a la almohada y puso manos a la obra. A través del montante de la puerta, le llegaban risas masculinas punteadas frecuentemente por estridentes gritos femeninos. Debía ser Amy Templeton, la enfermera de más antigüedad divirtiendo de nuevo a los internos. De vez en cuando, la introducían a escondidas en sus habitaciones, la sobornaban con chucherías y los siete se acostaban con ella.

Samantha tenía la certeza de que podría llegar a dominar la cirugía. En realidad, cualquier persona con un poco de adiestramiento podía llevar a cabo las operaciones que se solían practicar; casi todo se hacía en brazos y piernas. El presidente Garfield había muerto recientemente porque nadie tuvo el valor de abrirle y extraerle la bala. Solo una operación abdominal se practicaba con éxito, y era la ovariotomía..., una rápida incursión a través de una pequeña abertura. Nadie había abierto jamás un abdomen para intentar extraer una bala; y el presidente había muerto. Durante el juicio el asesino declaró: «Los que le *mataron* fueron los médicos, yo solo le disparé».

Mientras Samantha simulaba aserrar el «hueso», pensó: Qué bonito sería encontrar un medio de abrir el abdomen. Se salvarían muchas vidas y se evitarían muchas tragedias: problemas uterinos, embarazos ectópicos; todo un mundo permanecía oculto bajo un par de centímetros de carne, y era tan misterioso para ellos como el universo estrellado.

Una llamada a la puerta la sobresaltó. Contuvo la respiración y miró hacia el montante.

—¿Qué hay?

—Doctora Hargrave —dijo la voz de la señora Knight—. El doctor Prince quiere verla en su despacho.

—¿Ahora?

—Inmediatamente.

Mientras guardaba los instrumentos y escondía la caja bajo la cama, en caso de que alguien entrara accidentalmente en su habitación, Samantha pensó: Y ahora, *¿qué?*

A Samantha le sorprendía incesantemente el que la profesión médica atrajera a tantos hombres de mal genio. Le constaba que, en la mayoría de los casos, ello era una simple fachada («Observen siempre un comportamiento serio y severo —les enseñaban en la Facultad—. Nadie se fía de un médico jovial»). Pero ella sospechaba que en el caso del doctor Prince esa era su verdadera naturaleza. Permaneció de pie delante de él (no la había invitado a sentarse), observando cómo se entretenía deliberadamente, sin prestarle atención; por último, el doctor Prince dejó de revolver papeles y clavó sus fríos ojos en ella.

—Doctora Hargrave, cada año los miembros de cierta organización benéfica celebran una fiesta a beneficio de varios hospitales de Nueva York. El propósito de ese acontecimiento es el de establecer qué hospital será el beneficiario del dinero reunido por dicha organización. El St. Brigid's ha tenido la desgracia de no resultar elegido durante muchos años, pero este año tenemos muy buenas probabilidades de recibir la ayuda. Aunque se trata de una velada de cierta categoría, motivo por el cual los internos no suelen asistir, en esta ocasión se ha rogado al St. Brigid's que envíe a la más reciente adquisición de su programa de internos. Habrá usted de asistir a la velada, doctora Hargrave. —El doctor Prince la miró con expresión expectante, pero ella nada dijo—. Ciertos miembros influyentes de esta organización llevan mucho tiempo esperando que se incluya a las mujeres en las plantillas de los hospitales. Son unas damas de alto copete que se autodenominan feministas. Han pedido que usted asista para tener la oportunidad de conocerla. Yo les he asegurado que iría usted. La fiesta se celebrará dentro de una semana y el doctor Weston será su acompañante. Espero que les cause usted una buena impresión, doctora Hargrave. La economía de este centro hospitalario depende del comportamiento que usted observe esa noche.

Viejo impostor, pensó Samantha. Conque de repente te sirvo de algo, ¿eh? Bien, pues, quizá podamos cerrar un trato...

Mientras ella se volvía para marcharse, el doctor Prince le dijo:

—Doctora Hargrave, tengo que subrayar la importancia de que usted asista a la fiesta. —Sus fríos ojos la estaban amenazando en silencio—. Deberá ser puntual, doctora Hargrave, y cuidará de impresionar favorablemente a las señoras.

Mientras se abrochaba los numerosos botones del vestido de seda gris que había lucido durante la ceremonia de la graduación, Samantha se miró al espejo y sonrió; sabía exactamente lo que iba a hacer. Si Prince quería su colaboración, tendría que darle algo a cambio.

Miró por la ventana. Se estaban encendiendo las farolas de gas del alumbrado callejero y a ella se le antojaron velludos dientes de león en medio de la bruma del anochecer.

—Sí, señora Stuyvesant —exclamó en voz alta, practicando lo que iba a decir—. Me encuentro muy a gusto en el St. Brigid's. Fueron muy amables conmigo al concederme la oportunidad de participar en su programa de internos. Pero, por desgracia, sigo siendo víctima de un injusto prejuicio masculino, pues yo desearía especializarme en cirugía, ¿sabe?, y sin embargo, me prohíben...

Sonó una fuerte llamada a la puerta.

—¿Quién es?

—Alguien desea verla en el vestíbulo, doctora Hargrave —dijo la joven voz de la enfermera Amy.

Samantha consultó la hora en el reloj de cadena que llevaba prendido al corpiño. El doctor Weston acudiría a recogerla muy pronto.

—¿Quién?

—Dice que es el señor Arndt y que se trata de un caso urgente.

¡Luther!

Estaba paseando arriba y abajo por el vestíbulo, con la cara blanca como el papel. Se trataba de Louisa, dijo. Estaba de parto y llamaba a gritos a Samantha. Sí, estaba con ella una comadrona, pero Louisa no permitía que aquella mujer la tocara.

Samantha subió corriendo de nuevo a su habitación, le dejó una nota al doctor Weston —que, por favor, fuera solo a la fiesta, ella se reuniría con él más tarde—, recogió su capa y su maletín y, tomada del brazo de Luther, salió a la neblinosa noche.

En un principio, Samantha no vio razón para que Louisa hubiera pedido su presencia. El examen había revelado que el proceso del parto era normal y no había complicaciones, y la comadrona parecía una mujer responsable, de ropa muy pulcra y manos enrojecidas de tanto restregárselas para que estuvieran limpias. Pero Samantha vio reflejado el pánico en los ojos de Louisa y comprendió por qué la había llamado.

—Todo irá bien, Louisa. Se presenta con normalidad y todo marcha como es debido. No tienes por qué preocuparte.

—¡Samantha! —los rechonchos dedos de Louisa se agarraron a la muñeca de su amiga—. ¡Me voy a morir! ¡Lo sé! ¡He tenido sueños, no lo voy a resistir!

Samantha trató de ocultar su preocupación.

—Volveré, Louisa. La señora Marchand está contigo.

Se libró de la presa de Louisa y descendió a la planta baja. Luther se encontraba sentado en la desordenada cocina, con expresión perdida y consternada. Miró a Samantha con los ojos empañados.

—No quiere el niño, Samantha. Odia al niño.

—Lo que ocurre es que Louisa está asustada, Luther —contestó ella, sentándose a su lado y apoyando una mano en su brazo—. Cuando el niño haya nacido, verá las cosas de manera distinta.

—Cuando haya nacido, aún le odiará más —dijo él, sacudiendo la cabeza—. Y me odiará a mí.

Samantha le miró fijamente y pensó: Tal vez tenga razón.

—Samantha —dijo él con su leve acento extranjero—, déjame estar con ella. No debería pasar sola este trance. Es nuestro hijo, tenemos que estar juntos.

Samantha dudó. En las zonas rurales, los maridos asistían a menudo a los partos de la esposa y nadie se escandalizaba; pero los hombres de la ciudad se regían por criterios distintos. Era indecente, gritaba todo el mundo. Los médicos varones eran rechazados muy a menudo; en los barrios que rodeaban el St. Brigid's, a muchos internos les habían cerrado con gran indignación la puerta en las narices. Aquello era un asunto de mujeres; los hombres no tenían que entrometerse.

Samantha pensó en el doctor Prince y en la velada. Después pensó en la señora Marchand, que estaba en el piso de arriba. Esta pertenecía desde hacía mucho tiempo a la hermandad celosamente exclusivista de las comadronas y no permitiría la presencia de Luther en la habitación. De repente, Samantha supo lo que tenía que hacer.

Al ver que entraba Samantha seguida de Luther, se levantó de un salto y empezó a protestar, pero Samantha le dijo suavemente:

—El señor Arndt nos va a ayudar.

Mientras Luther se situaba de rodillas al lado de Louisa, acariciándole la frente empapada en sudor, la comadrona contrajo los párpados y frunció los labios en una muestra de suprema desaprobación. Primero llaman a un *médico*, y ahora el marido quiere inmiscuirse. Bueno, pues la próxima vez los Arndt tendrán que avisar a otra comadrona.

El parto empezó a desarrollarse con más normalidad gracias a la consoladora presencia de Luther. La señora Marchand se quedó, accediendo a los ruegos de Samantha (aunque lo cierto es que no sabía *para qué*) y se sentó a hacer calceta en un rincón, echando ocasionalmente miradas de soslayo a la elegante doctora con su elegante vestido de seda.

Al intensificarse las contracciones, Louisa empezó a gritar.

—¡No me dejes morir! ¡Me está matando!

Cuando por fin apareció la cabeza del niño, Samantha dijo:

—Ya viene tu hijo, Luther. Ven a sentarte aquí delante y coloca las manos así...

Al producirse una nueva contracción, Louisa gimió y su rostro adquirió un fuerte color carmesí.

—Ya está —dijo Samantha suavemente—. La coronilla de la cabeza de tu hijo.

Luther parpadeó; en un instante, el cuello de la camisa se le empapó en sudor.

—Bueno, Luther, vamos a ver —dijo Samantha, tomándole las manos y colocándolas una arriba y otra abajo, sin apartarse de su lado.

La pequeña cabeza asomó y volvió a retirarse; asomó de nuevo y se retiró otra vez y, a cada contracción, Louisa iba empujando hacia abajo. Fascinado, Luther mantenía las manos donde Samantha se las había colocado y, al ver salir bruscamente la cabeza, actuó con rapidez. Desplazó la mano de abajo para acunar el rostro mientras con la de arriba protegía el suave cráneo en su lenta rotación.

El rostro de Luther era la viva imagen de la fascinación, como si se encontrara bajo los efectos de un hechizo, y sus manos parecían moverse con un dinamismo propio de manera instintiva, como si estuvieran realizando una tarea ya conocida. No tiró de la cabeza como Samantha temía que hiciera; en su lugar, esperó pacientemente a que cesara la rotación y se produjera la siguiente contracción, manteniendo las manos extendidas. Después, al producirse la siguiente contracción de Louisa, asomó un pequeño hombro y entonces Luther se inclinó hacia delante en actitud protectora y, extendiendo la mano de abajo como si fuera una plancha, recibió el cuerpecito que estaba emergiendo de las entrañas de su madre.

Samantha abrió la boca para hablar, pero Luther actuó antes de que ella pudiera decir nada. Luther limpió rápidamente la nariz y la boca del pequeño con la punta de una toalla y después le dio instintivamente una palmada en la espalda. Se produjo un jadeo y, a continuación, un leve gemido.

—¿Es niño? —preguntó Louisa.

Entonces intervino Samantha, atando rápidamente el cordón umbilical y cortándolo, y en cuanto hubo terminado, Luther envolvió al chiquillo en una manta, lo acunó amorosamente contra su pecho y después se levantó trémulo de emoción y se acercó a la cama. Mientras se arrodillaba para depositar al niño entre los brazos extendidos de la madre, murmuró:

—Sí, Louisa, tenemos un niñito.

—¡Un niño! ¡Un *niño*! —exclamó Louisa, contemplando con mirada de asombro su rostro de ciruela al tiempo que lanzaba un suspiro—. Oh, Luther, es tu vivo retrato...

Samantha se reclinó en su asiento y el embeleso de sus amigos le inundó el alma. Después miró el reloj del tocador y se quedó asombrada: eran las tres de la madrugada.

Luther insistió en acompañarla a casa. Aunque faltaba poco para el amanecer, pudieron encontrar un coche de alquiler y atravesar, en medio de una densa bruma, las desiertas calles de Manhattan.

—Está enamorada de ese niño, Samantha —dijo Luther admirado mientras el vehículo chirriaba y se balanceaba y los cascos de los caballos resonaban entre los edificios dormidos—. Y ahora creo que también está enamorada de mí.

—Siempre lo ha estado —contestó Samantha, esbozando una sonrisa cansada.

No estaba muy segura de cuál había sido el milagro de aquella noche, pero no importaba. En su fuero interno sabía que en adelante todo se iba a arreglar entre Luther y Louisa. Solo cuando la impresionante fachada de piedra del St. Brigid's apareció ante su vista, empezó Samantha a pensar en sí misma.

Pidiéndole al cochero que aguardara, Luther subió los peldaños en compañía de Samantha. Ella se volvió al llegar a la entrada.

—Puedes dejarme aquí, Luther. Gracias por acompañarme.

—Nunca te lo podremos pagar, Samantha.

—Vuelve junto a tu familia, Luther. La señora Marchand estará deseando regresar a su casa.

Luther echó impulsivamente los brazos alrededor de Samantha y la estrechó con fuerza. Ella correspondió abrazándole como una hermana.

Al otro lado de la puerta de roble macizo, un hombre cruzó a grandes zancadas el vestíbulo en penumbra. Le habían llamado durante la noche para suturar de nuevo una herida y estaba deseando regresar a casa a fin de descansar un poco antes de acudir de nuevo al hospital, donde practicaría una operación a primeras horas de la mañana.

Mark Rawlins abrió la puerta y se detuvo en seco.

Bastaron unos segundos para que la escena que tenía delante se le quedara grabada en la mente: Samantha Hargrave abrazada febrilmente por un joven. Mark retrocedió, cerró suavemente la puerta y eligió otro camino para salir del hospital.

Silas Prince estaba tan furioso que decidió prescindir de cualquier amago de discreción y ceremonia. Cuando Samantha entró en el comedor de los médicos, el doctor Prince se levantó de golpe, derribando la silla al suelo, se acercó a ella, le cerró el paso y dijo:

—¿Dónde estuvo usted anoche, doctora Hargrave?

El repentino estallido la dejó tan sorprendida que, por un instante, Samantha no contestó, agraviada por las miradas de todos.

El doctor Prince repitió la pregunta, con el cuerpo rígido y tembloroso, y Samantha, ofendida por el hecho de que alguien pudiera pedirle explicaciones acerca de su conducta en presencia de terceros, solo acertó a mirarle en silenciosa consternación.

A su espalda, desde la mesa que compartía con otros dos hombres, Mark Rawlins, en la errónea creencia de que ella estaba tratando de ganar tiempo para inventar una excusa, dijo:

—Estaba conmigo, señor.

Todas las cabezas se volvieron hacia Rawlins. Las cejas de Silas Prince se arquearon hasta casi rozar el nacimiento del cabello.

—¿Que ella... qué? —preguntó tartamudeando.

Samantha se volvió mientras Mark Rawlins se levantaba y se acercaba despacio, en un intento de aliviar la tensión de la cargada atmósfera.

—Fue culpa mía, señor. La doctora Hargrave intentó decirme que no íbamos a regresar a tiempo, pero yo insistí y la convencí de que saliera a dar un paseo conmigo y con mi madre por Long Island. Sin darnos cuenta, nos vimos rodeados por la niebla.

Samantha le miró perpleja y después dijo:

—Perdone, doctor Rawlins. No tiene por qué inventarse una historia en mi defensa. Soy perfectamente capaz de hablar por mí misma. Doctor Prince —dijo, apartando de él la mirada—, anoche asistí a un parto. Puedo facilitarle el nombre y la dirección por si quiere comprobarlo.

En el rostro de Silas Prince aparecieron toda una serie de expresiones desconcertadas mientras sus ojos miraban confusos a Mark Rawlins.

—Hubiera podido enviar a otra persona. No estaba usted de guardia.

—La paciente es una amiga personal. Le prometí que asistiría al parto.

—¿Acaso no había una comadrona?

—Sí la había.

—¿Y por qué fue usted? ¿Se produjo alguna complicación?

—Ninguna en absoluto.

—Pues entonces, ¿por qué... —el doctor Prince volvió a levantar la voz—, por qué fue usted y no acudió a la residencia de los Vanderbilt?

—Como ya le he dicho, doctor Prince, se lo había prometido a mi amiga.

—Doctora Hargrave. —Silas Prince estaba tratando de dominar su furia—, usted me puso ayer en un aprieto. La estuvimos esperando toda la noche. No sabía qué decirles a las damas. Hice el ridículo. El doctor Weston dijo que salió usted a atender una llamada. Nuestras anfitrionas sufrieron una gran desilusión. —El doctor Prince respiró hondo—. ¿Comprende usted lo que ha hecho, doctora Hargrave? Ha echado a perder la única oportunidad que tenía el St. Brigid's de conseguir ese dinero este año. Dinero que nos hacía mucha falta para camas y colchones, nuevas enfermeras, quinina... —se detuvo, refrenando el estallido que estaba a punto de producirse, y dijo en tono más calmado—: La primera norma de esta institución, doctora Hargrave, es la obediencia. No podemos tolerar un descarado desprecio de la autoridad. Tendrá que hacer las maletas y marcharse antes de que finalice el día.

—¡Sin duda tiene que haber alguna excepción, señor! La atención al paciente tiene que estar por encima de las normas estrictas.

—¿Corría acaso peligro la vida de la paciente, doctora? —preguntó el doctor Prince, dirigiéndole una fría mirada de furia que la atravesó como una flecha.

—No, pero...

—¿Estaba amenazada de alguna manera su seguridad o la del niño?

—No.

—¿Carecía de ayuda?

—No —contestó Samantha, lanzando un suspiro.

—En tal caso, lo que hizo usted es injustificable. Tendrá usted la bondad de abandonar cuanto antes este hospital.

Samantha permaneció de pie en el centro de la sala cuando ya Silas Prince se había retirado y también lo habían hecho todos los demás, alejándose de uno en uno o por parejas, turbados e incómodos, y se quedó a solas con Mark Rawlins. Volviéndose entonces hacia él, Samantha le dijo:

—Le agradezco su deseo de ayudarme, doctor, pero no acierto a imaginar qué necesidad tenía usted de hacerlo.

Mark Rawlins miró a su alrededor, para cerciorarse de que efectivamente estaban solos, y después dijo en voz baja:

—Estaba a punto de salir del hospital a primera

hora de esta mañana cuando la vi despedirse junto a la entrada.

—No le entiendo —dijo ella, frunciendo el ceño.

—He comprendido que no podría usted decirle a Prince que su ausencia se debió a que estaba con un caballero.

—¿Con un caballero? Ah, se refiere usted a Luther. Es el marido de la amiga a cuyo parto asistí anoche. —Samantha abrió los ojos asombrada al percatarse del error—. Y usted pensó... ¡me siento muy halagada, doctor Rawlins, pero no era lo que parecía! Y le agradezco su caballerosidad, pero le aseguro que no necesitaba que me rescataran. Estoy perfectamente capacitada para cuidar de mí misma.

—¿De veras? Me temo, doctora Hargrave, que su sinceridad la ha expulsado de este hospital.

—Sí —dijo ella tristemente—. Eso parece.

—¿Qué va usted a hacer?

—No lo sé. No esperaba que me tratara con tanta dureza.

—¿Me permite otro acto de caballerosidad?

Samantha contempló su sonrisa y creyó por un instante que Mark se estaba burlando de ella; pero entonces vio en sus ojos una expresión de sincera preocupación.

—¿Qué me propone?

—El director del St. Luke's me debe un favor...

—Gracias, doctor Rawlins, pero no me sentiría a gusto en un puesto que se me concediera por obligación.

Él contempló su hermoso rostro, en el cual, disimulada por un orgullo superficial, se adivinaba una conmovedora vulnerabilidad.

—Por favor, no rechace tan de prisa mi ayuda. No es un signo de debilidad pedirle ayuda a un amigo.

Ella le miró y leyó sinceridad en sus profundos ojos castaños; su cercanía la dejó momentáneamente paralizada. Estaba aspirando el aroma viril que le envolvía, una mezcla de popelín, agua de Colonia y vestigios de tabaco. Mark Rawlins tenía la asombrosa habilidad de hacerla sentirse lo que ningún otro hombre la hacía sentir: profundamente femenina. Y, en esos momentos, desvalida.

—Me temo que tiene usted razón, doctor. Ahora necesito toda la ayuda que me puedan prestar.

—¿Quiere que hable con Prince en su favor?

—No quisiera darle esa satisfacción, porque estoy segura de que a usted también le contestaría con una negativa.

—¿Con el director del St. Luke's, entonces?

Samantha se sentía presa de su mirada y, pese a darse cuenta de que él estaba más cerca de ella de lo debido, no podía apartarse.

—El St. Luke's es un buen hospital, Samantha. Hay cosas peores.

Por último, ella sonrió y le dijo:

—Le agradezco su interés, doctor Rawlins. No sé lo que voy a hacer, pero, si cambiara de idea...

—Ya tiene usted mi dirección. Por favor, venga a verme a cualquier hora. Estoy enteramente a su servicio.

Samantha había terminado de hacer las maletas y se encontraba sentada junto a la ventana, contando una vez más el dinero en la esperanza de que la segunda operación arrojara una suma más alta. Pero no lo era. Tenía exactamente veintinueve dólares con cuarenta y siete centavos.

Llamaron a la puerta, fue a abrir y se encontró con el secretario del doctor Prince.

—Doctora Hargrave —dijo el joven—, me envían para informarle de que permanecerá usted en el St. Brigid's hasta el término de su instrucción de interna.

Samantha le miró con fijeza, mientras deliberaba.

—Dígale, por favor, al doctor Prince, que me gustaría oírselo decir a él en persona; de lo contrario me marcharé según lo previsto.

Cinco minutos más tarde, la mandaron llamar.

—Bien, pues, ya se lo he dicho en persona —declaró, de pie junto a la ventana y de espaldas a ella.

—¿Por qué ha cambiado de idea en relación con mi despido?

El doctor Prince se volvió y la miró con resentimiento.

—El St. Brigid's va a recibir el dinero de la organización benéfica, doctora Hargrave, pero este ha sido donado en su nombre.

—Pero ¿por qué?

—Gracias a la prensa, las damas consideran que ya la conocen a usted. Parece ser que la decisión se adoptó antes de la fiesta y que su asistencia no era más que una simple formalidad. —Rodeó su escritorio y miró a Samantha a la cara—. Doctora Hargrave, en bien de este establecimiento, haré algunas concesiones e incluso sacrificaré mis principios personales. Pero se lo advierto, doctora, y óigame bien: sigo siendo contrario a su presencia en este hospital. Debido a las grandes dificultades económicas del St. Brigid's, la voy a tolerar, pero me apresuro a asegurarle, doctora, que tengo mis límites. Este incidente no será olvidado. Le aconsejo que se ande con mucho cuidado a partir de ahora...

5

El frío y húmedo otoño cedió paso a un gélido y riguroso invierno. Se abrigó a los pacientes con todas las mantas disponibles y las estufas de las salas llenaban la atmósfera de humo. El invierno aisló también a Samantha del resto del mundo: la capa de nieve era a menudo demasiado gruesa para que pudiera salir a visitar a Louisa, y las víctimas de los accidentes de tráfico y de las pulmonías la mantenían ocupada en el hospital.

Raras veces veía a Mark Rawlins, pero en ocasiones le parecía que él hacía lo imposible por encontrarse con ella. Por regla general eso sucedía en el comedor, donde a veces le sorprendía mirándola desde el otro extremo de la estancia aunque estuviera conversando con algún vecino de mesa. Y alguna que otra vez él le sonreía con intención e intimidad, como si ambos compartieran un secreto.

Janelle MacPherson era vista a menudo por las salas, luciendo abrigo de armiño y sombrero, seguida de un regio séquito de bienintencionadas pero aburridas jóvenes que llevaban mantas y Biblias a los pacientes y que se felicitaban por sus buenas obras durante un banquete anual. Siempre que Samantha se tropezaba con la señorita MacPherson, ambas intercambiaban unas palabras corteses, sin apenas dar muestras de reconocerse.

Samantha se encontraba a menudo con Letitia MacPherson, la bonita y simpática hermana menor de Janelle, una muchacha de risa fácil y cabello color de aurora, que parecía compadecerse sinceramente de los enfermos. Era, además, la única del grupo que se detenía alguna vez para dirigirle unas palabras amables a aquella doctora tan humildemente vestida. Samantha seguía dedicando sus solitarias noches al secreto aprendizaje de la cirugía. Era una ambición muy solitaria, y la soledad se acentuaba aún más a causa de los alegres rumores de fiesta procedentes del corredor, pero ella estaba más decidida que nunca. Por último había logrado aprender cuanto se pueda aprender teóricamente..., se conocía el texto de memoria, manejaba los instrumentos con facilidad y dominaba el arte de la sutura. Lo único que le faltaba era llevar todo ello a la práctica.

El primer campanillazo la despertó de un profundo sueño, pero, al sonar el segundo, ya estaba corriendo por el pasillo, metida en su holgado vestido y encasquetándose el gorro facilitado por el propio hospital. Jake estaba agitando los brazos y paseando arriba y abajo junto a los caballos.

—¡Menuda noche, doctora! —dijo, ayudándole a subir.

—¿Qué es esta vez, Jake?

—Un accidente en el Meadowland. No conozco los detalles.

Samantha se agarró al pasamanos mientras la ambulancia salía a la nevada noche, notó la frialdad del metal a pesar del doble par de guantes. El Meadowland. Sin duda un trapecista lesionado. Ocurría constantemente en aquellos salones de baile: los artistas corrían riesgos tremendos con tal de atraer al público.

Mientras iban pasando velozmente las fachadas de las casas con sus ventanas profusamente iluminadas por las velas, Samantha recordó que era Nochebuena. Y no era que le importara. A fin de que otros internos pudieran reunirse con sus familias, Samantha se había ofrecido voluntaria para la guardia de ambulancias de aquella noche. Los Arndt la habían invitado a cenar, pero no la necesitaban, porque solo tenían ojos para el pequeño y bullicioso Johann; Samantha se convenció de que era una noche como cualquier otra noche del año.

La fachada del Meadowland parecía un árbol de Navidad, toda llena de luces y de carteles de vistosos colores. El elegante público, vestido con trajes de noche y capas estaba cruzando la helada acera desde sus vehículos hacia la entrada y, al acercarse la ambulancia, algunos volvieron la cabeza. Entonces se acercó corriendo un hombrecillo.

—Doctora —dijo muy nervioso, mirando a uno y otro lado—, en los camerinos. Con discreción, por favor. Nadie lo sabe.

Samantha y Jake siguieron al gerente a través de una puerta trasera, un tramo de escalera y toda una jungla de cuerdas y decorados y gente de atuendos estrafalarios. Desde el otro lado del telón llegaba el sonido de los instrumentos que estaban afinando los músicos y el suave murmullo de un público expectante.

—¡Y ha tenido que elegir precisamente esta noche! —dijo el nervioso hombrecillo al llegar a una puerta marcada con una relucientes estrella—. ¡Tenemos el local a tope! ¡Nochebuena, el público que se impacienta y ella va y hace esto!

Abrió la puerta y vieron un camerino brillantemente iluminado con lámparas de gas. De sus dos ocupantes —una tendida en una meridiana y la otra arrodillada a su lado—, solo la que estaba arrodillada se volvió para mirar a los visitantes.

—Es la doctora del St. Brigid's —dijo el gerente.

La mujer, vestida con un leotardo de lentejuelas y plumas de avestruz, se levantó y se hizo a un lado mientras Samantha se acercaba a la meridiana.

—¿Qué ha ocurrido?

La mujer de las lentejuelas miró a los dos hombres y dijo en voz baja:

—Ha tenido un accidente con una aguja de hacer calceta.

—Mientras se arrodillaba para apartar la manta que cubría a la mujer tendida, Samantha miró de soslayo a los dos boquiabiertos hombres; estos captaron la insinuación y se retiraron. Entonces apartó la manta.

—¿Cuándo lo ha hecho? —preguntó, levantando con una mano la falda de la mujer inconsciente mientras le tomaba el pulso con la otra.

—No lo sé. Hace aproximadamente media hora,

supongo. Tenía que salir al escenario. Es el Ruiseñor de Oro, ¿sabe? Sea como fuere, poco antes de salir, él entra en el camerino...

Mientras escuchaba, Samantha examinó las lesiones que la artista se había provocado y notó que la cólera le recorría todo el cuerpo. ¡A qué grado de desesperación podían llegar las mujeres!

—Tuvieron una trifulca espantosa. La oímos por todo el teatro. Ella le dice que está embarazada y él responde que no es suyo y la llama puta; ella le suplica que no la deje, y entonces el señor Martinelli, que es el gerente, me envía aquí, después de la pelea, para asegurarse de que ella saldrá a actuar esta noche, y yo la pillo haciendo eso con una aguja de hacer media, pero llego tarde para impedírselo porque hay una terrible cantidad de sangre...

—Que venga enseguida el cochero —exclamó Samantha, bajando la falda de la mujer y cubriéndole rápidamente las piernas con la manta.

—Lo de la toalla fue idea mía —dijo la mujer mientras se dirigía apresuradamente hacia la puerta—. ¿Hice bien, doctora?

—Probablemente le ha salvado la vida.

Inclinada sobre la mujer desvanecida mientras la ambulancia resbalaba sobre el hielo haciendo sonar la campanilla, Samantha parecía una estatua de mármol, como si no tuviera ningún pensamiento en la cabeza; sin embargo, detrás de sus profundos ojos grises, los pensamientos se arremolinaban veloces. La mujer se había causado graves daños, perforándose la matriz, el peritoneo y probablemente incluso el intestino. Samantha sabía que sus posibilidades de sobrevivir eran nulas a menos que se le practicara inmediatamente una intervención quirúrgica.

Los pensamientos de Samantha galopaban a toda prisa. En el domicilio del doctor Prince se estaba celebrando una fiesta de Navidad a la que habían sido invitados casi todos los médicos de la plantilla; a cinco de los internos se les había permitido regresar a su casa. Samantha había quedado de guardia en el servicio de ambulancias y el joven doctor Weston estaba de guardia en la sala. Calculó el tiempo que tardarían en llegar a casa del doctor Prince en busca del cirujano y el que podría resistir la paciente, y se le formó un nudo en la garganta. Quedaba muy poco...

Mientras Jake cruzaba el vestíbulo con la mujer en brazos, Samantha se adelantó corriendo. El doctor Weston se estaba calentando las posaderas junto a la estufa en la desierta sala de urgencias cuando apareció Samantha, quitándose la capa.

—¿Hay alguien más en la casa, doctor?

Él sacudió la cabeza y miró detrás de ella.

—¿Qué ha ocurrido?

—Intento de aborto. Creo que hay lesiones internas. Se está desangrando, doctor Weston. Necesita una intervención inmediata. ¿Puede usted practicarla?

Él volvió a sacudir la cabeza.

—Acabo de empezar los turnos de rotación. No tendría ni idea. Mejor será que Jake vaya por alguien.

—Jake, busque a alguien, a quien sea, el que esté más cerca —dijo Samantha, decidida, volviéndose—. Pero primero llévela a la sala de operaciones.

—¿Qué...? —empezó a decir el doctor Weston.

—Tenemos que empezar, doctor —dijo ella, mirándole—. Esta mujer se encuentra en estado crítico, no le queda mucho tiempo.

—¡Pero no podemos practicar una intervención sin un médico de la plantilla!

—Podemos empezar, doctor Weston. ¿Sabe usted administrar la anestesia?

—Pero, doctora Hargrave, usted no ha tenido...

—¡Llévela al quirófano, Jake! Venga conmigo, doctor. Estamos perdiendo tiempo.

La señora Knight, que había oído la campana de la ambulancia, les bloqueó el paso con su formidable mole en la escalera.

—¿Qué sucede, doctora Hargrave?

—Vamos a subir a esta mujer a cirugía. ¿Quiere usted ayudarnos, por favor?

Mientras Samantha pasaba rozándola, la señora Knight preguntó inquisitiva:

—Pero ¿quién va a operar?

—Yo —contestó Samantha mientras subía apresuradamente.

Actuó de prisa pero con método; aunque estaba nerviosa y un poco asustada, las semanas de preparación en las salas habían ejercitado su mente y su cuerpo..., no tenía que dejarse dominar por el pánico. Mientras buscaba en los armarios lo que necesitaba (Samantha jamás había entrado en una sala de operaciones), la señora Knight encendió las lámparas de gas y el doctor Weston ató a la paciente a la mesa. Cuando los vapores del éter empezaron a llenar la atmósfera, Samantha dejó los instrumentos en una palangana y dijo:

—Señora Knight, eche ácido fénico en esa jofaina, por favor.

—¿Sobre los instrumentos?

Una expresión de perplejidad apareció en el rostro de la jefa de enfermeras mientras esta cumplía la orden.

Samantha prescindió de los ensangrentados delantales de carnicero que colgaban de las perchas y prefirió, en su lugar, prenderse una toalla limpia en la parte delantera del vestido. Después hizo algo que llamó la atención de las otras dos personas que se encontraban en la sala: introdujo las manos en la solución de ácido fénico.

Samantha dijo con voz firme:

—Señora Knight, ¿quiere, por favor, sostener las piernas de la paciente?

Pero su mente estaba gritando: ¡Oh, Jake, *dese prisa*!

La hemorragia había disminuido, pero ello no constituía necesariamente una buena señal; podía haber hemorragias internas. Dadas las deficiencias de iluminación, las intervenciones quirúrgicas solían practicarse habitualmente por la mañana, cuando más claridad entraba por los ventanales; en días nublados, las operaciones se suspendían, y rara vez se practicaban de noche. Samantha tenía la boca dolorosamente seca y los latidos de su corazón le retumbaban en los oídos.

—Señora Knight, necesito más luz, por favor. Una lámpara a ser posible...

Los vapores del éter la aturdieron momentáneamente.

—Doctor Weston, creo que será suficiente de momento. Unas cuantas gotas cada pocos minutos, por favor...

Samantha sacó un tenáculo de la palangana, procuró que no le temblara la mano y lo introdujo suavemente. Vio mentalmente la ilustración de su libro de texto, e inmediatamente después las expertas manos de Elizabeth Blackwell operando con la señora Steptoe. Colocando los dientes del instrumento en el cuello del útero, Samantha manipuló la matriz y, a la luz de la lámpara que la señora Knight había colocado sobre la mesa de operaciones, pudo ver la perforación.

Samantha pensó que la noche estaba durando una eternidad, aunque sabía que en realidad solo habían transcurrido unos minutos. Mientras rezaba mentalmente para que Jake regresara con alguna ayuda, Samantha preguntó serenamente:

—¿Cómo está el pulso, doctor Weston?

—Aproximadamente noventa, y regular.

—¿Quiere vigilarlo, por favor, mientras yo trabajo? Compruébelo a cada pocos minutos. *Por favor, Dios mío, dame fuerzas. Y no permitas que se me quede aquí...*

Los minutos se fueron prolongando, llenos de un profundo y hueco silencio. El ambiente de la sala era terriblemente frío, el doctor Weston se estremeció. El pecho de la paciente dormida palpitaba suavemente. Samantha trabajó en silencio con los labios fruncidos, mientras la señora Knight permanecía de pie al otro lado como un fiel centinela.

Los dedos de Samantha, rígidos, se negaban a colaborar y ella luchaba constantemente contra el pánico, debatiendo consigo misma en su fuero interno mientras seguía, uno a uno, los pasos aprendidos de memoria en el libro de texto: no debí empezar, no debí meterme en esto. Sí, tenía que hacerlo, era el único medio: si hubiéramos aguardado a la llegada de un cirujano, a esta hora ya habría muerto. Ahora sigue viva, por un pelo, pero viva. Sin embargo, ¿cuánto tiempo la podré mantener con vida? Dios mío, la voy a perder. No debí empezar...

Se abrió la puerta de par en par y el doctor Rawlins, que no se había quitado todavía el gabán y la chistera cubiertos de nieve, preguntó:

—¿Cómo está?

Samantha lanzó un suspiro de alivio.

—Vive todavía, doctor. Pero a duras penas.

Inmediatamente, él se acercó a la mesa, sustituyendo a la señora Knight, y efectuó una rápida valoración de la actuación de Samantha.

—Mire —dijo, tomando el tenáculo y cambiándolo de posición—. Así. Resulta más visible, ¿ve usted?

—Sí... —contestó Samantha en voz baja.

—Ahora tome esa abrazadera, doctora... —las manos de Mark guiaron las suyas con firmeza y suavidad mientras su sonora voz llenaba la estancia—. Utilice más a menudo las esponjas. Mantenga el campo limpio en todo momento. Señora Knight, esta luz es deplorable. Doctor Weston, la paciente registra sensibilidad. Más éter.

En lugar de sustituirla, tal como Samantha pensaba que haría, Mark estaba colaborando con ella, instruyéndola y guiándola.

—Ha seguido usted un procedimiento correcto, doctora, pero ese retractor le será más útil si lo coloca de este modo —la mano del doctor Rawlins se curvó alrededor de la suya—. No demasiada tensión, para que no se desgarren los tejidos. Así. ¿Tiene a punto los hilos de sutura?

—Sí. El catgut está en solución de ácido fénico.

Él levantó los ojos. La cabeza de Samantha estaba inclinada y él vio en sus rizos oscuros diminutas gotas que brillaban como diamantes allí donde los copos de nieve se habían derretido. Mark abrió la boca para decir algo, pero cambió de idea. Cuando Samantha tomó la aguja, él le cambió suavemente la posición de los dedos y, al hacer temblorosamente el nudo, le colocó las tijeras en la mano y la guió pacientemente, indicándole la manera correcta de cortar.

Samantha no levantó la mirada ni una sola vez. Su concentración en la tarea parecía tan profunda que Mark tuvo la certeza de que casi no se percataba de su presencia. En realidad, sin embargo, Samantha tenía profunda conciencia de todo: de su proximidad al otro lado de la mesa de operaciones, de la sensación de sus manos, firmes pero suaves, sobre las suyas, y su fuerte y consoladora presencia le devolvió muy pronto la calma perdida, permitiéndole recuperar el dominio de sus manos.

Trabajó rápidamente y con habilidad, sin que se le hubiera de repetir nada. Mark le enhebró las curvadas agujas y observó cómo juntaba pulcramente los bordes del tejido desgarrado y ataba nudos con tanta pericia y seguridad como si lo hubiera hecho muchas veces. Vio los instrumentos que había en la palangana, todos ellos correctamente elegidos y con las adecuadas longitudes de sutura, y pensó que había sido muy audaz iniciando la operación sola y sin ayuda.

—Le ha salvado usted la vida a esa mujer, doctora —dijo quedamente.

Samantha levantó entonces la cabeza. Su piel parecía de marfil a la luz de la lámpara y sus ojos se hallaban envueltos en profundas sombras oscuras.

—Sin usted, la habría perdido —murmuró ella.

Él contempló aquellos ojos acerados, de largas pestañas, que mostraban tanta fuerza y determinación, y los vio ligeramente empañados por un velo de fragilidad e incertidumbre parecido al que pone la escarcha sobre los cristales de las ventanas.

—Lo ha hecho todo perfectamente, doctora.

Cuando él le estrechó la mano, Samantha bajó la mirada. En aquel instante, mientras él le comunicaba su calor y vigor a través de sus dedos, ella experimentó uno de los momentos más felices de su vida. Había salvado a una paciente condenada a morir, se había atrevido a practicar una intervención quirúrgica y sabía que se había enamorado de Mark Rawlins.

—Habrá que vigilarla mucho en los próximos cinco días, doctora Hargrave —dijo él, soltando su mano y tomando la toalla limpia que le ofrecía la señora Knight—. Las posibilidades de que se produzca peritonitis y septicemia son muchas. Auscúltele el abdomen por lo menos tres veces al día y vigile rigurosamente la temperatura.

—Así lo haré, doctor Rawlins —contestó ella, sonriente. Quitándose el delantal de carnicero por la cabeza y dirigiéndose hacia la puerta para colgarlo, Mark se sacó el reloj del bolsillo y lo abrió.

—Es Navidad, doctora Hargrave.

Ella contempló la cortina de encaje que tejían los copos de nieve detrás de la ventana.

—En efecto —murmuró.

Él regresó junto a la mesa y volvió a tomar las manos de Samantha entre las suyas. Permaneció de pie muy cerca de ella, sin preocuparse por la presencia del doctor Weston y de la señora Knight, y la miró solemnemente.

—Se ha ganado usted mi perenne admiración, doctora Hargrave. Nunca olvidaré esta noche.

Samantha estaba preocupada. Había practicado una intervención quirúrgica; el doctor Prince se podría vengar por fin. ¿Sería suficiente el apoyo de Mark para evitar que la despidieran? Le fue imposible comer buena parte del almuerzo de Navidad que compartió con Luther y Louisa, y la noche siguiente apenas pudo conciliar el sueño. Transcurrieron veinticuatro horas y después otro día con su correspondiente noche sin que se produjera ninguna reacción por parte del doctor Prince, y entonces Samantha llegó al convencimiento de que él estaba preparando su actuación. No sería un acto apresurado; ella le había burlado con demasiada frecuencia. Aunque no lamentaba lo que había hecho por la cantante del Meadowland (que se estaba recuperando), Samantha empezó a abrigar dudas acerca de su precipitación.

El aviso se produjo dos días más tarde.

Al entrar en el despacho, Samantha fue recibida por un enfurruñado Silas Prince, que permanecía en pie detrás de su escritorio con toda la dignidad de una lápida sepulcral, y para su leve asombro, por un desconocido a quien ella no había visto jamás.

—Doctora Hargrave —dijo el doctor Prince secamente—, permítame presentarle al doctor Landon Fremont. Doctor Fremont, la doctora Hargrave.

Saludó al desconocido con un cauteloso cabeceo, pensando que su nombre le resultaba vagamente familiar, y observó que su sonrisa se extendía también a sus ojos. Vio, además, en un rápido examen, que tenía algo más de treinta años (aunque una incipiente calvicie le hiciera aparentar más edad) y mostraba cierta tendencia a la gordura, que vestía bien y que la estaba mirando con evidente sorpresa.

—Siéntense, por favor, doctores —dijo el doctor Prince, haciéndolo él ceremoniosamente, como un juez en el estrado—. Doctora Hargrave, el doctor Fremont desearía un cambio de impresiones con usted.

El desconocido parecía un poco inseguro de sí mismo y empezó a carraspear para disimular su turbación.

—Perdóneme, doctora Hargrave, pero no esperaba que fuera usted tan... Bien, esperaba una mujer más *madura.* Verá, he oído hablar tanto de usted y he leído tantas cosas en la prensa, que, bueno... —agitó sus finas y rechonchas manos—, no quiero entretenerla, doctora. Solo deseaba hacerle unas cuantas preguntas, si me lo permite. Verá usted, doctora Hargrave, me han hablado de su actuación de la otra noche en la sala de operaciones y me gustaría discutirla con usted.

Samantha asintió con expresión perpleja.

El doctor Fremont pareció buscar en la estancia algún lugar por donde empezar, clavó los ojos en un bordado que, colgado detrás del escritorio del doctor Prince, decía NIHIL HUMANUM MIHI ALIENUM EST, y volvió a mirar a Samantha con una expresión de profundo interés en sus ojillos.

—Doctora Hargrave, el doctor Rawlins me ha dicho que lavó usted los instrumentos y sus manos con solución de ácido fénico antes de iniciar la operación. ¿Puedo preguntarle por qué lo hizo?

—Mi antiguo mentor el doctor Joshua Masefield practicaba la antisepsia y me enseñó sus principios.

—Entonces, ¿defiende usted la teoría de los gérmenes?

—No estoy segura, pero, en caso de que existan los gérmenes, el ácido fénico los destruye y reduce el riesgo de infección de las heridas. Si, por el contrario, las bacterias no existen, no se hace ningún daño.

El doctor Fremont asintió con aire pensativo.

—Durante años yo he utilizado vino para lavar las heridas porque este contiene un polifenol todavía más fuerte que el ácido fénico, y durante años mis colegas se han reído de mí. Pero a mí se me han muerto por infección menos pacientes que a ellos, y ahora que el señor Pasteur está a punto de demostrar lo que hasta aquí solo han sido conjeturas, mis colegas ya no se burlan tanto —sus ojillos parpadearon, mirando a Silas Prince—. También tengo entendido, doctora Hargrave, que le pidió al doctor Weston que vigilara el pulso de la paciente durante la operación. ¿Puedo acaso preguntarle por qué?

—Puesto que muchos pacientes mueren en la mesa de operaciones debido a la inhalación del éter y por otras causas que todavía desconocemos, pensé que el fallecimiento repentino durante las intervenciones quirúrgicas tal vez se podría evitar vigilando más estrechamente los signos vitales.

—Jamás había oído hablar de semejantes procedimientos. ¿Dónde lo ha aprendido?

—En ninguna parte, doctor. Fue idea mía.

—¿Y dónde aprendió la especialidad de la cirugía?

—En los libros de texto. Aprendí por mi cuenta.

—¿No ha recibido ninguna preparación práctica?

—No. ¿Puedo preguntarle, señor, por qué me hace todas esas preguntas?

El doctor Prince se inclinó hacia delante, entrelazando las manos sobre el escritorio.

—Landon Fremont es la nueva adquisición de nuestra plantilla, doctora Hargrave. El St. Brigid's ha recibido una donación destinada a inaugurar la especialidad de ginecología, que se instalará en el primer piso del ala este. El doctor Fremont dirigirá el servicio y va a serle asignado un interno que se preparará en esa especialidad bajo sus órdenes.

Samantha volvió a mirar al doctor Fremont y este añadió rápidamente:

—Disculpe mis apresuradas preguntas, doctora Hargrave, pero cuando el doctor Rawlins me habló de su actuación en la sala de operaciones...

Por un instante, Samantha volvió a recordar la mágica hora que había pasado en compañía de Mark, su apoyo y su ayuda; su proximidad bajo la suave luz, su poder y su fuerza, la intimidad de aquel momento... Comprendió que, con independencia de lo que ambos pudieran hacer en adelante y de lo que sus destinos les depararan, ella y Mark Rawlins estarían siempre unidos por aquella hora singular.

—Por consiguiente, doctora Hargrave... —miró a Landon Fremont, que había estado hablando sin que ella le prestara atención—, sería un honor para mí que trabajara usted conmigo en ese nuevo servicio...

—¡Doctor Fremont, la verdad, no sé qué decir! —Samantha miró a Silas Prince, cuyo rostro se había petrificado—. El honor es mío, doctor Fremont. Acepto su propuesta con muchísimo gusto y le doy mi palabra, señor, de que no tendrá motivos para lamentar esta decisión.

El doctor Fremont se levantó y le tendió la mano. Entonces Silas Prince la sorprendió levantándose también y tendiéndole la mano. Como si hubiera firmado un breve armisticio, le dijo:

—Le deseo mucha suerte, doctora.

Por un fugaz instante sus fríos ojos se ablandaron ligeramente y dejaron entrever una leve admiración.

Pero era a Mark Rawlins a quien Samantha deseaba expresar su más profundo agradecimiento. No le había visto desde la Navidad, pero no tenía la menor duda de que pronto le volvería a encontrar.

6

Bajo los cimientos del St. Brigid's yacían los huesos de los suicidas que, en el siglo dieciocho, habían sido enterrados a lo largo de los caminos, con el corazón atravesado por una estaca. Aquel anochecer estival, mientras Samantha iba encendiendo las lámparas de gas de la sala, uno de aquellos espíritus inquietos se acercó a ella con los brazos extendidos y el largo cabello desgreñado. Ella tomó a la mujer por el codo y le dijo suavemente:

—Vamos, señora Franchimoni, no tiene usted que levantarse de la cama.

Los ojos de la mujer eran como ventanas abiertas a un desolado paisaje.

—Mi niño. ¿Ha visto usted a mi niño?

Samantha la acompañó de nuevo a la cama y la cubrió con la sábana.

—No puede andar paseando por ahí, señora Franchimoni. Tiene que reponerse de la prueba por la que ha pasado.

—¿Y mi chiquitín?

—Ahora necesita usted dormir. Vamos, descanse...

Samantha permaneció de pie junto a la cama hasta que la mujer cerró los ojos y se abandonó finalmente al olvido. Después Samantha alisó las sábanas, se irguió y miró a su alrededor. Tal como solía ocurrir en junio, la noche había caído como una cortina mientras ella se encontraba de espaldas, y la sala de ginecología estaba a oscuras, con solo el débil halo de luz de una lámpara de gas a cada pocos pasos. Las mujeres dormían, estaban momentáneamente tranquilas, como la señora Franchimoni, ignorante aún de que su hijo no había sobrevivido. ¿Cuándo se lo iba a decir Landon? Pero, ¿había un buen momento para decirle a una madre que su hijo ha muerto? Lanzando un suspiro, Samantha se apartó y se encaminó hacia el fondo de la sala, donde una solitaria enfermera estaba sentada junto a una mesa, enrollando vendas. Una de las radicales innovaciones introducidas por Fremont en su nueva sala había sido la contratación de enfermeras preparadas según el método Nightingale; a diferencia del resto de las enfermeras del St. Brigid's, las de Landon Fremont eran instruidas, limpias, honradas y entregadas a su vocación. Mildred levantó su joven rostro, para mirar a Samantha, y esbozó una sonrisa.

—Quizá tengamos una noche tranquila, para variar, doctora.

Samantha se acomodó en la otra silla más cansada que una anciana —se había pasado todo el día en la sala de operaciones— y rió suavemente. Una noche tranquila, ¡ojalá! Las esperanzas de Samantha no eran muy firmes, pues la tranquilidad duraba muy poco en la sala de ginecología.

—Mildred, ¿por qué no trae un poco de té?

—¡Desde luego, doctora! —contestó la muchacha, levantándose de un salto y abandonando la sala.

Samantha volvió a suspirar y sacó un pequeño escabel de bajo la mesa. Mientras apoyaba los pies en él, pensó que estaba demasiado cansada para poder dormir. Y no era que le importara... Los últimos seis meses habían merecido la pena, y los cuatro que le quedaban para obtener el certificado también la iban a merecer. Trabajar a las órdenes de Landon Fremont había sido un placer extraordinario y Samantha sabía que lamentaría tener que marcharse.

La única nube de aquellos seis meses había sido la

ausencia de Mark. Poco después de Navidad, Nicholas Rawlins había sufrido un grave ataque cardíaco y había muerto en su sombría mansión de Beacon Hill. Samantha había visto a Mark en una ocasión y solo muy brevemente al acudir él al hospital para pedirle al doctor Miles que se hiciera cargo de sus pacientes. Le vio en la sala y observó que estaba distraído y trastornado; Samantha le expresó su condolencia y él se retiró inmediatamente. En los meses siguientes, ella estuvo vigilando de continuo por si aparecía; tendía el oído a la caza de noticias y una vez oyó comentar que seguía en Boston, tratando de arreglar la compleja herencia de su padre; pero a medida que pasaban las semanas y los meses, Samantha empezó a desesperar de volverle a ver.

Para aumentar su inquietud, Janelle MacPherson también se había esfumado.

Un gemido procedente de las sombras indujo a Samantha a levantarse inmediatamente. Se acercó al lecho de la mujer, inclinándose sobre ella mientras le acariciaba la ardiente frente y murmuraba unas palabras de consuelo. Era un caso trágico.

La joven, de dieciocho años, había sido acompañada al hospital aquella tarde por su apenado marido; sufría fuertes dolores en el bajo vientre y tenía fiebre. Al principio el doctor Fremont había diagnosticado una apendicitis, pero la aparición de una hemorragia de color rojo brillante les reveló que en realidad se trataba de un embarazo tubárico. Landon y Samantha habían hecho lo que estaba en su mano, lo cual, era, en verdad, muy poca cosa: irrigar la matriz y las trompas con solución salina, en la esperanza de desplazar el feto antes de que la trompa reventara. No habían tenido éxito; las irrigaciones raras veces daban resultado y ahora la joven, sumida en la inconsciencia, se estaba muriendo en aquel lecho de hospital mientras la impotente doctora permanecía a su lado, dominada por una silenciosa cólera.

Una de las cosas que Samantha había aprendido durante aquellos seis meses de aprendizaje a las órdenes de Landon Fremont era que la práctica de la ginecología producía más frustraciones que satisfacciones, que eran más los casos que se perdían que los salvados y que la ginecología era, en suma, poco más que una ciencia de medias verdades, conjeturas y misterios. Ni siquiera el brillante Landon Fremont, que estaba haciendo historia en el campo de la medicina con sus innovaciones quirúrgicas, podía encontrar un medio de llegar al abdomen sin matar a la paciente y, hasta que dicho medio no se encontrara, incontables mujeres quedarían automáticamente sentenciadas a muerte a causa de complicaciones tan sencillas como un embarazo tubárico.

Samantha se volvió al oír unas pisadas y vio a Mildred posando las tazas sobre la mesa. Al reunirse con ella, vio que la enfermera había traído también una bandeja con bizcocho de mantequilla y recordó que era sábado, el día en que las damas de la organización benéfica visitaban el hospital.

Regresando a su silla y tomando la taza de té, Samantha pensó de nuevo en Janelle MacPherson y en el hecho de que, desde Navidad, esta no hubiera aparecido por las salas con su séquito habitual, a pesar de que su rubia hermana Letitia sí lo había hecho. Y ello arrastró a Samantha hacia pensamientos todavía más lóbregos mientras sostenía la taza junto a sus labios; porque últimamente Letitia MacPherson había empezado a inquietar a Samantha.

Desde un principio le había gustado la alegre hermana menor de Janelle, y siempre apreció el interés de Letitia por hablar con todo el mundo. Las restantes damas de la organización benéfica pasaban por allí, casi en su totalidad, como deslizándose en otro plano, sin acercarse demasiado a las pacientes y tratando a las enfermeras y a Samantha poco menos que como a criadas. En cambio, Letitia, a pesar de su alcurnia, sus costosos vestidos y su elevada posición social, no levantaba ninguna barrera entre su persona y las agobiadas enfermeras y tampoco consideraba de mal gusto intercambiar algunas palabras con la doctora Hargrave. La sonrisa de Letitia MacPherson era siempre como un rayo de sol.

Pero después —¿cuándo había sido?—, un día del mes pasado, mientras cambiaba los vendajes de una paciente, y al extender la mano hacia las tijeras, Samantha miró hacia la puerta del fondo de la sala. Vio a Letitia en íntima conversación con el doctor Weston, el cual a juzgar por su sonrisa, se sentía muy halagado por la atención de la joven. Samantha apartó aquel incidente de sus pensamientos y no hubiera vuelto a recordarlo de no haber sorprendido por casualidad a Letitia aquella misma semana enzarzada en una conversación similar con el doctor Stiwell.

Posteriormente había prestado más atención al comportamiento de la señorita MacPherson cuando esta llegaba, una semana tras otra, con sus regalos, pasteles y flores, y así observó que Letitia se las apañaba siempre para quedarse rezagada, llamar la atención de cualquier médico que se hallara presente y empezar a coquetear con él. Resultaba evidente que a Letitia le encantaba el efecto que ejercía en los hombres, pero ¿sabía aquella muchacha que estaba jugando con fuego? La sociedad protegía a aquellas princesas: desde su nacimiento, Letitia no debía de haber pasado un solo minuto fuera de la severa mirada de una inflexible acompañante. Y estaba claro que aquellas visitas semanales al hospital eran su única oportunidad de hacer sus pinitos en un juego que la intrigaba, pero cuyas reglas desconocía. Samantha había leído la intención en los ojos del doctor Stiwell; estaba claro, sin embargo, que Letitia no la había captado.

—¿Qué le ocurre a la señora Mason, doctora?

Samantha miró a Mildred.

—¿Cómo dice?

—La cama diez. Ingresada esta mañana. ¿Qué le ocurre?

Samantha se volvió para mirar y trató de distinguir la cama, pero el fondo de la sala se hallaba a oscuras.

—Tiene la piel amarillenta, escozor por todo el cuerpo y agudos dolores ocasionales en la parte superior derecha del abdomen. Podemos elegir entre varios diagnósticos, pero creo que el de las tres palabras será nuestra guía en este caso.

—¿Las tres palabras, doctora?

—Rubia, gorda, cuarentona. Si el paciente reúne esas tres características, Mildred, podemos estar casi seguros de que padece de la vesícula biliar. Y la señora Mason es rubia, gorda, y tiene cuarenta años.

—¿Podemos hacer algo por ella, doctora?

Samantha estaba a punto de contestar que no, cuando se abrió la puerta del fondo de la oscura sala y allí, de pie, perfilada su silueta por la luz del pasillo, apareció un hombre con chistera y capa.

Estaba lejos y hubiera podido ser cualquier otro, pero Samantha supo quién era. Levantándose lentamente y posando la taza, se deslizó por entre las hileras de camas, como flotando hacia el hombre de la puerta. Al llegar junto a él, le tendió la mano y murmuró:

—Doctor Rawlins...

Él le estrechó la mano cordialmente.

—Me alegro de encontrarle levantada. Es tan tarde.

Su voz hizo que Samantha volviera a recordarlo todo de golpe. Los seis meses se desvanecieron: ella se hallaba de nuevo a su lado, junto a la mesa de operaciones, en íntima unión, y volvió a experimentar con fuerza aquel sentimiento que había desplazado hacia la periferia de su mente: lo enamorada que estaba de Mark Rawlins.

—Es mi noche de guardia —dijo—. ¿Cómo está, doctor Rawlins? Le hemos echado mucho de menos.

—Yo también la he echado de menos a usted. Me temo que he perdido el contacto con el mundo, doctora Hargrave. He pasado estos últimos meses como un prisionero en el hogar de mis mayores, tratando de aclarar el terrible desorden que dejó mi padre.

—Lo siento mucho...

Él bajó la voz y habló en un suave susurro.

—No lo sienta. Era un viejo déspota despiadado que impuso su voluntad a todo el mundo durante mucho tiempo. Nadie derramó lágrimas, se lo puedo asegurar.

—En ese caso, la tragedia es todavía mayor.

Samantha contempló la fuerte mano que sostenía la suya y se preguntó si cada vez que le viera experimentaría el deseo de que el momento no terminara jamás.

—Acabo de regresar —dijo él—. ¡Ahora tendré que ordenar el desastre que ha creado mi ausencia!

—¿Quiere usted tomar el té con nosotras, doctor?

Él se desplazó ligeramente, para mirar hacia el fondo de la sala, y su rostro quedó iluminado por la luz. Samantha a duras penas pudo reprimir un grito: ¿siempre había sido Mark Rawlins tan apuesto? ¿O acaso el amor estaba deformando su visión? Incluso el defecto de aquella pequeña cicatriz que le ladeaba ligeramente la boca le parecía irresistible.

—Por desgracia, no puedo quedarme, mi querida doctora Hargrave. Solo he venido para invitarla a cenar conmigo y con mi familia de hoy en ocho.

—¿A cenar? Me encantará.

Él la miró, sonriendo enigmáticamente; para ser un hombre que no podía quedarse, no parecía que Mark Rawlins tuviera demasiada prisa.

—¿Le gusta trabajar con Landon?

—Es un sueño hecho realidad. Y se lo debo a usted, doctor Rawlins.

—Tonterías. Usted se lo había ganado —contestó él en voz queda.

Sus ojos envueltos en sombras seguían mirándola y Samantha notó que le temblaban las piernas. Las noches en que la lluvia de abril golpeaba su ventana y resonaban por el pasillo las risas de los demás internos, Samantha había permanecido insomne en su cama, contemplando la oscuridad, haciéndose preguntas y soñando despierta, convertida en una prisionera voluntaria de su hechizo. Y ahora, cuando ya temía no volver a verle jamás, allí estaba él, a su lado, dominándola con su presencia mientras una electrizante corriente se transmitía desde su mano a la suya.

—Siento tener que marcharme —dijo él con voz plácida—. El coche pasará a recogerla a las ocho —estrechando por última vez su mano, Mark añadió—: No sabe cuánto lo estoy deseando.

7

Samantha sabía que la familia de Mark Rawlins era acaudalada, pero jamás había pensado demasiado en ello. Y, sin embargo, la mansión de los Rawlins en la Avenida Madison podía rivalizar con la de los Astor: elevados techos, relucientes arañas de cristal, pinturas, alfombras turcas, precioso mobiliario, cortinas de raso dorado y palmeras en macetas..., todo hubiera podido pertenecer a un palacio real. Y las personas que la ocupaban, como los aristócratas, estaban tan en consonancia con el ambiente que, cuando el mayordomo la acompañó hasta la puerta de doble hoja del gran salón, Samantha temió no estar a la altura de las circunstancias.

Entonces vio a Mark, de pie junto a la chimenea, en animada conversación con Janelle, y decidió de una vez por todas que Janelle sí estaba a la altura.

El joven que estaba tocando el piano levantó la mirada y dejó en suspenso una animada polonesa. Todas las cabezas se volvieron hacia ella y, cuando el mayordomo anunció su nombre con resonante voz, Samantha tuvo la impresión de haber salido al escenario de un teatro. Mark se acercó apresuradamente y los caballeros que estaban sentados se levantaron de inmediato.

—¡Doctora Hargrave! ¡Nos estábamos preguntando qué le habría ocurrido!

Mark la tomó del brazo y la acompañó al interior de la estancia.

—Discúlpeme, doctor Rawlins. En el último momento, tuve que atender a una paciente. Espero no haber causado ningún trastorno.

—En absoluto —dijo pausadamente el joven del piano, levantándose y aproximándose con paso indolente—. La puntualidad es un aburrimiento.

—Doctora Hargrave, le presento a mi hermano Stephen.

Había cierto parecido, pero muy vago. Stephen pecaba tal vez de excesiva perfección —ninguna simpática cicatriz le deformaba el labio— y Samantha percibió cierta vanidad en su sonrisa. Cuando el joven tomó su mano enguantada y se la besó, juntando los talones, Mark dijo:

—Stephen acaba de regresar de Europa.

Después le presentaron a Henry y a Joseph Rawlins, ambos más jóvenes que Mark, pero mayores que Stephen, por lo que Samantha calculó que debían rondar los treinta; unos jóvenes simpáticos y apuestos, pero carentes de aquel algo especial que distinguía a Mark. Al verles sonreír, Samantha creyó percibir cierta vacuidad en su bienvenida. Sus esposas parecían mujeres vulgares, de cinturas que mostraban ya las consecuencias de los hijos y la vida cómoda; a Samantha le produjeron la desagradable impresión de estar compitiendo constantemente entre sí.

Por último se acercó Letitia, curiosamente vestida con un traje de terciopelo rojo que no le sentaba bien, y Janelle, cuyo vestido de raso azul claro la favorecía mucho.

—Estamos esperando a mi madre —dijo Mark, ofreciendo asiento a Samantha en el sofá de brocado—. El privilegio de llegar en último lugar siempre le corresponde a ella.

Entró una doncella con una bandeja de canapés y Samantha tomó uno, sin saber de qué era, aceptando también una copa de champán. Tras un embarazoso silencio se reanudaron las conversaciones: Joseph y Henry siguieron discutiendo acerca de una cuestión jurídica, mientras sus respectivas esposas volvían a enzarzarse en su intercambio de ingeniosas anécdotas infantiles, al tiempo que Letitia se sentaba al piano para interpretar una moderna melodía cuya letra, oída por Samantha en una ocasión, era demasiado atrevida para ser cantada en aquel lugar. Cuando Mark se dirigió al aparador para llenar nuevamente la copa de Janelle, Stephen aprovechó la oportunidad para sentarse al lado de Samantha.

—Mi madre no permite que el *Herald* de Nueva York entre en esta casa, doctora Hargrave, piensa que es demasiado sensacionalista. Pero yo he conseguido leerlo de todos modos, y en varias ocasiones he visto noticias acerca de sus extraordinarias hazañas.

—Me temo que esos reportajes son un poco exagerados, señor Rawlins.

—¡No lo creo, a juzgar por lo que dice Mark! ¡Pero si yo pensaba que debía medir usted dos metros y medio y llevar lanza y escudo!

Samantha miró a Mark, que había vuelto a sentarse junto a Janelle; debían estar manteniendo un diálogo muy serio, pues no había el menor asomo de sonrisa en los labios de él y Janelle hablaba en voz baja, con expresión muy grave, inclinando la cabeza hacia él y mirándole con sus ojos azul oscuro.

Se abrió la puerta de doble hoja y apareció Clair Rawlins. El piano enmudeció, como si estuviera conectado con algún mecanismo de la puerta, y los cuatro hermanos adoptaron posición de firmes, como si fueran marionetas. No cabía la menor duda de que aquella era una mujer temible.

Vestida enteramente de negro, del cuello a las muñecas hasta el dobladillo que barría la alfombra, y con el plateado cabello peinado en regia corona, Clair Rawlins era alta y delgada y se movía con asombrosa agilidad para una persona de su edad. Observó a los reunidos a través de unos impertinentes de cristales rosados que brillaban bajo la araña del techo en facetas como de diamante.

—Buenas noches a todos —dijo en tono autoritario.

Sus ojos parecieron posarse largamente en Samantha. Entonces Mark se adelantó y le dijo:

—Madre, permíteme presentarte a la doctora Samantha Hargrave. Doctora Hargrave, mi madre.

Los impertinentes descendieron y Samantha se sorprendió al ver unos suaves ojos color castaño. Eran los ojos de Mark, dulces y sensibles, signo evidente de un espíritu amable y comprensivo; los ojos de una mujer que debía haber amado y sufrido profundamente.

—Es un placer conocerla, señora Rawlins.

Clair asintió levemente con la cabeza, como si hubiera buscado algo en su joven y orgullosa invitada y, para su satisfacción, lo hubiera encontrado.

—Me alegro de que haya podido reunirse con nosotros esta noche, señorita Hargrave. Mark nos deleita muy rara vez con la compañía de sus colegas.

—Madre, ¿te apetece una copa de champán?

Ella movió un brazo y los brillantes centellearon en su muñeca.

—Quita el apetito. Quiero conocer a nuestra invitada.

Hablaba en tono perentorio y todos obedecían. Letitia regresó al piano y empezó a interpretar el *Liebestraum*, para animar el ambiente, mientras los demás reanudaban sus conversaciones... Samantha observó que Mark y Janelle proseguían su serio dialogo.

—Constituye usted un motivo de gran curiosidad para mí, señorita Hargrave. ¿Cuándo y por qué decidió estudiar medicina?

Había sido más una orden que una petición y, mientras recitaba la historia de su vida que solía ofrecer a los demás, Samantha empezó a pensar que su explicación no bastaría para satisfacer a aquella mujer. Clair Rawlins quería algo más y Samantha pensó: me está sometiendo a juicio.

Cuando sonó la campanilla de la cena, Samantha se dirigió al comedor dando el brazo a Stephen y descubrió que le habían asignado un asiento a la derecha de Clair Rawlins. Mark, que parecía molesto por la distribución de los invitados, tomó asiento al otro extremo de la larga mesa, con Letitia a un lado y Janelle a otro.

La cena fue increíblemente fastuosa, pero Samantha se adaptó muy bien, comportándose como si estuviera acostumbrada a los doce platos de nombres impronunciables, a los diversos cubiertos dispuestos alrededor de su plato y al servicio del interminable desfile de criados. Dos años de lucha por la supervivencia en la Facultad de Medicina le habían enseñado el arte de ganar tiempo: tomando un sorbo de agua cada vez que tenía que probar un nuevo plato, podía observar qué tenedor o cuchara utilizaban los demás.

—Dígame, señorita Hargrave, ¿no ofende su sensibilidad y sentido del decoro el trabajo que usted hace?

Samantha tomó el tenedor que creyó adecuado y cortó un trozo de bacalao.

—Cuando se tiene la satisfacción de haber salvado una vida, señora Rawlins, el decoro parece algo muy insignificante.

—Yo creo, madre —dijo Stephen, que se encontraba frente a ellas—, que la señorita Hargrave prefiere que la llamen doctora.

Clair movió la cabeza como en gesto de reproche a un niño travieso.

—Tonterías. La señorita Hargrave es ante todo mujer, y en segundo lugar doctora, y por consiguiente prefiere que se dirijan a ella como a una dama. ¿No es cierto, querida?

—En realidad, señora Rawlins, su hijo tiene razón. Prefiero que me llamen doctora.

Clair descansó ostentosamente el tenedor y dirigió a Samantha una mirada de auténtico asombro.

—¡Qué insólito!

—Soy, *ante todo*, un médico, señora Rawlins. Al fin y al cabo, me he ganado ese título.

—Pero ¿cómo conocerá la gente su estado civil si la llaman doctora Hargrave?

—Supongo que, si alguien desea conocerlo, me lo preguntará.

—Mi querida señorita Hargrave —dijo Clair en el tono que solía utilizar cuando hablaba con sus nueras («Mi querida Elaine, tendrás doce invitados a la cena y servirán faisán»)—, a ningún caballero educado se le ocurriría preguntarle directamente si es usted casada o soltera. Muchos imaginarán que está casada y perderá usted muy buenos partidos. ¿Cómo espera encontrar marido?

En aquel momento cesaron todas las conversaciones y Samantha se vio convertida en centro de la atención.

—Madre —dijo Mark desde el otro extremo de la mesa—, estás poniendo en apuros a la doctora Hargrave.

Samantha le dirigió una cortés sonrisa y dijo:

—No se preocupe, doctor Rawlins, no me importa —y después añadió, mirando a Clair—: Le agradezco su interés por mi situación, señora Rawlins, pero le aseguro que no he puesto en peligro mis posibilidades de matrimonio y mi feminidad con esta profesión. Si llego a casarme, tendrá que ser con un hombre muy especial. Estoy segura de que convendrá conmigo en que la nuestra no podrá ser una relación convencional. Espero sinceramente que, si ese hombre singular se presentara en un futuro y me considerara una pareja deseable, será lo suficientemente franco y sincero para preguntarme cuál es mi estado civil. Esa sinceridad me parecería una muestra de carácter, señora Rawlins, no de falta de educación.

Todos parpadearon un instante y después tomaron de nuevo sus cubiertos, mientras Samantha y la señora Rawlins se miraban fijamente. El único que no se movió fue Mark; estaba como hipnotizado. Nadie, ni siquiera su padre, se había atrevido a desafiar a Clair Rawlins.

Por fin la dueña de la casa dijo en tono seco:

—¿Qué clase de hombre decidiría casarse con una doctora?

Antes de que Samantha pudiera contestar, Mark habló desde el otro extremo de la mesa.

—Pues un médico, naturalmente.

Mientras miraba con dureza a su hijo predilecto, Clair no pasó por alto el especial intercambio de miradas que se produjo entre Samantha y Mark. Las miradas tampoco pasaron inadvertidas a Janelle MacPherson, la cual se agitó en su asiento en medio de un crujido de sedas.

El embarazoso silencio fue interrumpido por Stephen que, esbozando una galante sonrisa, se inclinó hacia Samantha y dijo:

—A mí no me importaría casarme con una doctora.

Samantha rió suavemente y extendió la mano hacia la copa de vino.

—Es posible que cambiara de idea cuando su esposa tuviera que salir a menudo a atender llamadas urgentes y se le quemara la cena.

La conversación pasó a centrarse en otro tema cuando sirvieron el pato glaseado. Se empezaron a expresar opiniones acerca de la nueva transición de arte impresionista hacia algo todavía más «absurdo», tal como podía observarse en el lienzo de Cézanne titulado *L'Estaque*, el cual, según todos convinieron, era espantoso, y una vez se hubo agotado esa cuestión, junto con las frambuesas azucaradas, todos empezaron a dialogar acerca del *Retrato de una dama*, la más reciente novela de Henry James. Mientras repartía su atención entre Stephen, que estaba deseando complacerla, y Clair, que no lo deseaba, Samantha miraba de vez en cuando hacia la izquierda, y en más de una ocasión vio que Mark la estaba observando.

—Yo creo —dijo Joseph Rawlins, sentado a la derecha de Samantha— que el tema básico que trata James es el del libre albedrío. A una muchacha muy inteligente se le concede la oportunidad de vivir su vida según sus deseos, pero ella comete un error fatal que pagará durante el resto de su vida.

—Estás diciendo en este caso, querido Joseph —terció Clair—, que ese libro tiene una moraleja —se volvió a mirar a Samantha—. ¿Lo ha leído usted, señorita Hargrave?

—Me temo que dispongo de muy poco tiempo para otras lecturas que las profesionales, señora Rawlins.

—Lástima —dijo Clair, arqueando exageradamente las cejas.

Samantha inclinó la cabeza mientras hundía la cuchara en las frambuesas y miró subrepticiamente a Mark.

Esperaba recibir una de sus sonrisas intencionadas y se sorprendió al ver que él estaba dirigiendo una hermosa sonrisa a Janelle, la cual parecía haberle cautivado con algún interesante relato. Cuando sonreía Janelle, brillaba como la gargantilla de diamantes que le adornaba el cuello y, cuando se reía, se llevaba la mano al pecho para llamar la atención sobre su generoso escote.

—Señorita Hargrave —dijo Clair con su cortante voz—, espero que esta no sea una de las noches en que ha de marcharse para atender un caso urgente.

—¿Perdón? —dijo Samantha, mirándola.

—Letitia nos va a recitar algo mientras tomamos el café. Sabe recitar con mucho sentimiento el poema *Annabel Lee* de Edgar Allan Poe. Pero después, señorita Hargrave, me gustaría hablar con usted a solas unos minutos. Si no tiene inconveniente.

—Ninguno, señora Rawlins.

—En realidad, por eso quise invitarla esta noche. Hay algo importante que desearía comentar con usted. En privado.

Samantha miró fijamente a Clair un momento, y después desvió vivamente la mirada hacia la derecha. Mark se estaba riendo de buena gana, con la cabeza echada hacia atrás, y Janelle le observaba con expresión radiante.

Confusa, Samantha volvió a centrar su atención en las frambuesas. O sea que la invitación no había partido de Mark sino de Clair. Clair, que parecía censurar todo el comportamiento de Samantha y que no consideraba necesario disimular su desaprobación. Algo importante que deseaba comentar en privado...

Clair tenía razón, Letitia recitó el *Annabel Lee* con mucho sentimiento y Samantha se habría conmovido enormemente si sus pensamientos no hubieran estado en otro lugar. Mientras todos permanecían sentados en el salón tomando café con brandy y contemplando la dramática actuación de Letitia a la media luz (habían apagado las lámparas para intensificar el efecto), Samantha no pudo menos de considerar con perplejidad su presencia en aquella casa. Y tampoco pudo evitar sentirse decepcionada. Estaba claro que había interpretado erróneamente las intenciones de Mark.

Sin embargo, cuando Letitia juntó las manos sobre el pecho y dijo con voz entrecortada por la emoción: «Yo era un niño y ella era una niña / En aquel reino al borde del mar, / Pero nos queríamos con un amor que era más que amor...», Samantha se volvió para mirar a Mark, sentado al otro extremo del salón con las piernas estiradas y cruzadas con indiferencia, y le sorprendió contemplándola fijamente. Su rostro estaba envuelto en sombras y no se podía apreciar su expresión, pero Samantha intuyó que emanaba de él un profundo sentimiento, como si estuviera tratando de extender la mano y tocarla. La taza de Samantha se quedó en suspenso junto a sus labios. No podía beber. Un Mark Rawlins distinto la estaba mirando desde el otro extremo de la estancia a media luz, como si las palabras de Poe le hubieran transformado. La fachada se había desmoronado, ahora no la estaba mirando con indiferencia un hombre distinguido; Samantha percibió su fuerza, su virilidad, notó que la invadía y que tomaba posesión de ella. Su boca mostraba una expresión muy seria, su cuerpo parecía laxo, pero ella percibió su tensión y su determinación. Samantha permaneció inmóvil y el momento pareció prolongarse indefinidamente.

Después el rumor de unos corteses aplausos la devolvió a la realidad. Stephen encendió las lámparas y todo el mundo felicitó a Letitia por su actuación y, cuando Samantha volvió a mirar a Mark, descubrió que este aún la estaba observando. Pero, ahora que la luz iluminaba su rostro, ella vio que su expresión era muy seria y que sus ojos estaban muy tristes. Samantha se estremeció.

—¿Le ha gustado el poema, Samantha? —preguntó Mark en voz baja, para que solo pudiera oírle ella.

—Sí.

—Pero es muy trágico.

—En la tragedia puede haber belleza.

Todo el mundo se estaba levantando ya para dirigirse a otros salones —los hombres a sus cigarros puros; las mujeres, al encuentro de sus escabeles—, pero Mark y Samantha no se movieron.

—¿Cuál es su poema preferido, Samantha?

—*El prisionero de Chillón* —contestó ella, tras reflexionar un instante.

—Byron. Más tragedia.

—¿Y el suyo?

Sus labios estaban a punto de esbozar una sonrisa, pero entonces la autoritaria voz de Clair llenó súbitamente la estancia.

—Señorita Hargrave, ¿puedo hablar a solas con usted unos minutos?

Samantha tomó asiento en un precioso sillón tapizado de cuero que olía a aceite de limón, mientras Clair escanciaba brandy en dos copas de cristal. Se encontraban en la biblioteca de los Rawlins, rodeadas por cuatro paredes cubiertas de libros que contenían un caudal de conocimientos humanos; dos mujeres solas bajo las frías miradas de mármol de Julio César, Voltaire, Napoleón Bonaparte y, desde su marco dorado de encima de la chimenea, Nicholas Rawlins, el Rey del Hielo.

Clair ofreció una copa a Samantha y se sentó en el otro sillón.

—Tengo amigas en la Liga de Abstemios que critican severamente mi pequeña afición a las bebidas alcohólicas, mientras ellas se tragan frascos de tónicos que contienen alcohol suficiente para tumbar a un caballo.

Hasta Nicholas, que en paz descanse, me lo reprochaba —Clair contempló el retrato—. Era abstemio, por extraño que pueda parecer. Un hombre con tantos vicios y, sin embargo, jamás fue aficionado a las bebidas alcohólicas —su voz se suavizó—. No era fácil querer a ese hombre, señorita Hargrave, pero yo le quería muchísimo precisamente porque siempre tuve que luchar para conservarle.

—Lamenté su muerte.

—Todo fue muy rápido. Bien, señorita Hargrave, permítame exponerle el motivo por el cual le he rogado que viniera. Yo no soy partidaria de que las mujeres ejerzan profesiones. Doctoras, abogadas, jueces, fotógrafas..., su sacrificio es demasiado grande y yo sufro por ellas. Aborrezco ver a una mujer asexuada. Y, sin embargo (pensará usted que soy una hipócrita), me veo obligada a recurrir a usted precisamente en su condición profesional. Señorita Hargrave, necesito a una doctora ahora mismo. Me ha sido muy difícil hacer esta concesión.

Clair tomó un sorbo de brandy, agitó la copa un instante con expresión meditabunda y añadió:

—Siempre he sido una mujer fuerte y he gozado de buena salud, y siempre he pensado que el ejercicio y una alimentación sana eran el mejor remedio para casi todos los males. Nunca he podido soportar a esas frágiles y etéreas damas que nuestra sociedad ha creado. Una mujer puede igualar a un hombre tanto física como mentalmente, sin perder por ello su feminidad. Nunca he utilizado el período como excusa para sustraerme a las responsabilidades, como hacen muchas. Y ni una sola vez en toda mi vida he recurrido a un médico para nada, señorita Hargrave.

Samantha la creyó porque imaginó los muchos años de lucha que le había costado conseguir la resistente capa de valor que le permitiera hacer frente a su marido y a las fuerzas de la sociedad. Sin embargo, detrás de aquellos suaves ojos castaños, detrás de aquella dura fachada de independencia, Samantha vio aflorar a otra mujer: una mujer oculta y tierna cuyos dulces ojos eran los de una prisionera que mirara a través de los barrotes de una celda en un anhelo de libertad.

—Temía que usted no fuera lo que yo esperaba, señorita Hargrave. Temía que fuera como son algunos médicos, muy hábiles en el arte de sortear las preguntas, mentir y halagar. Pero esta noche he visto que es usted fuerte y honrada y que me dirá la verdad.

—¿La verdad sobre qué, señora Rawlins?

—Sobre cuánto tiempo me queda de vida.

Samantha la miró fijamente. Antes de que pudiera hablar, Clair continuó diciendo:

—Quiero que me examine. ¿Cómo lo podemos hacer?

—¿Qué desea usted que le examine?

—El pecho.

Samantha posó la copa y se levantó.

—Sería mejor sobre el sofá. A través de la ropa no puedo hacerlo.

Clair movió un brazo.

—No soy remilgada. Sea sincera, es lo único que le pido.

Minutos más tarde, Samantha preguntó:

—¿Cuánto tiempo hace que tiene ese bulto, señora Rawlins?

—Cuatro meses.

—¿Por qué no acudió entonces a un médico?

—Señorita Hargrave, jamás en mi vida me he exhibido ante ningún hombre que no fuera mi marido.

—Es un orgullo insensato y peligroso.

—Soy consciente de ello, señorita Hargrave. Pensaba que el bulto desaparecería. ¿Cuál es su veredicto?

El tumor era del tamaño de una mandarina, duro

como una piedra, móvil y claramente definido, y el pezón estaba retraído. Samantha lo presionó con su pañuelo y este se manchó de marrón. Había, además, otros bultos en la axila.

—Unos cuantos meses, no más.

—No me basta, hace muy poco tiempo que ha muerto mi marido. Mi familia aún no puede arreglárselas sin mí. Necesito un año.

—No está en mi mano concedérselo —mientras Samantha ayudaba a Clair a ajustarse el cubrecorsé, recordó un dicho corriente entre los soldados de la guerra civil: *Hay poca diferencia entre morir hoy o morir mañana, pero todos preferimos que sea mañana*—. Si hubiera usted acudido inmediatamente a un médico, señora Rawlins, habría podido extirparle el pecho...

—Yo quiero terminar mis días entera, señorita Hargrave. Mi hermana murió de cáncer de mama, y yo sabía lo que me esperaba. Le practicaron una mastectomía y vivió un poco más, pero le extirparon todos los músculos y le quedó un brazo inútil y el hombro inclinado hacia delante hasta casi tocar el esternón. Horriblemente mutilada y con dolores constantes. Después de la operación, ya no volvió a ver el sol y únicamente permitía que entraran en su habitación sus familiares, pero no sus amigos. Sí, señorita Hargrave, es posible que me hubieran alargado un poco la vida, pero, ¿hubiera tenido *calidad*?

—¿Lo sabe Mark? —preguntó Samantha mientras la ayudaba a abrocharse el vestido.

Ella agitó una mano como si estuvieran discutiendo los pormenores del menú de un almuerzo. Aparentemente, la sentencia de muerte no la había afectado, pero la mujer atrapada en el interior de aquel duro caparazón estaba llorando.

—Si hubiera recurrido a Mark, él se hubiera afligido demasiado. Él y yo mantenemos una... relación muy especial. La sentencia ya es muy dura para que además haya de escucharla de los temblorosos labios de mi querido hijo. Él no debe saberlo, señorita Hargrave, porque eso le destrozaría el alma. Ninguno de ellos debe saberlo. Quiero que sea un secreto hasta el final.

Regresaron a sus sillones y Clair tomó su copa.

—Brumaire —dijo suavemente—. El brandy preferido de mi esposo. Nicholas era un tirano aborrecido, ¿sabe usted? Nadie lloró su muerte. Me temo incluso que Joseph y Henry se alegraron en secreto de ella. Nadie le echará de menos, eso es seguro. Y ahora me pregunto cómo será acogida mi muerte. —Clair miró a Samantha con ojos húmedos por las lágrimas—. No temo la muerte, señorita Hargrave, lo que ocurre es que no estoy preparada...

Su voz se quebró.

Mientras extendía la mano para apoyarla en la de Clair, Samantha pensó: estoy contemplando el futuro a través de un espejo. ¿Seré yo como Clair Rawlins, luchando por mi dignidad aun teniéndolo todo en contra? ¿Qué sacrificó usted, señora Rawlins, para poder ser usted misma por derecho propio? ¿Cómo pudo usted entregarse al hombre que amaba, conservando al mismo tiempo su identidad y singularidad?

Clair resolló y le dio a Samantha unas palmadas en la mano.

—Le agradecería que se quedara un rato conmigo, señorita Hargrave.

—Con mucho gusto.

—Dígame, ¿sufriré mucho al final?

Mark se encontraba acomodado frente a Samantha en el carruaje que oscilaba suavemente, contemplando su rostro iluminado por las farolas de la calle. Al salir de la biblioteca, ella se había mostrado muy silenciosa y retraída; Mark estaba preocupado porque conocía el carácter de su madre. Pero, por otra parte, estaba perplejo: ¿qué demonios había ocurrido al otro lado de aquella puerta?

Aunque Mark mantenía con su madre una especial relación porque ella admiraba la fuerza y valentía con que luchó por lo que consideraba justo a costa de cualquier sacrificio (el día en que Mark abandonó la casa paterna, catorce años atrás, Clair había llegado a la conclusión de que amaba a aquel hijo como a ningún otro) y aunque solía recurrir a Mark en los momentos en que necesitaba asesoramiento y consejo, aquella vez no había querido sincerarse con él. Enterada de que en el St. Brigid's había una nueva doctora, le había hecho a Mark algunas preguntas al respecto, y por último le había pedido que invitara a la señorita Hargrave a cenar.

—Ahora que ha tenido usted el singular privilegio de conocer a mi madre —dijo él mientras el vehículo se mezclaba en Broadway con el tráfico de última hora de la noche—, ¿qué opina de ella?

—Es una mujer extraordinaria —contestó Samantha, esbozando una sonrisa forzada.

—¿De qué han hablado tanto rato?

—De cosas.

—¿Cosas secretas?

—Cosas de mujeres.

—¿Acaso está enferma? —preguntó él, mirándola muy serio.

Samantha le devolvió la mirada con una firmeza que no sentía.

—Me ha pedido que no revelara a nadie el contenido de nuestra conversación y yo le he dado mi palabra.

—Comprendo. —Mark tomó su bastón, estudió con indiferencia su puño de plata y después lo volvió a dejar—. ¿Tiene algún problema médico?

—No puedo decírselo.

—Tengo derecho a saberlo —insistió él suavemente, pero con firmeza.

En aquel instante Samantha se entristeció no por Clair, que afrontaría estoicamente su muerte, sino por Mark, que muy pronto iba a sufrir. Deseaba con toda el alma poder hablar, concederle la oportunidad de prepararse, pero Clair se lo había prohibido. Samantha luchó con su sentido de la ética. En su amor por Mark, hubiera querido decírselo y ayudarle en su dolor; sin embargo, no podía traicionar la confianza de una paciente. Tenía que ser fiel a sí misma y también a su profesión, pero nunca había pensado que pudiera haber un conflicto entre ambas cosas.

—Me pidió un consejo y yo se lo di. Es lo único que puedo decirle.

Él reflexionó un instante y después asintió con la cabeza, aceptando la explicación.

—Me alegro de que se haya reunido usted con nosotros esta noche. Su presencia ha conferido a la velada un aire especial.

Samantha tuvo que apartar la mirada. Mentalmente estaba instando a los caballos a que aceleraran el paso. Mark estaba tan cerca, el deseo que ella experimentaba era tan grande, que temía no poder conservar el equilibrio mucho tiempo. Hubiera deseado llorar. No por Clair, sino por Mark.

—¿Conoce este poema, Samantha? —preguntó él con su profunda voz—. «La dama duerme. Oh, que duerma en su profundo sueño perdurable. La guarde el Cielo en su sagrada custodia. Descanse para siempre con los ojos cerrados mientras pasan los pálidos espectros amortajados...» ¡Samantha!

—Lo siento... —dijo ella, enjugándose apresuradamente una lágrima de la mejilla.

Él se sentó a su lado inmediatamente y le rodeó los hombros con el brazo.

—Perdóneme, por favor —musitó, sacando un pañuelo—. La he trastornado.

Ella se acercó el pañuelo a los ojos. Olía débilmente a la colonia de Mark.

—Lo siento —repitió de nuevo, lanzando un suspiro para tranquilizarse—. Usted no tiene la culpa, Mark. Me siento cansada.

—Sin duda Landon la sobrecarga de trabajo.

Ella levantó la cabeza para dirigirle una sonrisa de disculpa y descubrió que su rostro se encontraba a escasos centímetros del suyo. A través de la capa percibía el calor de su cuerpo mientras él la estrechaba con ademán protector. Una vez más sus ojos tenían aquel matiz oscuro y empañado que había aparecido en ellos durante la recitación de *Annabel Lee*. Su mirada era intensa y su expresión muy seria, y Samantha se quedó nuevamente perpleja. Jamás había conocido a un hombre como Mark Rawlins, un hombre que a primera vista parecía el caballero alegre, ingenioso y culto que ella había conocido en el baile de la señora Astor, pero que, detrás de aquella fachada, era un misterio de fuerza y virilidad. Samantha había vislumbrado en dos ocasiones a ese segundo Mark Rawlins y se había emocionado. Cerró los ojos para saborear su proximidad; por una vez, no sintió el deseo de ser fuerte y de conservar el dominio de sí misma; quería ceder a la debilidad y permitir que Mark fuera su refugio.

Él la mantuvo abrazada durante el resto del trayecto, consolándola con su fuerza y su firmeza, silencioso y preocupado. Porque si Samantha estaba asombrada del efecto que Mark Rawlins ejercía en ella, Mark Rawlins no lo estaba menos del que ella ejercía en él. ¿Cómo podía una mujer ser tan fuerte e independiente y, al mismo tiempo, tan frágil y vulnerable? ¿Cómo podía inducirle a admirar su valentía y fortaleza, a considerarla una mujer plenamente libre, y al mismo tiempo hacerle experimentar profundos sentimientos de protección? La casi violenta excitación sexual que había experimentado durante la actuación de Letitia le había sorprendido. Ninguna mujer había ejercido jamás semejante poder sobre él, dominando sus pensamientos, confundiéndole, convirtiéndole en esclavo de su deseo. Samantha constituía para él un enigma tan grande como lo era él para ella; era una mujer compleja que constantemente le revelaba nuevos aspectos. En cuanto creía conocerla ya, Samantha Hargrave le deparaba una nueva sorpresa.

Mark hubiera deseado que el paseo en coche se prolongara indefinidamente —las luces de la calle, el perfumado aire estival, el olor del cuero del vehículo, el contacto de Samantha bajo su brazo— y sufrió una desilusión al ver aparecer tan pronto el St. Brigid's.

La acompañó hasta el vestíbulo iluminado por lámpara de gas, donde un adormilado portero vigilaba para impedir la entrada de vagabundos, y se detuvo para tomarla por los hombros.

—¿Está segura de que ya se encuentra bien? —le preguntó suavemente, contemplando su rostro.

Samantha asintió.

Mark esperó. Tenía tantas cosas que decirle, cientos de palabras pugnaban por brotar de sus labios; pero, sin que supiera por qué, su habitual locuacidad había desaparecido. Por ello se limitó a decir:

—Buenas noches, Samantha.

Y Samantha, inexperta en lo referente a los hombres, al amor y a las palabras, contestó en voz baja:

—Buenas noches, Mark.

Y dio media vuelta.

Aunque era muy tarde, se estaba celebrando una fiesta en la habitación del doctor Weston: las risas femeninas acompañaban los rasgueos del banjo. Samantha se dirigió silenciosamente hacia el final del pasillo, entró en su habitación y se apoyó en la puerta cerrada, tratando de dominarse.

El amor no tenía que ser doloroso.

Entonces oyó unas fuertes pisadas en el pasillo, seguidas de una enérgica llamada a su puerta; en la creencia de que algún compañero embriagado había decidido pedirle que se reuniera con ellos, Samantha abrió la puerta y se encontró cara a cara con Mark. Él entró inmediatamente, cerró enfurecido la puerta, la asió por ambos brazos y le dijo:

—¡Te quiero, Samantha, maldita sea!

La estrechó con fuerza y ella se fundió en su abrazo, y cuando él le cubrió la boca con la suya, un gemido escapó de su garganta. La vehemencia de su reacción sorprendió a Mark, que se apartó, la miró con ojos encendidos y le dijo con voz ronca:

—Te quiero, Samantha. Te quiero mucho...

Mark se sorprendió entonces de otras cosas: de lo pequeña y, sin embargo, voluptuosa que la sentía en sus brazos; de lo claros e increíblemente profundos que eran sus ojos..., uno hubiera podido ahogarse en ellos; del anhelo y el súbito deseo que ella le comunicaba de salir corriendo a matar dragones en su defensa. La deseaba desde hacía mucho tiempo, pensaba en ella incesantemente, pero aquello había sido inesperado. No tenía la menor idea de que ella albergara en su alma semejante pasión.

También le sorprendió haber pronunciado por primera vez en su vida las palabras «te quiero». Aunque hubo mujeres en su pasado, el amor jamás había tenido cabida en él, ni siquiera con Janelle. El amor era algo desconocido para Mark porque jamás lo había observado entre sus padres; a causa de una juventud fría y sin amor, siempre se había considerado incapaz de tales sentimientos. Y, sin embargo, ahí estaba él, pronunciando aquellas palabras como si esa hubiera sido su intención desde un principio, y lo más curioso era, para su ulterior asombro, que le parecían acertadas y le sonaban bien. Las había pronunciado en serio.

Esta pasmosa revelación se produjo en una fracción de segundo. Se apartó de Samantha desconcertado, percatándose lentamente de lo que había hecho.

—Perdóname —murmuró en voz baja—. He entrado a la fuerza en tu habitación, te he aferrado...

La voz de Samantha, que era apenas un susurro, le llegó desde la oscuridad, pues las luces no estaban encendidas.

—¿Te arrepientes de ello?

—No —contestó él llanamente—. Quiero que te cases conmigo, Samantha.

La oyó jadear y comprendió que de pronto era ella la sorprendida. Y entonces decidió utilizar su breve desconcierto en provecho propio.

—No espero una respuesta inmediata —dijo apresuradamente—, solo te pido que me concedas el honor de pensar en ello. Podemos disfrutar una hermosa vida en común, Samantha, fundar una familia. Nuestra profesión compartida, trabajar juntos...

Dios bendito, pero, ¿de dónde estaba saliendo aquella declaración?

Una fría mano tomó la suya; ella volvió a atraerle hacia sí y se levantó de puntillas para besarle en la boca. Mark la rodeó con sus brazos con toda naturalidad y no trató de ocultar su excitación sexual, sabiendo que ella la deseaba. Y cuando empezó a desabrocharle los botones del vestido, ella le ayudó.

En toda su vida Mark Rawlins solo se había dedicado a dos cosas: a desafiar a su padre y a ejercer bien la medicina. A esas dos cosas añadió una tercera: consagraría el resto de sus días a amar a Samantha Hargrave.

8

—Tiene que haber algún medio, Landon —dijo Samantha, apartando a un lado su plato de tostadas con jamón ahumado—. Me niego a permanecer impasible, viendo cómo se mueren inútilmente las enfermas.

Él no contestó; cada semana tenían aquella misma discusión. Las pacientes que ingresaban con embarazo tubárico estaban condenadas a morir. Era un hecho indiscutible. ¿Por qué no podía Samantha aceptarlo?

Ella golpeó la mesa con la cuchara.

—¡Una pequeña incisión, una rápida ligadura de la trompa, extracción del feto y sutura! ¿Por qué no se puede hacer?

Él la miró en muda respuesta. Samantha sabía muy bien por qué: porque la paciente siempre moría desangrada.

—¡Vamos, Landon, piense un poco! ¡Tiene que haber un medio de frenar la hemorragia! ¡Si pudiéramos encontrar ese medio, imagínese la cantidad de operaciones abdominales que podríamos practicar con éxito! Apendicectomías, extirpación de vesícula, histerectomías...

Se abrió la puerta del comedor y apareció Mark Rawlins. Y como solía ocurrir indefectiblemente, hacía tres meses que eran amantes en secreto, Samantha se ruborizó.

Él miró a su alrededor, dio los buenos días a los pocos médicos que ocupaban otras mesas y se dirigió hacia la de Samantha y Landon.

—Buenos días, doctores, ¿interrumpo algo?

—Lo mismo de siempre, Mark —contestó Landon, sacando su reloj de bolsillo y abriéndolo—. El abdomen.

—Mmmm. Algún día lo conseguiremos, estoy seguro. Halsted afirma que está obteniendo cierto éxito con su nueva abrazadera.

—Yo presencié una de sus teatrales operaciones. Vesícula biliar. Debía haber como cincuenta abrazaderas en toda la herida. Halsted no disponía de espacio para trabajar. Tardó más de una hora.

—¿Una hora para una operación? —preguntó Mark, arqueando las cejas.

Landon volvió a cerrar el reloj y se lo guardó en el bolsillo.

—Será mejor que vaya a echarle un vistazo a la señora O'Riley. Ya lleva casi dos días de parto. Parece que tendremos que practicar una cesárea.

—Iré en cuanto termine el té —dijo Samantha.

Él asintió con aire ausente y se alejó. Mark miró a Samantha con ojos brillantes.

—¿Cómo está usted esta mañana, doctora Hargrave?

—Muy bien, doctor, ¿y usted?

Hacía tres meses, habían discutido acerca de aquella cuestión: Mark hubiera deseado subir a lo alto de la catedral de San Patricio y proclamar a los cuatro vientos su noviazgo, pero Samantha había insistido en que lo mantuvieran en secreto. El St. Brigid's tenía unas normas muy estrictas en relación con sus empleadas y Samantha no quería poner en peligro su certificado de interna, cuando ya solo faltaba un mes para que finalizara el programa. El reglamento era muy explícito: las empleadas tenían que ser solteras, no podían estar prometidas en matrimonio y no podían «salir con hombres» mientras trabajaran en el St. Brigid's. Y Samantha, a los ojos de Silas Prince, era una empleada. Mark pensaba que sus temores eran infundados, pero Samantha no estaba de acuerdo. Sea como fuere, no deseaba poner a prueba sus respectivas teorías. Hacía apenas unas semanas una enfermera muy seria y eficiente había sido despedida al descubrirse que tenía novio.

Tras pasar la primera noche en la cama de Samantha, decidieron no correr más riesgos; se reunían discretamente una vez a la semana en el apartamento de Mark, en la calle Cincuenta y Siete, y con el fin de proteger a Samantha hasta que ella obtuviera su valioso certificado, Mark había accedido a regañadientes a no revelar su compromiso a nadie, ni siquiera a su madre. Y tampoco a Janelle, aunque ello creara algunos momentos embarazosos.

Al acercarse la chica con el café y la naranjada de Mark, enmudecieron. Él pidió unos huevos y preguntó qué fruta había. Mientras Mark hablaba, Samantha tomó un sorbo de té y le observó a través de sus espesas pestañas.

Estaba pensando en su cuerpo. Y, más concretamente, en su tórax. Era un tórax maravilloso, musculoso y cubierto de vello; y sus brazos, nervudos y vigorosos; y sus hombros y su sólida espalda; sus fuertes muslos...

Una vez la chica se hubo retirado, Mark miró a Samantha.

—Pero, cómo, doctora Hargrave, se ha puesto usted colorada.

Qué descubrimientos tan increíbles hacían el uno en brazos del otro; ¡qué locura y qué delirio! Parecía que hubieran sido creados el uno para el otro, en cuerpo y alma. No conocían la turbación y sus relaciones amorosas no tenían límite. Y cuando no estaban entregados al amor físico, se dedicaban a organizar juntos su futuro, decidiendo en qué zona iba Samantha a inaugurar su consultorio, a qué hospital se afiliaría, dónde iban a vivir, cómo educarían a sus hijos. Joshua lo había comprendido con precisión asombrosa: Mark Rawlins iba a ser un marido perfecto para Samantha.

Cuando la chica sirvió los huevos, Samantha preguntó:

—¿Cómo está su madre, doctor Rawlins?

—Muy bien. ¿Por qué me lo pregunta?

Samantha había visto varias veces a Clair en los últimos tres meses y la amistad entre ambas se había ido acrecentando con cada encuentro. Mientras tomaban la copa de brandy que ya se había convertido en una tradición, Clair hablaba del pasado, del reto de vivir y mantenerse aferrada a un hombre de energías tan ilimitadas como Nicholas Rawlins, de la educación que dio a sus cuatro hijos para que fueran hombres de provecho, cosa que solo había conseguido con uno de ellos, del frágil equilibrio entre su lucha por ser aceptada como persona con derechos propios y el de conservar, sin embargo, la feminidad. Samantha había intentado explicarle a Clair que en realidad estaba trazando el preciso retrato de las mismas profesionales que condenaba, pero Clair se negaba a reconocerlo.

—Solo hay una carrera natural para una mujer: la de esposa y madre. Yo hablo de la necesidad de que la mujer conserve su individualidad dentro de esta esfera, no de salir de ella, como propones tú, para competir con los hombres. La mujer tiene que estar en todo momento al lado del hombre, no frente a él.

Discutían incesantemente y se lo pasaban muy bien. Varias veces Samantha había estado a punto de revelar su secreto, pero era demasiado peligroso: Silas Prince dispondría finalmente de un arma con que atacarla.

Falta solo un mes, pensó Samantha mientras Mark terminaba el desayuno. Dentro de cuatro semanas tendré mi certificado.

Le vio apartar el plato y secarse la boca con una servilleta (estaba pensando en lo que sentía cuando le besaba aquella pequeña cicatriz y se preguntó si las demás mujeres también debían abrigar pensamientos constantes de intimidad con los hombres a quienes amaban). Sin embargo, cuando él la miró y ella vio en sus ojos una expresión muy seria, su sonrisa juguetona se esfumó.

—¿Qué ocurre, Mark?

—Siento tener que darte una mala noticia, Samantha. No sabía cómo decírtelo. Voy a tener que ir a Londres la semana que viene...

Ella le miró fijamente y después se sobrepuso, recordando dónde estaban.

—Me envía el St. Luke's. Voy a representarles en un congreso norteamericano que se celebrará allí.

—¿No podría ir otro?

—Es importante para mí y para el hospital. En estos momentos yo no soy más que uno de los médicos de la plantilla. Desde un punto de vista práctico, eso me permitiría tener mi propio servicio.

Samantha asintió. Las carreras de ambos ya habían empezado a influir en su vida privada; era algo que tendrían que resolver si querían que su futuro fuera armonioso.

—Lo comprendo, cariño —dijo en voz baja—. ¿Cuánto tiempo estarás ausente?

—Solo será una semana. Ya me han reservado pasaje. Embarcaré en el *Excalibur*, con destino a Bristol. Si el tiempo lo permite, estaré de regreso la última semana de octubre. De hecho, cuatro días antes de que se celebre la entrega de certificados.

—Mi corazón te acompañará.

—Y el mío se quedará contigo.

—Cuatro semanas.

—Una eternidad.

—¿Cómo podré sobrevivir?

—Samantha. —Mark avanzó la mano sobre la mesa, pero la apartó enseguida—. Casémonos ahora. Antes de que me vaya.

Ella reflexionó un instante y después sacudió la cabeza.

—Eso destrozaría a tu madre. Está soñando con el día de tu boda, tiene el propósito de organizar una fiesta digna de competir con cualquier cosa que pueda hacer la señora Astor. No podemos privarla de eso, Mark.

—Mi madre puede soportar todas las desilusiones. Tiene el pellejo muy duro. Lo superará.

—No, Mark. Son apenas cuatro semanas. Después estaré libre.

Se miraron fijamente. Samantha hubiera deseado levantarse y gritar: «¡Malditos seáis todos!», y a continuación besar a Mark delante de todo el mundo. Después podrían celebrar una rápida boda civil y disfrutar unos cuantos días de luna de miel antes de que él emprendiera el viaje; tal vez incluso pudiera acompañarle y ver Londres de nuevo después de tantos años, saludar a la doctora Blackwell y efectuar una nostálgica visita al Crescent. Le podría mostrar a Mark los lugares que ella había explorado en su infancia, sería un capítulo del Paraíso...

Pero no. Aquel certificado tenía mucha importancia; Prince aprovecharía cualquier excusa para arrebatárselo. Y, por otra parte, Clair se vería despojada de su última ilusión antes de abandonar este mundo.

—Soy muy afortunado —dijo Mark en tono solemne—. No sé si algún día despertaré y descubriré que has sido un sueño.

Samantha hizo gala de una alegría que no sentía.

—Será mejor que vaya a ver qué está haciendo Landon. ¡Esta mañana tenemos a cuatro de parto! Si me disculpa usted, doctor Rawlins.

—¿Esta noche? —preguntó él, mirándola con cierta tristeza.

Ella reflexionó. Había transcurrido una semana, Landon le concedería el permiso.

—Esta noche —contestó en voz baja, alejándose apresuradamente.

—¡Buenos días, doctora Hargrave!

Samantha levantó los ojos del estetoscopio y vio la radiante sonrisa de Letitia, que sostenía en los brazos una canastilla de rosas, sin duda las que la víspera habían lucido en su casa en la mesa de la cena, y acompañaba a una criada, esta con un montón de lo que parecían sábanas.

—Traigo esta ropa de cama para vendajes. Mamá se ha cansado de ella, pero está en muy buen estado.

—Dale las gracias a tu madre en nombre nuestro. Pearl, ¿quiere entregársela, por favor, a la enfermera del mostrador?

—¿Y quién va a ser hoy la beneficiaria de esas rosas?

Samantha contempló los capullos, que eran muy frescos, y miró a su alrededor. El sol de septiembre iluminaba las pequeñas y pulcras camas. Unas partículas doradas que parecían polvo de sol flotaban en los rayos. Samantha detuvo los ojos en la señora Murphy y no pudo evitar una sonrisa.

La abuela Murphy había ingresado la semana anterior con fuertes dolores de estómago y vómitos crónicos. La anciana, que procedía del Viejo Mundo, jamás había visto un estetoscopio y, cuando Samantha aplicó la campana de plata a su pecho, la señora Murphy, suponiendo que el estetoscopio era alguna forma de avanzado tratamiento moderno, lanzó un suspiro y dijo:

—¡Ya empiezo a encontrarme mejor!

—La señora Murphy te las va a agradecer mucho. Es la que se está poniendo rizadores de trapo.

Letitia dio media vuelta y se acercó a toda prisa a la cama siete, mientras Samantha se la quedaba mirando con aire pensativo. Últimamente, Letitia MacPherson la tenía muy preocupada. Samantha pensó en su última cena en casa de Clair. En aquella ocasión, Samantha fue a la cocina, en busca de un poco de leche para que Clair se pudiera tomar los polvos de la morfina, y mientras recorría el laberinto de salones alfombrados, pasó por delante de una puerta entornada, a través de la cual le pareció oír un gemido. Su instinto médico la indujo a detenerse y prestar atención. Empujando un poco la puerta, asomó la cabeza. La habitación estaba a oscuras; Samantha apenas podía distinguir los contornos de los macizos muebles y las enormes plantas de interior: otro salón para el descanso de damas agotadas, en los tiempos en que Clair Rawlins daba sus extravagantes bailes. Ahora estaba vacío, con la excepción de alguien que, oculto en las sombras, evidentemente se encontraba en apuros.

Suponiendo que alguna criada, entrando a limpiar, se había caído y lastimado, Samantha quiso trasponer la puerta, pero una carcajada ahogada la hizo detenerse en seco. Se quedó inmóvil y entonces, reconociendo con sobresalto los suspiros y gemidos de la pasión, se retiró apresuradamente.

Tras conseguir un poco de leche tibia en la cocina principal de manos de una cocinero auxiliar que se asombró muchísimo de ver entrar a una invitada, Samantha regresó a la biblioteca. Tuvo que esconderse rápidamente en un rincón al llegar al salón oscuro, porque la puerta se estaba abriendo. Vio salir a Stephen Rawlins alisándose el cabello. Una voz le llamó desde dentro. Era Letitia.

Samantha se lo dijo a Mark y este habló con Stephen, pero ello no sirvió para ayudar a Letitia, la cual, según sospechaba Samantha, debía acostarse con varios hombres.

Samantha empezó a reflexionar mientras la muchacha ayudaba a la señora Murphy a ponerse los rizadores de trapo. En los últimos tiempos Letitia acudía al hospital acompañada únicamente por una criada. Samantha se preguntó por qué.

En aquel momento el doctor Weston entró en la

sala. Al ver a Letitia, vaciló un poco y ella por su parte se ruborizó al mirarle. Él pasó de largo y ella siguió conversando con la señora Murphy, pero Samantha, que había visto el breve intercambio, se inquietó: ¿Y si también Mark y yo nos traicionamos de mil maneras insignificantes?

Cuando Letitia regresó, Samantha estaba sacudiendo un termómetro y colocándolo en la axila de una paciente. Tendría que hablar con ella, pensó Samantha. Letitia no sabe que está jugando con fuego.

En realidad, Letitia MacPherson sabía muy bien el peligro que corría. Había descubierto a muy temprana edad los goces de cierta actividad solitaria; y algunos años más tarde, en el mirador del jardín de su residencia de verano, Letitia había tenido su primera aventura sexual: su cómplice fue su primo Will. A partir de aquel momento, Letitia había llegado a la conclusión de que aquella era la diversión que más la satisfacía: era una pianista sin mérito, bordaba discretamente y pintaba de forma mediocre; pero en los conciertos con un cuerpo masculino resultaba una *prima donna*.

Había descubierto también que la mitad de la emoción del sexo estribaba en el peligro de ser descubierta. Estar casada y acostarse cada noche con el mismo hombre no le parecía una perspectiva tan deliciosa como el hecho de acostarse con un hombre distinto cada vez; el supremo placer del sexo nacía de la variedad y del riesgo de ser sorprendida. Por lo que hacía al del embarazo Letitia había acudido a una dama de Greenwich Village, siguiendo la recomendación de una amiga. La dama le había vendido a Letitia un frasco de una solución «protectora» y una esponja que se tenía que introducir, empapada en el líquido, antes del acto sexual.

Samantha desconocía todo eso. Letitia MacPherson era, en apariencia, una muchacha inocente y fresca como una rosa, que se ruborizaba con gran facilidad;

nadie sabía que se volvía loca por el sexo, y menos aún los distintos hombres que se acostaban con ella y que, subyugados por su infantil sonrisa y su ingenuidad, creían ser cada uno el primero.

—Todos vamos a ir este sábado al espectáculo del Salvaje Oeste, doctora Hargrave. ¡Dicen que hay indios *de verdad*!

Samantha sonrió y retiró el termómetro de la axila de la paciente. Mientras leía la temperatura, pensó: Me preocupo demasiado. Letitia es una muchacha demasiado dulce y sensata para permitir que un hombre vaya demasiado lejos con ella.

—¡Doctora Hargrave!

Samantha levantó los ojos. El doctor Weston se encontraba al fondo de la sala, sosteniendo la puerta abierta y agitando el brazo.

—¿Puede venir enseguida? La necesitamos.

Cuando llegó allí, Samantha vio que la sala de urgencias se encontraba sumida en el caos: cuerpos tendidos en camillas, enfermeras corriendo de un lado para otro, médicos arremangándose. Se había producido un accidente en una cercana encrucijada, provocado por un caballo desbocado; varios peatones habían resultado muertos, y los cocheros de los vehículos yacían gravemente heridos sobre las mesas de exploración.

—¡Por aquí, doctora! —gritó Jake.

Estaba ayudando a un policía a calmar a un hombre alcanzado en una pierna por la rueda de un vehículo.

Samantha ordenó que le quitaran la chaqueta y le administró una inyección de morfina. Una vez el hombre se hubo calmado, Samantha le pudo examinar la herida. La pierna había sido limpiamente amputada a la altura de la rodilla y el policía, de reflejos muy rápidos, había aplicado unos trapos al muñón, para contener la hemorragia, que no había dejado de comprimir entretanto. Ahora, al ver a Samantha, se apartó; ella retiró suavemente los trapos ensangrentados que cubrían el muñón y se sorprendió al notar que estaban fríos como el hielo. En el centro del envoltorio había algo duro como una piedra.

Al ver su expresión desconcertada, el policía dijo:

—Es un truco que aprendí cuando era ordenanza en el ejército de la Unión. Uno de los vehículos accidentados era un carro de hielo. Y tomé un trozo.

Samantha contempló la pierna amputada del hombre y vio que la pérdida de sangre había sido muy escasa. Sin embargo, como consecuencia del calor reinante en la sala, los vasos sanguíneos ya se estaban dilatando y la carne empezaba a colorearse. Samantha supo que el hombre curaría sin apenas infección. Además, había perdido muy poca sangre.

El hielo, pensó emocionada. El hielo...

9

Era uno de esos días de octubre en que a los gatos se les eriza el pelo y las enaguas crujen. Las hojas rojizas y doradas cubrían las aceras como si el color del ocaso se hubiera esparcido por doquier. La atmósfera estaba cargada y el tiempo era seco y frío; la puerta del invierno se estaba abriendo poco a poco.

Samantha se lavó las manos al fondo de la sala y lanzó un profundo suspiro. El día había sido muy ajetreado y estaba cansada, pero, mientras el sol poniente anunciaba la noche y con ello el término de su turno, se sintió invadida por una nueva vitalidad: le habían comunicado que arriba tenía una carta. ¡De Mark!

Sonrió a solas, por nada y por nadie. Sonrió sin más. El *Excalibur* había zarpado de Bristol la antevíspera y Mark llegaría dentro de una semana.

Mildred asomó la cabeza por la puerta.

—¿Doctora Hargrave? Lo siento muchísimo, pero el doctor Weston piensa que hay un caso ginecológico para usted.

—Voy enseguida, Mildred —dijo Samantha, esbozando una sonrisa cansada.

El doctor Weston estaba inclinado sobre una joven sentada en una silla, procurando delicadamente no acercarse demasiado mientras la auscultaba. En momentos como aquel deseaba poder permitirse el lujo de uno de aquellos nuevos estetoscopios biauriculares como el de la doctora Hargrave, en lugar de utilizar aquel viejo tubo de madera que le obligaba a acercar demasiado el rostro al busto de las pacientes.

Se irguió al oír entrar a la doctora Hargrave y a ella le sorprendió ver que estaba terriblemente pálido.

—¿De qué se trata, doctor Weston?

Él se apartó de la paciente y, tomando a Samantha por el codo, se retiró con ella a una discreta distancia.

—Su familia dice que es el apéndice —musitó en voz baja—, pero yo no lo creo.

A Samantha no le pasó inadvertido el tic nervioso de su boca.

—¿Por qué?

—Tiene una hemorragia vaginal.

Samantha se apartó de su lado y se detuvo en seco al ver a la paciente. Era Letitia MacPherson.

Tenía ladeada la cabeza, sus ojos estaban cerrados y en sus mejillas se observaba un rubor febril.

—Vamos a tenderla en la mesa, doctor Weston. ¿Estaba inconsciente cuando su familia la trajo?

Samantha levantó delicadamente la falda de la chica y le palpó el abdomen.

—Sí —contestó el doctor Weston, pasándose la lengua por los resecos labios—. Dijeron que se había pasado todo el día con náuseas y, poco después del mediodía, ella se quejó de un agudo dolor en la pelvis y perdió el conocimiento. La acostaron y llamaron al médico de la familia y fue él quien recomendó que la trajeran aquí.

—¿Dónde está?

—En el vestíbulo, con la madre y la hermana.

Samantha miró al doctor Weston y leyó toda una historia en su ceniciento rostro. O sea que Letitia le había permitido algo más que unas inofensivas libertades. Si ella está embarazada, tú temes tener la culpa.

Los largos y ahusados dedos de Samantha encontraron la pequeña masa bajo la piel; mientras exploraba suavemente la blanda matriz, Samantha estudió las extrañas manchitas rojas que se advertían en el cutis de Letitia. La señora Knight y el doctor Weston lo observaban todo en expectante silencio y, cuando Samantha habló, experimentaron casi un sobresalto.

—Es un embarazo tubárico —dijo ella por fin—, y la trompa acaba de reventar.

La señora Knight sacudió tristemente la cabeza y se santiguó, mientras su pragmática mente efectuaba un rápido repaso del armario de las mortajas, esperando que quedara alguna.

—Señora Knight —dijo Samantha, bajando la falda de Letitia—, prepare la sala de operaciones. Necesitaré toda la iluminación que pueda usted proporcionarme.

—¿Va usted a operar, doctora? —preguntó la jefa de enfermeras, abriendo mucho los ojos.

—Sí. ¿Hay hielo en la cocina?

La mujer asintió con expresión dubitativa y dio media vuelta para ir a cumplir lo que se le había ordenado.

—¡Una operación! —exclamó el doctor Weston, que se había hundido en una silla—. ¡No es posible...!

—Le necesito a usted para administrar el éter, doctor. Y, por favor, envíe a alguien a casa del doctor Fremont. Necesito su ayuda.

Samantha respiró hondo, para armarse de valor, y después franqueó la puerta que daba acceso al vestíbulo. Janelle MacPherson se levantó inmediatamente, pero la frágil anciana que la acompañaba permaneció sentada.

Samantha entrelazó fuertemente las manos y permaneció de pie ante Janelle.

—¿Nos podríamos sentar, señorita MacPherson? —dijo con cuanta amabilidad pudo—. Me temo que debo comunicarles una desagradable noticia.

—Prefiero permanecer de pie, doctora Hargrave. ¿Qué le ocurre a mi hermana?

—Letitia tiene que ser operada de urgencia.

Janelle se quedó tan pálida como su cabello rubio platino.

—¿Operada? ¿Desde cuándo se operan las apendicitis?

—Siéntese, por favor.

Una vez acomodadas en el banco, Samantha trató de comunicar la noticia de la mejor manera posible.

—Letitia no padece de apendicitis, señorita MacPherson, sufre un embarazo extrauterino; hay que extirpar inmediatamente.

Heladas ráfagas de aire otoñal subían por la escalinata y penetraban a través de las rendijas de la puerta principal, silbando por el vestíbulo como si fueran maldicientes murmullos. Los ojos azul oscuro de Janelle MacPherson se endurecieron hasta adquirir un tono color pizarra.

—¿Qué ha dicho usted?

Samantha extendió la mano para rozarle el brazo, pero Janelle se apartó.

—Letitia está embarazada. Lo siento. El feto está alojado en una de las trompas que conducen al útero y la trompa ha reventado. Le queda muy poco tiempo.

—¿Cómo se atreve usted?

—¿Perdón?

—¡Cómo se atreve usted a formular semejante acusación contra mi hermana!

—No es una acusación, señorita MacPherson, se lo aseguro. Y si no operamos inmediatamente...

—¡Usted no va a operar a mi hermana!

—Bien, veamos —terció una profunda voz de barítono. Samantha miró al caballero que permanecía al lado de la madre de Janelle. Era muy anciano, parecía muy distinguido y le crujieron las articulaciones al acercarse—. Yo mismo he sentado el diagnóstico. La chica tiene apendicitis.

Samantha ponderó rápidamente la situación. El doctor Grimes, médico de la familia hacía largas décadas, tenía del ejercicio de la medicina una idea consistente en tomar de la mano a la gente, administrar píldoras azucaradas, prestar atención a los relatos de enfermedades imaginarias de las señoras y las jovencitas de la Quinta Avenida, hacer declaraciones impresionantes tras un monóculo y percibir elevados honorarios.

—Siento tener que disentir de su diagnóstico, doctor —dijo Samantha en tono cauteloso—. Una apendicitis no daría lugar a hemorragia.

—Está claro que la chica tiene el período.

—Pero la masa se palpa claramente, doctor, y el dolor lo experimenta en el lado *izquierdo*.

—Eso no tiene por qué ser indicio de embarazo, señora.

—Cierto. Sin embargo, las mayores probabilidades apuntan hacia un embarazo y ese es mi diagnóstico.

—Aun así, señora, la cirugía no es un recurso.

—Tampoco lo son las sanguijuelas, señor.

Los viejos ojos del médico parpadearon y Samantha leyó en ellos el frío temor de un hombre consciente de que el mundo se ha movido sin él. El doctor Grimes era una reliquia, un dinosaurio, y él lo sabía.

Samantha se dirigió de nuevo a Janelle con más suavidad:

—Señorita MacPherson, sé lo terrible que esto debe ser para usted, pero el caso es que Letitia se encuentra en una situación cuya gravedad aumenta por minutos. Si no intentamos operar inmediatamente, no sobrevivirá a esta noche.

—Doctora Hargrave —dijo Janelle esforzándose visiblemente por no perder la calma—, no hay la menor posibilidad de que mi hermana esté embarazada. Lo que usted insinúa es monstruoso. Manchar la reputación de una muchacha inocente para encumbrarse en su propia carrera... —consiguió bajar su tono de voz—. No utilizará usted a mi hermana para sus fines. Si necesita hacer un gesto llamativo para atraerse la atención de los periódicos, búsquese a otra persona.

Samantha miró a la mujercilla que permanecía sentada detrás de Janelle. La señora MacPherson no había tenido tanta suerte como Clair Rawlins, no había sabido permanecer al lado de su marido y luchar por su derecho a ser una persona. Ajada y prematuramente envejecida, la señora MacPherson era una mera sombra de su próspero esposo, un vehículo para la producción de hijos y nada más. Pero los desdichados ojos que se cruzaron con los de Samantha trataron por un instante de recuperar su antigua fuerza. Estaba claro que la señora MacPherson sabía la verdad, sospechaba los peligrosos juegos a que se había entregado su hija y estuvo a punto de decírselo así a Samantha. Pero no tuvo el valor; no estaba acostumbrada a expresar sus propias opiniones y aún menos desafiando a su dominante hija, la cual, relegada la madre por un marido que ni siquiera la avasallaba ya, se había convertido en la dueña de la casa. Por esta razón la señora MacPherson se dio por vencida y volvió a bajar la mirada.

—No le ponga un dedo encima a mi hermana, doctora Hargrave. Porque, si lo hace, la denunciaré.

Samantha regresó a la sala de urgencias. El doctor Weston estaba tomándole nuevamente el pulso a Letitia.

—¿Ya ha llegado Landon? —preguntó Samantha, acercándose a la mesa.

Weston sacudió la cabeza. Después se guardó el reloj y miró a Samantha.

—Está muy débil, doctora Hargrave. ¿Qué ha dicho la familia?

—Se han negado a autorizarme la operación.

—Mmm. Da lo mismo. De todos modos, no se la puede operar.

—No estoy de acuerdo, doctor —dijo Samantha, mirándole con dureza.

—¡La verdad, doctora Hargrave, eso nunca se ha hecho! ¡Abrirla por un embarazo tubárico equivale a matarla!

Samantha estaba a punto de contestar cuando Letitia gimió y movió la cabeza. Después parpadeó y abrió los ojos, tardó un momento en enfocar la mirada y dijo:

—Doctora Hargrave...

—Hola, Letitia —contestó Samantha, tomando su mano y estrechándola.

—¿Dónde... estoy...?

—En el St. Brigid's. Y te vas a curar.

Letitia se pasó la lengua por los resecos labios y después miró al doctor Weston.

—Me estoy muriendo —dijo.

—No, no es cierto —contestó él con voz entrecortada.

—Letitia —dijo Samantha, procurando atraer la confusa atención de la muchacha—, ¿sabes lo que te ocurre?

—No...

—Necesitas una operación, Letitia. Y yo quiero practicarla. Creo que puedo ayudarte. —Samantha se inclinó hacia ella—. Pero Janelle no me da el permiso. ¿Letitia?

—Sálveme... —murmuró la muchacha en voz baja—. Oh, Dios mío... sálveme...

—Óyeme, Letitia. Tienes una posibilidad si te opero. ¿Me entiendes? ¿Letitia?

—Sí —musitó la muchacha—. Haga... lo que deba hacer, doctora Hargrave. Opere, por favor... sálveme...

Samantha se irguió y miró al doctor Weston. Este tragó saliva con esfuerzo.

Cuando Landon Fremont entró en la fría sala de operaciones, Samantha le estaba diciendo a la señora Knight que tuviera a punto abundante hielo.

—¿Qué es todo esto, Samantha? —Mientras ella le describía los síntomas de Letitia, el doctor Fremont se acercó a la mesa y miró a la chica.

—No hablarás en serio.

—Voy a hacerlo, Landon.

—La matarás.

—Y morirá si no hacemos algo. Tengo un plan y pienso que nos dará resultado. Este hielo, Landon...

—Samantha —dijo él, volviéndose para mirarla con expresión muy seria—, la muchacha morirá en cualquier caso; por consiguiente, es algo que escapa a nuestras posibilidades. Lo importante es el lugar donde fallezca. Si lo hace en una cama de la sala, no nos podrán considerar responsables. Pero si es aquí arriba, dirán que la hemos asesinado.

—Landon, escúchame. En medicina no se pueden hacer progresos sin correr riesgos. ¡Ya estoy harta de cruzarme de brazos y ver morir a estas mujeres! Creo que podré contener la hemorragia con hielo. Si da resultado, le podremos salvar la vida. Sin embargo, ¡jamás lo sabremos si no lo probamos!

—¿Y si la abres y descubres que has equivocado el diagnóstico? ¿Y si fuera el apéndice o cualquier otro problema intestinal? ¡No estamos en condiciones de resolver esos casos; la chica morirá, tú comprometerás tu situación en el St. Brigid's y habrás difamado a la familia, afirmando que estaba embarazada!

Samantha examinó el instrumental.

—No he equivocado el diagnóstico, Landon, y sé que podemos salvarla. Pero necesito tu ayuda, no puedo hacerlo sola.

Él la estudió largo rato y observó la rigidez de su espalda y sus hombros y la decidida postura de su cabeza. Después, de repente pensó: Si no hubiera querido problemas, me habría metido en una compañía de seguros.

—Muy bien —dijo finalmente—. Puesto que ya hemos llegado tan lejos juntos, si ahora no te respaldara sería como una burla de lo que hemos estado defendiendo con nuestro trabajo.

—Gracias, Landon —dijo ella, sonriendo; pero pensó: ¡Oh, Mark, amor mío, ojalá estuvieras aquí ahora! Esto es lo que debemos hacer: trabajar juntos. Este es nuestro futuro...

Poniendo manos a la obra, Samantha le dijo al doctor Weston:

—Unas cuantas gotas, poco a poco, por favor. Procure no echar demasiado.

Él asintió, muy serio. De una cosa estaba seguro: no iban a perder a la paciente por culpa suya.

Bajo la luz de gas, Landon Fremont estudió los rasgos de Samantha. Esto va a ser o nuestro final o nuestro principio. Ojalá tuviera yo tu valor, muchacha.

Ella extendió los dedos sobre el abdomen de Letitia, para atirantar la piel, y aplicó el bisturí.

Hubo momentos en que Landon tuvo la certeza de que la paciente estaba perdida —no se le encontraba el pulso y la hemorragia era excesiva—, pero Samantha siguió adelante, comprimiendo fuertemente los labios. Aplicaban hielo a la herida de continuo, y cuando este se fundía, se retiraban las toallas mojadas y se renovaba el hielo. Curiosamente, la hemorragia empezó a ceder.

Y Landon pensó: Claro...

—Aquí está —dijo Samantha en voz queda—. La trompa reventada y la placenta asomando por ella. Ahora voy a atar el ligamento ancho...

10

—Estamos en graves dificultades —dijo Landon abatido.

Samantha asintió con gesto cansado; no había dormido en toda la noche y el gélido amanecer de octubre no la había animado. Letitia seguía con vida, pero apenas, y hacía poco el abogado de los MacPherson se había reunido con el doctor Prince en el despacho de este. La cosa tenía mal cariz. Muy mal cariz.

—Perdona, Landon, por haberte metido en esto. Pero yo tenía que seguir adelante, tú lo sabes.

Él asintió y miró a su alrededor. Afortunadamente, el comedor de los médicos estaba vacío a aquella hora tan temprana.

—Mirándolo retrospectivamente, sí, estoy de acuerdo contigo. Pero sigo pensando que en aquel momento actuaste con precipitación. Las intervenciones quirúrgicas experimentales de este tipo solo deben practicarse en condiciones ideales.

—La chica está viva. Eso es lo importante.

—Pero nos van a demandar.

—No hemos hecho nada malo —contestó ella, muy tranquila—. Letitia me autorizó.

—Es tu palabra contra la de ellos y, mientras la chica siga en coma, llevas las de perder.

—El doctor Weston declarará en favor mío.

Landon iba a decir algo a este respecto, quería señalarle que Weston le tenía tanto miedo a Prince, que más le valdría no contar con él; pero guardó silencio.

Se entreabrió la puerta del fondo y Weston asomó la cabeza. Al ver que la sala estaba vacía, entró y se reunió con ellos en la mesa. Dejó el periódico doblado a un lado, se frotó la hirsuta barbilla y dijo:

—¿Ya estamos metidos en el lío? ¿Qué nos van a hacer ahora?

—Usted no tiene por qué preocuparse —dijo Landon—. Usted se limitó a cumplir órdenes.

El doctor Weston se animó un poco, pero después volvió a abatirse. No era aquello lo que le preocupaba. Cuando recuperara el conocimiento, Letitia MacPherson nombraría al responsable de su embarazo, y él estaba en la creencia de que Letitia no se había rendido a otros hechizos que los suyos.

—¿Cómo está la chica? —preguntó.

—Todavía en coma.

—Pero viva, gracias a Dios. —Miró esperanzado a Samantha—. Desistirán de la demanda en cuanto averigüen de labios de la propia Letitia que ella nos dio permiso.

La tensión que atenazaba el alma de Samantha se le transmitió a las manos. Con aire ausente, empezó a juguetear con el periódico del doctor Weston mientras pensaba: Dudo que sea tan sencillo. Samantha sabía algo que sus dos compañeros ignoraban: que aquella cuestión tenía raíces ocultas y que el enojo de Janelle MacPherson no estribaba en algo tan importante como la vida o la muerte o tan impresionante como las acrobacias legales, sino en un conflicto muy primitivo y atávico: dos mujeres compitiendo por el amor de un hombre.

El secretario del doctor Prince apareció en la puerta y llamó al doctor Weston. Una vez este se hubo retirado, Samantha trató de tranquilizar a Landon diciéndole que él no corría peligro, puesto que ella pretendía cargar con todo el peso del ataque de Janelle. Sin embargo, cuando el doctor Weston regresó unos minutos más tarde, Samantha no pudo disimular su nerviosismo. Su taza se posó tintineando en el plato.

—Ha sido muy rápido. Supongo que no le han hecho muchas preguntas, ¿verdad?

—Ninguna en absoluto. Se han ido. Ha sido muy extraño. Estaban allí la señorita MacPherson, ese medicucho suyo, dos abogados muy distinguidos y el doctor Prince. Yo acababa de sentarme cuando la señorita MacPherson ha lanzado súbitamente un grito y ha caído al suelo desmayada. La han tendido en el sofá del doctor Prince y, al volver en sí, ha dicho que no podía seguir y ha insistido en que la acompañaran a casa.

—¿Por qué razón?

—Lo único que sé es que, al entrar yo, la señorita estaba inclinada hacia delante, hojeando un periódico sobre el escritorio de Prince. Fue entonces cuando lanzó el grito.

Landon tomó el periódico doblado del doctor Weston, lo abrió y exclamó:

—¡Santo Dios!

—¿Qué ocurre?

—¡Se ha hundido un barco!

Dejó el periódico encima de la mesa, para que los demás pudieran verlo, y el sensacional titular les azotó los ojos.

A Samantha el corazón le dejó de latir en el pecho.

—«Trasatlántico hundido en el océano» —leyó Weston en voz alta—. ¡Es el *Excalibur*! —Echó un vistazo al reportaje, musitando—: Ha colisionado con un iceberg... todos los tripulantes y pasajeros han desaparecido... no hay supervivientes... —Levantó la cabeza de golpe—. ¡El *Excalibur*! ¿No iba Mark Rawlins...?

La estancia empezó a dar vueltas. Las amortiguadas voces apenas llegaban a la conciencia de Samantha, que se agarró al borde de la mesa; tuvo la impresión de que las frías y despiadadas aguas del Atlántico le cubrían la cabeza y se la tragaban. El *Excalibur* desaparecido, Mark desaparecido, todo en un instante; todo en el tiempo que se tarda en aspirar una bocanada de aire...

Unos brazos le rodearon los hombros y después sintió en la nariz los ásperos vapores del amoníaco; la cabeza se le despejó y volvió a verlo todo con claridad. Se encontraba todavía junto a la mesa y Landon estaba arrodillado a su lado, sosteniendo un frasco de sales cerca de su rostro.

—Vamos, vamos, muchacha —murmuró—. No nos falles ahora.

Ella parpadeó, mirando a los dos hombres que la observaban atentamente, y dijo en voz baja:

—Perdió el barco y está vivo...

—Vamos, muchacha —repitió Landon mientras la ayudaba a levantarse—. Necesitas descansar un poco. Llevas doce horas sometida a una terrible tensión. Deja que te acompañe a tu habitación.

Letitia MacPherson se aferraba trémulamente a la vida. Todos los recursos de la moderna medicina y una doctora valiente, se habían volcado sobre ella; ahora todo dependía de la propia muchacha. Samantha permanecía al lado de la paciente casi las veinticuatro horas del día y sus ojos grises no se apartaban jamás del rostro dormido. Comía tan solo cuando Mildred le traía una bandeja y le obligaba a ello. Todos suponían que el silencio de Samantha era debido a la espada legal que pendía sobre su cabeza; nadie había hecho nada todavía, todos esperaban ver si la chica se reponía. Solo Silas Prince había dado un paso: entregar a Samantha la notificación oficial de despido. Oficialmente, Samantha ya no pertenecía al equipo médico del St. Brigid's; sin embargo, ella seguía al lado de la paciente y de vez en cuando subía a dormir un poco a su habitación. Todo lo demás —las acciones legales y la expulsión de Samantha de la sección de internos— había quedado en suspenso, a la espera de acontecimientos en el caso de Letitia.

La auténtica tragedia no residía en el hecho de que Samantha fuera demandada ante los tribunales por haber hecho lo que ella creía que en justicia debía hacer, sino en el hecho de tener que llorar en soledad la muerte del hombre amado. Exteriormente, Samantha solo podía expresar los habituales sentimientos de condolencia por la muerte de un colega; pero por dentro estaba tan afligida, que tenía la sensación de haberse ahogado, también ella, en las heladas aguas del Atlántico. La débil esperanza de que Mark no hubiera tomado el barco o de que el imperfecto reportaje hubiera omitido la existencia de supervivientes iba muriendo a cada día que pasaba.

Y la tragedia fue aún mayor al confirmarse definitivamente algo que Samantha solo había sospechado: estaba embarazada.

Y no se lo podía decir a nadie. Louisa y Luther se habían ido con Johann a visitar a los abuelos de Luther en Ohio; Landon Fremont estaba demasiado trastornado por el pleito para poder prestarle atención. Había tratado en dos ocasiones de ver a Clair, pero fue recibida por un impasible mayordomo, con el mensaje de que la familia estaba de luto y no recibía visitas. Janelle, vestida de negro y rodeada de amigos, acudió a visitar a su hermana Letitia, que yacía inconsciente y recibió las muestras de condolencia y comprensión que en justicia hubieran correspondido a Samantha. No era justo; jamás en su vida se había sentido tan desamparada y tan sola.

Paradójicamente, sin embargo, la muerte de Mark la salvó. Si el *Excalibur* no se hubiera hundido, Janelle MacPherson hubiera seguido adelante con el pleito, a pesar de la recuperación de Letitia (porque resultó que la muchacha no recordaba haberle pedido a Samantha que la operara). Pero la muerte de Mark aplazó el ataque contra Samantha lo suficiente para que Letitia se recuperara por completo y quedara fuera de peligro. Todo el mundo decía que era un milagro: el equipo médico del St. Brigid's elogió sin reservas a Samantha por lo que había hecho. El pleito pasó al olvido y la muchacha fue conducida a su casa para pasar allí su convalecencia. No se intercambiaron más palabras entre Samantha y los MacPherson. Fue como si ella no existiera y como si el incidente jamás hubiera ocurrido.

Solo Silas Prince seguía abrigando sentimientos de venganza.

El día en que Letitia abandonó el hospital, Samantha recibió una notificación escrita del jefe de la plantilla de médicos: en ella se le comunicaba que sería readmitida en caso de que se disculpara públicamente ante él por el escándalo que había provocado.

11

Su primer impulso fue no hacer caso de la llamada a la puerta. Ya había terminado de preparar el equipaje y deseaba marcharse.

Había sido muy doloroso, pero Samantha, tragándose el orgullo, había acudido a disculparse ante el doctor Prince para poder, de ese modo, obtener el certificado. Averiguó, sin embargo, que la readmisión era condicional. Silas Prince, un hombre que gustaba de saborear la victoria (y que deseaba apagar un poco el eco del éxito obtenido por Samantha) le comunicó que el período de su preparación de interna se había ampliado. No estaba preparada, le dijo ampulosamente, para asumir las responsabilidades de un cirujano responsable; había que tener en cuenta la cuestión de la lealtad y la obediencia. Podría recibir el certificado al cabo de seis meses.

Landon Fremont, que no había visto nada censurable en la propuesta de Prince, trató de convencer a Samantha de que la aceptara, pero fue inútil. Ella le dijo que no podía aceptar, que tenía que marcharse aun a costa de perder el valioso certificado. Y ahora se encontraba de pie, rodeada de maletas, aguardando la llegada del vehículo que había alquilado.

Se repitió la llamada y Samantha fue a abrir. Janelle MacPherson apareció en el umbral.

Se miraron una a otra y se comunicaron mil cosas en silencio. Samantha retrocedió, manteniendo la puerta abierta, y Janelle entró. Al ver las maletas, preguntó:

—¿Se marcha usted?

—Sí.

—¿Por qué?

Samantha estaba trastornada. Janelle se le antojaba ahora una antigua enemiga, perteneciente a una batalla que ya quedaba atrás; el motivo de su rivalidad ya no existía, ahora era, simplemente, otra mujer. De todos modos, Samantha no podía bajar la guardia. Las heridas eran demasiado hondas. No podía decirle a Janelle que Prince le había hecho una propuesta y que ella no podía aceptarla porque estaba embarazada. Por consiguiente, se limitó a responder:

—Sí, deseo marcharme.

Janelle introdujo la mano en su ridículo y sacó un trozo de papel que entregó a Samantha.

—He pensado que desearía verlo. Es un telegrama de la compañía naviera, confirmando la existencia del nombre de Mark en la lista de pasajeros y su muerte en el mar.

Samantha trató de leerlo, pero las palabras se borraron ante sus ojos. Levantó la cabeza.

—¿Y por qué me lo ha traído?

—Por si albergaba usted alguna falsa esperanza de que siguiera vivo. Yo la albergaba.

La voz de Janelle se quebró.

—Gracias —dijo Samantha, devolviéndole el telegrama.

—Sé que le amaba usted, doctora Hargrave. Ambas le amábamos. Y sospecho que había entre usted y Mark algo más que una relación profesional. Llegué a temer que se hubiera enamorado de usted y... dominada, por los celos, la odié.

Samantha la miró con los ojos empañados por las lágrimas.

Janelle levantó orgullosamente la barbilla.

—Creo que, en cuanto apareció usted, se desvanecieron mis posibilidades. Usted le daba algo que yo no podía ofrecerle. Compartir todo esto... —Janelle hizo un ademán, como queriendo abarcar el hospital y el ejercicio de la medicina—. Me temo, doctora Hargrave, que le debo una disculpa. Esa es la razón de mi visita. Usted le salvó la vida a Letitia. Ahora lo comprendo todo. Ella me ha contado sus... sus indiscreciones. Gracias por salvarle la vida, doctora Hargrave.

Janelle introdujo de nuevo la mano en el ridículo y sacó un pequeño paquete, que deslizó en la mano de Samantha.

—Letitia me ha pedido que se lo entregue. Significaba mucho para ella. Es su manera de darle las gracias.

Samantha extendió la mano. Era un duro objeto envuelto en papel y, cuando Samantha abrió el paquete, encontró una piedra verde azulada del tamaño de un dólar de plata.

—Letitia se la compró hace años a unos gitanos de un circo. Le dijeron que tenía muchos siglos de antigüedad y que traería buena suerte a quien la llevara. Existe una superstición en relación con la turquesa. Al parecer la piedra puede cambiar de color. Dice la leyenda que, si la piedra pierde color, su propietario ya le ha extraído toda la suerte y tiene que pasársela a otra persona. Letitia la llevaba en el bolso la noche en que usted la operó.

La reluciente turquesa era del color de un huevo de petirrojo y tenía una curiosa veta en el centro. Llevaba un engarce de metal amarillo como si en otros tiempos hubiera colgado de un collar.

—Letitia insiste en que la piedra ha perdido color —añadió Janelle—. Yo no lo veo, pero mi hermana es muy supersticiosa.

Samantha la apretó entre los dedos y se escuchó el crujido del papel que la envolvía.

—Por favor, dele las gracias en mi nombre. La guardaré como un tesoro.

Janelle contempló las maletas.

—¿Adónde irá?

—Pues..., lejos de aquí. *A California. Y a una nueva vida. Aquí no me quedan más que recuerdos dolorosos. En el Oeste hay esperanzas de un nuevo comienzo.*

—¿Le puedo ayudar en algo?

Samantha reflexionó un instante y después dijo:

—Sí, por favor. —Tomó un sobre que había encima de la mesita de noche; estaba cerrado y tenía puestas las señas, pero le faltaba el sello—. ¿Quiere, por favor, entregárselo a la señora Rawlins? Temía que no lo recibiera si se lo mandaba por correo. He intentado verla, pero no recibe a nadie.

—La señora Rawlins se ha ido a Boston. La muerte de Mark la afectó más de lo que se esperaba. Cayó enferma y ahora guarda cama. Gustosamente le entregaré su carta, doctora, y, si hay alguna otra cosa que yo pueda hacer...

—Ya ha hecho suficiente viniendo aquí.

Se abrazaron brevemente y en aquel momento Samantha experimentó un sentimiento de afinidad con aquella mujer que había sido su rival; se abrazaron con profunda simpatía porque cada una de ellas intuía el dolor de la otra como nadie más hubiera podido hacerlo. Y Samantha pensó fugazmente en la ironía de aquel abrazo de consuelo, recibido precisamente de su antigua enemiga.

Tras la marcha de Janelle, Samantha se puso los guantes y miró a su alrededor. No sabía qué le aguardaba en California ni adónde la conduciría el camino, pues había elegido aquel destino solo porque estaba muy lejos; Samantha sabía únicamente que debía marcharse, que había de encontrar un lugar donde pudieran sanar sus heridas. Un lugar donde pudiera nacer la pequeña vida que llevaba dentro, el hijo de Mark.

Empezaremos una nueva vida juntos y una parte de Mark estará conmigo para siempre...

CUARTA PARTE

SAN FRANCISCO

1886

1

Samantha echó un centavo en el cepillo, tomó un cirio, acercó el pabilo a la llama de otro cirio y lo colocó en un soporte vacío. Después apoyó los codos en el reclinatorio y, con las manos cruzadas bajo la barbilla, contempló los sublimes ojos de la Virgen María. Aunque no era católica, había descubierto hacía tiempo la paz y tranquilidad de la Misión; dos años antes, los amables sacerdotes la habían consolado al morir su hijita Clair durante la epidemia de difteria. Hoy era el aniversario de la pequeña Clair; hubiera cumplido tres años.

El llanto asomó a los ojos de Samantha mientras contemplaba el dulce rostro de la Virgen. Las llamas de los muchos cirios encendidos a los pies de la imagen se rompían en facetas, brillando a través del prisma de las lágrimas de Samantha. Estaba triste, nunca dejaría de llorar la muerte de su hija y de Mark, pero el consuelo de aquella pequeña capilla le hacía más soportable el dolor.

Bajo el vestido, descansaba sobre su pecho, tranquilizadora, la extraña piedra que Letitia le había regalado. Al examinarla más de cerca, Samantha había descubierto que era un objeto de lo más curioso.

No era perfectamente redonda, estaba engarzada en metal amarillo y llevaba en la parte posterior una inscripción en un idioma extranjero. Y había una fecha, imposible ya de descifrar porque el grabado estaba muy gastado, y unos símbolos irreconocibles. La veta herrumbrosa que discurría por el centro de la piedra parecía la figura de una mujer con los brazos extendidos si se la miraba por un lado, y dos serpientes enroscadas en un árbol, vista desde el otro. Cuando se pudo permitir ese lujo, Samantha acudió a un joyero y compró una cadena para la piedra. El joyero le dijo que era muy antigua y de auténtico valor (hizo conjeturas en el sentido de que tal vez procediera de la región del Sinaí). Comentó también su hermoso color azul intenso.

Era el único eslabón tangible de Samantha con el pasado y, cuando se encontraba a solas, la sacaba para acariciar su suave superficie en un acto que ejercía un curioso efecto apaciguador.

En sus primeros días en San Francisco, Samantha se sentía muy sola y desamparada y una serena hora de reflexión y recuerdo le traía si no el consuelo, sí, por lo menos, el alivio de su dolor. Sus dedos acariciaban suavemente la reluciente superficie. Como si la energía de los centenares de manos que a lo largo de los siglos habían acariciado la piedra le infundieran una especial sensibilidad, Samantha revivía con extraordinario realismo y riqueza de detalles las imágenes de su pasado.

Cerraba los ojos y se encontraba de nuevo en el Crescent bajo la fraternal protección de Freddy y volvía a escuchar la voz del muchacho como si le tuviera a su lado en la estancia («¡Si ese viejo asqueroso te toca aunque no sea más que un cabello, le machacaré los cochinos sesos!»). Sus pensamientos recorrían después caminos más felices: sus primeros días de ayudante de Joshua, los idílicos meses en la Facultad de medicina, el nacimiento del hijo de Louisa, sus noches en brazos de Mark...

Adquirió la costumbre de examinar su vida pasada como si fuera un geógrafo y así alcanzó a ver, con la perspectiva que daban los años y la distancia, que aunque su vida había estado muy llena de acontecimientos, se observaba en ella una visible ausencia. Era algo en lo que antes no había reparado y que ahora acudía casi a diario a su pensamiento: *Estoy completamente sola en el mundo. Puedo tener amigos, compañeros e incluso amantes, pero no estoy realmente unida a nadie por lazos de sangre.*

Samantha sabía que era su profesión la que la inducía a pensar en tales cosas; todos los días surgían ante ella ejemplos de vínculos familiares: partos, madres e hijos, hermanos, prole, cuestiones relacionadas con la *familia.* Y cada nuevo día le traía duros recordatorios de que no había nadie en el mundo a quien pudiera decir: hemos surgido de la misma fuente. Todos los Hargrave habían desaparecido ya (incluso la pequeña Clair) y de la familia de su madre Samantha no sabía nada. En los años pasados en la sombría casa del Crescent jamás había oído hablar de ningún tío; ninguna tía fisgona y ningún abuelo habían subido jamás los peldaños de la casa. Era como si Samantha Hargrave hubiera surgido de la nada. *Estoy sola.*

Un movimiento, a su lado, indujo a Samantha a mirar a la niña que, arrodillada junto a ella con las manos entrelazadas como la propia Samantha, estaba contemplando a la Virgen. Samantha sonrió con amorosa tristeza. *No, no estoy completamente sola.* El Señor da, el Señor quita, pensó mientras su corazón volaba hacia la niña que tenía al lado.

Hacía hoy precisamente un año, Samantha regresaba a casa de su visita anual a la Misión cuando le habían pedido en la calle que acudiese a ayudar a una mujer de una de las casas de vecindad situadas detrás del Teatro de la Ópera. Samantha subió a toda prisa por la escalera y vio a una vieja comadrona irlandesa extrayendo un niño sin vida del cuerpo de su moribunda madre; esta yacía tendida sobre unos periódicos y las ratas habían salido de su escondrijo de bajo el entarimado para devorar la placenta. En un rincón, una escuálida chiquilla de ojos demasiado grandes para su cabeza, contemplaba en silencio la penosa escena mientras se chupaba todos los dedos de una mano. En aquel momento murió la pobre mujer y la anciana comadrona dijo en tono quejumbroso que tendría que llevarse a la estúpida mocosa porque no tenía padres ni parientes que pudieran cuidarla.

A pesar de su grave estado de desnutrición y de la capa de suciedad que la cubría, el rostro agitanado de la niña poseía cierto encanto; había, en su forma de mirar, algo que despertó los instintos maternales de Samantha, no agostados con la pequeña Clair.

—Esa está chiflada —masculló la comadrona, que ya estaba cosiendo el sudario—. Es la única hija de los Megan que queda con vida, y no habla. No hace más que mirar y pone nerviosa a la gente.

Samantha nunca supo cuántos años tenía la niña, pero calculaba que debía rondar los ocho. Se llamaba Jennifer. Samantha se llevó a la niña a su casa, la adoptó y le dio el apellido de Hargrave. *Si tenemos que estar solas, estaremos solas juntas...*

El dobladillo de un hábito de color pardo y unas sandalias de cuero susurraron sobre el embaldosado cuando fray Dominic se detuvo en las cercanas sombras. Sonrió con benevolencia al verlas arrodilladas ante el altar de María. La doctora llevaba cuatro años acudiendo a la Misión... Recordaba su primera visita, cuando, visiblemente encinta, encendió una vela por su marido, muerto en el mar. Y él abrigaba la esperanza, desde hacía cuatro años, de convertirla oficialmente al catolicismo. Pero a la doctora la asustaba un poco una declaración oficial y prefería acudir allí cuando su espíritu lo necesitaba. Adoraba a Dios a su manera. Bien, fray Dominic no tenía prisa. La expresión de su rostro le decía que ella amaba sinceramente a la Bienaventurada Virgen, y la serenidad que alcanzaba durante aquellas visitas, le decía que la Virgen le correspondía.

La pequeña Jennifer se agitó en el duro reclinatorio de madera y Samantha acarició los abundantes bucles negros de la niña. Jennifer era sorda y no podía hablar, motivo por el cual Samantha jamás había podido explicarle el significado de aquel ritual; pero la niña participaba pacientemente porque había advertido algo que nadie más había visto: que el rostro de la imagen era idéntico al de la señora que estaba arrodillada a su lado. En su peculiar intuición, la pequeña Jenny sabía que Samantha acudía allí, en cierto modo, para hablar con su propia madre.

—Ahora tenemos que marcharnos, Jenny —murmuró Samantha; no dejaba de hablar a la niña, a pesar de constarle que ella no la podía oír.

Samantha siempre se alejaba de la Misión a regañadientes; le gustaban el incienso, las imágenes del siglo XVII, los altares tallados de México. Pero sabía que los pacientes la esperaban. Samantha rara vez cerraba su consultorio, rara vez dedicaba tiempo a su propia persona; sin embargo, aquellas visitas eran esenciales para su paz espiritual...; cuando tenía miedo, se sentía sola o añoraba el pasado, acudía allí y hallaba consuelo. Pero solo podía disponer de una hora.

Al principio, en su calidad de médico de las clases trabajadoras de San Francisco, Samantha lo había pasado muy mal: la ciudad de la Puerta de Oro podía resultar muy dura para una mujer sola, sobre todo si estaba embarazada. Pese a todo, alquiló un piso en Kerany

Street y se entregó a la laboriosa tarea de poner en marcha un consultorio. Al principio recelaban de ella porque casi todas las doctoras de San Francisco se dedicaban a la práctica de abortos, pero poco a poco fue corriendo la voz y empezaron a acudir a ella, sobre todo obreras y algunas prostitutas, algunas pagando y muchas no. A veces Samantha se sentía muy sola y triste por las noches. Entonces descubrió la Misión y recuperó su antiguo temple. Los pacientes empezaron a fluir a ella en mayor número y su situación económica mejoró. Dio a luz a solas en su habitación del piso superior y vio inmediatamente que la niña tenía los mismos grandes ojos color castaño de Mark. Y después, cuando la pequeña Clair, de solo un año de edad, cayó víctima de la epidemia de difteria, Samantha practicó una abertura en la pequeña garganta, para que pudiera respirar, pero fue demasiado tarde. Enterraron a la niña en el cementerio de una colina que miraba al océano, pero Samantha jamás visitaba la tumba. La pequeña Clair no estaba en ella sino allí, bajo el amoroso cuidado de la Madre Celestial.

Abandonaron la Misión a través del jardín porque era verano y las encaladas paredes de adobe estaban cubiertas de buganvillas púrpura y escarlata; alrededor de las vetustas lápidas sepulcrales se veían fucsias e hibiscos; y, a lo largo de los senderos cubiertos de grava, había flores de pascua, helechos y musgo. Un último recordatorio, cuando se abandonaba la Misión, de la promesa de vida hecha por Dios.

Mientras Samantha se encaminaba hacia Market Street tomando de la mano a la pequeña Jenny, su alma se dilató bajo el sol estival. Tras las iniciales pruebas y tribulaciones, había recuperado su optimismo y su entusiasmo de antaño. Aunque al principio había sentido nostalgia, Samantha jamás pensó en la posibilidad de regresar a Nueva York; «regresar» no era una solución:

tenía que seguir adelante en busca de su destino y de días mejores. Por mucho que inicialmente se habían escrito a menudo, las cartas de Landon Fremont empezaron a escasear y, cuando él marchó a Viena para dedicarse allí a la enseñanza, las noticias se interrumpieron por completo. Simultáneamente, Luther había regresado, con Louisa, Johann y la pequeña Gretchen, a Alemania, donde puso una farmacia en Munich. Los lazos se fueron rompiendo hasta que, por último, ya no le quedó ningún nexo con Nueva York.

Samantha se alegraba de haber perdido el contacto con aquella parte de su vida tan llena de luchas y dolorosos recuerdos; y, además, se había encariñado con San Francisco. Solo en algunas ocasiones miraba hacia atrás: en los aniversarios, cuando veía el calendario, pensaba: Hoy es el cumpleaños de Mark, tendría treinta y tres años; o bien, hoy se hundió el *Excalibur*, iré con Jenny a poner una vela. Mark era el protagonista de sus pensamientos y sus sueños nocturnos, pero Samantha le excluía de sus actividades diurnas porque su recuerdo siempre le robaba un poco de fuerza y la hacía vulnerable. Samantha jamás dejaría de quererle y de llorar su muerte, pero la vida tenía que ser lo primero.

El sol de julio era tibio y reconfortante, la bulliciosa ciudad la llenaba de entusiasmo; a Samantha siempre le causaba placer el camino de ida y vuelta a la Misión. Aquel día, sin embargo, mientras bajaba por la acera de madera, seguida de la pequeña Jenny, notó que se empañaba un poco el júbilo que solía sentir tras la visita a la Misión. Últimamente se había alarmado un poco a causa de una creciente inquietud.

Mientras pasaban frente al nuevo edificio de la Crocker Woolworth, escuchando el estruendo metálico del tranvía de Market Street, Samantha pensó en la extraña inquietud que la asaltaba y se preguntó cuál sería la razón.

¿Sería tal vez el anhelo de un hombre? Pensaba que no. Sus días de amor apasionado habían tocado a su fin, habían terminado con la muerte de Mark. Y, además, no le faltaban atenciones por parte de los hombres. Aunque tenía veintiséis años y no era una adolescente, Samantha seguía recibiendo declaraciones de afecto y proposiciones matrimoniales..., algunas de pacientes agradecidos (había descubierto que un hombre confunde a veces con el amor la gratitud por el alivio de un dolor), algunas de vecinos del barrio (el señor Finch, el farmacéutico viudo, casi se caía sobre el mostrador cada vez que la veía entrar). Había recibido una proposición del simpático policía que efectuaba la ronda (Derry McDonough, que una vez la defendiera al ser acusada de prácticas abortivas). Todos insistían en que Samantha no podía sobrevivir sola y necesitaba un hombre a su lado.

No, no era el deseo de un hombre lo que inquietaba a Samantha. Tenía que ser otra cosa, algo que superaba el hecho de ganarse bien la vida, tener un hogar cómodo, conocidos y amigos, porque Samantha poseía todas esas cosas. ¿Qué le faltaba, entonces?

Al principio San Francisco la dejó perpleja y la abrumó. Era una ciudad integrada por pequeñas y extrañas comunidades, desde Chinatown con sus extraños hombrecillos tocados con anchos sombreros, coletas y holgados pantalones azules hasta los marineros borrachos de Barbary Coast; desde las mansiones tipo pastel de bodas de Nob Hill a las casas de trato de los alrededores de Portsmouth Square, donde nada menos que cuatrocientas mujeres se amontonaban en chozas como animales enjaulados, San Francisco le había producido la impresión de ser un país extranjero. Y Samantha había tenido que luchar para salir adelante. Después tuvo que luchar para que la aceptaran y respetaran, y tuvo que seguir luchando por la vida de la pequeña Clair, y más tarde hubo de enfrentarse al reto de hallar un medio de comunicarse con Jenny. Los cuatro años habían estado llenos de constantes esfuerzos y batallas. Pero ahora todo eso quedaba atrás; la habían aceptado y se sentía a gusto.

Tal vez, pensó Samantha, me siento *demasiado* a gusto.

Mientras bajaban por la congestionada acera de Kearny Street, Samantha hizo votos por que la señora Keller estuviera lo suficientemente serena para prepararles la cena, y en aquel mismo instante la distrajo un tumulto que se había producido algo más allá. Un hermoso carruaje se encontraba estacionado junto al bordillo y un pequeño grupo de niños juguetones se había congregado a su alrededor para contemplarlo.

Samantha pensó: Supongo que algún importante personaje habrá acudido hoy a visitar a la señorita Seagram.

Cuando había alquilado el apartamento cuatro años antes, Samantha se alegró al ver que su vecina era una daguerrotipista que debía ganarse muy bien la vida a juzgar por sus elegantes vestidos y la calidad de los retratos ovalados que exhibía en su mirador; pero más adelante Samantha observó que los clientes de la señorita Seagram eran solo varones, que se quedaban mucho rato (a veces, toda la noche) y que ninguno de ellos abandonaba el establecimiento con retratos bajo el brazo.

Cuando Samantha llegó al pie de la escalinata de la casa, se sorprendió al encontrar aguardándola en la puerta a la criada de una dama y entonces descubrió que el carruaje no estaba allí por la señorita Seagram, sino que había traído a una misteriosa paciente en busca de asistencia médica.

2

A pesar de la calurosa temperatura de julio, la dama iba envuelta en una lujosa capa de lana que la cubría de pies a cabeza y cuya capucha caía hacia delante, ocultándole el rostro. Mientras la ayudaban a descender del vehículo y a subir con gran dificultad los peldaños, como si padeciera fuertes dolores, fue imposible adivinar su edad; pero de una cosa no cabía duda: la misteriosa visitante era muy rica.

Samantha la acompañó al pequeño salón contiguo al consultorio, donde habitualmente entrevistaba a sus pacientes: las cortinas de encaje y los jarrones con flores solían tranquilizar a la más inquieta de las mujeres. La extraña señora tomó asiento en un pequeño sillón tapizado de brocado y, al ver que se sentaba con muchas precauciones, Samantha comprendió de inmediato la razón de su visita.

Cerró la puerta y se acomodó en el otro sillón, mientras la doncella permanecía de pie detrás de su ama. Entonces surgió de bajo la capucha una voz culta y refinada cuyo timbre juvenil asombró a Samantha.

—¿Es usted la doctora Hargrave?

—En efecto.

Unas manos enguantadas aparecieron por debajo de la capa, desataron las cintas y apartaron la prenda de los hombros, dejando al descubierto un exquisito vestido de raso azul pálido con botones de nácar. El capuchón cayó hacia atrás y reveló un hermoso rostro joven y suave, si bien marcado por el dolor y el agotamiento; prematuras arrugas, oscuras sombras bajo los ojos azules y una palidez impropia indicaban hasta qué extremo estaba enferma aquella joven.

—Doctora Hargrave, tengo un problema íntimo y he acudido a varios médicos, los cuales me han dicho que no me pueden ayudar. Mi doncella personal me habló de usted. Sufría calambres tan terribles que a veces no podía levantarse de la cama y, cuando le envié a mi médico, este le dijo que todo eran figuraciones suyas. Había oído hablar de usted, doctora, a través de una de mis costureras, y entonces vino aquí y usted la curó. Se llama Elsie Withers.

Samantha recordaba el caso. Un simple raspado de la matriz había resuelto buena parte del problema y Samantha había añadido un régimen de ejercicios e infusiones diarias de manzanilla.

—Me hizo muchos elogios de usted, doctora, por eso yo...

Samantha le habló con mucha delicadeza, porque resultaba evidente que su visitante sufría una gran tensión.

—Si me permite que la examine, al momento podré decirle si puedo ayudarla o no.

—Sí... claro...

En el St. Brigid's Samantha había visto muchos casos como aquel, y hasta que Landon Fremont no se incorporó al equipo médico del centro e introdujo la técnica Sims perfeccionada, las infelices que lo padecían estaban condenadas a sufrir lacerantes dolores durante el resto de su vida. Se trataba de la llamada fístula vesicovaginal, provocada generalmente por un parto difícil, y era una de las peores calamidades que podían ocurrirle a una mujer. Un orificio en la pared vaginal daba lugar a un constante trasvase de orina a la vagina, lo cual producía una inflamación insoportable, sin posibilidad de tratamiento; muy pronto empezaban a aparecer erupciones pustulosas que despedían un desagradable olor imposible de eliminar por mucho que la afectada se lavara. Como consecuencia de ello, la infeliz no se atrevía a salir a la calle, pues sus enaguas quedaban inmediatamente empapadas y el hedor alejaba a la gente de su lado. Por último, las pacientes de fístula vesicovaginal tenían que permanecer en cama porque no podían sentarse siquiera en una silla, ya que mojaban enseguida el asiento, y en el lecho las sábanas quedaban muy pronto traspasadas de orina. Les salían llagas en las partes más delicadas y el dolor y el constante goteo les producía una tortura que nadie podía imaginar; nadie visitaba a la pobre mujer, porque permanecer en su habitación resultaba insoportable, y lo peor de su tragedia era que ella se sabía condenada a sufrir de aquella manera de por vida..., convertida en una inválida, aislada de sus amigos y de su familia, odiosa incluso para sí misma. Muchos casos acababan en suicidio.

Cuando Samantha vio hasta qué extremo había progresado la erosión en aquella pobre joven, sintió deseos de echarse a llorar; de nuevo en el salón y sentadas ya, Samantha la interrogó discretamente.

—¿Cuándo ocurrió?

—Hace ahora un año y medio, cuando di a luz a mi hija. Fue culpa del fórceps; me desgarraron.

Samantha asintió con gesto comprensivo, procurando disimular su enojo. Muchos tocólogos habían adquirido la costumbre de utilizar el fórceps para acelerar los partos, sin contentarse con esperar a que la naturaleza siguiera su curso y precipitando el proceso con el fin de ganarse unos honorarios. Aquella pobre mujer no era la única víctima de esa innecesaria intervención.

—¿Qué edad tiene usted?

—Veinticuatro.

—¿Tiene otros hijos?

Las lágrimas asomaron a los suaves ojos azules y los labios temblaron.

—Merry fue la primera. Y será la última...

—¿Ha dicho usted que la han visitado otros médicos?

—Me dijeron que no podían hacer nada —la joven se inclinó hacia delante y habló en tono muy serio—.

Doctora Hargrave, no tiene usted idea de la pesadilla que vivo. Me paso todo el día en mi habitación porque no puedo salir ni siquiera a las demás habitaciones de la casa, por temor a ensuciar los muebles. Mi marido duerme en otra habitación y hemos dejado de mantener relaciones íntimas. Elsie es mi única acompañante, me niego a recibir a mis amigos, pues sé que resulto repugnante. Tengo que cambiarme la falda varias veces al día y por muchos baños que tome y muchas irrigaciones que me haga, no puedo librarme de este olor. ¡Y la sensación de ardor, doctora! ¡Me tiene despierta toda la noche y pienso que me voy a volver loca o que me mataré!

Samantha estudió su angustiado rostro y sus ojos desesperados, y se conmovió.

—Creo que puedo ayudarla —dijo suavemente—. Pero tendré que practicar una intervención quirúrgica.

—Una intervención... —en la tersa frente se formó una arruga—. Preferiría no ir al hospital, doctora, pero si ese es el único medio...

—Lo haré aquí, en mi consultorio.

—¿De veras, doctora? ¿Y en qué consistirá la intervención?

Samantha le describió brevemente el procedimiento que le había enseñado el doctor Fremont, el cual lo había aprendido de su inventor, el gran doctor Sims. Por tratarse de una nueva y revolucionaria operación y porque Sims no gozaba de muchas simpatías entre la clase médica más conservadora, sus métodos habían tenido muy poca aceptación en el país, lo cual explicaba el que los facultativos a quienes consultó la enferma no hubieran considerado la posibilidad de practicársela. O bien desconocían su existencia o bien no estaban preparados para llevarla a cabo.

—No obstante, no puedo garantizarle el éxito. La erosión ha alcanzado una fase muy crítica. Cabe incluso la posibilidad de que la situación se agrave.

—Correré el riesgo, doctora. ¿Cuándo lo podrá hacer?

—Dado que se requiere el empleo de éter y que las suturas son muy delicadas, tendrá usted que pasar aquí el período de convalecencia. Creo que unos diez días. ¿Está de acuerdo?

—Le diré a mi marido que tengo que visitar a mi hermana de Sacramento.

Al ver la perpleja expresión de Samantha, la joven bajó la mirada.

—Doctora Hargrave, le confesaré una cosa. Mi marido no sabe que estoy aquí. Y en caso de que lo averiguara, se pondría furioso. Piensa que las doctoras son unas matasanos y que usted me destrozaría.

—Y usted, ¿qué piensa?

Ella levantó la cabeza y miró fijamente a Samantha.

—Creo que usted puede ayudarme.

—En tal caso, venga cuando esté preparada. Y, por favor, traiga a Elsie. Mi hija Jenny también nos ayudará.

Se llamaba Hilary Gant y las últimas palabras que dirigió a Samantha antes de que Elsie le aplicara el cono de éter sobre el rostro, fueron:

—Si me ocurriera algo, mi doncella ha recibido instrucciones. No se verá usted en dificultades, doctora, nadie le hará ningún reproche, se lo prometo.

Samantha sonrió y mantuvo la mano apoyada en el hombro de la señora Gant hasta que esta se quedó dormida. No se preocupe por mí, pensó, sin apartar la mirada de Elsie y del éter. He capeado otros temporales. Ahora nos vamos a ocupar de usted y de su curación.

—Solo unas cuantas gotas, Elsie. Ahora deténgase y vigile los párpados. Si ve que los mueve, eche un poquito más.

Elsie estaba pálida y temblorosa, pero la serenidad

de Samantha le infundía confianza. Sonrió con valentía y sostuvo el frasco junto al rostro de Hilary; su ama ya no habría de sufrir ni un segundo más de dolor.

Jennifer sostuvo obediente los retractores vaginales mientras Samantha trabajaba. La niña muda estaba acostumbrada a prestar ayuda en el consultorio; bastaba enseñarle las cosas una sola vez para que no las olvidara ya. Sin hacer preguntas ni mostrar curiosidad, Jenny no retrocedía ante ninguna tarea, sino que se entregaba a su cometido con diligencia y entusiasmo, como hacía en ese instante, permaneciendo de pie hasta que le dolieron las piernas, con los dedos agarrotados alrededor de los retractores. Sus grandes ojos observaban con qué rapidez y habilidad se movían las manos de Samantha.

Samantha trabajó con sumo cuidado, procurando juntar bien los bordes de la herida, de modo que, cuando se aplicaran los puntos de sutura, estos no desgarrasen el delicado tejido. Finalmente introdujo uno de los nuevos catéteres de autorretención y, lanzando un suspiro, dijo:

—Hemos hecho cuanto estaba a nuestro alcance, amigas mías. Ahora queda en manos de Dios.

Ella y Elsie trasladaron a la operada al dormitorio de la planta baja y la acostaron suavemente sobre las sábanas limpias. Era una habitación muy alegre, destinada a curar no solo el cuerpo sino también el espíritu: flores frescas, bonitos cuadros y un vistoso cubrecama eran tan esenciales para la salud, pensaba Samantha, como las jofainas, los vendajes y el estetoscopio. Durante las primeras dos noches, Samantha durmió en un catre que colocaron en la habitación; después fue sustituida por Elsie, la cual mantuvo una vigilancia constante porque las suturas eran muy delicadas y se podían desplazar fácilmente.

Hilary Gant permaneció nueve días en el cuarto de invitados y fue una paciente dócil y sumisa. Elsie le daba la comida, la bañaba y atendía, y Samantha la examinaba tres veces diariamente. Había muy poca comunicación entre doctora y paciente; los pocos minutos que pasaban juntas transcurrían en un ambiente de quietud y profesionalidad. Entretanto Samantha seguía atendiendo a sus pacientes en el consultorio y efectuando visitas domiciliarias, y al llegar el noveno día, retiró los puntos de sutura. Al décimo día declaró curada a Hilary Gant y la envió a casa.

Una semana más tarde Samantha recibió una invitación a tomar el té, escrita en elegante papel de cartas. La dirección era California Street, Nob Hill.

3

Samantha había visto la mansión desde la calle en el transcurso de uno de sus paseos por la ciudad. Deteniéndose a contemplar aquel palacio que se elevaba entre verdes extensiones de césped, se había preguntado quién lo habitaría. Pero en ese momento, mientras atravesaba la verja de hierro forjado en el vehículo de los Gant, y viendo de cerca los altos gabletes y torrecillas y los recargados adornos de las numerosas ventanas y hornacinas, tuvo la impresión de estar visitando un nido de soberanos.

En cierto modo, así era. Los Gant de California Street pertenecían a una de las familias más antiguas y acaudaladas de San Francisco.

Un criado chino la acompañó a través de un pasillo de vidrieras de colores, espejos de marcos de doradas cornucopias, muebles de oscuras maderas de importación, alfombras orientales, helechos y estatuas; después se abrieron las puertas correderas del salón y apareció ante los ojos de Samantha una increíble muestra de opulencia y derroche.

Cuatro impresionantes miradores, de cristales tan limpios que parecían invisibles, permitían que el sol de la tarde llenara toda la estancia subrayando la belleza de la araña de cristal, las relucientes superficies de las mesas con incrustaciones de mosaico, los objetos de oro y plata, la cerámica vidriada china, los cortinajes de terciopelo rojo, las tapicerías doradas y los jarrones de rosas y lilas. Era un escaparate de ostentación y esnobismo, obra de gente interesada sobre todo en exhibir su riqueza, sin preocuparse demasiado de la forma en que ello se hiciera.

En el centro de aquel escenario, como una reina en el salón del trono, Hilary Gant se levantó graciosamente, haciendo crujir los veinte metros de seda de su vestido. Por un instante Samantha no la reconoció. Durante los diez días de su permanencia en casa de Samantha, la señora Gant no había dado la menor indicación de cuál pudiera ser su posición social o económica, se había presentado sobriamente y en la cama había usado un sencillo camisón.

Pero allí, rodeada por aquel esplendor palaciego, Hilary Gant deslumbraba con su hermoso cabello castaño rojizo peinado hacia arriba y sujeto por horquillas de diamantes, su vestido de seda color canela, que reflejaba la luz del sol, y los brillantes que centelleaban como estrellas en los lóbulos de sus orejas y en sus dedos. Se deslizó hacia Samantha con las manos extendidas, se detuvo ante ella y le dirigió en silencio una sonrisa mientras las lágrimas asomaban a sus ojos. Samantha le tendió las manos y ella se las estrechó, al tiempo que murmuraba:

—Doctora Hargrave...

Se miraron un instante; hubieran podido ser dos mujeres en cualquier lugar, en un lavadero, en medio de los pastizales de una alquería, porque no había diferencia entre ellas y ambas estaban unidas por una fundamental consideración recíproca que no admitía ninguna barrera social. La tácita gratitud que brillaba en los azules ojos de Hilary le recordó a Samantha que aquello era exactamente la razón de su vida: no hubiera podido desear nada mejor.

—Me alegro mucho de que haya podido venir —musitó Hilary.

—El honor y el placer son míos, señora Gant.

Los ojos color zafiro siguieron mirando a Samantha, infinitamente más expresivos que las palabras, y a través de los guantes Samantha percibió la cordialidad y la firmeza del saludo de Hilary.

—Para agradecerle lo que usted hizo por mí, doctora Hargrave, tendría que arrodillarme a sus pies.

—Me pone en un apuro, señora Gant.

Hilary apretó una vez más las manos de Samantha y después retrocedió un paso.

—Siéntese, por favor, doctora, y tome el té conmigo.

Lo sirvieron en un samovar de plata tan bruñida que todo el salón se reflejaba en él en miniatura. Samantha se sentó en un antiguo sillón Biedermeier y aceptó la taza de porcelana de Sèvres.

—Su hija —dijo la señora Gant en tono meditabundo—, ¡debió tenerla usted muy joven, doctora!

—Me halaga usted, porque le aseguro que tengo edad suficiente como para tener una hija de nueve años —contestó Samantha, riendo—. Pero es adoptada y vive conmigo hace un año. Tenía una hija, pero murió durante la epidemia de difteria...

—Oh, cuánto lo lamento. Comprendo lo que debe sentir. Mi pequeña Merry Christmas es lo más valioso que tengo en el mundo. No sé qué...

Hilary guardó silencio y posó la mirada en su taza de té, de modo que por un instante solo fue audible en el salón el tictac del reloj mientras ambas mujeres pensaban fugazmente en los niños pequeños, la vida y la muerte. Después Hilary volvió a mostrarse hábil anfitriona y consiguió aligerar el ambiente.

—Mi alegría al volver a verla, querida doctora Hargrave, me ha hecho olvidar el propósito de mi invitación.

Tomó un sobre de papel gofrado y se lo entregó. Samantha descansó la taza, tomó el sobre y lo abrió. Contenía un cheque por valor de mil dólares.

Sorprendida, Samantha se quedó mirando fijamente el trozo de papel. Los honorarios percibidos por la operación habían sido cincuenta dólares. Por un instante Samantha pensó en la posibilidad de rechazar el cheque, pero entonces recordó el precio de la matrícula de la Escuela de Sordos de Berkeley, donde ingresaría Jenny al año siguiente.

—Gracias, señora Gant —murmuró Samantha, doblando cuidadosamente el sobre y guardándolo con parsimonia en su ridículo.

—No es suficiente, doctora. Si le pudiera entregar un millón de dólares, lo haría y aún no sería bastante. Usted me salvó la vida. Y salvó mi matrimonio —los ojos azules brillaron—. Mi esposo ha vuelto a mi alcoba...

Samantha desplazó los ojos hacia los miradores y contempló la impresionante vista de la bahía de San Francisco. Por encima de los tejados de gabletes, vio la extensión de agua azul punteada de embarcaciones con diminutas estelas y, al otro lado, las colinas verde aceituna elevándose hacia el cielo azul. Pensamos que estos dioses y diosas de los palacios de la colina no tienen la menor preocupación, pero en el fondo son humanos y sufren las mismas angustias que la más humilde de las mujeres...

Se abrieron las puertas correderas y entró una pulcra niñera enfundada en un almidonado uniforme con una chiquilla de pelirrojos bucles. Samantha experimentó una punzada en el corazón: la pequeña Merry Christmas no era mucho mayor que Clair en el momento de su muerte.

Hilary se levantó y, tomando al querubín en sus brazos, le habló en tono infantil mientras Samantha sonreía recordando el día en que un año atrás, se llevó a casa a la silenciosa Jenny. Esta fue una maravilla desde un principio. Una vez lavada, la belleza natural de la niña surgió como una luna de primavera. Su cabello parecía un esponjoso gorro de lana de oveja; su piel era morena y perfecta; y su rostro resultaba de lo más exótico. El dócil carácter de la niña intrigaba y desconcertaba a Samantha porque, por regla general, los chiquillos de los barrios bajos se criaban muy indómitos; en cambio, Jenny era dulce y sumisa, y no sonreía jamás.

En Navidad la pequeña no supo qué hacer con la muñeca que Samantha le regaló, y en abril acogió con absoluta pasividad el huevo de Pascua. Cierta vez Samantha llevó a Jenny a ver el mar; tomaron el tranvía de mulas hasta Seal Point y contemplaron el romper de las olas contra las rocas al pie de la Cliff House; Jenny no se emocionó. Pero sus ojos, de mirada aguda y curiosa, lo asimilaron todo —las focas, las gaviotas, la extensión del océano— y, cuando Samantha la tomó de la mano para regresar a casa, Jenny se volvió humildemente y se encaminó hacia el tranvía sin mirar hacia atrás.

Era una niña extraña y retraída, protegida por una barrera de silencio, confiada y mansa, pero vigilante, siempre vigilante. Samantha había tratado de enseñarle el alfabeto y las operaciones aritméticas más sencillas, pero fracasó en el intento, y tampoco logró llegar al corazón de la niña. Jenny era como una pizarra en blanco a la espera de que alguien escribiera algo en ella.

Merry Christmas se puso a llorar y distrajo a Samantha de sus pensamientos. La niñera tomó de nuevo a la chiquilla en brazos, sonaron besos y palabras cariñosas y, una vez ambas se hubieron retirado, Hilary se reclinó en su sillón y rió alegremente.

—¡Qué agotadores resultan los niños, Dios mío!

Hubo un momento de silencio mientras ambas tomaban unos sorbos de té, sintiéndose a gusto y en paz en su mutua compañía, y durante aquella pausa Samantha recordó algunos rostros del pasado —Elizabeth Blackwell, Louisa, Estelle Masefield, Hannah— y notó que su alma se estremecía un poco tal como ella había sentido estremecerse en dos ocasiones la ciudad de San Francisco; un temblor, un pequeño terremoto del corazón, al recordar con afecto a aquellas queridas amigas que habían recorrido un trecho del camino a su lado, acompañándola durante algún tiempo para marcharse después. Y entonces Samantha empezó a desear súbitamente que alguien la acompañara a lo largo de aquel camino. Estudió los suaves rasgos de Hilary Gant, una mujer que, a pesar de toda su riqueza, estaba libre de presunción y esnobismo, una joven sencilla y honrada que no parecía experimentar la necesidad de recordarle al mundo su posición. De repente Samantha sintió curiosidad, quiso saberlo todo acerca de ella, y en aquel instante experimentó el deseo de ser amiga de Hilary.

Para protegerse tras la muerte de Mark y los incidentes del St. Brigid's, Samantha había aprendido a mantenerse a distancia y solo en contadas ocasiones se abría a los demás Pero ahora, por primera vez en cuatro años, sintió que su alma y su corazón experimentaban ansia de compañía y, por una milagrosa coincidencia, resultó que había elegido bien, pues Hilary Gant, un poco cohibida ante aquella doctora sencillamente vestida, estaba deseando lo mismo.

Pero, puesto que no es fácil decir «Por favor, quiero que seas mi amiga», dio primero unos pequeños pasos. Hilary carraspeó y dijo:

—Creo que lo peor de mis males del año pasado,

doctora Hargrave, fue la vergüenza mortal que pasaba cuando tenía que someterme a la despectiva mirada de los médicos varones. No me mostraban la menor consideración. Fueron ellos quienes me destrozaron y después me abandonaron.

Lo dijo sin amargura, como una simple afirmación. Samantha se sorprendió de la compasiva naturaleza de aquella joven que había sufrido tanto en su cuerpo y en su espíritu sin albergar el menor rencor en su corazón.

—Elsie me habló de usted hace un mes, doctora Hargrave, y yo tardé todo ese tiempo en decidirme. Jamás había conocido a una doctora, y la única de quien he oído hablar en esta ciudad tiene una fama digamos *dudosa*. Si he de serle sincera, me daba usted miedo. Pero después llegué al límite de mi resistencia; ya no podía seguir soportando los tratamientos del doctor Roberts. Me aplicaba sanguijuelas en la vagina y las dejaba allí hasta que le imploraba que me las quitase. Llegué a la conclusión de que prefería la muerte a permitir que me volviera a tocar. Por último, Elsie me convenció de que acudiera a usted. Y usted obró el milagro.

—Mi único milagro, señora Gant, ha consistido en el hecho de ser mujer.

—Poder hacer lo que usted ha hecho, doctora, es un don extraordinario. Cuando yo era más joven, antes de casarme, hubiera deseado hacer lo que usted, pero todo se quedó en un sueño porque en mi mundo solo había un camino para mí —la tristeza de su voz confirió al momento un tono de intimidad; Samantha intuyó que aquella joven le estaba confesando algo que jamás había revelado a nadie—. Por favor, no me interprete erróneamente, doctora, quiero mucho a mi marido y tengo una vida maravillosamente colmada. Pero a veces, cuando me siento a contemplar la bruma que desciende sobre la bahía, me pregunto...

Las sombras se estaban alargando sobre la alfombra; Samantha miró el reloj que estaba dando la hora en la repisa de la chimenea.

Hilary captó el gesto.

—La estoy entreteniendo, doctora.

—Estoy preocupada por mi hija. La he dejado al cuidado de una mujer que solo disponía de una hora y Jenny no puede cuidar de sí misma. Me encantaría poderme quedar más tiempo. ¡La verdad es que podría pasarme horas y horas a su lado, señora Gant!

Los ojos de Hilary se iluminaron de gratitud.

—Pues eso es lo que vamos a hacer. Y a partir de ahora le enviaré a todas mis amigas. Conozco a una que sufre terriblemente porque se niega a que la examine un médico varón. Creo, doctora Hargrave, que con usted se sentiría a gusto. Como yo me sentí —añadió.

Ambas se levantaron y Hilary preguntó ansiosamente:

—¿Podría usted venir a comer el domingo? Le he hablado a mi marido de usted y, al contarle lo que hizo por mí, expresó el deseo de conocerla.

—Me encantaría.

Hilary la acompañó hasta la puerta principal, donde ambas se estrecharon nuevamente la mano entre las macetas de palmas y los muebles de madera oscura, sonriendo en silencio, a modo de confirmación de lo que había ocurrido y, sobre todo, de lo que ambas intuían que iba a ocurrir en lo venidero.

Así empezó todo. Al día siguiente Kearny Street fue visitada por otro impresionante carruaje, y una elegante dama vestida de terciopelo carmesí subió apresuradamente la escalinata del consultorio de Samantha, con el rostro discretamente protegido por un velo.

Dahlia Mason contaba veintiocho años y, al cabo de siete de matrimonio, seguía sin tener hijos. La habían examinado los mejores médicos de San Francisco, y como declararan que era estéril, el ardor de su marido se había enfriado y ella tenía los nervios destrozados. Recelaba mucho de aquella doctora y temía que fuera una matasanos, pero la curación de Hilary había sido tan extraordinaria que Dahlia Mason hizo acopio de todo su valor y acudió al consultorio.

Lo primero que descubrió Samantha fue que ninguno de aquellos médicos había procedido a un examen físico, y lo segundo fue la total ignorancia de la señora Mason en lo referente a la mecánica de la concepción. Tras examinarla y descubrir que tenía desviada la matriz —hecho que los demás médicos desconocían porque no la habían reconocido—, Samantha trazó un sencillo diagrama y le explicó por qué impedía la fecundación aquella anomalía. Su consejo fue muy sencillo:

—Permanezca tendida boca arriba por lo menos media hora tras haber mantenido relaciones íntimas con su marido y no se haga ninguna irrigación, como tiene por costumbre. No puedo garantizarle que con eso quede embarazada, porque su infertilidad puede deberse a otras causas, pero si ese fuera el único problema, no hay razón para que no pueda usted tener hijos.

Dahlia Mason se marchó muy poco convencida, porque la doctora Hargrave no le había recetado ni medicinas amargas ni hecho nada que atestiguase una intervención tangible, y la idea de que algo tan serio se pudiera resolver de una manera tan simple le indujo a pensar que aquella visita había sido una pérdida de tiempo. Aun así, Dahlia siguió el consejo de Samantha en su próximo contacto íntimo con su marido, pensando que no tenía nada que perder, y después lo siguió practicando, hasta descubrir que estaba encinta.

La noticia se publicó en las páginas de sociedad de los periódicos y Samantha Hargrave se vio nuevamente convertida en un personaje célebre.

Sin embargo, no fue el humilde milagro que había obrado en Dahlia Mason lo que catapultó a Samantha, casi de la noche a la mañana, hasta la alta sociedad de San Francisco, sino que ello se debió más bien a su amistad con Hilary Gant. Unidas por una mutua necesidad y una innegable atracción, cada una de ellas suplía una ausencia en la vida de la otra, de modo que Samantha acudía a menudo a la mansión de Nob Hill, donde acabó por familiarizarse con la curiosa aristocracia de San Francisco.

Era gente que carecía de finura y elegancia innatas y sus alardes de riqueza resultaban vulgares por más que trataran de imitar a una clase social de la que nada sabían. La alta sociedad de San Francisco era advenediza, entusiasta y flexible, ágil, proyectada hacia el futuro y orgullosa de sus humildes orígenes. Darius Gant, el marido de Hilary, constituía un prototipo: una especie de enorme oso rudo y simpático que había hecho su fortuna en las minas de Virginia y en las mesas de juego. El padre de Hilary, un emigrante que había llegado en el vapor *California*, era uno de los fundadores de la aristocracia de San Francisco, tenía puestas muchas esperanzas en su hija mayor, pero, cuando ella se enamoró de aquel ostentoso y vulgar millonario, se dio por vencido, admirando a regañadientes la sencilla honradez de aquel hombre. También a Samantha le resultó simpático desde un principio. Darius tenía inversiones en todos los campos de la prosperidad californiana: viñedos, tabaco, ostras, ferrocarriles y, últimamente, las naranjas de Los Ángeles. Era un hombre fascinante, llamativo y generoso que protegía las artes y gustaba de exhibir su interés por las tendencias más recientes. Pero, en su fuero interno, Darius Gant seguía siendo un pobre campesino que había acudido a California con un sueño y aún seguía riéndose en voz alta durante la representación de *Las bodas de Fígaro*.

Samantha procuraba ver a Hilary cada semana y con ella disfrutaba de unos ratos de ocio que no conocía desde su época de vagabundeos por el Crescent en compañía de Freddy. Juntas visitaron lugares de San Francisco cuya existencia Samantha ignoraba. Hilary se desvivía por su nueva amiga: fueron a ver al señor Isaac Magnin y encargaron un nuevo vestuario para Samantha, y después visitaron la «City of Paris» en busca de accesorios y ropa interior; sin embargo, cuando pasaron por Gump's para comprar una vajilla de porcelana, y a Shreve y Compañía para adquirir una pluma estilográfica, Samantha decidió poner término a aquel derroche. Hilary iba con Samantha a montar a caballo al Golden Gate Park, donde cabalgaban alternando sillas —una con la perilla a la derecha y otra con la perilla a la izquierda— para adquirir un desarrollo muscular simétrico, tras lo cual Samantha trabó conocimiento con el nuevo y popular deporte del tiro con arco, que era la gran afición de Hilary. Y puesto que las nuevas amigas son a menudo como los nuevos amantes, ambas acabaron muy pronto por reunirse todos los lunes, y finalmente por almorzar en un discreto restaurante de Montgomery Street al que podían acudir damas solas.

En Chez Pierre Samantha aprendió a abrirle el corazón a su nueva compañera y a manifestarle sus inquietudes interiores y sus preocupaciones profesionales.

—Tus amigas, Hilary —dijo, mientras tomaban unos bocadillos de pepinos y saboreaban té Oolong—, insisten en que me mude de consultorio. Dicen que no les gusta visitar aquel barrio. Supongo que no se lo puedo reprochar, pero, si me mudo, ¿cómo podré atender a mis pacientes de la clase trabajadora? Si instalo el consultorio en la parte alta de la ciudad, tendrán gastos de transporte. Ahora estoy cerca de ellas y me tienen a mano. Yo opino que les resulta más fácil a tus amigas venir a verme que a mis pacientes más pobres acudir a un nuevo consultorio.

—Pues no te mudes —contestó Hilary sencillamente.

—Lo malo es que ese no es el único problema. La consulta ha aumentado tanto que apenas puedo atenderla. Tengo que rechazar muchas operaciones importantes. Las más sencillas las puedo practicar, pero los casos más delicados los tengo que confiar a otros médicos, porque carezco de certificado, y no sabes cuánto lo lamento.

Hilary asintió. Sabía que Samantha no había obtenido el certificado del St. Brigid's y conocía la razón. Le parecía una estupidez que, por un puro trámite, una maravillosa cirujana no pudiera trabajar en los hospitales de San Francisco. Mientras ambas hablaban y comían, a Hilary se le empezó a ocurrir una idea.

Samantha añadió:

—¡Y la epidemia de ignorancia que sufren mis pacientes es terrible! Y no solo entre las mujeres de la clase baja, Hilary, sino también entre tus amigas. ¡Te sorprendería saber que muchas de ellas creen que un collar de dientes de ajo evita los embarazos! ¡Conozco a una mujer que piensa que si permanece absolutamente inmóvil durante el acto sexual y procura no gozar, no concebirá! —Samantha tomó un sorbo de té sin saborearlo—. No sé, Hilary, si habría algún medio de instruirlas. En estos momentos tengo tanto que hacer que solo puedo examinar y recetar. No dispongo de tiempo para sentarme y hablar individualmente con ellas, como yo quisiera.

Hilary tomó otro bocado y dijo:

—Mi querida Samantha, la solución es muy sencilla y tan evidente como la nariz que tienes en la cara.

—¿Y cuál es esa solución?

—Funda un hospital.

—¿Que haga qué? —preguntó Samantha, parpadeando.

Emocionada por su súbita y brillante ocurrencia, Hilary empezó a hablar apresuradamente.

—Un hospital. *Para* mujeres y dirigido *por* mujeres. Podrías hacer todas las operaciones que quisieras, contratar a un equipo médico y disponer de tiempo para asesorar a las pacientes. En realidad es muy sencillo, querida. ¡Me asombra que no se nos haya ocurrido antes!

Samantha contempló el sonriente rostro de Hilary y, de repente, todo le pareció muy claro, como cuando se disipan las nubes y aparece el sol: la inquietud que había experimentado al abandonar la Misión para regresar a casa. Eso era lo que le faltaba en la vida: un nuevo paso, un nuevo reto que diera sentido a su existencia.

—¡Mi propio hospital!

—Podrías fijar tus propias normas, contratar a quien quisieras...

—Un programa de internos, preparación de enfermeras, vacunaciones gratuitas, asesoramiento. Oh, Hilary, ¿podemos hacerlo?

—¡Pues claro que podemos!

Ambas se estrecharon las manos sobre la mesa. La corriente que se transmitieron les produjo un sobresalto y, en aquel instante, Samantha y Hilary comprendieron por qué razón sus caminos se habían encontrado; ese era su objetivo mutuo, su razón de ser y, en aquella décima de segundo, ambas tuvieron la misma visión y también la certeza, sin necesidad de expresarlo con palabras, de que su plan alcanzaría el éxito, de que *ellas* alcanzarían el éxito.

4

—Jamás lo conseguirá, doctora Hargrave. Todo ese plan es infactible, irrealizable.

Samantha miró fijamente al hombre que le estaba

hablando. LeGrand Mason, el marido banquero de Dahlia, era un hombre rechoncho, como un tonel, muy aficionado a hacer afirmaciones capaces de demostrar que él era la autoridad última en todas las cosas. Sin embargo, lo que molestaba a Samantha en aquellos momentos no eran sus modales sino el hecho de que le estuviera repitiendo lo que ya le habían dicho Darius y también Stanton Weatherby, el abogado de los Gant. Los tres expertos financieros habían estudiado por separado su plan y decretado que era inviable.

Samantha se levantó del sillón, cruzó la estancia y se acercó al mirador. Era tarde y la ciudad se hallaba envuelta en la niebla; a través de la bruma y desde su invisible lugar de origen, se oía el doliente mugido de la sirena de aviso de Fort Point. Prestando cuidadosa atención durante un minuto, se podía adivinar, por la duración de sus silbidos, la posición del banco de niebla. Samantha se estremeció y se frotó los brazos, a pesar de que en el salón de los Gant ardía alegremente el fuego de la chimenea.

Ella sabía que el frío le nacía de dentro. Del temor de que su sueño tan reciente estuviera a punto de morir.

Desde el instante de su concepción en Chez Pierre, el hospital había estado luchando por sobrevivir. Samantha y Hilary, tras estudiar la estructura y modalidad de gestión de varios hospitales del país, habían preparado un estudio financiero. Pero sus cálculos resultaron excesivamente desequilibrados: demasiados gastos y muy pocos ingresos. LeGrand Mason le había demostrado con cifras que, en menos de seis meses, la Enfermería para Mujeres y Niños de San Francisco iría a la bancarrota.

—Nadie va a invertir en un negocio abocado al fracaso —dijo ahora a su espalda—. Si cobra las visitas a los pacientes, tendrá todos los inversores que quiera.

—Señor Mason —contestó ella, volviéndose para

mirarle—, es ridículo esperar que un hospital benéfico obtenga beneficios. Nuestro respaldo económico, señor, tiene que proceder no de los inversores sino de los *donantes*.

—Eso no es posible. Conseguirá usted sin duda que los Crocker y los Stanford entreguen sumas de dinero para la fundación del hospital, pero no puede esperar que sigan entregando dinero con regularidad. Ese hospital es una carga económica insoportable, doctora. Tiene usted que obtener beneficios.

—Los beneficios, señor Mason, serán vidas humanas.

Mason miró a Darius en busca de apoyo y este dijo:

—Samantha, podrías reunir el dinero que hace falta para poner en marcha el hospital, pero jamás conseguirás mantenerlo en funcionamiento. Y entonces ni siquiera tendrás los beneficios de las vidas humanas.

—Se puede hacer, Darius. Yo administraré el dinero.

—¿Cómo?

—Hilary y yo tenemos algunas ideas. Bazares benéficos, rifas, campañas de suscripción. Y como es lógico, pensamos pedir una subvención al Estado.

—Con eso no cubrirás más que los gastos de un mes.

—Muy bien, ya nos ocuparemos después de los once restantes.

Darius sacudió la cabeza y clavó de nuevo los ojos en el fuego de la chimenea. Le gustaba Samantha Hargrave, admiraba su ánimo y su optimismo (en privado, le había dirigido su mejor cumplido: estaba tan capacitada como un hombre), pero su obstinación le irritaba. Y, además, se la había contagiado a su mujer. Desde que ambas eran amigas, también Hilary se había vuelto un poco terca.

El silencio llenó la estancia mientras sus cinco ocupantes se sumían en sus propias reflexiones sobre el fondo de las sirenas que con sus avisos mantenían alejados a los barcos de las rocas de la bahía. LeGrand Mason se encontraba de pie junto a la chimenea, tabaleando impaciente en la repisa. No era contrario a la idea de la Enfermería, es más, desde que la doctora Hargrave había obrado el milagro del embarazo de Dahlia, LeGrand se desvivía por ayudarla en su maravillosa labor. Pero lo malo era que Samantha no estaba haciendo las cosas como era debido. Él era el banquero, el experto. ¡Nada menos que un hospital benéfico! A los Stanford y a los Crocker ya acudían en demanda de ayuda todas las organizaciones benéficas de San Francisco —refugios para animales, residencias para marineros ancianos, orfanatos—, y ahora aquello. Si por lo menos pudiera convencerla de cobrar las visitas a los pacientes...

El tercer caballero presente en el salón estaba absolutamente encantado con Samantha. Stanton Weatherby, abogado de los Gant, era un cortés y encantador viudo de cincuenta años que, al morir su esposa, quince años antes, había llegado al convencimiento de que nunca podría haber otra mujer para él. Pero, tras haber conocido a la doctora Hargrave unas semanas atrás, no había tenido más remedio que revisar aquel convencimiento.

—En cualquier caso —dijo Darius, agitándose en su asiento—, aún no disponemos de un lugar donde construir la Enfermería, y en tanto no lo hayamos encontrado, todas las discusiones acerca del dinero serán ociosas.

—Pero si ya lo hemos encontrado —dijo Hilary alegremente.

Los tres hombres se volvieron hacia ella. Hilary miró primero a Samantha con cierto nerviosismo (ambas estaban ya preparadas para aquel momento) y después añadió rápidamente:

—En realidad no solo hemos encontrado un lugar sino también un *edificio* tan perfecto que cualquiera diría que fue construido pensando en la Enfermería. Y está muy bien situado, muy cerca de las líneas de tranvías, en el mismo centro de la ciudad y, por consiguiente, de fácil acceso para los enfermos.

—¿Dónde está? —preguntó LeGrand.

—En Kearny Street.

Los tres hombres guardaron silencio. Después Darius preguntó:

—¿A qué altura de Kearny?

—No lejos de Portsmouth Square.

—¿De qué edificio se trata? —insistió él, arqueando las cejas.

—De la Jaula de Oro —contestó ella, entrelazando firmemente las manos sobre el regazo.

—La Jaula... —balbució Darius, levantándose de golpe—. Dios bendito, ¡no hablarás en serio!

LeGrand, pensando que las damas les estaban gastando una broma, se echó a reír; pero su expresión se modificó enseguida. *Hablaban en serio.*

—Señora —rugió Darius—, ¿acaso se ha vuelto usted loca?

—Por favor, no grites, querido. La Jaula de Oro es un edificio perfecto para nuestro hospital —prosiguió muy tranquila—. Samantha y yo lo hemos visitado con mucho detenimiento. El piso superior será estupendo para alojar a las enfermeras, y hay montacargas para subir la comida desde la cocina...

—¡Señora Gant! —exclamó Darius—. ¿Quiere decir que ha *pisado* usted ese lugar?

—Íbamos acompañadas, Darius.

—¿Por quién?

—Por el corredor de fincas.

Darius descargó un puño sobre la repisa de la chimenea, haciendo brincar el reloj de similor.

—¿Ha perdido usted el juicio, señora?

LeGrand apoyó una mano en el brazo de Darius, para calmarle, y dijo serenamente:

—Un momento. Vamos a ver si las entiendo a ustedes correctamente, señoras. La Jaula de Oro está en venta y ustedes dos, acompañadas por el corredor de fincas, acudieron a verla, ¿no es así?

—En efecto.

—Pero, mis queridas señoras, ¿se dan ustedes cuenta de que...?

—Señor Mason —terció Samantha muy tranquila—, sabemos lo que es la Jaula de Oro, pero no podemos permitir que ello influya en nuestros planes. El caso es que el edificio está en venta y que resulta muy adecuado para la Enfermería.

—No —dijo Darius.

Todo el mundo le miró.

Él se volvió despacio, con expresión decidida.

—Está fuera de toda discusión.

—Pero, Darius querido...

—El tema está cerrado, señora.

Samantha se mantuvo perfectamente inmóvil en su sillón, sabiendo que el menor movimiento traicionaría su contrariedad. Ella y Hilary ya habían previsto aquella posibilidad. Es más, habían estado aplazando el momento de anunciárselo a los hombres, que iban a ser los miembros del consejo de administración de la Enfermería, hasta que se les presentara una ocasión favorable. Pero la verdad es que nunca había una ocasión favorable para comunicar una noticia como aquella. La propia Hilary, hacía apenas una semana, mientras ambas almorzaban en Chez Pierre, se había escandalizado ante la sugerencia de Samantha de convertir en hospital una conocida casa de lenocinio. Pero Hilary se dejó convencer. Con aquellos hombres, en cambio, no habría manera.

Samantha ya se estaba acostumbrando a ver expresiones escandalizadas. Cuando al acudir a su despacho habían dicho al corredor de fincas que deseaban examinar el edificio: sorpresa por parte de este, de sus socios y de su secretario. Después, el cochero que les había conducido hasta allí y había ayudado a las damas a descender del vehículo. Y más tarde, el portero (porque la Jaula de Oro aún estaba en funcionamiento); los hombres sentados alrededor de las mesas de juego; los camareros; el pianista; y finalmente, «Choppy» Johnson, el propietario.

Samantha y Hilary lo pasaron muy mal bajo las groseras miradas (¿acaso pensaban que eran futuras «anfitrionas»?), pero Choppy Johnson, a pesar de su mala fama y de sus siniestras amistades, se comportó como un caballero y procuró que la reunión tuviera un aire puramente comercial. No pudieron efectuar una visita completa porque muchas de las habitaciones estaban ocupadas, pero Samantha lo examinó todo con ojo profesional. Las habitaciones que ahora ocupaban las chicas serían perfectas para las enfermeras y los médicos residentes; el trastero de arriba, lleno de ruedas de ruleta, descoloridos cuadros de desnudos y sillas rotas, podría convertirse en una estupenda sala de operaciones. La Jaula de Oro era un establecimiento de lujo; Choppy Johnson había procurado que sus clientes gozaran de toda clase de comodidades: tenía las más modernas instalaciones sanitarias; instalación de gas por todas partes, cocinas económicas niqueladas y un depósito para agua caliente. Los ojos de Samantha lo recorrieron todo sin ver a las mujeres con vestidos de lentejuelas y medias de malla, la barra de caoba y latón, los cortinajes de terciopelo rojo, los hombres que las miraban con lascivia; en lugar de todo eso, sus ojos vieron hileras de pulcras camas, almidonadas enfermeras, carritos de ruedas con suministros. Las obras de acondicionamiento serían bastante sencillas. Un equipo de mujeres armadas de cubos y de productos de limpieza...

—¿Cuál es el precio? —preguntó LeGrand—. No sabía que Choppy Johnson hubiera puesto a la venta su establecimiento.

—Pide veinte mil.

—Parece un precio muy alto —dijo LeGrand, cuya analítica mente efectuó una rápida evaluación.

—Es que incluye en ello el «fondo de negocio» —señaló Samantha con una sonrisa.

—Pues claro. Choppy puede garantizar la existencia de una asidua clientela...

—¡Maldita sea! —exclamó Darius—. ¡No quiero seguir hablando de semejante establecimiento en presencia de señoras!

—Piensa en él como si fuera un hospital, querido —dijo Hilary.

Al ver que su marido le dirigía una mirada de reproche, Hilary se ruborizó.

Se había pasado de la raya y, una vez los invitados se hubieran marchado, recibiría una regañina.

—Un hospital tendría que levantarse en una zona de aire puro —dijo LeGrand—. Yo pensaba que elegirían ustedes el sector de Richmond.

—Señor Mason —dijo Samantha—, un hospital tiene que estar en un lugar que resulte cómodo para los pacientes. Muchas de las mujeres que acuden a mi consultorio no pueden pagar un billete de tranvía, y tampoco pueden abandonar su trabajo tanto tiempo. Por eso resulta ideal la Jaula de Oro.

—Tiene razón, Darius.

Todo el mundo se volvió para mirar a Stanton Weatherby, que hasta ese momento no había abierto la boca. Él le dirigió una amable sonrisa a Samantha.

—Creo que su propuesta es muy razonable, doctora.

—Gracias, señor —dijo ella, devolviéndole la sonrisa—. Si pudiera usted convencer a estos caballeros de que, por lo menos, examinaran...

—¡De ninguna manera! —exclamó Darius.

—Me pregunto por qué vende Choppy —dijo LeGrand.

—Nos explicó que quiere retirarse. Va a irse a vivir con su hermano, a Arizona.

—¿Retirarse? Pero si Choppy no tendrá más allá de cincuenta años.

Eso pensó también Samantha hasta que Choppy se acercó a la luz que penetraba por las ventanas de su despacho y vio la increíble palidez de su semblante, sus ojeras, las mejillas chupadas y la forma en que se frotaba el estómago con aire distraído. Choppy Johnson estaba muy enfermo.

—Jamás conseguirá usted reunir los veinte mil dólares —dijo LeGrand.

—Creo que podré conseguir que lo deje en dieciocho mil.

—No veo por qué. Hay en esta ciudad muchos... mmm... hombres de negocios que gustosamente le pagarían los veinte. ¿Por qué iba a vendérselo por menos a una persona que piensa clausurar el establecimiento?

Samantha también lo había pensado. Sobre el escritorio de tapa corredera de Johnson, Samantha había visto varios opúsculos en los que se invitaba a los pecadores al arrepentimiento. Sospechaba que la cercanía de la enfermedad y, por consiguiente, de su comparecencia ante el Sumo Hacedor, le habrían inducido a arrepentirse.

—Cuando le expusimos nuestras intenciones —replicó Samantha—, nos dijo que esperaría una semana antes de estudiar otras ofertas.

—¿Y que lo dejaría en dieciocho mil?

—Bueno, eso no llegó a decirlo.

—Mmmm.

—Es inútil seguir discutiendo —terció Darius—. ¡Me niego a mantener tratos con un hombre como Choppy Johnson, aunque sea en nombre de una buena causa, y a que mi dinero vaya a parar a unos bolsillos corruptos!

—Es usted un poco testarudo —dijo Stanton—. A mí me parece una digna inversión. Y creo que lo menos que podríamos hacer es echar un vistazo al edificio.

—Desde luego, sería fácil convertirlo en hospital —dijo LeGrand, y enrojeciendo inmediatamente, se apresuró a añadir—: Bueno, a juzgar por lo que nos han dicho las damas.

Al finalizar la reunión, algunos minutos más tarde, Stanton Weatherby se ofreció a acompañar a Samantha en su coche. Mientras el vehículo avanzaba lentamente entre la niebla, Samantha se sumergió en sus pensamientos y su acompañante tuvo ocasión de observarla. Cada vez que veía a Samantha, pensó Stanton, la admiraba un poco más.

Stanton Weatherby, que no aparentaba sus cincuenta años, era elegante y apuesto y lucía bigotes y una cuidada barba. Resultaba, además, un hombre de gran encanto e ingenio.

—Un viejo dicho afirma, doctora Hargrave —expresó por fin—, que un comité es un grupo de hombres que individualmente no pueden hacer nada, pero que se reúnen y llegan colectivamente a la conclusión de que nada puede hacerse.

Ella dejó a un lado sus pensamientos.

—¿Decía usted? O, disculpe, señor Weatherby. Tenía grandes esperanzas de que esta velada resultara más positiva. No sabe usted lo bien que se adaptaría la Jaula de Oro a nuestros propósitos.

Él parpadeó complacido. Semejante determinación resultaba de lo más atractiva en una mujer tan joven y agraciada. Se sentía cautivado por ella.

—No tema, querida señora. Yo hablaré con Darius. Y entretanto le aconsejo que siga adelante y trate de reunir el dinero.

—Gracias, eso voy a hacer —después, Samantha añadió con una sonrisa—: Le agradezco su apoyo.

Él le devolvió la sonrisa, pensando: ¿Por qué demonios no está casada? Después carraspeó y preguntó con aire indiferente:

—¿Me permite el atrevimiento de preguntarle si ya ha visto usted la Victoria Regina en el parque Golden Gate? Dicen que es la flor más grande del mundo: mide un metro y medio de diámetro.

—Lo siento, no he tenido ocasión de ello, señor Weatherby.

—En tal caso, tal vez me conceda usted el honor de permitirme acompañarla alguna tarde, ¿un domingo quizá?

—Por desgracia, señor, el domingo es mi día más ocupado. Muchas de mis pacientes son trabajadoras y tengo que atenderlas en sus horas libres.

—Ya veo. Sí, bueno —dijo él, tirando de sus guantes de cabritilla—. En cualquier caso, doctora Hargrave, le ruego que no se preocupe por la Jaula de Oro. Puedo casi garantizarle que lograré convencer a Darius.

Darius se mantuvo en sus trece. Le echó un severo sermón a Hilary y acabó prohibiéndole participar en el plan de compra de la Jaula de Oro. Como consecuencia de ello, Hilary decidió desafiar a Darius y en ese momento se encontraba en compañía de Samantha frente a la impresionante mansión de piedra arenisca de James Flood. Era la segunda vez en su vida que Hilary desobedecía las órdenes de su marido; y tenía el presentimiento de que no iba a ser la última.

—Bien —dijo Samantha, tachando a los Flood de la lista de su cuaderno—. Nos falta mucho todavía.

Hilary frunció el ceño. En tres días, habían visitado a casi todos los representantes de la aristocracia de Nob

Hill, y hasta el momento casi nadie había querido intervenir para nada en la compra de uno de los más célebres establecimientos de San Francisco. A pesar de su amistad con Hilary, no podían aprobar su proyecto; la mala fama que tenía la Jaula de Oro desde hacía cincuenta años, resultaría perjudicial para la Enfermería, dijeron, y, además, el barrio era malo y casi todas las pacientes serían, sin duda, mujeres de dudosa moralidad. Ninguna mujer que se respetara, por pobre que fuese o por enferma que estuviera, querría ir a la Enfermería, añadieron.

—Dentro de tres días Johnson venderá el edificio a otra persona —dijo Hilary, enfurecida—. Ojalá yo dispusiera de dinero, Samantha. Mi padre me dejó una herencia muy cuantiosa, pero todo está a nombre de Darius.

—Todavía no podemos darnos por vencidas, Hilary. Bueno, ¿te parece que vayamos a visitar a la señora Elliott?

Hilary miró al otro lado de la calle y contempló la especie de castillo con torrecillas que se levantaba al otro lado de una valla de noventa metros de longitud. La mansión de los Elliott era la primera y la más antigua de Nob Hill, y se elevaba al final de California Street como una fortaleza medieval. Sin embargo, se hallaba envuelta en el misterio y el silencio. Era la única casa que Hilary no había visitado jamás, y pocas eran las personas de la alta sociedad de San Francisco que lo habían hecho. Su única moradora era la señora Lydia Elliott, una mujer muy anciana que se había trasladado a San Francisco, procedente de Boston, hacía varias décadas, cuando era esposa de un buscador de oro analfabeto. James Elliott, una legendaria figura de San Francisco, había muerto hacía veinticinco años en el transcurso de un duelo a orillas del lago Merced, no sin antes haber dejado en herencia a su viuda e hijo una considerable cantidad de acciones de los ferrocarriles. El día del duelo la señora Elliott había mandado colgar una corona negra en la puerta principal y nunca había vuelto a salir. Acerca de su único hijo corrían vagos rumores, pero nadie sabía a ciencia cierta qué había sido de él.

—Dudo que nos reciba, Samantha. Dicen que no le gustan las visitas.

—Podemos intentarlo.

Mientras avanzaban por la empinada calzada —dos elegantes jóvenes con capelinas de nutria y largas faldas rectas ajustadas a la cintura—, Samantha y Hilary experimentaron la extraña sensación de que alguien las estaba observando. Pero las cortinas, corridas sobre las ventanas desde hacía veinticinco años, no se movieron y la casa ofrecía un aspecto extrañamente desolado. No había jardineros ni coches e incluso los pájaros parecían mantenerse alejados de la finca.

—Es posible que ni siquiera esté viva —murmuró Hilary.

Samantha levantó el pesado picaporte y lo dejó caer. El polvo de la vieja corona cayó como una lluvia sobre el umbral. Mientras Hilary decía en voz baja: «Vámonos», se abrió la puerta y, para su inmenso asombro, apareció ante ellas un majestuoso mayordomo impecablemente vestido.

—¿Qué desean?

Hilary le explicó brevemente el propósito de su visita y después le entregó su tarjeta. Mientras tomaban asiento en el espacioso vestíbulo, observando cómo el mayordomo se retiraba con la tarjeta depositada en una bandeja de plata, Samantha y Hilary miraron a su alrededor con ojos muy abiertos.

—Es... precioso —murmuró Hilary—. Y todo está muy limpio.

Samantha contempló las relucientes arañas de cristal, las superficies de las mesas, los espejos y los jarrones.

Regresó el mayordomo y, para su mayor asombro, las acompañó a un pequeño salón amueblado con mucha elegancia y exquisito gusto. Se sentaron y esperaron; minutos más tarde apareció la señora Elliott.

Caminaba encorvada, con ayuda de un bastón, y su rostro era todo un mapa de arrugas; parecía muy vieja, pero sus ojos revelaban una mente ágil y despierta. Llevaba el blanco cabello meticulosamente peinado con raya en medio, cubriéndole los oídos y recogido en un moño en la nuca y, mientras cruzaba la estancia, se escuchó un crujido procedente no de sus articulaciones, sino del miriñaque que abombaba su vestido negro. Al igual que su peinado, su atuendo era anticuado y seguía un estilo que no se llevaba desde la guerra civil, pese a resultar claro que había sido confeccionado recientemente, como si la señora Elliott estuviera desafiando el paso del tiempo y tratara de detenerlo.

Una vez hechas las presentaciones (los ojillos parpadearon al oír la palabra «doctora»), la señora Elliott dijo:

—Rara vez recibo visitas, ¿saben?, pero eso se debe a que vienen muy pocas personas últimamente. El mayordomo me ha dicho que quieren hablarme de un hospital benéfico, ¿verdad?

Hilary empezó a exponerle el proyecto y la señora Elliott pareció escucharla con interés; sin embargo, cuando Hilary se refirió a la compra de la Jaula de Oro, la anciana palideció.

—Deténgase —dijo—. No siga. Deseo que se vayan. Charney las acompañará.

—Pero, señora Elliott... —balbució Hilary mientras la anciana se levantaba.

—Joven —contestó ella, golpeando el suelo con el bastón—, ¿cómo se atreve a venir a mi casa y hablarme de ese lugar? Cuando Charney me informó del propósito de su visita, les abrí mis puertas. Ahora ustedes han traicionado esa confianza. Deseo que se vayan inmediatamente.

—Señora Elliott —terció Samantha rápidamente—, siento que la hayamos ofendido, pero la Jaula de Oro es tan perfecta para nuestro...

—¿Ofenderme? —gritó la anciana—. ¡Me han abierto una herida y le han echado sal!

Samantha y Hilary la miraron fijamente.

—¡Ahí tienen! —gritó la anciana con voz trémula, señalando un retrato colgado sobre la chimenea—. Mi marido. Abatido por el disparo del propietario de un establecimiento como la Jaula de Oro. Era la época de la milicia civil, pero aquel hombre jamás compareció ante la justicia. ¡Dijeron que fue un duelo en el campo del honor!

—Lo lamento, señora Elliott.

—¿Que lo lamenta? Eso no me devolverá a mi pobre marido. Ni a mi hijo. Y ahora váyanse inmediatamente, por favor.

Hilary se dispuso a obedecer, pero Samantha se quedó en su sitio.

—¿Qué le ocurrió a su hijo, señora Elliott? —preguntó suavemente.

Las lágrimas asomaron a los inquietos ojos y la anciana volvió a hundirse en su sillón. Su voz sonó como de lejos.

—Solía acudir allí. Yo lo ignoraba. No fue fácil educar sola a mi hijo tras la desaparición de mi marido. Philip acudía allí casi todas las noches. Y entonces conoció a aquella pelandusca y ella trastornó su ingenua cabeza.

Samantha y Hilary permanecieron inmóviles y en silencio.

—La Jaula de Oro mató a mi Philip —añadió la mujer en tono distante—. Era un buen chico, pero se dejaba arrastrar con facilidad. Le enseñaron a jugar y a beber. Después una de aquellas mujeres le dijo que estaba esperando un hijo suyo. Philip hizo lo correcto y se casó con ella. Pero no hubo ningún hijo. Ella se gastó su dinero y después se fue con otro hombre. Philip se pegó un tiro.

Samantha y Hilary se la quedaron mirando un instante, y después Hilary dijo suavemente:

—Lamentamos haberla molestado, señora Elliott.

—Señora Elliott —agregó Samantha—, esta es su ocasión de vengar a Philip.

La anciana levantó la cabeza y dijo en tono fatigado:

—Váyanse, por favor. Lo hecho, hecho está. Nada puede cambiar el pasado.

—Lo sé, señora Elliott, pero, si compramos la Jaula de Oro y la convertimos en hospital, podremos evitar que ocurran semejantes tragedias en el futuro.

—No quiero tener nada que ver con ese despreciable lugar. No le daré dinero al hombre que es su propietario —se levantó con gesto comedido, se acercó renqueando al cordón de la campanilla y, tirando de él, añadió—: Han exhumado ustedes recuerdos dolorosos y me han traído unos desdichados fantasmas. En adelante seré más cuidadosa con las personas que acudan a esta casa.

—Señora Elliott —dijo Samantha casi en tono suplicante—, si nosotras no compramos la Jaula de Oro, se encargará de hacerlo otro Choppy Johnson y otros Philip Elliott sufrirán como su hijo. Esta es su oportunidad de librar a San Francisco de un mal que la agota desde hace demasiado tiempo. ¿Qué mejor justicia que tomar un lugar en el que las mujeres son humilladas y convertirlo en un lugar para curarlas?

—Salgan de mi casa inmediatamente —replicó la señora Elliott, mirándola con dureza.

Mientras bajaban por el camino particular de la mansión, Hilary dijo:

—No hubiéramos tenido que insistir, Samantha. La pobrecilla hubiera podido sufrir un ataque.

Samantha estaba trémula y su temblor se había transmitido incluso a la larga pluma de su sombrero. Se detuvo junto a la verja de cara al viento, mirando, sin verlas, el agua cubierta de cabrillas de la bahía y las esponjosas nubes que coronaban las verdes colinas de Marin.

—Tiene que haber algún medio de hacerles entrar en razón.

—Samantha, desistamos de comprar la Jaula de Oro. Ya encontraremos otro edificio. Tal vez convendría seguir el consejo de LeGrand y edificar el hospital en la zona de Richmond.

Pero Samantha se mostraba reacia a abandonar un proyecto que le parecía ideal. Al entrar en el salón de baile, había imaginado la sala de obstetricia; en la cocina se había representado cientos de comidas; en las habitaciones de arriba había visto los pulcros dormitorios de los médicos. Y, en la parte exterior, en lugar de la llamativa marquesina donde se anunciaba a las «anfitrionas» más bellas y complacientes de la ciudad, una sencilla placa, indicando que aquello era la Enfermería para Mujeres y Niños de San Francisco. Lo había sentido con demasiada fuerza y le había parecido demasiado perfecto para abandonarlo ahora.

—¡Señora Gant! —llamó una voz a su espalda.

Hilary y Samantha se volvieron y vieron a una criada con cofia y delantal corriendo por el camino. La muchacha se acercó jadeando y les entregó un sobre.

—La señora me ha pedido que les dé esto.

Hilary abrió el sobre. Contenía dos cosas: un cheque por veinte mil dólares y una nota en la que, en temblorosa y nítida caligrafía, se rogaba que una de las salas de la Enfermería llevara el nombre de Philip Elliott.

Con el dinero de la señora Elliott pudieron comprar el edificio, pero aún necesitaban fondos para el mobiliario, el equipo y el personal.

Se sentaron a estudiar los detalles con LeGrand Mason y Stanton Weatherby (Darius se encontraba en Los Ángeles intentando rescatar unas partidas de naranjas que se estaban pudriendo en un tren descarrilado). Esbozando un plan económico, llegaron a la conclusión de que se necesitarían diez mil dólares para cubrir los gastos iniciales y para mantener la Enfermería en funcionamiento durante doce meses, transcurridos los cuales deberían efectuarse nuevas colectas. De los diez mil, solo tenían cuatro.

Samantha y Hilary se dispusieron con gran entusiasmo a reunir los restantes seis mil dólares y, puesto que la alta sociedad seguía censurando, en su mayor parte, la compra de la Jaula de Oro, decidieron recabar la ayuda del pueblo llano.

A pesar de su confinamiento, Dahlia Mason quería ayudarlas. Al enterarse de que tenía muy buena mano para pintar exquisitas violetas, le encargaron la tarea de dibujar y escribir tarjetas de agradecimiento destinadas a las personas que entregaran donativos, tanto en dinero como en especie (un carnicero prometió una docena de pavos desplumados). Las tarjetas se pusieron muy pronto de moda y se podían ver por toda la ciudad, orgullosamente exhibidas en los salones (sobre todo, teniendo en cuenta que en ellas no se especificaba la cuantía ni la naturaleza de la donación), hasta tal punto que empezó a resultar de buen tono efectuar un regalo a la nueva Enfermería (un reloj, un vestido viejo, veinticinco kilos de sábanas usadas) y exhibir una de las tarjetas de Dahlia Mason.

Al ver que la corriente de regalos empezaba a disminuir, Samantha consiguió utilizar el espacio libre de un periódico local para la publicación de una lista de nombres de donantes, grandes y pequeños, y de ese modo las donaciones empezaron a aumentar de nuevo, obedeciendo al deseo de la gente de ver su nombre en letra impresa. Para los óbolos de cien dólares o más, se destinó una pared del vestíbulo recientemente reformado (donde los antiguos clientes solían dejar sus bastones y sombreros) y un cantero grabó gratuitamente los nombres de los benefactores. No obstante, algunos de los regalos más apreciados fueron los que se consideraban de lujo, objetos muy bonitos, pero que nunca se hubieran podido incluir en el presupuesto de la Enfermería: alfombras de nudo para los salones, jarrones para las habitaciones de las enfermeras, libros para la biblioteca y un precioso piano de cola para la sala común, regalo de Stanton Weatherby.

Mientras los obreros y los equipos de limpieza se afanaban día y noche en conferir a la Jaula de Oro un aspecto respetable, pequeños grupos de curiosos empezaron a congregarse en la acera para mirar y hacer comentarios, y Hilary nunca desaprovechaba la ocasión de pasar el platillo. Y cuando, poco a poco, fue desapareciendo el aspecto de casa de trato que había tenido el edificio, los representantes de la alta sociedad empezaron a acercarse.

A Hilary se le ocurrió entonces otra idea para allegar fondos. El plan consistía en la «ayuda a una cama», por la cual un benefactor se comprometía a costear durante un año los gastos de atención a los pacientes que ocuparan una determinada cama. LeGrand calculó los gastos: el lavado de la ropa blanca costaría treinta dólares al año; las comidas, cuarenta y ocho dólares; los servicios diarios de las enfermeras, doce centavos; y así sucesivamente. A ello había que añadir los gastos quirúrgicos y de medicamentos. Finalmente se determinó que el coste anual de mantenimiento de una cama había de fijarse en setenta y cinco dólares. Dahlia Mason, utilizando su exquisita caligrafía y pintura dorada, confeccionó rótulos que se colgarían sobre las cabeceras y en los cuales figurarían los nombres de los protectores. La idea alcanzó un gran éxito: antes de que les pusieran los colchones, las cincuenta camas ya tenían padrinos.

Hilary y Samantha dedicaban largas horas a forjar planes. Aparte de la organización del Comité Femenino, que sería un grupo especial responsable de muchas funciones de gran importancia, Hilary se hallaba ocupada en la organización de un impresionante baile para celebrar la inauguración de la Enfermería; Samantha, por su parte, se pasaba casi todo el día en la Enfermería, dirigiendo a los obreros, discutiendo con el arquitecto (este insistía en que la sala de autopsias estuviera situada junto a la de operaciones, tal como se había hecho durante siglos, mientras que Samantha quería que estuviera en el sótano). Samantha se dedicaba, además, a entrevistar a las aspirantes a los distintos puestos de trabajo.

La primera empleada contratada fue una antigua inquilina de la Jaula de Oro, una mujer de cuarenta y tantos años unida sentimentalmente a Choppy y que ya no encontraba trabajo. Samantha la contrató para la cocina. La segunda empleada fue Charity Ziegler («Enviada por el cielo, te lo juro», le dijo Samantha a Hilary), que se había trasladado recientemente a San Francisco en compañía de su marido. La señora Ziegler había sido enfermera jefe en el Hospital General de Buffalo durante seis años y no solo era una experta en la dirección de un equipo de enfermeras y en la preparación de las empleadas en período de prueba, sino que además estaba familiarizada con la «comida para enfermos» y sabía organizar los menús. Charity Ziegler fue contratada con el astronómico sueldo de seiscientos dólares anuales.

La primera interna de Samantha fue Willella Canby, una bajita y rechoncha joven que se había graduado hacía muy poco en la Facultad de Medicina Toland de la Universidad de California. Tenía muy buenas referencias, era lista y enérgica y no se echó atrás ante la idea de tener que trabajar sin paga, a cambio de comida y alojamiento.

Poco a poco, la Enfermería empezó a adquirir forma. Hilary organizó su Comité Femenino, Stanton Weatherby redactó los estatutos, se obtuvieron los permisos municipales y estatales, se completó el personal y, en julio de mil ochocientos ochenta y siete, casi un año después de haber sido concebida la idea en Chez Pierre, la Enfermería para Mujeres y Niños de San Francisco estaba a punto de entrar en funcionamiento.

Lo único que necesitaban ya eran pacientes.

El último obrero se había marchado, los últimos cubos y escobas habían desaparecido de la vista; todas las salas olían a pintura reciente y a pulimento. Había una estufa de carbón en cada planta (Samantha quería instalar calefacción a vapor, pero eso hubiera costado otros cinco mil dólares). Junto a cada cama había un cordón para llamar a la enfermera por medio de una campanilla y, a lo largo de todo el edificio se había instalado una ingeniosa cadena de tubos acústicos, como los de los barcos. Las habitaciones del piso superior estaban a punto de ser ocupadas: cada una contenía dos camas, una alfombra, un lavamanos, un tocador y un escritorio. Iban a ser ocupadas muy pronto por quince enfermeras y aspirantes a enfermeras y por las doctoras Willella Canby, Mary Bradshaw, de la Facultad de Medicina Cooper, y la doctora Hortense Lovejoy, de la

Facultad Femenina de Pensilvania, que serían las médicos residentes. Abajo, la cocina estaba limpia y a punto. En la sala común destinada a pacientes que podían levantarse había un piano, cómodas sillas, una chimenea y estanterías con libros. Al fondo del pasillo estaban las salas de exploración, la Clínica de Accidentes y el despacho particular de Samantha. Y finalmente, en el vestíbulo, por encima del mostrador de la enfermera de recepción, un gran letrero recién pintado prohibía fumar a los médicos y a los visitantes varones en cualquier zona del hospital.

La deshabitada Enfermería estaba esperando. Samantha también esperaba. Tras haberlo inspeccionado todo por última vez antes de cerrar la puerta y regresar a casa para vestirse con vistas al baile de Hilary, Samantha se detuvo en el vestíbulo. Estaba anocheciendo y el rumor del tráfico penetraba a través de la puerta abierta. Samantha se volvió lentamente, contemplando los relucientes bancos, las flores, y el cepillo de donativos, y se llenó de asombro, emoción y un poco de temor. Habían llegado hasta allí, habían alcanzado aquel extraordinario objetivo, pero no tenían garantizado el éxito. ¿Había hecho lo adecuado? ¿Olvidarían las mujeres que aquello había sido la Jaula de Oro y acudirían a ella?

Acarició la pulida superficie del mostrador y pensó en Mark. Si él pudiera estar allí en aquel momento...

Oyó un rumor a su espalda, se dio la vuelta y vio en la puerta a una mujercilla que carraspeaba tímidamente. Iba sencillamente vestida, ofrecía un aspecto cansado y se cubría la cabeza con un chal.

—¿Es usted la doctora? —preguntó.

Samantha se acercó a ella.

—El hospital se inaugura mañana. ¿En qué puedo servirle?

—Verá, doctora, yo trabajo en el mercado de las flores. No he podido venir antes.

—¿Tiene algún problema?

—Unos terribles dolores de cabeza. Desde hace un mes.

—¿Con cuánta frecuencia?

—Una vez al día. Siempre a mediodía.

—El hospital se inaugura mañana —dijo Samantha amablemente—. Si vuelve usted entonces y le dice a la enfermera lo que le ocurre, ella la acompañará a una doctora.

La mujer le devolvió la sonrisa con cierta vacilación, se inclinó en una leve reverencia y se alejó.

Samantha apoyó la mano en el picaporte y cerró los ojos. Mañana..., mañana.

5

Si se pudiera eliminar la atmósfera de la tierra y contemplar el cielo, se verían las estrellas tal como realmente son: unos puntos fijos e inmóviles de fría luz. Es muy posible en tal caso que se perdiera buena parte de su mística y su atractivo. Así veía la vida la pequeña Jennifer, con un alma pura, no manchada por los prejuicios, los temores, las mentiras y las ilusiones. Jennifer, que jamás había oído una mentira, una frase de falso halago, palabras engañosas o presuntuosas, no sabía que la gente utilizaba el habla para esconderse. Y de ese modo, cuando Dahlia Mason subió al cuarto de los niños y empezó a hacer aspavientos, comentando que el pequeño Robert solo quería dormir y que le dejaran en paz, Jenny no supo, desde su rincón, que la boca de la señora decía una cosa y sus ojos otra. La niñera oyó:

—¡Qué habitación tan bonita! ¡Ojalá mi pequeño Robert fuera tan afortunado como Merry Gant!

En cambio, la mirada de soslayo de la señora Mason dijo: ¡A mi Robert nadie le verá jamás tan escandalosamente mimado!

La boca era el foco del disfraz y apartaba la atención de la verdad que decían los ojos y de otros pequeños signos reveladores; la persona que hablaba con rapidez, la que hablaba con suavidad, la aduladora, la mentirosa eran vistas por el mundo tal como ellas deseaban ser vistas, a través de la voz, el tono y el giro ingenioso de la frase. Jennifer Hargrave jamás había aprendido a dejarse engañar por la boca: veía a la gente tal como era en realidad, y muy a menudo no le gustaba lo que veía. Dahlia Mason era una de las personas que no le gustaban, pero Jenny sabía que era inofensiva y no constituía ninguna amenaza. Sin embargo, había personas más peligrosas, y estas la asustaban. Aquella noche había en la planta baja un hombre en quien Jenny tenía que pensar.

Al dar a luz a su hija diez años atrás, Megan O'Hanrahan había echado un vistazo a la apática niña e inmediatamente la había rechazado. Como consecuencia de ello, Jenny comía solo cuando alguien se acordaba de darle la comida y los demás solo la tocaban para empujarla. La consideraban una imbécil y nadie trataba de establecer comunicación con ella. Después empezó a cubrirla la suciedad, y los objetos sucios se convierten a menudo en objetos despreciados. Jenny nunca supo lo que era el amor porque, si los niños aprenden a través de la imitación, también aprenden a través de la reciprocidad: nadie le daba nada a Jenny ni esperaba nada de ella. La niña no sabía lo que era el amor, pero tampoco conocía la tristeza, por lo cual, cuando murió su madre, Jenny no se conmovió.

Y entonces apareció como llovida del cielo aquella señora y se la llevó consigo.

Jenny estudió su nuevo ambiente con mirada perspicaz y sin el menor temor, y sobre todo contempló a la señora, una hermosa mujer que se parecía a aquellas señoras tan guapas de las pinturas que había en las mugrientas paredes de la otra casa. Unas señoras que llevaban cruces y flores y que debían haber sufrido muchísimo. Y aquella señora también debía de sufrir mucho, porque a menudo se quedaba mirando a Jenny con unos ojos muy tristes.

Jenny no amaba a la señora porque ese sentimiento no era en ella más que un germen; pese a ello, la niña tenía instintos y estaba gobernada por dos que ejercían un gran poder sobre ella: la lealtad y el sentido del peligro. Aunque no amara a la señora, experimentaba una profunda lealtad, análoga a la de un animal al que se rescata de un trance apurado y se alimenta. Y su sentido del peligro se había agudizado muchísimo en la jungla de aquella casa de vecindad. Aquella noche su pequeño cuerpo estaba dominado por estos dos instintos.

La niñera acompañó a las pequeñas hasta la mitad de la escalera, para que pudieran ver a hurtadillas la fiesta de abajo, y Jenny distinguió al hombre de cabello plateado cuyos ojos seguían a la señora por todo el salón. Jenny desconfiaba de él instintivamente.

Samantha saludó junto a la puerta del salón de baile a una invitada que había llegado con retraso: la señora Beauchamp, una viuda cincuentona que, además, era paciente suya. Vestida de negro pese a que su marido había muerto hacía veinte años, la señora Beauchamp estrechó con fuerza la mano de Samantha.

—¡Querida mía, no sabe usted lo feliz que me hace estar aquí esta noche!

Samantha sonrió. Hasta ese momento llevaba estrechadas trescientas manos, pero estaba tan fresca como si la de la señora Beauchamp fuera la primera. Samantha hubiera tenido que estar agotada, pero se sentía, en cambio, invadida por ese vigor especial que procede de un espíritu alegre. Todos habían acudido aquella noche a festejar la inauguración del hospital; era inconcebible que Samantha pudiera estar cansada.

Miró más allá de la señora Beauchamp y, al ver a Hilary cruzando el vasto salón de baile, tuvo que sonreír ante la energía de su amiga. Hilary, embarazada de cuatro meses y escandalizando a la alta sociedad por el hecho de no ocultarlo, estaba dirigiendo aquella espectacular fiesta como si fuera una simple merienda. Fría y eficiente, con su vestido de raso blanco adornado de piel de armiño (un poco vulgar, pero lo había elegido Darius), Hilary daba órdenes a los cocineros, dirigía al ejército de criados y conseguía atender amablemente a cada uno de los invitados, sintiéndose tan a sus anchas con la princesa de Hawai como con sus antiguas compañeras de escuela. Estaba en el apogeo de su gloria, una graciosa reina de arreboladas mejillas pero sin un solo rizo despeinado. Cuando miró al otro lado del salón y sus ojos se cruzaron con los de Samantha, sonrió con aire de secreta complicidad, enviándole a su amiga un mensaje particular. Aquella era su noche.

La señora Beauchamp estaba diciendo algo acerca del color de los uniformes de las enfermeras —¿no sería más adecuado un color más oscuro, en lugar de aquel azul pálido tan poco práctico?— y Samantha contestó amablemente:

—Bastante triste resulta un hospital de por sí para que encima lo hagamos todavía más triste, señora Beauchamp. Los colores alegres pueden animar a la gente y, cuando el espíritu está alegre, el cuerpo sana con más facilidad. ¿No está de acuerdo?

—Pues, sí. ¡Claro que sí!

La señora Beauchamp miró rápidamente a su alrededor en busca de los personajes famosos que le habían prometido; Samantha se percató de que su invitada había ingerido una considerable dosis de elixir del Dr. Morton antes de acudir a la fiesta. La señora Beauchamp había acudido a Samantha a causa de las varices, y aunque generalmente seguía los consejos de Samantha, en la cuestión del elixir del Dr. Morton se había mantenido en sus trece. Eso la ayudaba a superar los días «biliosos», decía ella, negando que pudiera ser tan perjudicial como Samantha afirmaba. Al fin y al cabo, se podía adquirir en las mejores farmacias; si fuera tan nocivo, no lo venderían, ¿verdad? Samantha trató de explicarle que el elixir contenía mucho opio y que ella se estaba convirtiendo rápidamente en una adicta, pero eso ofendía por demás a aquella mujer, la cual consideraba que solo las clases más bajas de la sociedad eran aficionadas a las drogas. Si una lavandera tomaba cada día una cucharada de elixir del Dr. Morton, era una drogada; en cambio, si una dama de la alta sociedad hacía lo mismo, se trataba de una medicación necesaria.

Aparecieron a continuación el señor Charles Havens y su esposa, expresándole sus mejores deseos de éxito para la Enfermería; ellos habían sufragado los gastos de la sala de operaciones. Rosemary Havens también era paciente de Samantha. Consumía arsénico desde hacía varios años, tomando dosis diarias de Solución Fowler's para dar esplendor a su tez. No obstante, a diferencia de la señora Beauchamp, Rosemary Havens había seguido el consejo de Samantha, había abandonado la Solución Fowler's y ahora se cuidaba la tez con leche de pepinos.

Mientras los Havens se dirigían a saludar a la princesa Liliuokalani de Hawai, Samantha se preguntó si podría aprovechar la ocasión para salir a tomar un poco el aire.

Aquel acontecimiento era equiparable al baile de la señora Astor; la aristocracia de San Francisco, olvidando su inicial resistencia de hacía un año, estaba festejando el triunfo de Samantha y Hilary. Mezclados con dignatarios extranjeros, políticos y nombres famosos de las artes, se podía ver a los Crocker, los Stanford y los De Young. Bebían champán Mumm y conversaban acerca de las minas de plata y las peleas de gallos de Marin. Los hombres vestían de frac y las damas lucían adornos de encajes duquesa y de Esmirna. Sin embargo, la diferencia entre aquel baile y el celebrado en las Navidades de hacía ocho años estribaba en el hecho de que Samantha era esa noche la invitada de honor: todos estaban allí por ella. Y que en aquel otro baile estaba presente Mark Rawlins.

Era el mes de julio y en el jardín de los Gant se aspiraba la fragancia de los nuevos capullos y de la hierba recién cortada. Algunos invitados habían salido también a tomar el aire, conversando suavemente bajo la luz de las lámparas del jardín y sirviéndose de las bandejas de los camareros que pasaban. Para aquella ocasión de gala, Hilary había contratado a los mejores cocineros de San Francisco, ofreciendo a sus trescientos invitados *tripes à la mode de Caen*, filetes de tortuga verde, *ragout* de pato de primavera, gambas en salsa y patas de cangrejo con salsa de jerez a la crema; las bandejas de caviar, salmón ahumado, quesos variados, fruta y nueces circulaban pródigamente entre los invitados y, según la costumbre de San Francisco, solo se servían vinos californianos, en sus garrafillas de origen. Se acercó una camarera con una bandeja llena de copas de champán y Samantha sacudió la cabeza con una sonrisa. No había vuelto a probar el champán desde su última cena en casa de Mark, hacía cinco años, y jamás volvería a hacerlo; algunas cosas tenían que considerarse especiales y quedar reservadas para el valioso pasado.

Se aproximó a un apartado banco de mármol y se sentó; sus pensamientos no estaban en el hospital ni en la fiesta que en aquellos momentos se estaba celebrando sino que, abrumada por una inmensa satisfacción nacida de su hazaña, Samantha se permitió un insólito lujo: pensar en Mark.

¡Hubiera tenido que estar allí, con ella!

—Disculpe, doctora Hargrave.

Ella levantó la mirada.

—He estado esperando el momento adecuado. ¿He elegido mal?

—¿El momento adecuado para qué, señor?

—Para presentarle mis respetos. Cuando llegué, estaba usted rodeada por un montón de gente. Yo prefiero las audiencias en solitario. Warren Dunwich, para servirle, señora.

Ella le miró intrigada. Era demasiado elegante y refinado para ser de San Francisco y, sin embargo, su acento era, sin la menor duda, de la Costa Oeste. Aunque le calculó unos cincuenta y tantos años, su aspecto era muy juvenil; el hermoso cabello plateado no le envejecía sino que más bien parecía acentuar una impresión de fuerza y vigor.

—Encantada de conocerle, señor Dunwich. ¿Es usted nuevo en San Francisco?

Él esbozó una sonrisa extraña, fría. Poseía una apostura severamente áspera, su mandíbula, sus mejillas hundidas, su fina nariz aguileña eran propias de la antigua aristocracia europea y Samantha se lo imaginó fugazmente como el dueño de un castillo en ruinas, rodeado por la lenta decadencia de la antigua nobleza.

—Soy nuevo en San Francisco cada año, señora, aunque considere que esta ciudad es mi hogar. Tengo que viajar mucho.

Warren Dunwich tenía unos ojos increíblemente azules. Eran agudos e intensos, al igual que todo su porte y, cuando se inclinaba doblando la cintura, mantenía la espalda rígida. Samantha tuvo la impresión de estar hablando con un conde.

—¿Le puedo traer algo de la mesa, doctora?

—No, muchas gracias, señor Dunwich. Tengo que regresar junto a mis invitados.

—¿Me permite entonces que la acompañe?

—¿Qué negocios le mantienen lejos tanto tiempo, señor? —preguntó ella, tomándole del brazo.

—Me dedico a muchas actividades, doctora. Pero me gustaría muchísimo oír hablar de ese extraordinario hospital, y más todavía de su fundadora.

Hilary estaba conversando con Lily Hitchcock Coit, la legendaria mascota de los Pantalones Bombachos n.º 5, cuando miró hacia el otro lado del salón. Al ver entrar a Samantha del brazo de un desconocido y riéndose como si se encontrara muy a gusto con él, arqueó levemente las cejas.

Hilary frunció los labios. ¿Cómo se llamaba aquel hombre? El cortés desconocido, socio del club privado de Darius, le causaba una impresión positiva y negativa a un tiempo: era extremadamente apuesto y ella pensaba que rico y sin compromiso; pero había algo más, algo frío y distante, que la repelía.

Se disculpó ante su interlocutora y se acercó a ellos, abriéndose paso por entre los invitados. Pudo oír algunos fragmentos de conversación y no le sorprendió que la controversia acerca de si admitir o no a pacientes de dudosa moralidad aún estuviera en pleno apogeo. Hilary no pudo por menos que esbozar una sonrisa. Por mucho que discutieran, Samantha se mantendría en sus trece. Algunos donantes habían impuesto la condición de que la Enfermería no admitiera a prostitutas ni casos de enfermedades venéreas; otro, la de que no se atendiera a las chinas ni a las mexicanas; y Samantha les había devuelto el dinero: la Enfermería estaría abierta a *todas* las mujeres.

—Pero bueno, Samantha Hargrave, ¡creo que estás en compañía de la única persona de este salón a la que tú conoces y yo no!

Samantha presentó a su acompañante y descubrió un brillo especial en los ojos de su amiga.

—Si no me equivoco, es usted socio del mismo club que mi esposo, señor. Es un placer conocerle. ¿Tendré el gusto de conocer también a la señora Dunwich esta noche?

Samantha miró a su amiga con expresión de reproche, pero ella no hizo caso. Ambas habían discutido más de una vez la soltería de Samantha. Hilary, que era una casamentera por naturaleza, insistía en que Samantha necesitaba a un hombre en su vida, y ella afirmaba serenamente que no.

—Mi esposa murió, señora —contestó el señor Dunwich—. Hace ocho años.

—¿Vive usted en San Francisco, señor Dunwich?

—Resido en Marin, pero visito con frecuencia la ciudad.

—Bien, pues, en tal caso *tiene* usted que venir a cenar alguna...

—Hilary querida, creo que Darius te está buscando.

—Ah, ¿sí? —dijo Hilary, volviéndose para mirar.

En aquel momento, Samantha experimentó una repentina sensación de vértigo. Y, curiosamente, lo mismo le ocurrió a Hilary. Mientras ambas se acercaban la mano a la frente, surgió de la tierra un sordo rumor, como el de los truenos cuando estallaban sobre la bahía, y el aire se llenó enseguida del tintineo del cristal. La orquesta dejó de tocar y cesaron todas las conversaciones. El temblor pasó rápidamente, dejando en pos de sí un pavoroso silencio; ninguno de los trescientos invitados se movió ni habló. Después se oyó un suspiro colectivo de alivio, seguido de risas nerviosas. Mientras los demás invitados reanudaban sus conversaciones, Hilary, evidentemente nerviosa, se dirigió a Samantha:

—Válgame Dios, qué fuerte ha...

La sacudida que conmovió la casa a continuación,

estuvo a punto de hacerla caer de rodillas. Esa vez el estruendo fue ensordecedor y los invitados no se limitaron a permanecer inmóviles, contemplando cómo oscilaban las arañas de cristal, sino que corrieron a buscar cobijo donde pudieron. Samantha se tambaleó, pero el señor Dunwich la sostuvo firmemente por la cintura, evitando que se cayera. Pareció durar una eternidad, pero, en realidad fue un temblor muy breve: los samovares cayeron de las mesas del bufet, el contenido de los cubos del champán se derramó en el suelo, las damas gritaron o se desmayaron.

Cuando todo hubo terminado, nadie se movió, nadie respiró, pareció como si buscaran algún signo en la atmósfera; y después con aquel instinto tan peculiar de los habitantes de San Francisco, los invitados se animaron, sabiendo que el terremoto ya quedaba atrás.

Warren Dunwich, sosteniendo todavía a Samantha por la cintura, abrió la boca para preguntarle si se encontraba bien, pero, para leve asombro suyo, ella se lo preguntó primero a él y después miró rápidamente a su alrededor. Se oyó un repentino gemido procedente del piso superior.

—¡Los niños! —exclamó Samantha, y se alejó a toda prisa.

Varias personas subieron presurosas la escalera, para dirigirse al cuarto de los niños, pero Samantha llegó primero. Merry Christmas estaba chillando en brazos de la niñera y el pequeño Robert berreaba a pleno pulmón junto al pecho de su madre. Jennifer se encontraba sentada en un rincón, con los ojos muy abiertos y el rostro impasible.

Samantha se arrodilló y estudió la cara de la niña.

—¿Estás bien, cariño? —le preguntó por costumbre.

Examinó las pupilas y el color de Jenny, buscando indicios de temor, pero no había ninguno, como si nada hubiera ocurrido.

Lo que nadie podía saber era que Jenny, en su mundo de silencio, poseía los mismos agudos instintos que los perros de los Gant, que en ese momento estaban ladrando; había percibido la llegada del terremoto y este no la había pillado por sorpresa. Samantha acarició los abundantes rizos de Jenny.

—No pasa nada, cariño, ha sido un simple temblor.

En aquel momento, Jenny levantó la cabeza y sus pupilas se encendieron al ver algo por encima de la cabeza de la señora. Samantha leyó una expresión de pánico en los ojos de la niña, se volvió y miró hacia arriba. Warren Dunwich acababa de entrar y se encontraba de pie a su espalda, mirando a Jenny. Samantha desvió la mirada y descubrió con horror una monstruosa grieta en el techo del cuarto de los niños.

—No te asustes, cariño —dijo, tomando a la niña en brazos—. El techo no se va a caer, te lo prometo.

Sin embargo, no era la grieta lo que había asustado repentinamente a la niña y, mientras permanecía pasivamente en brazos de Samantha, Jenny miró a Warren Dunwich con expresión recelosa y él, que también era un ser perceptivo, la miró a su vez y comprendió lo que había visto.

6

—Ocurre algo, doctora. No lo absorbe.

Samantha se apartó del esterilizador y se situó junto a la cabeza de la enferma.

—Pruebe otra vez —dijo mientras observaba cuidadosamente cómo la enfermera vertía unas gotas de éter en la mascarilla. La paciente se agitó bajo las sábanas y después se calmó—. Ya basta —dijo Samantha, regresando junto al esterilizador.

Era un aparato que ella misma se había inventado.

Los cirujanos que practicaban algún tipo de asepsia utilizaban el ácido fénico, pero Samantha había observado que el ácido irritaba los tejidos sensibles de los pacientes. Había leído algo acerca de una nueva técnica de esterilización que estaba empezando a emplearse —el vapor— y, tras haber experimentado por su cuenta, Samantha ideó su propio esterilizador. Era el primero de su clase, al menos que ella supiera, y estaba suscitando muchas especulaciones. Se comentaba sobre todo que el nivel de infecciones en la Enfermería estaba por debajo del promedio nacional.

Mientras sacaba los ardientes instrumentos y los colocaba en una palangana, Samantha observó que las puertas de cristal del armario situado al lado del esterilizador se habían empañado con el vapor. Tomando mentalmente nota de la necesidad de cambiar el aparato de sitio, utilizó una toalla para limpiar suavemente los cristales. Era un armario muy especial.

En sus estantes se guardaba el instrumental de Joshua. Hacía mucho tiempo que este no se utilizaba, y lo más probable era que nunca se volviera a utilizar, pues se había quedado anticuado; pero Samantha lo seguía conservando. Aquellos bonitos y antiguos instrumentos representaban para Samantha el futuro y el progreso. Le recordaban que estaba en una nueva era. En el esterilizador se encontraba todo el equipo que ella había encargado especialmente y que utilizaban sus cirujanas, los nuevos y suaves instrumentos totalmente metálicos que ya empleaban todos los operadores del país. A medida que se difundía la teoría de los gérmenes, se había tenido que prescindir de los antiguos instrumentos con mangos de hueso y madera, porque estos no se podían esterilizar. Aquellas exquisitas obras de arte hermosamente adornadas en una época en que la calidad del material quirúrgico estaba determinada por su belleza y no ya por su utilidad, estaban ahora superadas. Samantha hubiera podido venderlos, pero prefería guardarlos como recordatorio de que todo tenía que seguir adelante, y también para recordar una antigua promesa.

Desde algún lugar de los pisos inferiores, llegaban los distantes y suaves acordes de «noche de paz» mientras el Comité Femenino recorría las salas, distribuyendo tarta de fruta y ponche de leche y huevo y acompañaba a las pacientes en el canto de villancicos. Era la víspera de Navidad, un día frío y soleado en que la Enfermería resultaba un hervidero de actividad. Y no era que el hospital hubiera tenido ningún día flojo desde su inauguración de hacía cinco meses, pensó Samantha, esbozando una agotada sonrisa. Temían que no acudieran las pacientes, pero la mañana después del baile ella y sus nuevas doctoras encontraron a su llegada un pequeño grupo de pacientes aguardando junto a la entrada, y desde aquel día ni una sola cama había estado vacía.

Sin embargo, el éxito de la Enfermería estaba provocando paradójicamente su ruina: la gran cantidad de enfermas estaba convirtiendo en realidad la profecía de LeGrand Mason: al cabo de solo seis meses, el dinero destinado a los gastos ya casi se había agotado.

—¡Doctora Hargrave!

Samantha levantó inmediatamente la cabeza. La enfermera Collins estaba forcejeando con la paciente bajo la mascarilla del éter. Samantha se acercó a toda prisa a la mesa, inmovilizó los hombros de la paciente y dijo:

—¡Más éter, enfermera!

—¡Es que ya estoy llegando a la dosis letal, doctora!

—¡Está claro que no le hace efecto! ¡Dele más!

La pálida joven cumplió la orden con temblorosas manos y, al cabo de un minuto, la paciente volvió a dormirse tranquilamente.

En aquel momento entró en la estancia la doctora Canby, poniéndose una cofia.

—Siento llegar tarde, doctora. He tenido que efectuar una visita domiciliaria... Oh, aún no han empezado.

—La paciente no absorbe el éter. ¿Quiere usted vigilarla un momento, por favor?

Samantha tomó el historial que colgaba de un gancho, a los pies de la mesa, y leyó de nuevo los antecedentes de la señora Cruikshank y los resultados del examen. Samantha se quedó perpleja porque no había nada en sus datos ni en su actual estado de salud que explicara por qué no absorbía el éter.

Al ver que la paciente empezaba a agitarse de nuevo mientras la doctora Canby trataba de sujetarla, Samantha dijo:

—Bien, tendremos que aplazar la operación hasta que averigüemos qué es lo que ocurre.

—Qué extraño —dijo la doctora Canby—. ¡Jamás había visto nada parecido!

—Yo sí —contestó Samantha, frunciendo el ceño—. Una vez. Fue en Nueva York. Teníamos que practicarle una amputación a un estibador y, por mucho éter que le administráramos, no había modo de que permaneciera dormido el tiempo que requería la operación. Interrogándole más tarde, averiguamos que era un fumador empedernido. Estaba claro que no se producía ningún intercambio de gases en sus pulmones.

La doctora Canby contempló a la señora Cruikshank, una mujer de mediana edad a la que se tenía que extirpar un quiste ovárico.

—No será esa la razón, ¿verdad?

—No lo considero probable. Sea como fuere, enfermera Collins, tenga la bondad de vigilarla hasta que haya despertado por completo y acompáñela después a su cama. Hablaré con ella más tarde.

La doctora Canby abandonó la sala de operaciones en compañía de Samantha.

—¡Tiene usted que bajar a la sala infantil, doctora Hargrave, para ver el árbol que ha instalado el Comité Femenino!

—¡Qué haríamos sin el comité! —murmuró Samantha, bajando a toda prisa la escalera—. Iré a verlo después.

La doctora Canby sacudió la cabeza y se quedó rezagada. En los cinco meses que llevaba en la Enfermería, no había visto a la doctora Hargrave moverse despacio ni una sola vez. La directora constituía un ejemplo para todas ellas... ¿quién hubiera podido desentenderse de su obligación, cuando la doctora Hargrave era capaz de seguir en la brecha después de toda una noche sin dormir? Sin embargo, Willella hubiera deseado, por el bien de Samantha, que esta se tomara las cosas con un poco de calma de vez en cuando.

Willella acababa de regresar de una visita domiciliaria muy desagradable: una pobre anciana inválida había sido abandonada en su cama y se había llenado de llagas. Y lo peor era que la familia no se preocupaba y apenas había prestado atención a las instrucciones de la doctora Canby. Willella decidió ir a refrescarse un poco a su habitación.

Nadie se quejaba de la estrechez de los alojamientos. Las enfermeras, satisfechas por el hecho de haber sido elegidas (de cien aspirantes, solo se habían aceptado quince), se alojaban gustosamente por parejas en las habitaciones a pesar de que estas a duras penas eran suficientes para una sola persona, y las tres doctoras residentes, rechazadas en otros hospitales debido a su sexo, consideraban un lujo el pequeño apartamento que ocupaban al fondo del pasillo que daba acceso a la sala de operaciones. La mayor de las dos habitaciones contenía tres camas y, puesto que los turnos no coincidían, siempre había alguien durmiendo; la otra habitación era un salón con una estufa de carbón, sillones, una alfombra, libros y un infiernillo para preparar el té. Puesto que era Navidad, la suite estaba vacía: la doctora Bradshaw se había ido a visitar a su familia a Oakland y la doctora Lovejoy estaba en las salas. La doctora Canby se acercó al lavamanos.

Se inspeccionó el cabello en el espejo. La doctora Hargrave tenía establecidas normas muy estrictas en relación con el aspecto del personal: más de una enfermera había tenido que retirarse de una sala a causa de un mechón de cabello despeinado. Después la doctora Canby se estudió largamente el rostro.

Willella poseía por naturaleza esa gordura que en los primeros años de vida se llama «grasa infantil», y más tarde «obesidad», y que no se podía eliminar ni con ejercicios ni con dietas. Sus mejillas eran mofletudas y su rostro, redondo y bonito como el de una muñeca de porcelana; la doctora era bajita y rechoncha y no necesitaba utilizar polisón. Sus modales y su personalidad estaban en consonancia con su aspecto: era pragmática, honrada y sincera. El personal la apreciaba, las pacientes la adoraban y la doctora Hargrave abrigaba la esperanza de que, cuando finalizara su período de interna, la doctora Canby se quedara en la Enfermería.

Pero lo cierto era que, detrás de aquella fachada de realismo y seriedad, había otra Willella, romántica, idealista y desesperadamente deseosa de enamorarse. Debajo de su almohada guardaba *La vida de Napoleón* de Sara Mitchell, con sus preciosos grabados, y a juzgar por la forma en que estaba escrito el libro, Willella Canby tenía la certeza de que la señorita Mitchell estaba enamorada del «pequeño cabo», como también ella lo estaba secretamente.

Y he aquí la esencia de su dilema. Aunque Willella se alegraba de ser médico (desde su más tierna infancia, no recordaba haber deseado jamás otra cosa) y aunque le gustaba la Enfermería y se alegraba de estudiar a las órdenes de Samantha Hargrave y hubiera deseado quedarse allí más adelante, la doctora Canby era una joven que estaba deseando vivir un idilio, casarse y tener hijos. Sin embargo, a medida que iban pasando los días y las semanas entre aquellas paredes, tratando solo con las pacientes y con un personal exclusivamente femenino, la doctora Canby empezó a pensar que estaba viviendo como una monja de clausura. No había hombres en su vida; no veía a ninguno en su horizonte. Tenía veinticinco años, ya era una solterona y estaba empezando a temer que sus esperanzas acabaran disolviéndose en un sueño vacío.

Pensó en la doctora Hargrave, a quien admiraba pero también envidiaba; a la directora no parecían faltarle cortejadores, sobre todo el simpático señor Weatherby, siempre con sus chistes, y el maravilloso y aristocrático señor Dunwich. ¡Qué suerte tenía Samantha Hargrave! El hecho de ser médico no parecía obstaculizar sus posibilidades de idílicas relaciones y no cabía duda de que se casaría muy pronto. En cambio, ¿qué posibilidades tenía Willella? Bajita, gorda y médico... ¡en toda la ciudad de San Francisco no habría un hombre que pensara dos veces en ella!

Bien, no quería perder las esperanzas (Josefina tenía treinta y tres años cuando conoció a Napoleón). Pellizcándose las mejillas para darles color, la doctora Canby inspeccionó por última vez su uniforme y abandonó estoicamente la habitación.

¿Qué haríamos sin el Comité Femenino?, volvió a pensar Samantha mientras entraba en la sala general. Las cantoras de villancicos se estaban marchando. Eran elegantes jóvenes con blusas de holgadas mangas, largas faldas ajustadas y breves capas de piel a juego con los sombreros. Eran las amigas de Hilary, un pequeño ejército de energía e ideas, muy distintas del grupo de Janelle MacPherson que solía visitar el St. Brigid's. El

Comité Femenino de Hilary, que se estaba haciendo famoso en la ciudad, era algo más que un grupo de mujeres ociosas que acudían una vez a la semana con flores y Biblias; aquellas damas, a pesar de desplazarse en hermosos coches y de ser objeto de toda clase de atenciones por parte de los hombres que las rodeaban, eran una fuerza digna de ser tenida en cuenta. Sus servicios iban más allá de las flores y los pasteles e incluso más allá de su labor de recaudación de fondos (que en aquellos momentos era su función más importante). El Comité Femenino se hacía cargo de los niños abandonados a la puerta de la Enfermería y de los que quedaban huérfanos al morir de parto la madre, y cuidaba de que los adoptasen familias adecuadas. Localizaba en la ciudad los casos de personas desamparadas y se los exponía a Samantha, la cual enviaba entonces a una enfermera. Leían para las pacientes; dedicaban su atención a las enfermas que estaban asustadas, aconsejaban a las atribuladas y asistían a las moribundas. La Enfermería de Mujeres y Niños de San Francisco se estaba ganando rápidamente la fama de ser algo más que un hospital..., era un refugio de compasión y consuelo femeninos donde las mujeres ayudaban a las mujeres a superar las dificultades de la vida, y en él el Comité Femenino de Hilary desempeñaba un destacado papel.

Bien, pensó Samantha mientras se detenía junto a una cama para examinar el vendaje de una paciente, en el nuevo año van a tener menos trabajo.

Los fondos se habían reducido tanto que Samantha ya estaba comprando el carbón y la leña de fiado. A finales de mes, habría que dar largas al carnicero. Como siempre, Hilary tenía ideas, pero, debido a sus limitaciones (le faltaba una semana para dar a luz), no podía participar activamente en la labor del comité. Sin embargo, había prometido que, una vez recuperada, convocaría a las damas a una reunión y juntas organizarían actos para allegar fondos. Uno de ellos iba a ser una «Feria del calendario». Cada caseta representaría un mes del año y la gente podría pasearse por las estaciones y comprar tarjetas de San Valentín, regalos nupciales de junio, centros de mesa de otoño hechos a mano, y así sucesivamente. Otra idea consistía en una carrera ciclista femenina a través del parque de la Golden Gate.

Samantha la echaba mucho de menos. Debido a su estado, habían quedado suspendidos los almuerzos semanales, las sesiones de tiro con arco habían terminado y ni siquiera tomaban juntas una taza de té en el despacho de Samantha cuando Hilary se dejaba caer por allí. Samantha conseguía alguna vez abandonar la Enfermería y acudir a la casa de California Street, pero las conversaciones giraban invariablemente en torno al hospital y al dinero.

Al pasar a la cama siguiente, Samantha sonrió e intercambió unas palabras con la enferma, una joven que, incorporada en el lecho, bebía ponche de huevo y leche. Dos semanas antes, había ingresado inconsciente y con el apéndice reventado; Samantha y Willella la operaron y ahora la chica estaba totalmente recuperada. Mientras examinaba la sana cicatriz rosada, Samantha recordó los muchos casos de apendicitis que en el pasado habían tenido la muerte por final y pensó en Isaiah Hawksbill. En ese momento, y pese a que seguía siendo una operación peligrosa, el paciente tenía por lo menos una posibilidad de salvarse.

Cuando se abrió la puerta del fondo de la sala y entró una enfermera con un montón de sábanas, Samantha percibió fugazmente el aroma de ganso asado. Para las pacientes que estuvieran en condiciones de comer, habría una cena de Navidad a base de ganso asado relleno, boniatos y salsa de menudillos, pastel de fruta y té de limón. De pronto Samantha se percató de que tenía hambre. Era la tarde y, con las muchas ocupaciones, no había podido desayunar ni almorzar. Pero aquella noche lo iba a compensar. Aquella noche iría al Coppa's en compañía de Warren Dunwich.

Las pocas veladas que tenía libres y que no dedicaba a Jennifer, las repartía entre Stanton Weatherby y Warren Dunwich, que la cortejaban con entusiasmo. Al principio Hilary se sintió muy esperanzada e instó cariñosamente a Samantha a que se casara, pero luego se dio por vencida. Samantha y Hilary habían aprendido a hablar con toda sinceridad, confesándose mutuamente muchas cosas que no revelaban a nadie más, por lo que, cuando Hilary le preguntó qué tal iban sus relaciones con ambos hombres, Samantha contestó con toda franqueza:

—Son muy amables, pero no hay chispa.

Pese a que no había chispa, estaba deseando que llegara la noche. Warren Dunwich era un acompañante muy simpático y le permitía distraerse del alocado ritmo de la Enfermería. Era cortés y caballeroso en extremo y se desvivía por agasajarla. Al expresar Samantha su deseo de ir al «Barrio del Mono», Warren quiso complacerla inmediatamente.

El Barrio del Mono era el distrito bohemio de San Francisco, donde solían reunirse los artistas y los escritores. Era un barrio de personajes pintorescos, en el que abundaban los restaurantes vascos y franceses y se había puesto de moda entre la alta sociedad, que lo visitaba tras una velada en la ópera. Con su sombrero de copa y su capa forrada de raso rojo, Warren acompañaba a Samantha al Coppa's, donde saboreaban en una atmósfera asfixiante y cargada de humo el famoso pollo Portola: pollo desmenuzado, tocino frito, pimientos, cebolla, maíz, tomates, trozos de coco y una picante salsa «secreta», todo ello cocido a fuego lento durante una hora en el interior de una corteza de coco. La comida se acompañaba de una botella de Clos Vougeot que costaba la exorbitante suma de cuatro dólares.

Y conversaban. Warren le preguntaba por el hospital y la escuchaba con sincero interés, le hablaba de sus negocios madereros allá, en Seattle, y la halagaba con su cortesía europea. Pero después Samantha miraba el reloj, empezaba a preocuparse por Jenny, que estaba al cuidado de la criada, pensaba que tendría que madrugar para ir al hospital y le pedía a Warren Dunwich que la acompañara a casa. Así transcurrían siempre las veladas. Warren Dunwich, con su aristocrática apostura y su aire refinado, nunca conseguía encender la necesaria chispa.

Stanton Weatherby, en cambio, tenía un carácter típicamente sanfranciscano. La hacía reír con su rápido ingenio y su sentido del humor y la acompañaba a lugares divertidos: al parque de atracciones Woodward's y a cenar al Caniche. Hablaba siempre en broma y tenía unos dichos muy graciosos («Una caña de pescar es un palo con un gancho en un extremo y un tonto en el otro»). Y, al igual que Warren, se desvivía por complacerla. Pero tampoco había chispa.

Samantha les apreciaba mucho, pero cuando no les veía, apenas pensaba en ellos y, cuando estaba en su compañía, no podía evitar compararles con Mark.

Mark Rawlins había sido y sería siempre su único amor. Cientos de cosas se lo recordaban todos los días. Cuando entraba una paciente, Samantha pensaba: Mark le recetaría esto o aquello. Durante una operación, tomaba el tenáculo y pensaba: Él me enseñó a sostenerlo de esta manera. Cuando la visitaba un médico: Mark llevaba un gabán como ese, pero a él le sentaba mucho mejor... Y por la noche, cuando apoyaba la cabeza en la almohada, nunca dejaba de pensar en él, de evocar su imagen, de hacer nuevamente el amor con él, trayéndolo otra vez a la vida junto con su calor, su vigoroso cuerpo, sus prolongados besos. A veces las fantasías la ayudaban y ella se alegraba de lo que había conocido en otros tiempos; otras veces, en cambio, se echaba a llorar, recordando tristemente lo que jamás podría volver a tener.

—¿Doctora Hargrave?

Samantha levantó la mirada mientras volvía a cubrir a la paciente con la manta. La enfermera Hampton, que aquel día estaba en el servicio de ingresos, se encontraba de pie junto a la cama.

—Hay una nueva paciente que desea verle.

—Gracias, voy enseguida —dijo Samantha y, dirigiéndose a su enferma, añadió—: Mañana podrás celebrar la Navidad con tu familia, Martha.

Después estrechó la mano de la chica y se alejó.

Mientras se encaminaba hacia la puerta, Samantha efectuó una inspección, según acostumbraba hacer y, como siempre, dio algunas órdenes a la enfermera:

—Por favor, ponga una manta sobre los pies de la señora Mayer. Recuerde que padece de gota. La señora Farber no puede alcanzar la cuerda de la campanilla. La señora de la cama seis tiene dificultades respiratorias. Haga el favor de ponerle otra almohada.

Tenía muchas cosas que hacer, que pensar y revisar. Cuando se inauguró la Enfermería, Samantha no sabía cuál iba a ser el alcance de sus responsabilidades. Solo pensaba en las pacientes. Sin embargo, el hecho de ser la directora consistía en algo más que en sentar diagnósticos y fijar tratamientos. Charity Ziegler acudía a ella con los informes sobre las enfermeras; la señora Polanski tenía dificultades con la auxiliar de la lavandería; el portero señor Buchanan había vuelto a emborracharse, y había ratones en el sótano.

Antes de dirigirse a la sala de reconocimientos, Samantha echó un vistazo a su reloj de cadena. Se estaba haciendo tarde y quería dedicar un poco de tiempo a Jenny antes de que Warren pasara a recogerla.

La víspera, Samantha le había mostrado a Jenny un árbol de Navidad y le había enseñado la forma de adornarlo. La niña, imitándola a la perfección, empezó a hacer lazos y sartas de palomitas de maíz, observándolo todo con sus grandes ojos, sin cometer el menor error con sus ágiles dedos; pero Jennifer, como siempre, no ponía de manifiesto la menor curiosidad ni el menor asombro y, una vez el árbol estuvo listo y se hubieron encendido las velas, se limitó a mirarlo inexpresivamente.

Samantha había decidido meses atrás no enviar a Jenny a la Escuela de Sordos de Berkeley; prefería tenerla en casa en la esperanza de encontrar el medio de comunicarse con aquella niña tan especial. Pero, tal como Darius y Hilary le habían señalado, no disponía del tiempo necesario para una tarea que exigía plena dedicación. Por fin llegó a una solución de compromiso. A principios de año un tutor se instalaría en la casa. Se trataba del señor Adam Wolff, que le había sido recomendado por la escuela como un excelente profesor para niños sordos. El señor Wolff podía hablar, pero también era sordo.

Una vez adoptada esa decisión, a Samantha se le ocurrió otra cosa. Puesto que solo deseaba lo mejor para Jenny, ahora que los pacientes acudían al hospital y ya no visitaban la casa de Kearny Street, Samantha pensó que sería conveniente buscar otra vivienda. Al fin y al cabo la Kearny era una calle muy bulliciosa, el tráfico era muy peligroso y algunos de sus habitantes, poco recomendables. Además la casa resultaba demasiado pequeña para ella, la niña, la criada y, en adelante, el señor Wolff. Darius le había recomendado la zona de Pacific Heights, un barrio tranquilo, de casas ni demasiado pequeñas ni muy grandes, todas ellas con su correspondiente jardín. Un patio en la parte de atrás sería muy útil para Jenny, y Samantha podría tener un despacho en casa. Quizá, pasadas las fiestas, le pidiera a Darius que le buscara algo.

Abrió la puerta de la sala de reconocimientos y dijo:

—Hola, soy la doctora Hargrave.

La joven, que no tendría más de diecisiete años, se levantó de golpe. Antes de acercarse a la pila para lavarse las manos, Samantha se fijó en sus dedos, que tiraban nerviosamente de los flecos del chal, en la piel, insólitamente pálida, y en la rigidez de los gestos.

—Estamos en Nochebuena —dijo Samantha, esbozando una sonrisa mientras se secaba las manos—. Se me ocurren cientos de sitios en los que preferiría estar, en lugar de encontrarme en este hospital, ¿a usted no?

—Sí, doctora...

Samantha invitó a la chica a sentarse y después, haciéndolo ella en la otra silla, preguntó amablemente:

—¿Qué le ocurre?

Hacía dos meses que no tenía el período y estaba mareada por las mañanas, explicó la muchacha con voz entrecortada. Mientras la escuchaba, Samantha volvió a fijarse en su nerviosismo, y en su ropa de obrera, y comprendió que algo pasaba. Las trabajadoras rara vez acudían al médico para que les confirmaran un embarazo, aprendían los hechos fundamentales de la vida a una edad muy temprana, y a menudo vivían en el seno de familias muy numerosas, en las cuales siempre había una madre o una tía que podía dar consejos. Pese a ello Samantha la examinó y le dijo:

—Felicidades, señora Montgomery, está usted embarazada.

La reacción de la chica no la sorprendió:

—Soy la *señorita* Montgomery y no he venido aquí para que me feliciten. Ya sabía que estaba embarazada.

—Entonces, ¿por qué ha venido?

La señorita Montgomery evitó mirar directamente a Samantha.

—No lo quiero.

—¿Al niño?

—Fue una equivocación, ¿sabe usted? Bueno, había bebido un poco de ginebra y aquel tipo se ofreció a acompañarme a casa. No es que yo vaya acostándome por ahí con cualquiera, doctora, pero él lo hizo antes de que yo me diera cuenta y no voy a volver a verle; por consiguiente, fue una equivocación.

—¿Y qué quiere usted de nosotras?

Samantha ya lo sabía, porque tales peticiones eran muy frecuentes, pero quería oírselo decir a la chica.

La señorita Montgomery miró al suelo.

—Quiero que usted me libre de él.

—¿Por qué no quiere tenerlo?

La chica levantó la cabeza y la miró con ojos llenos de pánico.

—No puedo quedarme en casa a cuidarlo. Mantengo a mi padre y a mis hermanos pequeños. Soy la única que trae dinero a casa y, si no lo hago, se morirán de hambre.

—¿Dónde trabaja?

—En la Lavandería Union de Mission Street. Podré durar allí mientras no se note... —las lágrimas asomaron a sus ojos—, después el señor Barnes me despedirá y mi padre y mis hermanos se morirán de hambre y todos iremos a la ruina. Mire, doctora, siento lo que hice, pero no puedo seguir adelante.

Samantha asintió, reflexionando en silencio. Al cabo de un minuto, dijo:

—Señorita Montgomery, creo que es usted la respuesta a una plegaria.

—¿De veras?

—Conozco a una mujer, una señora muy buena, que hace años intenta tener un hijo, pero no puede. Su marido ha decidido hace poco adoptar a un niño, pero hay un problema, señorita Montgomery. La señora quiere que el niño se parezca lo más posible a ella, y los únicos huérfanos que hemos tenido últimamente son mexicanos y orientales. Ahora resulta que usted tiene el mismo color de tez y las mismas facciones que esta señora. Yo digo que eso es la respuesta a una plegaria.

—Pero yo no le he pedido que me libre de él cuando ya haya nacido —dijo la muchacha, frunciendo el ceño—. Yo me refiero a *ahora*.

—Ya lo sé, señorita Montgomery, pero yo estaba pensando en lo felices que serían esa señora y su marido si pudieran quedarse con su hijo. Son buenas personas, se lo aseguro, y tienen una casa muy cómoda. Su hijo sería educado en...

—¡Pero es que no *puedo* tenerlo! —exclamó la muchacha en tono de súplica, inclinándose hacia delante—. ¿Cómo puedo ir a la lavandería con una barriga así?

—Sí, no puede hacer eso —dijo Samantha—. Se me ocurre una idea. Resulta que necesitamos ayuda en la lavandería del hospital. Justamente esta mañana la señora Polanski me ha pedido que contrate a alguien. ¿Qué le parece si dejara su trabajo en la Union y viniera a trabajar aquí, señorita Montgomery? Podría quedarse hasta el momento del parto, yo me encargaría de que le encomendaran tareas fáciles, y después podría conservar el puesto, si le interesa. No la echaríamos a la calle. ¿Qué le parece?

—No sé —dijo la señorita Montgomery, secándose las lágrimas de las mejillas.

—Le pagaremos lo mismo que cobra en la Union.

La mente de Samantha empezó a moverse con rapidez. Tendría que reducir los gastos por otro lado para compensar el salario. Y tendría que explicarle a la señora Polanski por qué le había traído otra ayudante.

—¿Lo dice en serio?

—Pues claro que sí. Y puede empezar inmediatamente.

El rostro de la muchacha se iluminó y sus hombros se enderezaron como si alguien les hubiera quitado un enorme peso de encima.

—¡Muy bien, doctora! ¡Prefiero trabajar aquí, de todos modos!

Samantha se levantó y se encaminó hacia la puerta.

—Preséntese aquí pasadas las Navidades. La señora Polanski le enseñará lo que tiene que hacer.

—¡Gracias, doctora!

—Por cierto, señorita Montgomery. No está obligada a ceder el niño. Si, cuando haya nacido, decide usted quedarse con él...

—No, doctora, prefiero que se lo quede esa señora tan buena. ¡Gracias otra vez y que Dios la bendiga!

Mientras bajaba por el pasillo para dirigirse a su despacho, Samantha sacó del bolsillo un cuaderno de notas y un lápiz y escribió: *Buscar a alguien que pueda adoptar al niño de la señorita Montgomery.*

—¡Doctora! ¡Doctora Hargrave!

Samantha se detuvo y levantó la mirada. La enfermera Hampton se estaba acercando a toda prisa, recogiéndose la falda con una mano mientras con la otra le hacía señas.

—¡Doctora! ¡Un parto! ¡En la calle! ¡No la podemos sacar del coche!

Samantha echó a correr.

Junto al bordillo de la acera, delante del hospital, se hallaba estacionado un coche de punto cuyo caballo se agitaba nerviosamente bajo los arreos mientras el cochero mantenía la portezuela abierta y soltaba imprecaciones en rápido italiano.

—¡Doctora, tiene que sacarla de aquí! ¡Me va a dejar la tapicería perdida!

Sin prestarle atención, Samantha subió al vehículo y se arrodilló al lado de la mujer que, tendida en el asiento, se estaba comprimiendo el abultado vientre.

—Soy la doctora Hargrave —le dijo Samantha—. Permítame ayudarla a entrar en el hospital.

La mujer contrajo el rostro en una mueca de dolor, apretó los dientes mientras se le hinchaban las venas de las sienes y después dijo entre jadeos:

—¡No puedo! ¡Ya viene! ¡Oh, Dios mío!

—La llevaremos en brazos.

—¡No! —gritó la mujer, moviéndose de un lado para otro.

Samantha se volvió y dijo:

—Enfermera, tráigame el estetoscopio, una manta, toallas y los instrumentos de obstetricia. ¡Y una linterna!

—¡Oiga! —gritó el cochero—. ¡No puede tener el niño en mi coche!

—¡Haga el favor de cerrar la portezuela y respetar un poco la intimidad de esta señora!

Tras un rápido reconocimiento de las constantes vitales, Samantha levantó su gruesa falda de terciopelo.

—Voy a comprobar cómo está el niño. No le haré daño.

Samantha sabía que la mujer estaba sufriendo demasiado para preocuparse por eso..., las contracciones se producían a cada dos minutos y la mujer lanzaba un grito con cada una. Samantha buscó la cabeza del niño: se encontraba todavía en el cuello del útero, el cual se había dilatado hasta unos diez centímetros. Cuando se abrió la portezuela y le entregaron el estetoscopio, Samantha auscultó las pulsaciones cardíacas del feto. En la calle, la enfermera Hampton y un agente de policía estaban impidiendo que los mirones se acercaran. Samantha prestó atención y consultó su reloj. Solo cien pulsaciones por minuto.

El niño estaba en peligro.

Abriendo rápidamente el atado de los instrumentos que le había traído la enfermera, Samantha dijo:

—Bueno, ahora voy a romper la membrana. No lo

notará usted. Si pudiera permanecer inmóvil un minuto...

Guiando con firmeza el fórceps y las tijeras a la luz de la linterna colocada entre las piernas de la mujer, Samantha cortó la membrana y estudió el líquido que escapó de ella.

Sus peores temores quedaron confirmados. El líquido amniótico, normalmente claro, presentaba un color pardo verdoso, lo cual significaba que contenía meconio, la materia fecal del feto, prueba de que este se encontraba en peligro.

Samantha volvió a auscultar las pulsaciones. Habían bajado a noventa.

Había que adoptar una rápida decisión: o bien perder algún tiempo trasladando a la mujer a la sala de operaciones, para la práctica de una cesárea, o bien tratar de que alumbrara en el coche.

Samantha adoptó la decisión: no había tiempo para trasladarla.

Entre el instrumental había unos fórceps franceses; Samantha deploraba su utilización en la práctica habitual, si bien en los casos de emergencia podían ser la salvación.

El feto estaba coronando, pero no avanzaba. A cada nueva contracción, la madre lanzaba un grito.

Sin saber si ella la oía o no, Samantha dijo:

—Ahora voy a extraer al niño. Cuando note que tiro, quiero que empuje hacia abajo con todas sus fuerzas.

—¡Déjeme descansar! —exclamó la mujer—. ¡Oh, Dios mío, quíteme este dolor! ¡Hágame dormir!

—No puedo. Necesito que usted me ayude. Ahora va a tener que trabajar duro.

Mientras introducía cuidadosamente las hojas del fórceps por el canal, Samantha cerró los ojos y, con los dedos de la otra mano, tocó la cabeza y el rostro del niño. El fórceps tenía que ser colocado de modo que no dañara el cráneo: justo en la mandíbula, delante de las orejas. Una vez colocado, Samantha dijo:

—Bien, vamos a sacarlo. Ayúdeme. ¡Empuje!

Samantha tiró, se detuvo y volvió a tirar, imitando el proceso natural del parto y, cuando la cabeza asomó al orificio, retiró el fórceps y la tomó suavemente en las manos.

—¡Oh, Jesús! —gimoteó la mujer—. ¡Ya basta!

—¡Vuelva a empujar! Ya casi hemos terminado. ¡Empuje!

Samantha imprimió un movimiento giratorio a la cabeza, para que saliera el hombro. Era el momento más difícil y el más peligroso para la madre. Para evitar un desgarro, Samantha apoyó firmemente las puntas de los dedos en el perineo, levantó al niño y sacó el otro hombro. El resto del cuerpecillo salió de golpe.

Normalmente, no hubiera tenido que cortar el cordón en aquel momento. Hubiera envuelto al niño con la madre y los habría trasladado al interior del hospital, para una expulsión más higiénica y segura de la placenta. Pero ahora no había tiempo para eso.

El niño no respiraba.

Samantha lo agarró por los tobillos y le golpeó fuertemente las plantas de los pies. No hubo reacción. Le pellizcó las nalgas y después le dio una palmada.

Actuando con rapidez, Samantha intentó abrir con una jeringuilla de goma la nariz y la boca obstruidas. El niño estaba frío y pálido. Pero su corazoncito seguía latiendo débilmente. Por suerte, la madre se desmayó. No vio cómo la doctora Hargrave colocaba su boca sobre el rostro del niño e introducía aire en sus pulmones. No vio la palidez del rostro de la doctora mientras esta trataba desesperadamente de infundir vida al niño moribundo. Ni las lágrimas que asomaron a sus ojos.

Vive, le suplicó Samantha en silencio... *¡Vive, por favor!*

Sopló, vio que el tórax palpitaba y volvió a soplar. Después se detuvo, en la esperanza de que él empezara a respirar por su cuenta. Pero al comprobar que el cuerpecillo se iba enfriando, y que por fin el pulso se detenía, Samantha comprendió que sería inútil. Abrazó al niño con fuerza, inclinó la cabeza sobre él y lloró en silencio.

7

El coche era demasiado elegante para ella, pero Samantha no había podido rechazarlo. La señora Bethenia Taylor, esposa del magnate de los ferrocarriles, sufría, hacía años, una hernia femoral y Samantha se la había podido eliminar mediante una técnica aprendida de Landon Fremont. En prueba de gratitud, la mujer le había regalado una elegante berlina con faroles de queroseno, de plata y cristal biselado, y fuertes llantas de goma que le permitían deslizarse con toda suavidad. Samantha expresó el deseo de vender el vehículo, pero Hilary no quiso ni hablar de ello. Un médico necesitaba un vehículo, le dijo; no estaba bien que Samantha acudiera a visitar a los enfermos en tranvía. Sin embargo, Samantha se sentía cohibida cuando se desplazaba en el coche y se alegraba muchísimo cuando lo veía entrar en el garaje alquilado de la acera de enfrente.

Subió los peldaños con aire abatido, sin el menor deseo de salir con Warren Dunwich aquella noche; lo único que le apetecía era pasar la velada a solas con Jenny, su hija, su niña...

En los tres años que llevaba viviendo con ella, Samantha jamás había perdido la esperanza de que un día la niña saliera a su encuentro corriendo y la abrazara al entrar ella en la casa. Pero aquella noche, mientras se detenía a la puerta, atenta a un posible rumor de acelerados pasos, lo único que alcanzó a oír fue el piano de la señorita Seagram, su vecina, que estaba tocando villancicos, y el bullicio del denso tráfico navideño.

Samantha lanzó un suspiro y cerró la puerta.

La señorita Peoples, la criada, le salió al encuentro secándose las manos en el delantal.

—¿Se encuentra bien, doctora Hargrave? No le veo buena cara.

—Estoy cansada, señorita Peoples. Hemos tenido un día espantoso.

Los ojos de la mujer, que había aprendido a descifrar el rostro de la señora, captaron la tensión, la palidez y la tristeza. Y ella pensó: Otro que se ha perdido.

—Siento decírselo —le anunció a Samantha en voz baja mientras recogía su abrigo y su bolso—. El señor Dunwich está aquí.

—¿Cómo? ¡Ha llegado muy temprano!

La criada extendió las manos en ademán de impotencia.

—Muy bien, señorita Peoples. Ofrézcale un brandy y dígale que me reuniré con él dentro de unos minutos.

Samantha subió al piso superior, perpleja ante la llegada del señor Dunwich, insólita por lo temprana, y se sintió un poco molesta. Le hubiera convenido mucho descansar y pensar un poco.

¿Por qué? ¿Por qué había muerto el pequeño? Pese a los grandes progresos de la medicina, seguían muriendo muchos niños. ¡No era justo!

Sin embargo, la muerte de aquel niño anónimo no era el único motivo de la tristeza que experimentaba Samantha aquella Nochebuena; tenía otras cosas en la cabeza, y una de las más preocupantes era el problema de la señora Cruikshank.

Tras permanecer sentada un rato en su despacho, con ánimo de recuperarse de la tragedia, Samantha se había dirigido a la sala, para hablar con la mujer.

Una vez le hubo explicado por qué se había anulado la operación —«No podíamos correr ese riesgo: el éter no surtía efecto»—, Samantha le formuló algunas preguntas que no le había hecho anteriormente. Pero no pudo averiguar nada. No, la mujer no fumaba; no, no ingería bebidas alcohólicas, ni siquiera algún que otro vaso de vino; no, no había antecedentes familiares de problemas respiratorios. Samantha estaba totalmente desconcertada, hasta que la mujer dijo:

—He estado más sana que un caballo toda mi vida, doctora, exceptuando este quiste. Y la anemia, claro.

—¿La anemia?

—La tuve hace años. Pero me curé, por eso no me tomé la molestia de comentarlo. Ahora tengo la sangre maravillosamente sana.

—¿Y cómo se curó de la anemia, señora Cruikshank?

—Mi médico me dijo que tomara un tónico para la sangre. Acudí al farmacéutico y él me recomendó el Tónico Sanguíneo de Johnston. Y en cuanto empecé a tomarlo, me sentí mejor.

—¿Cuánto tiempo hace de eso?

—Diecisiete o dieciocho años.

Samantha sacudió la cabeza. No podía haber relación.

—Claro que, como la etiqueta decía que, si se dejaba de tomar el tónico, volvía a presentarse la anemia —añadió la señora Cruikshank—, yo lo seguí usando.

—¿Ha estado usando el Tónico Johnston durante dieciocho años?

—Como un reloj. —La mujer extendió el brazo hacia el armario que había entre su cama y la vecina y sacó un frasco—. No voy a ninguna parte sin él. Lo llevo en el bolso.

Samantha tomó el frasco y leyó la etiqueta. Lo prometía todo, desde evitar la caída del cabello hasta curar la impotencia, pero su principal virtud era la de «espesar y vigorizar la sangre». No se especificaba la composición.

—¿Qué cantidad toma, señora Cruikshank?

—Verá, doctora, hace dieciocho años una cucharada por la mañana y otra por la noche era suficiente, pero al cabo de algún tiempo noté que necesitaba aumentar la dosis. Me imagino que una acaba acostumbrándose a las medicinas. Ahora tomo un vaso por la mañana, otro al mediodía, otro con la cena y otro a la hora de acostarme.

—Pero, señora Cruikshank, eso es todo un frasco.

—Exactamente, doctora, un frasco al día. Pero es una buena medicina. Me mantiene en muy buena forma. Si se me termina, noto enseguida lo mala que se me pone la sangre. Me debilito, empiezo a temblar y me trastorno mucho.

Samantha destapó el frasco y aspiró. El olor a alcohol era tan fuerte como el del whisky. Ahí estaba el problema: había, aparte del tabaco, otro agente que dificultaba la anestesia: el alcoholismo. La señora Cruikshank estaba alcoholizada y no lo sabía.

Mientras, sentada ante el tocador, se soltaba el cabello para cepillárselo, Samantha se sintió invadida por el desaliento. La Enfermería le había deparado muchísimas satisfacciones, pero también numerosos desengaños. Se podía construir el mejor hospital del mundo y contratar al personal más capacitado, pero subsistía el problema inicial: la ignorancia. Samantha estaba empezando a comprender que no bastaba proporcionar cuidados médicos una vez ocurrido el hecho, sino que era preciso instruir a las mujeres de antemano, antes de que se produjeran los accidentes, los fenómenos de habituación y las situaciones lesivas.

Pero no era fácil. Había que superar no solo la ignorancia pública sino también los prejuicios de las personas instruidas. Hacía apenas una semana, un editorial del *Chronicle* había criticado la costumbre de la Enfermería de administrar a los niños leche esterilizada. «Al hervir la leche —decía el editorial—, se eliminan todas sus buenas propiedades. Es como si se administrara al niño agua del grifo.» El nuevo procedimiento del señor Pasteur para la purificación de la leche y el vino estaba teniendo muy poca aceptación en Norteamérica y, hasta que no se demostrara de forma concluyente la teoría de los gérmenes, la pasteurización se consideraría cosa propia de simples charlatanes.

¿En qué estribaba la responsabilidad de un médico y cuáles eran sus límites? Los centenares de casos que pasaban por la Enfermería habían despertado en Samantha la conciencia de que muchos de ellos, rebasando el estricto campo de la medicina, tocaban cuestiones morales y sociales. ¿Hasta dónde tenía ella que llegar en su calidad de médico?

Primero habían sido los problemas íntimos, mujeres que pedían consejo sobre la forma de soportar el acto sexual para no tener que rechazar a los maridos. Después aparecieron las esposas que no podían o no querían tolerar otro embarazo (impidiéndoles a sus maridos la entrada en el dormitorio) y pedían asesoramiento para controlar la natalidad. Después acudieron a la Enfermería las prostitutas, las mujeres a quienes acudían los maridos rechazados. Aquellos casos escapaban del ámbito de la medicina y constituían cuestiones sociales. Por desgracia, Samantha no disponía de ningún remedio, pese a conocer la causa. Uno de los problemas más importantes era el de la anticoncepción: si las mujeres pudieran entregarse al marido sin temor al embarazo, ello las ayudaría a mostrarse más cariñosas y bien dispuestas y a conservar al hombre a su lado. Habría menos niños abandonados a la puerta de la Enfermería, menos intentos de aborto, menos mujeres muertas a los treinta años a causa del decimosegundo embarazo, y sin duda, también mucho menos vicio en la ciudad de San Francisco. Pero la ley estaba muy clara: la administración de anticonceptivos era ilegal.

Samantha se asombraba de lo poco que sabían las mujeres acerca de su cuerpo y de su salud. Como la señora Cruikshank, que inocentemente se bebía el equivalente a casi un litro de whisky y estaba alcoholizada. Mujeres que fregaban los platos con la misma agua que había utilizado la familia para bañarse el sábado por la noche. Mujeres que creían que los días «seguros» eran los de la mitad del ciclo, o que pensaban que orinar inmediatamente después del acto sexual impedía el embarazo, o que una pulsera de dientes de ajo era un eficaz remedio anticonceptivo. Desde las mujeres de la clase alta, que se apretaban excesivamente el corsé y se deformaban de ese modo la caja torácica, hasta las madres de la clase trabajadora, que administraban a sus niños llorones el Jarabe Tranquilizante de Winslow, sin saber que contenía morfina... Samantha era testigo de males que hubieran podido prevenirse con unos cuantos conocimientos y un poco de prudencia.

Se percató de que estaba contemplando fijamente su propia imagen en el espejo y que el cepillo había quedado olvidado en su mano. La señorita Peoples estaba en lo cierto, no tenía buena cara.

Cada mujer que muere me destruye un poco. Y cada niño...

Notó que los ojos le escocían a causa de las lágrimas. Se perdían tantas y tantas vidas. Niños que nacían con anomalías cardíacas y pulmonares, niños que nacían ciegos, niños que nacían tullidos... Infinidad de defectos debidos a negligencias durante el embarazo porque las madres no sabían hacer mejor las cosas. No era justo. Todos aquellos pálidos cuerpecillos que venían al mundo y que luchaban por sobrevivir sin ninguna posibilidad. En la Enfermería se registraba un índice de mortalidad infantil inferior a la media nacional, pero no era suficiente. Se producían todavía demasiadas muertes en la sala de partos, también morían niños que ya estaban aprendiendo a andar y a comprender la vida, a causa de enfermedades que se difundían invisiblemente por la ciudad.

Samantha inclinó la cabeza y la apresó entre las manos.

Una suave llamada a la puerta la distrajo de sus pensamientos. Samantha se miró el reloj. ¿Cómo había pasado el tiempo? Llevaba en casa una hora. ¡El señor Dunwich!

La criada abrió la puerta y asomó la cabeza.

—Ah, está usted aquí, doctora. Pensaba que se había echado un rato.

—Lo siento, señorita Peoples. He perdido la noción del tiempo. Espero que el señor Dunwich no esté muy molesto.

—Está sentado tranquilamente en el salón, con su brandy. Le he explicado que tenía usted que cambiarse y todo eso. Es muy comprensivo el señor Dunwich.

—Sí que lo es. Voy a darme prisa.

—Quería preguntarle algo sobre la señorita Jenny, doctora. —La criada entró en la habitación, tomando a Jennifer de la muñeca—. ¿Le doy la cena ahora?

Las inquietudes y frustraciones de Samantha se desvanecieron como por ensalmo; aquella era su niña. Samantha se arrodilló, le tendió los brazos y dijo:

—Ven aquí, cariño.

Empujada por la señorita Peoples, Jenny se acercó a Samantha con actitud pasiva.

—Me parece que, llegando tan temprano, el señor Dunwich ha trastornado las cosas —dijo Samantha a la criada mientras acariciaba el cabello de la niña—. Tampoco voy a disponer de mucho tiempo para ella.

Jenny tenía once años, pero era todavía muy bajita. Su cuerpecito parecía muy frágil entre los brazos de Samantha.

—Lo siento, cariño —musitó Samantha—. Pero te prometo que lo compensaré. Mañana tendremos todo el día para nosotras. Cuando hayamos abierto los regalos, daremos un estupendo paseo en coche...

La señorita Peoples, una anciana de dulce corazón, contempló tristemente la escena. La conmovía casi hasta las lágrimas la forma en que la pobre doctora hablaba con la chiquilla como si esta fuera normal. ¿Por qué no podía aceptar a la niña tal como era?

El verano anterior, tras haber decidido no enviar a Jenny a la escuela especial de Berkeley, Samantha decidió hacer alguna averiguación acerca de los antecedentes de la niña, en un intento de averiguar la causa de su sordera. Pero la señorita Peoples sabía que, al regresar a aquel barrio de mala muerte, la pobre doctora había descubierto que la casa de vecindad había sido derribada y su solar ocupado por un almacén; todos los irlandeses que vivieron allí se habían dispersado. El anciano cura de la iglesia católica tenía presentes a los O'Hanrahan y a su extraña hija, pero lo único que pudo decirle a Samantha fue que recordaba una epidemia de escarlatina ocurrida hacía años, cuando la niña debía tener unos dos. En caso de ser ello cierto y de que Jennifer hubiera contraído la enfermedad, aquella podría ser la causa de su sordera. Sin embargo, no explicaría el hecho de que fuera muda ni tampoco su extraño y retraído comportamiento.

Samantha mantuvo a Jenny abrazada largo rato, esperando de la niña el abrazo que nunca se producía, y después volvió a levantarse.

—Por favor, dígale al señor Dunwich que bajaré dentro de cinco minutos —pidió Samantha a la criada, dirigiéndose hacia el tocador.

Mientras la señorita Peoples abandonaba la estancia acompañada de Jenny, ni la criada ni Samantha observaron con qué anhelo se volvía la niña a mirar a la hermosa señora cuyo cabello negro se derramaba en cascada sobre su espalda.

Warren Dunwich miró el reloj de la repisa de la chimenea y lo confrontó con el suyo. Había una discrepancia de tres minutos. Cerró la tapa del reloj y se lo volvió a guardar en el bolsillo del chaleco. El reloj de la repisa estaba atrasado; si de algo se enorgullecía Warren Dunwich era de su agudo sentido del tiempo. Su anticipada visita de aquella noche había sido algo muy impropio de él, pero también necesario. Tras varios días de reflexión había decidido que aquella sería una noche muy adecuada para hacer una importante pregunta que le exigía estar a solas con Samantha.

Estudió el salón con mirada crítica. Era deplorable que una mujer del prestigio y la posición social de Samantha Hargrave viviera en un lugar semejante. La casa era pulcra y estaba amueblada con buen gusto, pero carecía de categoría y estilo. Últimamente ella había comentado que deseaba buscarse alojamiento en otro barrio. Bien, pues Warren Dunwich tenía una idea mucho mejor. Iba a comprar la antigua mansión Harrod y le iba a pedir a Samantha que la compartiera con él como esposa suya.

Eso no significaba que Warren Dunwich estuviera enamorado de Samantha, pues siendo un hombre muy frío, era incapaz de experimentar esa dulce emoción. Lo que Warren sentía por Samantha era una inefable fascinación, una atracción casi irresistible por sus cualidades.

Cinco meses antes, Warren Dunwich había aceptado la invitación al baile organizado para festejar la inauguración del hospital solo con el fin de renovar antiguas amistades, dado que sus frecuentes viajes le impedían el contacto con el mundo social, y pensaba quedarse poco rato. Sin embargo, al ver a aquella encantadora criatura, a la doctora Hargrave que había imaginado hombrunamente repulsiva, se sintió cautivado de inmediato. Nada interesaba más a Warren Dunwich que una mujer misteriosa; elegía a una y empezaba a explorarla como si fuera un continente desconocido, y una vez totalmente familiarizado con ella, la apartaba a un lado y buscaba un nuevo reto. Solo en una ocasión no pudo desentrañar los secretos de una mujer y esta estimuló su amor propio hasta el punto de inducirle a casarse con ella, ya que nunca abandonaba las investigaciones hasta haber conseguido averiguar todos los detalles de la dama. De esa mujer, que fue la primera señora Dunwich, Warren se cansó enseguida y el matrimonio se convirtió en un cortés diálogo entre dos desconocidos. Ahora había encontrado un nuevo misterio y, entre todos los que había conocido a lo largo de sus muchos años de actividades galantes, reconocía que Samantha Hargrave era el más deliciosamente desconcertante.

Decidió inmediatamente explorarla y averiguar cuanto pudiera, pero descubrió, para su inmenso asombro y su gran curiosidad, que ella guardaba celosamente un secreto. Como si adivinara su intención, Samantha levantó intrigantes barreras, permitiéndole tan solo vislumbrar algunos tentadores retazos de su verdadera personalidad. En lugar de desanimarle, aquella mujer estimulaba su interés.

Poco a poco, Warren pensó que los tibios galanteos, las ocasiones veladas en la ópera o los paseos por el parque de la Golden Gate jamás le permitirían conocer a la verdadera Samantha. Lo que hacía falta para el logro de su objetivo era un paso más drástico. A diferencia de algunos hombres, Warren no consideraba que el matrimonio fuera un sacrificio, sino el medio de alcanzar una meta deseada, y pese a ser un hombre frío, no carecía de pasiones: el matrimonio con Samantha Hargrave no solo le permitiría explorarla por entero; le ofrecería, además, el aliciente del lecho matrimonial.

—Señor Dunwich, le ruego que me disculpe.

Él se levantó y se adelantó para saludarla.

—Soy yo quien debe pedir disculpas, señora. Mi imprevista llegada le habrá producido, sin duda, algún trastorno. Pero le aseguro, querida doctora Hargrave, que no he actuado por simple impulso.

No podía negarse que Warren Dunwich tenía un aspecto muy agradable: el hermoso cabello plateado peinado hacia atrás sobre la elegante cabeza brillaba a la luz del fuego de la chimenea; sus mejillas hundidas y su pronunciada mandíbula formaban planos perfectamente esculpidos. ¡Si su personalidad estuviera en consonancia con su apostura! Además, había algo en él que no alcanzaba a descifrar.

—Siéntese, por favor, señor Dunwich. ¿Puedo ofrecerle otra copa?

Cuando Samantha se acercó al carrito del servicio, situado en la curva que formaba el mirador, vio que la calzada de la calle brillaba en la oscuridad. Se sorprendió. El día había sido muy soleado, pero unas pesadas nubes se habían desplazado de improviso desde el océano y la ligera llovizna anunciaba tormenta.

Se instalaron en los dos sillones de orejas, de cara a la chimenea.

—¿Qué tal va la Enfermería, doctora? —le preguntó él, como tenía por costumbre.

Ella vaciló.

—Bastante ajetreada, pero bien, gracias. ¿Y el negocio de la madera?

—Viento en popa —contestó Warren, tomando un sorbo de brandy—. ¿Cómo está Jenny?

—Sigue siendo mi alegría y mi dolor.

—Los cuidados que usted prodiga a la niña son admirables, querida señora, sobre todo teniendo en cuenta que no es su hija.

Samantha le miró con dureza y después apartó los ojos, recordando que no todo el mundo compartía sus ideas acerca de la universalidad del Niño. Recordó también que, a pesar de haberse pasado cinco meses intentándolo y de ofrecerle constantemente pequeños regalos, Warren tampoco había logrado ganarse el cariño de la niña. Jenny no hacía ningún gesto externo y tampoco modificaba la expresión de su rostro claro, pero Samantha intuía el temor y la desconfianza que le inspiraba el señor Dunwich, y eso la desconcertaba.

—Tiene once años, dentro de unos cuantos más será una jovencita. Temo por ella, señor Dunwich. No está preparada, es como un gatito totalmente indefenso.

Warren guardó silencio, pero no estaba de acuerdo. Aquellos grandes ojos negros le habían mirado lo suficiente para que él hubiera percibido vibraciones: la niña no estaba tan desvalida como Samantha pensaba. Y era lista..., demasiado lista. Warren tenía la sensación de que la chiquilla le atravesaba con la mirada, y eso no le gustaba ni un pelo.

—Tal vez debiera usted reconsiderar el asunto de esa escuela especial.

—No, he adoptado la decisión definitiva de no enviar allí a Jenny. Dicen que el señor Wolff, el preceptor especial que he contratado, ha obtenido éxitos extraordinarios.

—¿No me dijo usted que también era sordo?

—Perdió el oído en no sé qué accidente, pero puede hablar con normalidad.

—¿Cuándo llegará?

—El mes que viene. Ocupará el dormitorio de la planta baja, y lo que antes era mi sala de reconocimientos lo he convertido en cuarto de estudios para ellos. Rezo para que Jenny le acoja con simpatía.

A Warren le desencantó comprobar que no podía convencer a Samantha de que enviara a la niña a la escuela, pero eso añadía un nuevo motivo de fascinación: la negativa de Samantha a dejarse dominar...

—Jenny será una joven muy guapa —dijo Samantha—. Los hombres ya la miran incluso ahora. Yo no estaré siempre a su lado para protegerla. Si el señor Wolff puede enseñarle los rudimentos de la comunicación, me daré por muy satisfecha.

—Parece, querida señora, que la niña necesita un protector.

—Me tiene a mí. Y, cuando yo no estoy, tiene a la señorita Peoples.

—Me refiero a algo más sólido y seguro que una criada. La niña necesita un padre.

—Por desgracia, se desconoce quién es el padre de Jenny, señor Dunwich.

—Me estaba refiriendo a mi persona, señora.

—¿Qué está usted diciendo, señor Dunwich? —preguntó ella, volviéndose para mirarle—. ¿Me está proponiendo matrimonio?

—En efecto.

Samantha no supo la razón, pero, de repente, se sintió muy triste.

—Es usted muy amable, señor Dunwich, al preocuparse tanto por Jenny...

—Mi preocupación se extiende también a usted, querida amiga.

—¿Cree usted que yo necesito un protector?

—De ningún modo. Yo pensaba en la compañía.

Ella apartó la mirada y su tristeza se intensificó.

—Pero yo no estoy enamorada de usted, señor Dunwich.

—Ni yo de usted. Pero no cabe duda de que un matrimonio sólido puede basarse en otras cosas. Respeto mutuo, intereses compartidos...

—Ha habido otros hombres en mi vida.

—Mi querida doctora Hargrave, soy un hombre de cincuenta y dos años. Me hago pocas ilusiones.

Ella contempló el fuego de la chimenea, recordando otra proposición de hacía mucho tiempo... Mark irrumpiendo en su habitación, abrazándola y besándola, la pasión y la intensidad del momento. Y aquí estaba el señor Dunwich, haciéndole la misma proposición con la indiferencia con que hubiera podido hablar de la lluvia que en ese momento azotaba las ventanas.

—Bendito sea Dios —dijo él en tono pausado—. Me temo que la he trastornado.

—Debo confesarle que sí, señor Dunwich, pero la culpa no es suya. No he regresado a casa de muy buen humor, porque hoy se ha registrado una muerte en la Enfermería. Un niño.

—Cuánto lo siento.

—Y su proposición me ha revivido un antiguo recuerdo...

Él apenas podía contener la emoción. ¡Conque la indomable doctora Hargrave tenía secretos románticos!

—He cometido un error —dijo, haciendo ademán de tomarle la mano—. En mi creciente admiración por usted, señora, abrigué la loca esperanza de que usted me correspondiera. Ahora me temo que me equivoqué.

—Por favor, señor Dunwich, no se lo reproche. Si yo le induje a creer que mis intenciones eran de carácter más serio, le pido disculpas.

Él le apretó la mano antes de soltarla.

—Por favor, no me rechace enseguida, querida señora; téngame por lo menos la atención de considerar mi proposición.

—Señor Dunwich, nunca he pensado casarme. No se trata de usted; estoy demasiado entregada a mi trabajo, no le podría dedicar el tiempo y la atención que usted se merece de una esposa.

—Mi querida doctora Hargrave, soy muy consciente de sus grandes responsabilidades como médico y jamás se me ocurriría robarle ni un solo minuto. La nuestra no sería la habitual unión doméstica, sino más bien una compañía y una amistad. Y en caso de que usted lo deseara, aunque le prometo que no le impondría mis derechos de esposo en esa esfera tan delicada, podríamos tener hijos algún día...

Samantha se levantó del sillón, se detuvo frente a la chimenea en actitud vacilante y después se volvió para dirigirse al carrito del servicio, donde se llenó una pequeña copa de brandy, y observó que estaba cayendo un aguacero.

Sin saberlo, Warren Dunwich había tocado una fibra muy sensible. Mientras contemplaba el tráfico de caballos y carruajes empapados por la lluvia, recordó otra noche de tormenta de hacía cuatro años, la noche en que nació Clair.

Las contracciones aparecieron tan de repente que Samantha no tuvo tiempo de llamar a una comadrona. Y trajo a Clair al mundo sola, en el dormitorio de arriba. Ella misma cortó el cordón umbilical y se acercó la niña al pecho, para aguardar la expulsión de la placenta. Fue el momento más maravilloso de su vida.

Tener otro hijo...

Samantha tomó un sorbo de brandy y notó una sensación de calor mientras el líquido le bajaba por la garganta.

La proposición de Warren no había constituido una sorpresa, y Samantha sospechaba que Stanton Weatherby iba a plantearle la misma cuestión. A primera vista, no parecía que hubiera nada que pensar: no amaba a ninguno de los dos hombres, estaba entregada a su carrera, no necesitaba casarse. Muchas mujeres se casaban sin amor, por huir del estigma de la soltería; muchas se casaban por soledad. No era ese el caso de Samantha.

La copa se detuvo junto a sus labios. *¿O sí estoy sola?*, se preguntó mentalmente. La respuesta le produjo un escalofrío: *Sí... a veces.* Pero, ¿acaso es razón suficiente para casarse?

Samantha estudió su imagen en el espejo y vio en segundo plano al señor Dunwich, elegante pero sin atractivo para ella, sentado frente a la chimenea, esperando pacientemente su respuesta.

¡No tenía la menor razón para casarse con él!

Los dedos de Samantha apretaron la copa. *Entonces, ¿por qué no le rechazo ahora mismo? ¿Por qué vacilo?*

Qué maravilloso, tener otro hijo...

Pero después pensó en Mark y, de repente, experimentó el angustiado deseo de estar sola.

En el pasillo, la señorita Peoples estaba acompañando a Jennifer, después de cenar, y hablándole por costumbre, tal como solía hacer todo el mundo.

—Muy bien, señorita. Ahora vamos a darle las buenas noches a tu mamá y después te meteré en la cama. Esta noche San Nicolás bajará por la chimenea.

Al llegar al salón, la señorita Peoples pensaba llamar a la puerta, pero, viéndola abierta, le dio a Jenny un suave empujón para que entrara. Estaba a punto de hablar, cuando vio que el señor Dunwich, sin percatarse de aquella presencia en la puerta, se levantaba súbitamente de su sillón, se acercaba a la ventana, donde se encontraba la doctora Hargrave, le rodeaba los hombros y volvía su rostro hacia él. Comprendiendo que había cometido una indiscreción, la criada quiso llevarse a la niña.

Pero, para su asombro, Jenny opuso resistencia y permaneció rígidamente de pie, contemplando cómo el hombre del cabello plateado rodeaba con los brazos los hombros de la señora y movía rápidamente los labios.

La señora tenía el rostro apenado.

Cuando Warren inclinó la cabeza y cubrió la boca de Samantha con la suya, Jennifer se soltó de la mano de la criada y corrió hacia él, lanzando un grito. Warren giró en redondo. Jenny aulló, le golpeó con sus pequeños puños y después rodeó con sus brazos la cintura de Samantha.

—¿Qué demonios ocurre? —gritó él.

Sorprendida, Samantha trató de apartar los brazos de la niña, pero esta siguió aferrada a ella con increíble fuerza. De su garganta se escapaba un extraño sonido agudo.

—¡Lo siento, doctora! —dijo la señorita Peoples, acercándose a toda prisa—. Bajamos para dar las buenas noches. No tenía idea de que estábamos interrumpiendo...

—¿Jenny? —dijo Samantha, contemplando la cabeza que se había hundido en su falda. Después soltó suavemente las manos de la niña y se arrodilló para que sus ojos estuvieran al mismo nivel que los de Jenny. Le sorprendió la expresión de miedo que brillaba en ellos, el temblor de sus labios y la profunda emoción del pálido rostro—. Jenny —murmuró en tono admirativo, al tiempo que le acariciaba el cabello.

—Pero ¿qué demonios ocurre? —preguntó Warren.

—Creía que me estaba usted haciendo daño —contestó Samantha serenamente. Las lágrimas asomaron a sus ojos—. Resulta que *tiene* sentimientos. Y fíjese, está intentando hablar.

La mandíbula de Jenny se movía con torpeza arriba y abajo; sus ojos contemplaban atentamente la boca de Samantha, como si tratara de hablar.

—También te hace falta la voz, cariño —le dijo Samantha suavemente—. Oh, Jenny, ¿cómo podría llegar a ti? —Las lágrimas empezaron a rodar por las mejillas de Samantha—. Fíjese cómo mueve la boca. Ella no sabe... ¡Dios mío, dale voz, te lo suplico!

Desde el lugar en que se encontraba en pie, observando la escena, Warren vio una manecita que se levantaba y acariciaba la mejilla de Samantha. Las yemas de los dedos de Jenny recorrieron el camino de una lágrima y después se apartaron y trazaron el mismo camino en su propia mejilla.

—Quiere llorar —dijo Samantha suavemente—. Anda, Jenny, llora.

Nuevas lágrimas asomaron a sus ojos y la niña volvió a recogerlas en las yemas de sus dedos, trasladándolas a su propia mejilla.

—Ojalá supiera cómo llegar a ti —dijo Samantha con voz tensa—. Ojalá pudiera entrar en tu pequeña prisión cerrada. ¿Cómo puedo llegar a ti, Jenny?

—Samantha.

Samantha levantó la mirada y vio a Warren mirándola desapasionadamente.

—Creo que será mejor que se vaya, Warren —le dijo.

Él abrió la boca para decir algo, pero después, cambiando de idea, se acercó a la mesa donde había dejado los guantes y el sombrero.

—Señor Dunwich —dijo Samantha—, está claro que Jenny le tiene miedo. Creo que será mejor que no volvamos a vernos.

Él asintió brevemente, demasiado orgulloso para dar a entender su indignación. Pero, mientras la señorita Peoples le acompañaba a la puerta, su cólera se transformó en hastío y, al cabo de unos minutos, mientras se alejaba en su carruaje, ya empezó a pensar en la cena.

Samantha se levantó, le pidió a la señorita Peoples que preparara un poco de té y se acercó con Jennifer a la chimenea. Sentándose y colocando a la niña delante de ella, Samantha contempló el ansioso rostro, observando cómo subía y bajaba la mandíbula.

—Dulce chiquilla —murmuró—, yo tenía razón y todos los demás estaban equivocados. Tienes sentimientos y puedes emitir sonidos. Pero ¿cómo conseguir que lo hagas? ¿Hace falta el miedo? ¿O la amenaza de un peligro? Jenny, oh, Jenny. ¿Cómo puedo llegar a ti?

Jennifer tocó con las yemas de los dedos los labios de Samantha y después se palpó los suyos. Samantha tomó la mano de la niña y la apoyó en su garganta.

—Mira, ¿lo notas? Tienes que emitir sonidos, Jenny. Tienes cuerdas vocales. No hay razón para que no hables.

Los grandes ojos parpadearon con expresión asombrada. Jenny apartó la mano y la apoyó en su propia garganta. Sus labios formaron una «o», una «a» y una «i», pero era inútil porque la niña no comprendía.

—Jenny, ya has empezado. Has dado el primer paso. ¿Cómo podría lograr que sigas adelante? La imitación no es suficiente, tú no *comprendes.* Dios mío, ayúdame a llegar a ella.

Cuando sonó el timbre de la puerta, Samantha creyó que Warren había regresado. Puesto que la señorita Peoples se encontraba en la cocina, ella misma fue a abrir; se mostraría firme con él. Todo había terminado entre ambos. No podía seguir viendo a un hombre que asustaba a su hija.

Pero, en lugar de Warren, Samantha se encontró en la puerta, de pie bajo el aguacero y portando una maleta empapada de agua, a un joven cuyo largo cabello se le había pegado al cráneo y cuyo traje era pequeño en varias tallas para su delgada figura.

El joven parpadeó para sacudirse las gotas de lluvia de los ojos y dijo torpemente:

—¿Doctora Hargrave? Soy Adam Wolff, de la Escuela de Sordos. ¿Llego puntual?

QUINTA PARTE

SAN FRANCISCO

1895

1

Reprimiendo las lágrimas, Hilary besó a sus hijos en la frente y después los envió a la niñera que estaba aguardando. Merry Christmas, que ahora contaba once años, recibió el beso sin la empalagosa reacción de sus hermanos; ella era toda una señorita, y las señoritas, aunque en el fondo de su corazón estuvieran deseando hacer demostraciones de afecto, tenían que ser comedidas. Recibió fríamente el beso y dio media vuelta. Eve, en cambio, que tenía ocho años, arrojó los brazos alrededor del cuello de su madre y estampó en su mejilla sus húmedos labios. Después vino Julius, un chiquillo muy serio, de siete años. A este le pareció más digno estrechar la mano de Hilary, pero después, en el último momento, la abrazó con desesperación, como solía hacer siempre, con aquel curioso amor de hijo que tenía regusto del amor de un amo y amante.

Las lágrimas que Hilary estaba reprimiendo no eran por aquellos tres hijos, que constituían su orgullo y habían sido concebidos y traídos al mundo con alegría. Las motivaban los que venían después: la pequeña y dulce Myrtile, que fue un embarazo molesto y un nacimiento difícil; Peony, de cuatro años, cuya concepción no había sido deseada, ya que, tras el nacimiento de Myrtile, Hilary había tratado de limitarse a los días «seguros» en sus relaciones con Darius; y finalmente Cornelius, de dos años, con sus frágiles piernas, cuya concepción resultó una angustiosa sorpresa, dado que Hilary había estado practicando en secreto el control de la natalidad.

Mientras los niños se iban a sus dormitorios, Hilary se irguió, se apoyó las manos en el vientre y notó una vez más que las lágrimas afloraban a sus ojos y amenazaban con rodar por sus mejillas. Seis hijos en nueve años, pensó con desolación. Y ahora ya estaba en camino el séptimo...

—Recuerde esterilizar el biberón de Cornelius, Griselda —le dijo a la almidonada niñera mientras esta tomaba en brazos al niño.

—Sí, señora.

Griselda, de sesenta y tantos años, pensaba en su fuero interno que aquella manía de los gérmenes que estaba azotando la nación era una soberana idiotez. En los cuarenta años que llevaba de niñera, jamás había tenido que habérselas con los estúpidos temores y las exigencias que ahora le imponía la señora Gant. Y no eran solamente los Gant. Cuando Griselda se reunía, una tarde a la semana, con otras niñeras, todas se quejaban de aquella nueva moda antigérmenes que les estaba amargando la vida. Hacía apenas unos años, nadie sabía lo que era un germen y ahora, de repente, todo el mundo gritaba «¡Cuidado con las bacterias!». Y a las niñeras y criadas del país entero se les exigía que esterilizaran toda la casa. Ellas chascaban la lengua y se mostraban de acuerdo en que los tiempos pasados habían sido mucho mejores.

—¡Fijaos! —gritó un día Griselda, sosteniendo en la mano su copita de jerez vacía—. ¡Un germen!

Después lo pisó en la alfombra con el pie y todas sus compañeras estallaron en carcajadas.

Hilary avanzó por el pasillo y, en determinado momento, se detuvo para prestar atención al inmenso silencio de la casa. Reprimiendo un sollozo —la servidumbre no tenía que verla en aquel estado—, pensó en Darius, que pasaba el fin de semana en el barco de un amigo (el deporte de la vela, otra manía que se había puesto de moda), e inmediatamente sintió que la dominaba el resentimiento. Por primera vez en los quince años que llevaban casados, Hilary odió a su marido por ser un hombre y por ser libre, y después le odió por obligarla a odiarle.

Por fin, comprendiendo lo retorcido de sus pensamientos, Hilary empezó a sollozar y aceleró el paso hacia el final del corredor. Entró en su dormitorio, cerró la puerta con furia y dio rienda suelta a sus lágrimas. Te odio, Darius Gant, por haberme vuelto a hacer esto. ¡Y te odio por obligarme a no desear a este niño!

¡Oh, era todo tan confuso, tan complicado! Hilary amaba a Darius tanto como el día de su boda, pero era muy fácil cruzar la fina línea divisoria.

Una vez se hubo desahogado, se secó el rostro con un pañuelo e inició el aburrido proceso de desnudarse. Por regla general, la ayudaba Elsie, pero últimamente Hilary había empezado a mostrarse reacia a que los demás hicieran por ella hasta la más mínima cosa. En sus treinta y tres años de vida jamás se había opuesto a que le sirvieran constantemente, pero en el transcurso de estos últimos meses, se había ido sintiendo cada vez más molesta ante el hecho de que los mayordomos le abrieran las puertas, los hombres la ayudaran a subir los peldaños y las criadas la vistieran y la desnudaran.

Hizo una pausa. Las sienes habían empezado a latirle. Llevaba dos meses encinta y ya se sentía tal mal con aquel embarazo como con en el de Myrtle. Otros siete meses de náuseas, dolor, letargo. Y aquel abultamiento tan deplorable. Hilary se dirigió al cuarto de baño adyacente, abrió un armario y sacó un frasco. El

Amigo Femenino de Farmer. Se lo había recomendado Dahlia Mason porque su segundo y su tercer embarazo habían sido muy molestos.

—Obra auténticas maravillas —le había dicho Dahlia a Hilary.

Hilary lo había usado durante su última gestación y después lo había seguido tomando porque aliviaba los dolores de espalda y los calambres menstruales. La etiqueta decía que el tónico estaba especial y «científicamente» destinado a las futuras madres. «Si usted sufre cualquiera de estos síntomas —decía—, letargo, languidez, apatía, náuseas, mal sabor de boca, deficiente estado general de salud, sequedad de la piel, micción frecuente, sensibilidad del busto, sensación de temor y de peligro inminente, pulsación de las sienes, insomnio, palpitaciones, depresión, o cualquier otro de los síntomas que acompañan normalmente el estado de buena esperanza, el Amigo Femenino de Farmer los eliminará inmediatamente y con toda seguridad, o le devolverá el dinero.»

Hilary no experimentaba algunos de aquellos síntomas, pero sí otros. Sobre todo, apatía y depresión. Y la medicina daba resultado; siempre la libraba de la melancolía.

Ingirió una cucharada, esperó un momento y tomó otra.

No era solo el embarazo; aquella vez había algo más. Últimamente Hilary había empezado a sentirse inquieta y aburrida, abrumada por una sensación de inutilidad. Su labor en la Enfermería había sido muy satisfactoria durante los últimos siete años, pero solo se había podido dedicar a ella parcialmente debido a sus constantes embarazos. Tras el nacimiento de Cornelius, abrigó la esperanza de verse libre de aquel opresivo estado y se entregó en cuerpo y alma al Comité Femenino. Ahora su esperanza se había esfumado.

La semana anterior, mientras pensaba sombríamente en los siete meses que la aguardaban, Hilary había reflexionado que, si pudiera ser más útil en el gobierno de la casa, si pudiera compartir las responsabilidades, quizá tendría la sensación de ser necesaria. Le pidió a Darius que le explicara cuál era su situación económica y él se limitó a reír; cuando le pidió que le mostrara el talonario de cheques, la miró con expresión inquisitiva; y, al rogarle que le explicara cuáles eran sus deudas y bienes personales, Darius se indignó y le ordenó que se dejara de tonterías.

Fue entonces cuando Hilary tuvo una estremecedora revelación: ¡No soy necesaria!

En ese momento, sentada frente a la mesita del tocador mientras aguardaba a que la medicina hiciera efecto, tuvo la sensación de que su vida se estaba desmoronando y de que la situación se le escapaba de las manos.

Lo que a Hilary le hacía falta era hablar con Samantha. Pero últimamente no era fácil verla.

El hospital se había ampliado más de lo previsto; dos años atrás, se había añadido y reformado un segundo edificio, instalado cincuenta nuevas camas y trasladado la escuela de enfermeras a un edificio de la acera opuesta. Las nuevas instalaciones, la contratación de personal, los problemas del presupuesto y toda una serie de nuevos descubrimientos en el campo de la medicina, le habían arrebatado a Samantha buena parte de su tiempo libre. Exceptuando las reuniones relacionadas con el Comité Femenino y los donativos, parecía que Samantha no tenía un minuto para su amiga. Habían transcurrido seis semanas desde el último almuerzo compartido en Chez Pierre.

Hilary empezó a pensar. Necesitaba hablar con Samantha. Miró el reloj de la mesilla y se preguntó dónde estaría Samantha a esa hora... en casa o, más probablemente, en la Enfermería. Hilary había acudido aquella mañana al hospital y descubierto que Samantha estaba practicando una operación; luego, como se presentara en casa de Dahlia Mason, le había dicho que esta había salido a montar.

Ellas son libres y yo no.

Hilary volvió a mirarse al espejo, pensando que aparentaba más edad de la que tenía, y súbitamente se sintió muy sola. Se inclinó y abrió un cajón. Sacó un joyero chino lacado que, cuando se abría, tocaba las notas de *Para Elisa* mediante un mecanismo oculto. En su interior había una cajita de cartón que parecía contener una chuchería de Chinatown. Si Darius hubiera examinado alguna vez accidentalmente aquel joyero, no hubiera prestado la menor atención a la cajita.

Y, sin embargo, la pequeña caja contenía un instrumento de vida y de muerte.

Samantha se reclinó en su asiento y se quitó las gafas; aquella noche le pesaban extrañamente en la nariz. No obstante, ella sabía que lo que verdaderamente le pesaba no eran las gafas, sino el caso legal que tenía delante: la doctora Willella Canby había sido acusada de practicar una operación ilegal —un aborto— en la Enfermería.

Levantó los ojos y se asombró al ver que ya había anochecido. Cuando se sentó, era de día. Se levantó para encender la luz eléctrica, y después, al acercarse a las puertas vidrieras vio en el cristal a una mujer alta y graciosa que avanzaba hacia ella desde el otro lado. No aparentaba sus treinta y cinco años, aunque las gafas le añadieran un poco de edad, y apenas difería de la joven que trece años antes había llegado a San Francisco resuelta a convertir su sueño en realidad. La imagen reflejada en el cristal parecía la de una paseante en la noche de septiembre. Samantha pensó que ojalá pudiera dar un paseo, distraerse un poco; pero la causa se iba a ver la mañana siguiente y ella tenía que estar preparada.

Willella estaba muy trastornada. La paciente había echado mano de un viejo truco: compró una gallina viva, le cortó el cuello, empapó un trapo en la sangre y después, con el trapo metido en la ropa interior, llegó tambaleándose al hospital, afirmando que estaba sufriendo un aborto. El procedimiento habitual consistía en trasladar a la chica a la sala de operaciones. Técnicamente, Willella había practicado un aborto; éticamente, se había limitado a llevar a cabo un procedimiento quirúrgico habitual.

Con la mirada clavada en las puertas vidrieras, Samantha prestó atención al silencio de la casa. Darius y Hilary le habían regalado un fonógrafo Edison Standard, uno de los primeros de la ciudad, para compensar un poco el silencio que perpetuamente reinaba en la vivienda, pero Samantha jamás lo utilizaba. Se había acostumbrado al constante silencio e incluso lo apreciaba.

Consultó su pequeño reloj de pulsera (otra invención moderna, regalo de Darius) y pensó que los niños debían de estar durmiendo.

Aquella idea siempre ponía una sonrisa en los labios de Samantha. Tenía edad suficiente para ser la madre de Jenny, pero en modo alguno la de Adam. Y, sin embargo, no podía evitar considerarles cariñosamente sus hijos. Desde aquella Nochebuena en que se presentó ante su puerta, empapado por la lluvia y con aire desvalido, Adam Wolff fue para Samantha como un hijo. A pesar de que ella solo le llevaba seis años.

La atracción del jardín era demasiado fuerte. Samantha decidió dar un paseo antes de regresar al escritorio.

La casa de tres pisos de Jackson Street, en la zona de Pacific Heights, era un refugio perfecto, lejos del ajetreo y el bullicio de la Enfermería. Siete años antes, cuando decidió comprar una casa en la ciudad, Samantha quiso algo que fuera cómodo y estuviera cerca del hospital y de sus amigos, una casa no tan grande como la de Hilary, pero lo bastante espaciosa para poder disfrutar de libertad e intimidad individual, una casa desde la cual, a ser posible, se viera la bahía y que estuviera rodeada por un jardín. La encontró en su primer recorrido. Se levantaba en lo alto de una colina, no lejos del Divisadero, y se podían contemplar desde allí la Marina, la isla de Alcatraz y la Golden Gate. No era una casa muy grande... lo justo para que Samantha tuviera sus propias habitaciones y un estudio junto al jardín, para que Adam y Jenny dispusieran de dormitorios individuales y de un cuarto de estudios y para que en el piso superior pudieran alojarse las dos criadas y la señorita Peoples. La escalinata de la puerta de entrada daba a la acera, pero a un lado de la casa había una franja de césped que la separaba de la finca vecina; al otro, una cochera para la berlina y los dos caballos; y en la parte de atrás, un jardín con bancales y un mirador.

Samantha levantó el rostro a la brisa, aspirando el penetrante aire salobre mientras contemplaba con deleite las luces que parpadeaban en los muelles, abajo. Tenía el tiempo tan ocupado últimamente que, cuando disponía de algún momento de ocio, lo disfrutaba por entero.

Y durante esos momentos jamás dejaba de asombrarse del sesgo que había adquirido su vida. Muchos de sus sueños se habían convertido en realidad, se sentía profesionalmente colmada; su hospital estaba prosperando; tenía queridos y maravillosos amigos; vivía cómodamente y con tranquilidad; y tenía a sus dos «hijos».

El milagro de aquellas Navidades de hacía nueve años seguía estando vivo. Fue una noche afortunada: la liberación de Jenny de las ataduras que la tenían presa coincidió con la llegada de Adam. Sí, estaba escrito que así ocurriera.

Samantha estaba firmemente convencida de que Adam Wolff le había sido enviado por Dios. Cuando apenas llevaba en la casa una hora, él consiguió establecer con Jenny aquellos singulares y especiales lazos que, intensificados con el paso de los años, habían dado tan prodigiosos frutos y le habían ganado la admiración y los elogios de todos hasta el punto de que quienes le amaban, ya no veían su fealdad.

Adam Wolff hubiera podido ser un apuesto joven. El accidente ocurrió en mil ochocientos setenta y seis, cuando él tenía diez años y trabajaba con su padre en la explotación de la cantera de la Telegraph Hill junto con otros obreros. El pequeño Adam, un muchacho fuerte y bien parecido que ganaba diez centavos diarios empujando una carretilla, estaba demasiado cerca de la explosión del barreno. Perdió el oído, su rostro quedó muy desfigurado y su padre resultó muerto. Por medio de los frailes de la Misión, pudo ingresar, en calidad de estudiante menesteroso, en la Escuela de Sordos donde, durante seis años, aprendió el alfabeto manual de los sordos y la lectura de los labios; los últimos seis años había hecho de profesor en casa de Samantha.

El acuerdo con la doctora Hargrave fue inicialmente a corto plazo. Adam Wolff se quedaría tan solo el tiempo que tardara Jenny en aprender los métodos básicos de comunicación; sin embargo, ocurrió algo asombroso. En determinado momento, mientras instruía pacientemente a la niña en el alfabeto digital, Adam Wolff liberó, sin saberlo, el hermoso y etéreo espíritu de Jennifer Hargrave.

No había ocurrido de golpe, sino gradualmente, hasta que un día todo el mundo olvidó que el chico tenía que marchar. Se quedó, se convirtió en un miembro de la familia y recuperó de nuevo, tras el endurecimiento que había experimentado su corazón como consecuencia del accidente, la capacidad de amar.

Samantha se preguntó al principio si se podría hacer algo para mejorar el aspecto del muchacho. Pero, tras examinarle con detenimiento, observó que la cicatriz era demasiado profunda y permanente; en realidad, podía dar gracias de no haber quedado ciego. De todos modos, la desfiguración de su rostro solo causaba asombro al principio. Al ver por primera vez al muchacho, la reacción inicial de la gente era de espanto; después, el espanto se transformaba en compasión, y más adelante, ante su simpatía y sensibilidad, olvidaban las cicatrices y solo veían a un amable joven de temperamento poético.

Juntos formaban una extraordinaria pareja.

Jennifer tenía diecinueve años y se había convertido en una joven muy hermosa cuya belleza resultaba acrecentada por su silencio, su encanto y aquella mirada especial de sus ojos. Jennifer miraba y «escuchaba» a las personas de tal manera, que daba la impresión de captar algo más que palabras: parecía establecer una comunicación mucho más sutil. Al lado de Adam, su belleza destacaba todavía más. Cuando salían a dar un paseo en coche o a pie, siempre atraían la atención de los viandantes. Sumergidos en su propio mundo, hablando con las manos en su propio lenguaje, Jenny y Adam formaban una extraña pareja: la deformidad al lado de la hermosura.

Se habían producido muchos milagros a lo largo de aquellos siete años, pensó Samantha en ese momento. El descubrimiento de los profundos sentimientos de Jennifer atrapados en el interior de su cuerpo sin habla. El joven Adam, solitario y esquivo, amargado y arisco, había aprendido a ser amable y cariñoso. Samantha había visto emerger a su hija y la había visto decir «madre» con los dedos por vez primera.

Samantha contempló la bahía con los ojos empañados y sonrió al recordar un dulce momento. Tras darle a conocer el alfabeto digital, Adam había enseñado a Jenny a leer. Le enseñó una palabra y después le mostró el significado con lápiz y papel. Pero después Jenny leyó en su cartilla la misma palabra con otro significado y se quedó perpleja. Más adelante, leyó una frase del *Chronicle* en la que el vocablo significaba otra cosa, y su perplejidad fue en aumento. Al término de la jornada, viendo que el desconcierto de Jenny estaba volviendo loco a Adam, Samantha no tuvo más remedio que echarse a reír.

Cuántas alegrías en el transcurso de los últimos siete años...

Samantha se acomodó en un banco entre las flores, y sus pensamientos volvieron a centrarse en Mark. Él seguía acompañándola, jamás se había apartado de su lado, era el único hombre de su vida. Desde que rechazara a Warren Dunwich, Samantha había llegado a un entendimiento consigo misma: no quería casarse porque Mark sería siempre su marido; y no necesitaba tener hijos propios..., aparte de Jenny y Adam, tenía a todos los niños de la Enfermería, los cuales, aunque de manera transitoria, también eran suyos durante algún tiempo. Como consecuencia de ello, había rechazado los galanteos formales de Stanton Weatherby (que ahora era su abogado y su amigo), había rechazado las actividades casamenteras de Hilary y rechazaba todas las proposiciones serias que pudiera hacerle cualquier caballero.

Desde donde se encontraba sentada, al fondo del jardín en pendiente sobre la ladera de la colina, Samantha no oyó el timbre del teléfono que sonaba en la casa. La señorita Peoples había salido a dar un paseo. Era la noche que tenía libre la otra sirvienta, y los otros dos moradores de la vivienda no podían oírlo. Y, de ese modo, nadie atendió la llamada.

Samantha contempló las luces de posición de un yate particular amarrado a la dársena y recordó que Darius se encontraba a bordo de un barco como aquel. Hilary le había expresado a Samantha el temor que le inspiraba aquel nuevo deporte, pero no había forma de convencer a su esposo. Todo lo que era nuevo, moderno y elegante, le gustaba. Samantha recordó que, habiendo comprobado en cierta ocasión una cámara fotográfica manual George Eastman, les obligó a todos a posar en el jardín en actitudes muy poco naturales, para aprender a tomar «instantáneas». Samantha se preguntaba de dónde debía sacar Darius tanta energía e imaginación. Ahora se había metido de lleno en el negocio de las naranjas..., una aventura que todo el mundo condenaba al fracaso, pero él estaba seguro de que sería rentable con tal de encontrar la forma de transportarlas sin que se produjeran mermas. Repartía su tiempo entre Los Ángeles, donde estaban las cosechas, y Sacramento, donde se dedicaba a estudiar los proyectos de un nuevo vagón experimental refrigerado.

Estamos todos tan ocupados últimamente, pensó Samantha mientras se levantaba del banco. Apenas tenemos tiempo de ser, simplemente, personas.

Mientras subía a la casa por el camino embaldosado, los pensamientos de Samantha regresaron a la Enfermería. Una y otra vez el dinero. La calefacción de vapor que tanto necesitaban, aún no la podían instalar; siempre que se recibían fondos, había que destinarlos a algo más urgente. Y ahora estaban ejerciendo presión desde fuera para que se inaugurara un servicio de oftalmología.

De nuevo en el estudio, Samantha se fue directamente al escritorio, se puso las gafas y volvió a leer las notas que había preparado en defensa de Willella Canby. Stanton Weatherby le había asegurado que el querellante (el enfurecido padre de la paciente) retiraría las acusaciones en cuanto tuviera conocimiento de todas las circunstancias (el engaño puesto en práctica por su hija). Pero Samantha quería evitar que se repitieran tales contratiempos en el futuro.

Había leído que los abortos simulados eran tan frecuentes en los hospitales, que un médico de otro centro había recomendado que, antes de trasladar automáticamente a la enferma a la sala de operaciones, se examinara la sangre bajo el microscopio, para establecer de manera concluyente que no se trataba de una simulación: los glóbulos rojos de una gallina tienen un núcleo, mientras que los humanos carecen de él. Samantha tomó la pluma y empezó a escribir.

Hilary contempló el teléfono y pensó: Ya nunca estás en casa, Sam. Para poder verte, se tiene una que poner enferma.

Hilary se levantó del sillón del escritorio y se puso el camisón. Su imagen reflejada en el espejo se movió con ella y le mostró el cuerpo de una joven que ya no era tan esbelta como en otros tiempos. Contempló con tristeza los redondeados contornos de su figura. Hacía años que no montaba, el tiro con arco lo practicaba una vez cada pocos meses. Se estaba convirtiendo en una vaca; Hilary se sentía asqueada.

Las personas insatisfechas ven las cosas con ojos deformantes; la creciente desilusión que experimentaba Hilary en lo referente a su propia vida le había alterado la realidad, pues lo cierto era que seguía siendo tan encantadora y atractiva como siempre. Es más, el aumento de peso le daba un aspecto más infantil, en sus mejillas se formaban hoyuelos cuando reía y todo el mundo decía que estaba preciosa. Pero era inútil..., Hilary ya no se gustaba.

Se dejó caer en la silla del tocador y contempló la cajita.

Levantó la tapa y miró con furia el odioso objeto que había en su interior. En otros tiempos, aquel instrumento la había entusiasmado y emocionado; ahora lo despreciaba. La falsa seguridad es peor que la ausencia de seguridad. En su opinión, era aquel artilugio el culpable de su embarazo no deseado.

La anticoncepción, tan antigua como la humanidad, en Estados Unidos era, además, ilegal. Mientras que las mujeres europeas tenían fácil acceso a populares y seguros recursos como el diafragma y el tapón cervical, las norteamericanas habían de recurrir a los ciegos e inseguros métodos anticonceptivos que sus madres y abuelas habían utilizado: esponjas empapadas en quinina, tapones de cera de abejas, collares de ajos. Las noticias referentes a esos adminículos europeos habían llegado a Norteamérica, e inmediatamente se había producido una gran demanda; los pocos diafragmas que se introducían ilegalmente en Estados Unidos se vendían a precios muy elevados. En la Enfermería de Mujeres de San Francisco se recibían todos los meses centenares de peticiones en ese sentido, pero no se podía hacer nada; la ley estaba muy clara: al médico que facilitara semejantes objetos se le retiraría inmediatamente la licencia para ejercer la medicina.

Samantha se había tenido que enfrentar a ese dilema. Por una parte, hubiera deseado ayudar, pero por otra temía poner en peligro la Enfermería, por lo cual ella y sus compañeras habían burlado en algunas ocasiones la ley recetando tampones e irrigaciones para el tratamiento de infecciones vaginales. En realidad, se trataba de productos espermicidas. Era una actuación muy arriesgada y todas vivían en el temor de ser descubiertas, pero no se podía desatender a la pobre mujer que acudía a la Enfermería con el cuerpo destrozado, jurando que su próximo embarazo acabaría en suicidio. Cuando Hilary le pidió ayuda, Samantha no dudó en facilitar a su amiga una esponja y un producto gelatinoso.

La esponja había dado resultado durante seis meses, sin que Darius se enterara. Pero bastó que fallara una noche: el resultado fue Cornelius.

Por mediación de una amiga Hilary pudo conseguir ilegalmente un diafragma. Samantha se lo colocó y le enseñó cómo utilizarlo, sabiendo que, si se llegaba a descubrir, ambas serían detenidas. El maravilloso aparatito francés dio resultado durante dos años deliciosos..., pero ahora también había fallado. Y Hilary tenía la sensación de haber llegado al final del camino.

Volvió a cerrar la caja con gesto cansado, la guardó en su cajón secreto y se levantó. Las sienes le seguían latiendo.

Regresó al cuarto de baño y tomó el frasco de Farmer.

2

Samantha estaba furiosa.

No era el primer caso que se presentaba: en la Enfermería abundaban más de lo que ella hubiera deseado. Mientras contemplaba los pálidos párpados azulados y el rostro serenamente dormido, pensó: «Malditos».

Se apartó de la cama. Al parecer, la chica se iba a salvar, pese a que a primeras horas de la mañana se encontraba al borde de la muerte. Afortunadamente, Willella Canby había actuado con rapidez: su idea de lavar el estómago de la muchacha inconsciente le había salvado la vida. Ahora Samantha estaba aguardando a que la paciente despertara, ya que entonces tendría el doloroso deber de comunicarle que seguía estando embarazada. El «regulador del ciclo» que había comprado en la farmacia de la esquina no había dado resultado.

Samantha dobló el estetoscopio y se lo guardó en el ancho bolsillo de la falda. Las sobredosis accidentales de medicamentos estaban a la orden del día. Cada vez era mayor el número de mujeres y muchachas que acababan habituándose o, peor todavía, matándose con medicamentos que afirmaban ser saludables e inofensivos.

Samantha contempló con aire pensativo las hileras de camas. Doce de aquellas mujeres habían ingresado como consecuencia de la ingestión de específicos curalotodo. Otras diez estaban aquejadas de problemas ginecológicos naturales que, de momento, no tenían curación. Cuatro eran casos de histerismo: las razones de sus dolencias eran de tipo mental, no físico. Y en dos casos no se había podido sentar un diagnóstico. De entre las cuarenta, ocho morirían a causa de sus enfermedades. Diez tendrían que ser operadas y, de esas diez, solo ocho sobrevivirían. Quince abandonarían el hospital sin estar completamente restablecidas y con la salud permanentemente deteriorada, y el resto, gracias a la buena suerte o a la intervención de la medicina, se curarían.

A Samantha no le gustaban aquellos porcentajes.

Se dirigió a su despacho, pero antes cambió unas palabras con algunas enfermas, consultó con la doctora Lovejoy a propósito de la paciente aquejada de fibromas, repasó los menús de Charity Ziegler y se enteró de que, una vez más, el portero había sido sorprendido durmiendo la borrachera en una mesa de autopsias. Al llegar a su despacho, decidió pedir una taza de té, pero la enfermera Constance le dijo que una nueva paciente la estaba aguardando en la sala de reconocimientos.

Samantha entró. La recién llegada era una rechoncha mujer que lucía un anticuado polisón y un sombrero que, adornado con plumas de avestruz, parecía llenar toda la pequeña estancia. Era jovial y robusta y no mostraba la timidez habitual en la mayoría de las pacientes. No tenía ningún problema, sino que deseaba hacer una consulta: tenía cincuenta y dos años y la menstruación se le había interrumpido hacía uno, pero de pronto había vuelto a sangrar y deseaba saber si podría quedar embarazada.

Samantha esbozó una sonrisa profesional. Los síntomas expuestos por la mujer no parecían indicar un retorno de la fertilidad sino todo lo contrario. Samantha la ayudó a tenderse en la mesa de reconocimiento, llevó a cabo una pequeña exploración y vio confirmado su temor. Cáncer.

Samantha hizo compañía durante un rato a la señora Paine, le ofreció sales y un pañuelo, y después tiró del cordón de la campanilla y rogó a la enfermera Hampton que acompañara a la paciente a uno de los saloncitos privados. Cuando se hubieron retirado, Samantha permaneció sentada en su taburete.

Era imposible extirpar una matriz cancerosa sin matar a la paciente. Otros órganos resultarían afectados y el tejido maligno sangraba profusamente. Incluso una histerectomía por un simple fibroma resultaba peligrosa: una de cada cinco mujeres no sobrevivía. La señora Paine acababa de recibir una sentencia de muerte.

Llamaron tímidamente a la puerta. Era la enfermera Constance.

—¿Doctora Hargrave?

—Sí, Constance.

—Hay un chino que quiere verla. Dice que es urgente.

Las urgencias no eran insólitas, pero sí lo era la raza del hombre; pocos eran los hijos del Celeste Imperio que acudían a Samantha. Resultó ser el criado de los Gant, que estaba muy aturdido.

—Señorita Gant muy enferma. ¡Venir ahora!

—¿Qué señorita Gant? —preguntó Samantha, levantándose de un salto.

—La señorita ama Gant. Venga ahora enseguida, por favor.

Mientras le seguía por el pasillo contemplando su larga coleta, recta e inmóvil sobre su espalda a pesar del rápido paso, Samantha se alarmó. Dejando el hospital al cuidado de la doctora Canby, subió al vehículo de los Gant y se alejó en la noche.

El ama de llaves la recibió en la puerta. La comedida señora Mainwaring estaba visiblemente trastornada y se retorcía las manos; acompañó a Samantha por la casa en silencio, subió con ella al piso superior y ambas avanzaron por el pasillo lujosamente alfombrado. El ama de llaves se detuvo al llegar al fondo, llamó con los nudillos y murmuró junto a la puerta:

—Está aquí la doctora Hargrave.

Elsie abrió la puerta. La palidez de su rostro asustó a Samantha.

—¿Qué ocurre, Elsie? —preguntó Samantha, quitándose rápidamente el abrigo.

Pero, antes de que la criada pudiera contestar, Samantha vio a Hilary tendida inconsciente en la cama.

—Oh, doctora Hargrave —dijo Elsie con voz estridente, siguiendo a Samantha mientras esta se acercaba al lecho—. ¡Ha sido horrible! ¡Se cayó por la escalera!

Samantha comprobó las constantes vitales: el pulso de Hilary era débil y lento; tenía la piel pegajosa; manos y pies estaban fríos como el hielo y sus labios presentaban un color azulado. Samantha levantó los párpados y descubrió que las pupilas estaban inmóviles.

—¿Cuándo ocurrió, Elsie? —preguntó mientras seguía examinando el cuerpo de Hilary en busca de posibles fracturas óseas.

Elsie empezó a tirarse de los dedos como si quisiera descoyuntárselos.

—La señora Gant ha tenido un comportamiento muy raro esta mañana. Me ha costado mucho despertarla y después la he visto como... *aturdida.* Se ha quedado todo el día en su habitación. Después, hace un rato, oí un estrépito, ¡y allí estaba, al pie de la escalera!

—¿Qué quiere usted decir con eso de que estaba aturdida, Elsie? —preguntó Samantha, frunciendo el ceño—. ¿Puede describirme su estado con más exactitud?

—Bueno, estaba como adormilada. Me dijo que tenía un terrible dolor de cabeza. Y mucha sed. Le tuve que llenar la jarra varias veces. Oh, doctora Hargrave, ¿se va a morir?

—Necesito saber si ha tomado algo. Píldoras, medicamentos...

—Ha tomado esto.

Elsie acercó un frasco vacío a la nariz de Samantha. El Amigo Femenino de Farmer.

Samantha frunció el ceño mientras leía el texto de la etiqueta. «Se garantiza el alivio de la depresión, la tristeza y los sentimientos de temor propios de la mujer embarazada.»

—¿Qué cantidad ha tomado, Elsie?

—Anoche el frasco estaba lleno, doctora.

Los ojos de Samantha contemplaron con furia la etiqueta. El Amigo Femenino. Sentimientos de temor...

—¿Sabe usted cuándo lo compró?

—¿Este frasco? Ayer, creo. Cuando se le terminó el otro.

—¿El otro? —preguntó Samantha, levantando la cabeza—. ¿Quiere decir que la señora Gant ya había tomado anteriormente esta medicina?

—Ya hace tiempo que la usa, doctora. Creo que empezó a hacerlo cuando estaba embarazada del señorito Cornelius. ¿Se pondrá bien?

—Sí, Elsie —contestó Samantha serenamente—. Se

pondrá bien. Vamos a necesitar mucho café. Muy cargado —miró a la atemorizada sirvienta—. ¿Elsie?

—¡Oh! ¡Sí, doctora Hargrave!

Elsie abandonó la estancia a toda prisa, alegrándose de tener algo que hacer, y Samantha volvió a contemplar el frasco. Ya había tenido que tratar en ocasiones anteriores a otras víctimas del Farmer. El preparado contenía mucho opio, aunque ello no se especificara en la etiqueta; de la misma manera que tampoco se hacía ninguna advertencia sobre la necesidad de limitar las dosis.

Contempló el rostro dormido de su amiga y le dio un vuelco el corazón. Oh, Hilary...

Samantha y Elsie se pasaron una hora reanimando a Hilary, practicándole masajes en manos y pies, moviéndole los brazos y las piernas, dándole palmadas en las mejillas para despertarla. Hilary recuperó brevemente el conocimiento y volvió a hundirse en la inconsciencia; sus párpados se movieron; emitió un gemido. Samantha solo se detenía para vigilar el pulso, que ya empezaba a normalizarse. Paulatinamente también la respiración lo hizo, y desapareció el morado de los labios.

Cuando Hilary estuvo semidespierta, Samantha le rodeó la espalda con un brazo y, poco a poco, le dio a beber el café cargado.

Tosió y escupió.

—Oh, qué mal me encuentro. ¿Qué ha sucedido?

—Te has caído por la escalera.

—¿De veras? No lo recuerdo...

—Afortunadamente, estabas tan drogada que te debes haber caído como una muñeca de goma. Te hubieras podido desnucar.

—¿Drogada yo? —Hilary trató de enfocar el rostro de Samantha. Se sentía anquilosada y confusa—. ¿Drogada? —repitió.

—El Farmer. Te debes haber bebido todo el frasco.

—Me desperté con un espantoso dolor de cabeza. Creo que no me he dado cuenta de lo que bebía...

—Anda, bebe el café. Te estimulará. Tenemos que contrarrestar los efectos del opio.

—¿El opio? Pero si yo no he tomado... Oh, no, jamás hubiera...

—No, ya sé que no. Deliberadamente, no. Pero es que el Farmer contiene una elevada cantidad de opio.

Hilary parpadeó, confusa. Tomó un sorbo de café y se pasó la lengua por los labios.

—No, te equivocas. Es simplemente un tónico vegetal. Es lo que dice... Samantha, me encuentro muy mal. ¿He perdido al niño?

Samantha miró a su amiga. Hilary no le había dicho que estuviera embarazada.

—No, el niño está perfectamente bien, cariño.

Hilary apoyó la cabeza en el pecho de Samantha y esta posó la taza y acarició sus bucles cobrizos, tan suaves como los de un niño. Y mantuvo abrazada a su amiga largo rato.

La llamada a la puerta la sobresaltó. Samantha se levantó de la silla que había ocupado durante dos horas, fue a abrir y se encontró con Darius. Este lucía una chaqueta marinera, pantalones blancos y gorra de capitán de navío.

—¡Samantha! La señora Mainwaring me ha dicho...

Ella se acercó un dedo a los labios.

—Bajemos.

—¿Está bien? La señora Mainwaring me ha dicho que se cayó por la escalera.

Samantha apoyó suavemente la mano en su brazo.

—No debemos molestarla. Hablemos abajo, Darius.

En el salón, Darius se situó delante de la chimenea y su sombra ocupó toda la estancia, danzando con las llamas. Samantha se sentó frente a él, entrelazó las manos y empezó a hablar suavemente.

—Hilary tomó una medicina que la aturdió. Perdió el equilibrio y se cayó.

—¿Qué clase de medicina?

—Dicen que es para la depresión. ¿Sabías tú que Hilary estaba deprimida?

—No, yo no sabía... —Darius se acercó al sillón—. No he estado mucho en casa últimamente, pero, de haber estado deprimida, me lo hubiera dicho, ¿no crees?

—Yo soy su mejor amiga, Darius —contestó Samantha, lanzando un suspiro—, y no sabía que tuviera problemas. Darius, esa medicina está destinada específicamente a las mujeres encinta. ¿Está molesta Hilary por ese embarazo?

—No sabía que estuviera embarazada —contestó él, mirando fijamente a Samantha.

Samantha reflexionó un instante y entonces recordó que la otra mañana Hilary había acudido a verla al hospital cuando ella estaba operando. Samantha tenía intención de llamar a Hilary aquella noche, pero entonces surgió el problema de la doctora Canby. Samantha empezó a recordar de golpe otras cosas: el diafragma adquirido en secreto, el deseo que ella le había manifestado de acabar con todas aquellas cosas. Y, de repente, Samantha lo comprendió todo.

Experimentó una punzada de remordimiento. ¡Hilary me necesitaba y yo le fallé!

—Darius —dijo en voz baja—, le hemos fallado. Tú estabas ocupado con tus naranjas y yo lo estaba con la Enfermería.

—¡Pero si Hilary está muy ocupada! ¡Tiene el Comité Femenino, seis hijos, una casa que gobernar!

—Tal vez no sea suficiente, Darius. O, a lo mejor, no

es lo que ella quiere. Hace tiempo que Hilary se siente desdichada y nosotros no nos habíamos dado cuenta.

—No lo entiendo. ¿Cómo puede ser desdichada? Sobre todo, ahora que está nuevamente embarazada. ¡Tendría que estar contenta!

—Puede ser que no quiera más hijos, Darius.

—Eso es ridículo.

—¿Sabías que estaba practicando la anticoncepción?

Él se la quedó mirando con expresión perpleja.

Entonces se le ocurrió a Samantha un pensamiento más sombrío. La caída por la escalera. ¿Habría sido accidental?

—Pero ¿por qué? —dijo él en un tenso susurro—. ¿Por qué no iba a querer más hijos?

—Darius —Samantha extendió el brazo para tomarle la mano—. Hilary es una buena esposa y madre, pero quiere algo más. Desde que la conozco, se ha pasado media vida embarazada. Como una prisionera. Y ha llegado al límite, Darius. Quiere ser libre.

—¿Libre? ¿Libre de qué?

—De los constantes embarazos.

—Pero si esa es la finalidad de una mujer.

—Tiene seis hijos, Darius. Ya ha cumplido esa finalidad.

—No es justo —dijo él, sacudiendo la cabeza—. Utilizar la anticoncepción sin que yo lo supiera. ¡Yo tengo mis derechos!

—Hilary también tiene derechos, Darius. Tiene derecho a ser una mujer libre. En eso consiste la anticoncepción, y esa es la razón de que haya recurrido a ella.

—No lo entiendo, Sam.

—La anticoncepción es el acto definitivo de independencia de la mujer. Mientras tú puedas seguir dejándola embarazada, Hilary te estará sometida. Privándote de esa tiranía, proclama su independencia de ti.

Y supongo, pensó Samantha tristemente, que, recurriendo al consuelo del frasco de la farmacia, ha proclamado también su independencia de mí.

Él la miró angustiado.

—Entonces, ¿la he perdido?

Samantha experimentó dolor porque también a ella se le había ocurrido la misma idea; sin embargo, dijo:

—No, no la has perdido. Aún tienes tu matrimonio y el amor que compartes con ella, Darius.

—Si ella no quiere mis hijos, no.

—Aquí no se trata de los hijos, Darius. Es algo más profundo. Se remonta al día en que acudió tímidamente a mi consultorio, hace nueve años, sin revelarte lo que había hecho hasta que todo hubo pasado. Desde entonces, ha estado intentando alcanzar la independencia, Darius. Hilary quiere un poco de libertad, pero quiere alcanzarla honradamente.

—No lo entiendo. ¿Acaso quiere el divorcio?

—Una mujer puede estar casada y ser libre.

Darius se limitó a fruncir el ceño. Era algo así como afirmar que la sopa podía estar fría y caliente a un tiempo.

—Ya no me quiere.

—Habla con ella, Darius. Hilary no te quiere menos por el hecho de querer un poco de libertad. Habla con ella, Darius, *y escúchala*.

Él asintió con expresión dubitativa.

—Haré cualquier cosa con tal que sea feliz.

Samantha esbozó una leve sonrisa y se levantó del sillón. Mientras se alisaba la larga falda, pensó: Y yo ya sé lo que debo hacer.

3

Se detuvo junto a la entrada, para que sus ojos, después del intenso sol de la tarde, se adaptaran a la atmósfera del interior.

Era una tienda como tantas otras, con estanterías con tarros y botes, que llegaban hasta el techo, nuevos mostradores de cristal con artículos sanitarios y frascos de colonia, una barra para la venta de helados y refrescos y, detrás de esta, un gran espejo con anuncios de la Coca-Cola y los refrescos Bromo-Selzer y Moxie. Aparte de los medicamentos, había en los mostradores un distribuidor automático de sellos de correo, un puesto destinado a la recepción de carretes de fotografías para revelar y un soporte giratorio con discos de fonógrafo. Algunos clientes estaban curioseando y otros retiraban compras de manos del propietario. Samantha decidió echar un vistazo.

Los productos se contaban por centenares y prometían curarlo todo, desde la rotura de una uña al cáncer cerebral. Un frasco de Gono afirmaba ser «un remedio incomparable contra todas las secreciones anormales y las inflamaciones, cura con toda seguridad la gonorrea y la blenorragia». Una caja de Polvos del Dr. Rose contra la Obesidad se dirigía a los «gordos» y garantizaba una pérdida de peso en «un tiempo relativamente breve». El Tricopherous de Barry prometía devolver el cabello perdido; el Sozodont aseguraba «endurecer y conservar los dientes». Las Gotas Amargas de Hierro Brown aseveraban detener «la degeneración del hígado, los riñones y los intestinos»; y el Compuesto Vegetal de Lydia Pinkham ofrecía «un hijo en cada frasco». Había tubos de ungüento de tártaro emético para que los padres preocupados frotaran con él los órganos genitales de sus hijos, evitando de ese modo que se masturbaran; un frasco del Amigo Desdichado garantizaba la curación de la sífilis; y había tampones vaginales que contenían un «maravilloso producto para la regularización del ciclo menstrual interrumpido por la ansiedad nerviosa u otras causas».

Samantha empezó a pasear despacio por entre los

mostradores, deteniéndose para examinar las agujas y jeringuillas hipodérmicas que se exhibían; las jeringas para enemas acompañadas con frascos de «sedante de vino»; y copas que aseguraban «agrandar y embellecer el busto femenino». Mientras se iba acercando poco a poco a la caja registradora, donde el propietario estaba dando consejos con cara de trucha a una anciana, Samantha se detuvo ante una pirámide de frascos del Compuesto Milagroso de Sara Fenwick, colocada sobre el mostrador. Delante de la misma había un montón de folletos con un letrero que decía: «Totalmente gratuitos. Tome uno».

Samantha alcanzó un frasco y leyó la etiqueta. El compuesto de hierbas aseguraba curar, restablecer, revitalizar, rejuvenecer, vigorizar y remediar todas las posibles dolencias femeninas. Pero no se mencionaba la composición.

Tomó un folleto. «Toda mujer puede ser su propio médico —declaraba uno de los párrafos—. Ella misma se puede tratar sin tener que revelar a nadie su estado íntimo ni sacrificar su recato femenino a un innecesario examen por parte de un médico. ¿Quiere usted confesarle a un hombre desconocido sus dolencias *íntimas*? ¿Se sentiría a gusto revelándole a ese desconocido cosas tan sagradas que solo la mujer debe conocerlas? Eso no es natural en la mujer, no está en consonancia con su profundo sentido de la delicadeza y el pudor. Toda *verdadera* mujer experimenta horror ante la idea de revelar sus trastornos *privados* a un hombre, tanto si se trata de un médico como si no. La señora Fenwick lo comprende porque es mujer. Escriba usted misma a la señora Fenwick, solicitando consejo libre y personal. Sus cartas *en ningún caso* son vistas por hombres. No los hay en nuestras oficinas. ¡Toda la correspondencia la atienden, leen y contestan *únicamente mujeres*!»

Después seguía una selección de cartas de «nuestra enorme correspondencia desde todos los lugares del país».

La señora G. V., de Scranton, escribía: «Durante años he sufrido constantes trastornos de la matriz. He tenido cinco tumores en cuatro años y acudí a los médicos, pero no consiguieron ayudarme: no fueron comprensivos conmigo y me recetaron morfina. Dijeron que me tendrían que operar para extirparme la matriz; pero entonces me hablaron de la señora Fenwick y le escribí pidiendo consejo. Me dijo que tomara una cucharada del Compuesto Milagroso después de cada comida y siempre que me sintiera nerviosa. Los tumores fueron expulsados inmediatamente. Ahora me siento fuerte y gozo de inmejorable salud. ¡Siempre estoy alegre y mi marido regresa feliz a casa todas las noches! Puedo afirmar sinceramente que hubiera podido morir de no haber sido por el Compuesto Milagroso de Sara Fenwick».

Samantha volvió a examinar el frasco. La etiqueta de la parte de atrás decía: «El sobresalto de una operación es demasiado grande para la mayoría de las mujeres. El Compuesto Milagroso disuelve los tumores de la matriz en forma limpia e indolora».

Mirando al propietario de la tienda, y al ver que estaba atendiendo a un cliente, destapó rápidamente el frasco y aspiró su olor. El contenido de alcohol era por lo menos de un treinta por ciento.

Volvió a dejar el frasco y el folleto en sus lugares correspondientes y los contempló con expresión pensativa. *Disuelve los tumores de la matriz...*

—¿En qué puedo servirle, señora?

Miró al dueño de la tienda.

—Verá, estoy buscando el Amigo Femenino de Farmer.

—Enseguida, señora.

El hombre extendió la mano hacia un estante que

había a su espalda y retiró un frasco. Samantha lo tomó, leyó la etiqueta y preguntó:

—¿Es seguro?

—Seguridad garantizada, señora.

—¿Para una mujer embarazada?

—Está hecho precisamente para eso, señora.

Mientras el hombre envolvía el frasco en un papel marrón, Samantha estudió con indiferencia las estanterías.

—Listerine —murmuró—. Supongo que el nombre se lo han puesto casualmente en honor del doctor Lister.

—No ha sido casualmente. Dos avispados vendedores de Missouri tuvieron esa idea. El doctor Lister les vendió el nombre, le pagan los derechos correspondientes y yo dispongo de un producto que es de los que más se venden en la tienda.

—Está usted muy bien surtido de todo.

—Procuro tener todo lo que el cuerpo necesita. —El hombre cortó un trozo de cordel de un ovillo y ató el paquete—. Ocurre lo siguiente. A la gente no le gusta ir a un médico y gastarse un par de dólares para que este le diga que no puede ayudarla. Vienen aquí, me dicen cuál es su problema y yo les recomiendo algo. Es más barato, más rápido, hay menos trastornos y la curación está garantizada. ¿De qué médico se podría decir lo mismo?

Samantha introdujo la mano en su ridículo y dejó un dólar sobre el mostrador. Mientras marcaba en la caja registradora, el hombre añadió:

—Vendo lo que quiere la gente. Las damas de la Liga Antialcohólica, por ejemplo. Lanzan improperios contra la cerveza y pretenden que se declare ilegal, y vienen aquí a comprarme el Tónico Vegetal de Park. La cerveza contiene un ocho por ciento de alcohol, todo lo más. El Park contiene un cuarenta y uno por ciento.

—Depositó el cambio en la palma de Samantha—. Hipócritas, eso es lo que son.

Samantha guardó las monedas en el bolso.

—A lo mejor, no lo saben —dijo, señalando un frasco de tónico en cuya etiqueta se afirmaba: «Absolutamente sin alcohol».

Después tomó el paquete.

—Ese de ahí —añadió él—. El Bálsamo de Gilead. Apoyado por los clérigos. Setenta por ciento de alcohol. El movimiento antialcohólico no me asusta, soy partidario de él. ¡Si cierran los bares, la gente acudirá en tropel a la farmacia!

Samantha asintió con interés.

—¿Asume usted la responsabilidad de todo lo que vende?

—Desde luego. Si no estoy convencido de que es bueno, no lo vendo.

—¿Sabía usted que la medicina que acabo de comprar tiene un elevado porcentaje de opio?

—¿Cómo? —dijo el hombre, parpadeando.

—El Amigo Femenino de Farmer. Contiene mucho opio. ¿No sabe usted que eso es perjudicial para una mujer embarazada y para su hijo no nacido?

—¿Quién ha dicho que contiene opio? —preguntó el hombre, cuya amabilidad se había esfumado.

—Creo que acabo de decirlo yo.

—No es lo que pone la etiqueta.

—Vamos, señor. Ambos sabemos qué son las etiquetas. Lo que a mí me asombra es que usted venda a sabiendas un producto perjudicial.

—No hay opio en ese compuesto, señora.

—Quisiera comprobarlo yo misma. ¿Quiere indicarme, por favor, la dirección del fabricante?

—Eso no se lo puedo decir.

—Tengo derecho a saber lo que tomo. Facilíteme, por favor, la dirección de Farmer.

—Señora —dijo él, mirándola con expresión gélida—, si no le gusta lo que hay en esa medicina, no la compre.

—¿Cómo puedo saber lo que hay si no se menciona en la etiqueta y usted mismo no lo sabe o no se lo quiere decir a los clientes? Me consta que estos frascos contienen un peligroso narcótico. Uno de ellos ha estado a punto de causarle la muerte a una amiga mía. Esta llamada medicina convierte a los confiados consumidores en adictos a una droga. Yo creo, señor, que tiene usted obligación de advertir a los clientes o de retirar esos frascos de sus estantes.

Él siguió mirándola con furia un instante, y después exclamó en voz baja y tono encolerizado:

—Mi única obligación en este momento, señora, es pedirle que se vaya. No me gusta lo que está insinuando.

Samantha le observó fríamente, y luego, mirando a los demás clientes, asió el frasco y abandonó sin prisa la tienda.

—¿Qué hiciste entonces?

—Efectué un análisis aquí, en la Enfermería. El Amigo Femenino de Farmer contiene más opio que el láudano.

—¿Quieres parar de una vez, querida?

Samantha estaba paseando arriba y abajo en su despacho y Stanton Weatherby, su viejo amigo, la observaba. Samantha se detuvo junto a la ventana, para mirar. La ciudad aparecía cubierta por una capa de niebla nocturna y Kearny Street había adquirido un fantasmagórico aspecto... las farolas brillaban como linternas suspendidas en el aire y los carruajes penetraban en la niebla y emergían de ella poco a poco, como monstruos prehistóricos; se oyó en el silencio el bocinazo de un automóvil invisible.

—Por favor, termina tu historia —dijo Stanton.

—Eso es todo —contestó ella, volviéndose para mirarle—. No hay más.

Stanton, que era uno de los miembros del consejo directivo y también el abogado de la Enfermería, acudía allí una vez a la semana para tratar asuntos pendientes con Samantha. Aquella tarde, en lugar de una agradable charla y una taza de té, se encontró sin té y con una Samantha muy nerviosa.

—Me quedé aterrada, Stanton, al ver tantos curalotodos en la farmacia —exclamó Samantha, reanudando su paseo por la estancia—. Y los propietarios de las tiendas o ignoran lo que venden o no les importa. En cualquier caso, el cliente carece de protección.

—No es ilegal.

Ella se detuvo para mirarle.

—No, no es ilegal, pero tendría que serlo. Cualquier sujeto puede engañar a inocentes con un poco de agua coloreada y una bonita etiqueta. E incluso puede causarles daño.

—El agua coloreada no hace daño.

—Sí lo hace, Stanton. Esas llamadas medicinas impiden que la gente busque el adecuado tratamiento médico.

Él estudió su hermoso rostro y lamentó que hubiera rechazado su galanteo.

—Tú no puedes hacer nada al respecto, Samantha.

—El público tiene derecho a ser informado, Stanton. Tiene derecho a saber lo que contienen esos frascos. Y quizá, cuando el público se entere, habrá alguien que trate de introducir reformas como, por ejemplo, una ley que exija indicar la composición exacta en las etiquetas.

Stanton sacudió la cabeza. Se levantó y se acercó a la ventana, donde el blanco muro de niebla le devolvió el reflejo de su imagen; su rostro mostraba una expresión escéptica.

—Es una lucha difícil, Samantha. La Asociación de Medicamentos Patentados tiene una camarilla política muy poderosa. Todos los años se presentan proyectos de ley en el Congreso y todos los años mueren sin pena ni gloria.

—Podemos buscar ayuda en los periódicos.

—No te la prestarán. Una parte considerable de sus ingresos procede de los anuncios de medicamentos.

—¡Tiene que haber algún medio!

Él se volvió y se balanceó sobre los talones.

—Samantha, ¿has oído hablar de Harvey Wiley?

—Sí, creo que sí. ¿No es el director de la Sección de Química del Departamento de Agricultura?

—Wiley está tratando de impedir que los fabricantes y los minoristas de productos alimenticios adulteren los alimentos para aumentar sus beneficios. Alumbre en el pan para que pese más, arena en el azúcar, polvos mezclados con el café, tiza en la leche, conservas de carne de vaca putrefacta..., atrocidades sin cuento. Tenderos y proveedores son libres de hacer lo que quieran con la comida sin informar al consumidor. Harvey Wiley ha estado haciendo campañas para que se exija de los proveedores informar al público sobre el empleo de aditivos, pero hasta hora todos sus proyectos de ley han sido derrotados en el Congreso. Y eso que Harvey Wiley es un hombre de cierta influencia.

—Stanton, tenemos que hacer algo.

Weatherby reflexionó un instante.

—Vivimos en un país libre, Samantha. Un fabricante tiene derecho a incluir lo que quiera en sus medicinas. El gobierno no puede decirle lo que tiene que hacer.

—Ni yo digo que deba hacerlo. Solo señalo que, para protección del consumidor, se debiera exigir al fabricante que declarase cuál es el contenido del medicamento. El público tiene derecho a saber qué contienen los medicamentos que compra. El hombre que acude a la tienda tiene derecho a saber lo que compra con su dólar.

—Supongo que estás hablando de intervención gubernamental, Samantha.

—Al contrario, estoy hablando de dar más libertad a la gente. La libertad de saber lo que adquiere. Y la libertad de no ser defraudada.

Se unió a él junto a la ventana y contempló la calle.

—Stanton, llevo años con esta cólera dentro. Cada vez que una víctima de esos curalotodo viene a este hospital, me entran ganas de gritar. Ya es hora de que haga algo al respecto.

Él estudió su decidida expresión, que ya había visto otras veces, y comprendió que sería inútil discutir.

—¿Qué pretendes hacer?

—Ante todo, facilitaré información a las mujeres que acudan a este hospital. Después intentaré llegar al público norteamericano. *Alguien* me escuchará...

4

Aunque los demás se acostumbraran a ella, Adam jamás se acostumbraría a su fealdad. Cada vez que se miraba al espejo, sentía repulsión. Por eso no había ningún espejo en su cuarto y por eso nunca iba bien peinado. Sin embargo, a veces el choque era inevitable: había espejos en toda la casa, lunas en los armarios, un estanque junto al mirador... Y todos le devolvían su imagen como una burla. Y cada vez, experimentando una punzada de dolor, Adam Wolff, de veintinueve años, pensaba indefectiblemente: pero *ella* no lo ve.

No, Jenny no veía la fealdad de Adam. De la misma manera que en otros tiempos, penetrando a través de la hermosa fachada de Warren Dunwich había visto su despiadado corazón, Jenny no veía ahora las cicatrices del rostro de Adam: a través de ellas resplandecía toda la belleza de su alma.

Adam creyó durante mucho tiempo que la explosión de la Telegraph Hill había hecho algo más que dejarle sordo y desfigurarle, puesto que también le había endurecido el corazón. Cubriéndose el ensangrentado rostro con un trapo y observando cómo sacaban a su padre de bajo los cascotes, demasiado aturdido para percatarse de que no podía oír los gritos de los demás, el pequeño Adam notó que el polvo de la explosión le bajaba por la garganta y se posaba alrededor de su corazón, formando como un muro de piedra y emparedándolo para siempre. Y en los meses sucesivos, viviendo en el arroyo, solo y desdichado, a la merced de cualquiera que quisiera aprovecharse de él, el chico tuvo la impresión de haber muerto con su padre.

Pero entonces le encontraron los franciscanos de la Misión, le colocaron en un orfelinato para niños pobres y después consiguieron que ingresara en la Escuela de Sordos. Más adelante el director de la escuela le dijo que, si hubiera recibido enseguida una adecuada atención médica, no hubiera quedado tan desfigurado. Pero ahora ya era demasiado tarde, le dijo tristemente el hombre; Adam Wolff estaría condenado a vivir toda la vida en un mundo de silencio, provocando repugnancia en quienquiera que le mirara.

De ahí que, al finalizar sus estudios, Adam decidiera quedarse como profesor dado que, dentro de los muros protectores de la escuela de Berkeley, se sentía a cubierto de las miradas de la gente normal; una vez se acostumbraban a él los alumnos le aceptaban tal como era.

Adam no sabía con certeza cuándo había aparecido la sensación de aislamiento. La soledad la conocía desde el día en que huyó del lugar de la explosión y se ocultó en las callejas de North Beach; pero el *aisla-*

miento, la conciencia de ser auténticamente distinto incluso de sus compañeros los sordomudos, databa de su adolescencia..., de la dolorosa época en que Adam miraba con ansia a las bonitas muchachas de la escuela, sabiendo que ellas no le devolverían la mirada. Fue entonces cuando se consolidó la muralla de piedra que le rodeaba el corazón: si los demás no le querían, él tampoco les necesitaba a ellos. Ni a nadie. Y cuando la adolescencia se transformó en edad adulta, Adam Wolff se convirtió en un joven retraído, reservado e inaccesible.

Pero, como profesor, era insuperable. En su encierro, apartado de los amigos y de la vida social, Adam se había dedicado a desarrollar su mente. Leía, estudiaba e investigaba. Observaba, aprendía y buscaba mejores métodos para enseñar. Bajo su guía, los alumnos destacaban en el aprendizaje del alfabeto de los dedos. Su agudeza y entrega convertían en excelentes alumnos a los menos dotados. Empezaron a encomendarle los casos más difíciles y pronto se inició en las clases privadas. Cuando Wilkinson, el director, recibió una carta de Samantha Hargrave, una mujer con quien se había encontrado varias veces y a la cual admiraba, en solicitud de ayuda para su hija, que era un caso difícil, comprendió que la persona más adecuada para aquella tarea era Adam Wolff.

Al principio, Adam se resistió, temiendo salir nuevamente al mundo, pero, tras pensarlo un poco, le pareció que era uno más de los muchos retos que había tenido que afrontar y decidió probar. O, mejor dicho, ver si era capaz de alcanzar el éxito en aquel empeño.

La gente le miró en la diligencia, en el transbordador, en el tranvía y también por la calle mientras se dirigía a Kearny Street. Cuando llegó a la puerta de Samantha Hargrave en la Nochebuena, descubriendo, para su horror, que lo hacía con dos semanas de anticipación, debido a un error de lectura, Adam Wolff ya había decidido que, a la primera mirada de asombro o compasión por parte de quienquiera que le abriese la puerta, regresaría inmediatamente a la escuela.

Pero la encantadora dama que atendió su llamada se limitó a sonreír, le hizo pasar, le tomó la maleta y el abrigo empapados de agua y la acompañó junto el crepitante fuego de la chimenea.

E inmediatamente después ocurrió algo increíble.

Había una niña de once años que, de pie ante las danzantes llamas, le miró fijamente con sus grandes y húmedos ojos. El momento pareció prolongarse una eternidad, Adam mojado y torpe frente al fuego de la chimenea y la niña mirándole sin parpadear. Después la chiquilla empezó a acercarse lentamente, como hipnotizada, se detuvo y se le quedó mirando. Levantó un brazo, acarició con los dedos sus mejillas cacarañadas y sonrió.

Adam notó un movimiento a su espalda. Se volvió y vio a la mujer cubriéndose la boca con las manos y mirándole con una mezcla de asombro y alegría; y, cuando apartó las manos, advirtió que sus labios decían: «¡Jenny! ¡Estás sonriendo!».

Miró de nuevo a la niña y, en aquel momento, se produjo un milagro.

Adam notó que se disolvía todo su cinismo y su amargura; contemplar a la niña fue como un fenómeno místico. Súbitamente, recordó toda la bondad que seguía habiendo en el mundo. Vio a Pablo de Tarso en el camino de Damasco: las escenas se le cayeron de los ojos, la muralla que rodeaba su corazón se derrumbó y, por primera vez en once años, se *conmovió*.

Y después todo fue como un sueño fantástico: la cálida y afectuosa atmósfera de la casa; la doctora Hargrave, tan compasiva; Jenny mirando a Adam como si fuera un dios bajado del Olimpo. Supo, por la doctora Hargrave, que la pequeña era un diminuto y misterioso enigma, y entonces se entregó a la tarea de liberarla de su prisión. Al principio, no fue fácil: el alfabeto digital no era para ella más que un juego. Pero finalmente la inteligencia de la niña y su deseo de comunicarse con el exterior, descifraron el código. Y Jenny *comprendió.*

Pasaron los días, las semanas y las estaciones, pero Adam apenas se dio cuenta. El deseo de aprender de Jenny le inducía a elevarse a nuevas alturas. El arte, la poesía, la naturaleza..., no había nada que no la asombrara o deleitara. Y todo le parecía un regalo de Adam. Adam Wolff le dio el mundo a Jennifer y ella correspondió con su aprecio. No hubiera podido esperar nada mejor.

Hasta ese momento.

Bajando por el jardín hacia el mirador, donde Jenny estaba sentada leyendo un libro de Elizabeth Browning, Adam Wolff se entristeció. Ella tenía ahora diecinueve años. Era independiente, lista, educada, capaz de desenvolverse sola. Ya no le necesitaba. Su utilidad estaba tocando a su fin.

Adam se detuvo junto al rosal, para observarla detenidamente sin que ella le viera.

La belleza de Jennifer siempre le había atraído, y a lo largo de los años le había asombrado comprobar que aquella niña, a quien consideraba su hermana, florecía y se transformaba en algo exquisito. Últimamente, sin embargo, Adam había advertido que unos nuevos y extraños anhelos invadían su alma, unos sentimientos que no había experimentado desde su época juvenil en la escuela. Empezó a ver en ella no una hermana, sino una mujer. Y su afecto se empezó a trocar en deseo. Percatándose de lo que ocurría, Adam se entristeció. No tenía derecho a enamorarse..., y menos aún de alguien como Jenny.

Ella percibió su presencia, levantó súbitamente los ojos y, sonriente, dejó el libro y se levantó. Adam estaba lleno de amor y también de tristeza. ¡No era justo! La amaba de una forma que ella no comprendería. Adam sabía que siempre había sido y seguiría siendo un hermano para Jenny, y nada más. Quiso alejarse, pero no pudo. Ella estaba tan esbelta y etérea con su vestido de gasa agitado por la brisa, su mata de cabello negro derramándose por sus hombros, sus ojos, sus labios...

Salió de detrás del rosal y se le acercó.

—Hola —le dijo por medio de signos—. ¿Te gustan esos poemas?

Los dedos de Jenny hablaron con fluidez.

—Sí. Gracias. Es un regalo precioso. ¿Quieres sentarte conmigo?

Él vaciló. Llevaba en el bolsillo una carta dirigida al director Wilkinson, en solicitud de permiso para regresar a la escuela; estaba deseando echarla al correo.

Se sentó a su lado y la miró. La brisa de la bahía le despeinaba el cabello sobre los hombros y Adam experimentó el irresistible deseo de acariciar los bucles. Trató de concentrarse en los rápidos movimientos de los dedos de Jenny.

Jenny había aprendido el alfabeto manual con la misma facilidad con que otros aprenden a hablar. Y Adam se alegraba mucho. En la escuela se enseñaba también la lectura de los labios, pero Adam no era aficionado al «lenguaje visible» de Alexander Graham Bell, porque atraía la atención de la gente hacia su rostro.

—Hoy no te he visto sonreír —dijo ella, lanzando un suspiro y moviendo el dedo como si estuviera regañando a un niño travieso.

Él esbozó una leve sonrisa. Antes no le molestaba que Jenny le mirara, pero últimamente hubiera preferido que no lo hiciera; pensaba que ojalá pudiera cubrirse la cabeza con un saco. Adam era profundamente consciente de su rostro y pensaba que unos ojos tan hermosos como los de Jenny no debían contemplar la fealdad.

Jennifer le rozó suavemente el brazo.

—Hoy no te sientes feliz, Adam. ¿Por qué?

Él reflexionó. Se lo tendría que decir.

—Voy a regresar a Berkeley, Jenny.

El rostro de Jenny se iluminó.

—¿Puedo ir yo también?

—No, no es para una visita. Es para siempre.

La sonrisa de Jenny desapareció y sus ojos adquirieron una expresión muy seria.

—¿Por qué?

—Ya es tiempo de que me vaya. Llevo aquí casi ocho años. Te he enseñado todo lo que sé. Mi objetivo se ha cumplido. No hay razón para que me quede.

Ella le miró un instante y después, apartando el rostro, se lo cubrió con las manos.

Solo le dolerá un poquito, pensó Adam. Después me convertiré en un recuerdo...

Adam apretó las manos en puño, frustrado ante su limitada capacidad de comunicación.

Ella se volvió para mirarle mientras las lágrimas rodaban por sus mejillas.

—No te vayas —le dijo por signos.

—La escuela me necesita.

—Yo te necesito.

Adam cerró los ojos, imaginando el futuro. En cuanto él se marchara, Jenny no tardaría en verse rodeada de cortejadores. Adam había observado cómo la miraban los hombres; siempre con una mezcla de anhelo y asombro. No había razón para que Jenny no pudiera casarse y llevar una vida normal. La utilidad de Adam como traductor había terminado hacía tiempo; cuando la doctora Hargrave y el señor y la señora Gant, e incluso la señorita Peoples, aprendieron a dominar el alfabeto de los dedos. Cualquier pretendiente lo podría aprender.

—Adam, Adam —repitió ella una y otra vez.

Él le asió las muñecas.

—¡Ya no me necesitas! —gritó—. Soy un obstáculo para ti. Teniéndome a tu lado como acompañante perpetuo, los pretendientes no se te acercarán. ¡Te entrego tu libertad, Jenny!

Los ojos de Jenny observaron sus labios con atención, sin comprender del todo lo que estaba diciendo.

—No te vayas —pidió frenéticamente, tras haberse soltado de su tenaza—. No te vayas, no te vayas.

Adam contempló el mirador con los ojos empañados por las lágrimas que estaban a punto de saltársele. Temiendo derrumbarse delante de ella, se levantó apresuradamente, se tambaleó indeciso y después se volvió y echó a correr camino arriba.

Jennifer extendió las manos, tratando de gritar con ellas, sollozando en silencio mientras movía rápidamente los dedos, formando unas letras: T-E Q-U-I-E-R-O.

Pero Adam no pudo oír su súplica. Entró apresuradamente en la casa, cruzó el pasillo ante una sorprendida señorita Peoples y salió a la calle, dirigiéndose a la Avenida Fillmore, en una de cuyas esquinas había un buzón.

5

Samantha miró su reloj de pulsera. Quería almorzar antes de visitar las salas, pero había tantos papeles en su escritorio, que le dolía dejarlos: un pedido de hemóstatos, unos instrumentos quirúrgicos que, según se decía, habían constituido una revolución en las operaciones abdominales; y también un pedido de guantes de goma. El doctor Halsted, un médico del Johns Hopkins, preocupado por las manos de su enfermera, muy estropeadas a causa del ácido fénico, le facilitó unos guantes para que se los pusiera durante las operaciones y descubrió que se producía una repentina disminución de las infecciones quirúrgicas. Samantha quería probarlos, iba a enviar su talla de guantes a la Goodyear Rubber Company. Después había una petición al consejo directivo para la compra de uno de los nuevos aparatos de rayos Roëntgen que permitían examinar los huesos bajo la carne sin necesidad de operación.

Figuraba asimismo un encargo de antitoxina diftérica, un nuevo medicamento milagroso que iba a salvar millares de vidas infantiles. Había llegado con once años de retraso para la pequeña Clair, enterrada en la ladera de una colina de San Francisco.

Y había correspondencia pendiente. Una carta era de un escocés llamado John Muir, que pedía apoyo para su Sierra Club recién constituido; otras procedían de pacientes agradecidas, algunas contenían donativos; en otra pedían un niño chino que adoptar. Y finalmente estaban las cartas de los periódicos y revistas a los que Samantha había escrito. Stanton Weatherby tenía razón: la prensa no quería tener nada que ver con su deseo de una mejor vigilancia de los medicamentos.

Sacudió la cabeza al ver tantos papeles. Y el escritorio de su casa estaba análogamente atestado de ellos.

Samantha se entristeció. Sobre aquel escritorio se encontraba la carta que había recibido la víspera del señor Wilkinson, el director de la escuela de Berkeley. Adam Wolff había solicitado regresar.

Ese era, de toda evidencia, el motivo del reciente estado de Jenny. Tres semanas antes, Samantha se fue al trabajo dejándola felizmente entretenida en la lectura de poemas y, al regresar a casa aquella noche, la encontró triste, retraída y con los ojos enrojecidos. Adam no se reunió con ellas a la hora de cenar y ambos jóvenes empezaron a mostrarse muy deprimidos a partir de aquel día. A pesar de su insistencia, no logró que ninguno de los dos le confesara lo ocurrido; pero al recibir la carta, Samantha lo comprendió todo de repente.

Estaba decidida, aquella noche se sentaría a hablar muy en serio con ambos.

Llamaron a la puerta y apareció la enfermera Constance.

—¿Doctora Hargrave? Siento molestarla, pero tenemos un pequeño problema. Hoy le corresponde a la doctora Canby visitar a las nuevas pacientes, pero la doctora se encuentra todavía en el quirófano y tengo a una señora esperando en la sala de examen.

—Iré yo, Constance.

Cuando entró Samantha, la paciente se levantó y le tendió una mano enguantada, como si la recibiera en su casa para tomar el té.

—¿Cómo está, doctora?

—Muy bien. Siéntese, por favor.

Samantha había adquirido la habilidad de estudiar a una paciente sin que esta lo advirtiese. Aquella mujer era, sin duda alguna, una dama... todos sus movimientos, toda su dicción, todos los cabellos de su perfecto peinado hablaban de refinamiento y de buena crianza. Rondaba los cuarenta años, era guapa y esbelta y se la veía muy dueña de sí, y, a juzgar por su aspecto, debía gozar de excelente salud. Samantha se preguntó cuál podía ser su problema.

—Soy nueva en San Francisco, doctora, porque acabamos de llegar de San Luis. Me visitaron unos especialistas de allí y no me dieron ninguna esperanza, pero su Enfermería tiene mucha fama y quiero que me vea usted.

—¿Qué le ocurre?

—Quiero tener un hijo. Tuve uno hace seis años, pero, inmediatamente después del parto, enfermé de fiebre puerperal. Estuve a punto de morir y mi hijo murió. Desde entonces, no he podido concebir. ¡Mi marido y yo estamos deseando descendencia!

—Lo comprendo. Aún no puedo decirle si podré

hacer algo por usted. He de examinarla. ¿Sabe su marido que ha venido a verme?

—Oh, sí. Es más, yo me había dado por vencida después de haberme visitado tantos médicos, pero él insistió en que probara la Enfermería. Tiene mucha confianza en la profesión médica. —La mujer esbozó una sonrisa—. Claro que él es médico también. Pertenece al claustro de profesores de la Facultad de Medicina de la Universidad.

—¿De San Luis? No sé si le conoceré...

—Nosotros procedemos de Nueva York. Mi marido se llama Mark Rawlins.

—¿Qué ha dicho usted? —preguntó Samantha, mirándola fijamente.

—El nombre de mi marido... es el doctor Rawlins.

—Eso no es posible. Mark Rawlins murió.

—¿Cómo dice? ¿Le conocía usted? Ah... ¡Lo del naufragio! Eso fue hace mucho tiempo, antes de que yo le conociera. Mark fue rescatado por un barco de pesca junto con otros once pasajeros.

Samantha estaba extrañamente aturdida. Se miró las manos, visiblemente angustiada.

—Durante todos esos años le creí muerto.

—¿Le conoció usted, entonces?

—Sí. Sí, hace mucho tiempo.

—Lo ignoraba... Cuando hablamos de mi visita de hoy, Mark no la mencionó a usted. ¿Le conocía bien?

Samantha levantó la cabeza; sus ojos parecían frágiles y quebradizos como el cristal.

—Conocía a su familia —contestó.

—Yo no conocí a los padres de Mark. Murieron antes de que yo fuera a Nueva York.

—Un barco de pesca...

—Él y otros once pasajeros fueron los únicos supervivientes del naufragio del *Excalibur*. Llevaban dos semanas en un bote salvavidas cuando los recogieron.

Estaban agotados, enfermos y mentalmente trastornados. Mark pasó varios meses en estado de amnesia; en la aldea de pescadores, nadie sabía quién era ni con quién establecer contacto. Pero después fue recuperando las fuerzas y, poco a poco, también buena parte de la memoria. Su regreso a Nueva York fue bastante sonado. Me sorprende que la noticia no se publicara en los periódicos de San Francisco.

—Es posible que sí..., pero yo acababa de llegar aquí y estaba muy ocupada. En cualquier caso, me alegro de que esté bien. ¿Ha dicho usted buena parte de su memoria?

—Aún le quedan algunas lagunas.

—Claro. Tiene que haber sido una prueba terrible.

—Los demás dijeron que daba sus raciones de agua y de comida a las mujeres y los niños. ¿Le conocía usted bien, doctora?

—Nuestra relación era de carácter profesional. Tuve ocasión de ayudarle en una intervención quirúrgica.

—Se lo diré sin falta. ¿Y mi problema, doctora?

Samantha consultó su reloj de pulsera.

—Lo siento, pero ahora tengo otra cita y el examen llevará un poco de tiempo. ¿Puede usted volver mañana?

—Sí, desde luego.

Ambas mujeres se levantaron.

—Espero que mañana podré decirle algo sobre sus posibilidades. ¿Le parece a las dos en punto?

—Muchas gracias, doctora. Buenos días.

—¡Me has dado un susto de muerte! ¡Poniéndote a gritar así en la puerta!

Samantha acalló la estridente voz de Hilary. Una vez la señora Rawlins se hubo marchado, Samantha permaneció largo rato sentada en la sala de examen, aturdida y como paralizada; después se levantó de un salto, dijo a la enfermera Constance que tenía que atender un caso urgente y se dirigió a toda prisa a casa de Hilary, en California Street. La señora Mainwaring abrió la puerta al oír las insistentes llamadas y se sorprendió ante el aspecto de la doctora Hargrave. Cuando Hilary bajó por la escalera, Samantha se limitó a decirle:

—Está vivo.

Ahora ya habían pasado dos horas y el sobresalto se había suavizado.

—Mark —musitó Samantha—. Aquí en San Francisco. Ahora ella ya se lo habrá dicho, Hilary. Sabe que estoy aquí. —Miró hacia la puerta del salón como si esperara que alguien llamara—. No debo verle, Hilary.

—¿Por qué?

—Porque es mejor dejar las cosas como están. Ahora él está casado y... —Samantha inclinó la cabeza, tratando de no llorar—. Tengo miedo.

—¿De qué?

—En mis pensamientos, Mark todavía me ama. Por las noches, en la cama, cierro los ojos y volvemos a estar juntos como antes. Sin embargo, si le veo en la realidad, todo eso cambiará. Sobre todo si... yo formo parte de su memoria perdida. Nuestro amor, las semanas que pasamos juntos, las noches... Todo desaparecerá...

Hilary fue a sentarse al lado de Samantha. Sentía, también ella, deseos de echarse a llorar. Se hubiera tomado una cucharada del Farmer, pero no lo había en la casa. Al recuperarse de la caída, el primer pensamiento de Hilary fue: «¡Gracias a Dios que no he perdido el niño!». Después le prometió a Samantha dejar aquella medicina. Pero, para su espanto, la cosa no fue tan fácil como imaginaba. Todos los días experimentaba deseos de tomarla y cada día los tenía que reprimir. Pero conseguiría vencer, Hilary lo sabía, porque el incidente la había asustado, los había asustado a todos. Especialmente a Darius, que ahora la mimaba como si fuera una novia.

—Tengo miedo de dos cosas, Hilary —dijo Samantha serenamente—. Tengo miedo de que no me recuerde, de que todo lo que compartimos se haya perdido para siempre, o de que me recuerde y su amor sea todavía muy fuerte. No creo que pudiera soportarlo, Hilary..., que Mark siguiera enamorado de mí y sintiera la misma pasión y el mismo deseo, y supiera que ya nunca podremos volver a tenernos el uno al otro, y ni siquiera tocarnos...

Permanecieron sentadas un rato, cada una perdida en sus propios pensamientos, hasta que Hilary dijo:

—Sabes que tienes que hacer por ella todo lo que puedas, Sam. Es la esposa de Mark, la mujer que él ama. Y quieren un hijo.

Samantha cerró los ojos, apretando fuertemente los párpados. *Nosotros tuvimos una hija...*

—Han pasado trece años, Sam. Ahora sois dos personas distintas.

—Pero él ha estado conmigo. Nunca se apartó de mi lado.

—Ese es otro Mark, Sam, no el que está aquí ahora. Examínala mañana. Enfréntate a ello. Sabes que, si alguien puede ayudarla, eres tú. Es posible que tú seas su única esperanza. Sam..., reconcíliate con el pasado.

Samantha hizo acopio de valor. La mujer estaba allí, esperándola..., la *señora Rawlins.* Samantha esperaba que no se le notaran las ojeras. Hilary tenía razón..., aquel era otro mundo y ellos eran ahora personas distintas. Mark tenía a su mujer y su profesión de médico. Samantha tenía la Enfermería, a Jenny y a Adam, los progresos a los que aspiraba en el campo de la medicina; apenas quedaba nada de aquella historia de hacía trece años. Ni siquiera la pequeña Clair...

Entró en la sala sonriendo y dijo:

—Hola.

—Hola, doctora —contestó la señora Rawlins.

—Le explicaré todos los pasos que voy a dar. En primer lugar, debo pedirle que se siente en esa mesa de reconocimiento. Si lleva ropa interior, quítesela, por favor.

Samantha se volvió de espaldas, para preparar el instrumental, y oyó que la refinada voz de la señora Rawlins le decía:

—Anoche le hablé de usted a mi marido, doctora, le conté que usted le conoce de Nueva York. Dice que no la recuerda.

6

Samantha examinó los folletos con satisfacción. Había revisado los archivos de la Enfermería y elaborado una estadística sobre las pacientes que eran adictas a los específicos o que habían sufrido algún daño a causa de ellos, y después redactó un texto contra los medicamentos patentados, advirtiendo a las mujeres de sus peligros ocultos y citando incluso algunas marcas, que después mandó imprimir para su posterior distribución en la Enfermería. Apartó diez folletos para enviarlos a otros tantos periódicos y revistas, tras lo cual se quitó las gafas y se frotó el puente de la nariz.

El examen a que había sometido aquella tarde a Lilian Rawlins indicaba que esta podía quedar embarazada. Las infecciones de la pelvis, como la fiebre puerperal que ella había padecido seis años antes, producían a menudo lesiones en las trompas, impidiendo el paso del óvulo. Samantha había inyectado cuidadosamente una solución salina en la matriz de la señora Rawlins, calculando cuándo estaría llena la matriz y cuándo, en caso de que las trompas estuvieran bloqueadas, el agua volvería a bajar. Pero no bajó. Samantha inyectó toda una jeringuilla y Lilian se quejó de calambres en la pelvis, lo cual significaba que la solución salina había penetrado en las trompas y, por consiguiente, que estas estaban abiertas.

Después tuvo que hacer algunas preguntas (muy dolorosas para ella).

—¿Con cuánta frecuencia mantienen relaciones sexuales usted y su marido?

—Una vez a la semana.

—¿Se levanta usted enseguida o permanece acostada en la cama?

—Suelo permanecer acostada.

—¿Se hace alguna irrigación después?

—Mark me dijo que no lo hiciera.

Y después Lilian preguntó si Samantha podía hacer algo.

—Es posible que la posición que usted adopta durante el acto sexual sea la causa del problema —contestó Samantha—. Puesto que hace falta una penetración muy profunda, le recomiendo que permanezca tendida boca arriba, con una almohada bajo las caderas. No utilice lubricante, porque se considera que la gelatina de petróleo debilita el esperma. Se están haciendo algunas investigaciones a este respecto, señora Rawlins, y se cree que, cuanto más tarda un hombre en entregarse al acto sexual, tanto menos esperma produce. Le aconsejo que usted y su marido hagan el amor más de una vez por semana.

Samantha se levantó entonces de detrás de su escritorio y se acercó a la puerta vidriera que daba al jardín. Era una noche de principios de diciembre en la que se aspiraba la fragancia de las hojas muertas y de la tierra húmeda. Samantha se apoyó en el marco de la puerta y cerró los ojos.

Mark, querido Mark...

Tras superar el sobresalto que le había producido la

reaparición de Mark después de tantos años, Samantha descubrió que él seguía estando a su lado, como si nada hubiera cambiado. El marido de Lilian Rawlins era otro Mark. Y, en cierto modo, era una suerte que no recordara a Samantha, pues así todo podría ser igual que antes y ella podría seguir amándole y reviviendo aquellos días pasados.

Abrió los ojos y respiró hondo. Samantha esperaba sinceramente que dentro de unos meses Lilian Rawlins regresara para comunicarle la buena noticia.

Oyó un ruido a su espalda y se volvió.

—He venido para despedirme, doctora Hargrave.

Adam Wolff se encontraba en la puerta, con la misma maleta que llevaba hacía ocho años. En la sombra, parecía un joven alto y erguido, apuesto y bien vestido, hablando con voz serena y pausada como si no fuera sordo. Pero después se adelantó hacia la luz, su rostro quedó iluminado y el corazón de Samantha se conmovió.

Samantha se acercó y le habló despacio, pronunciando cada palabra con mucho cuidado:

—Desearía que no te marcharas, Adam.

—Tengo que hacerlo, doctora. Ya es tiempo.

—Jenny está muy triste.

—Lo superará.

—Adam. —Samantha se adelantó y apoyó una mano en su brazo—. Yo no creo que de veras quieras marcharte.

—No, no quiero —contestó él, tras vacilar un poco—. Pero ustedes ya no me necesitan y la escuela sí.

—Pero nosotros somos tu familia, Adam.

Sí, pensó él tristemente. Y, cuando Jenny se case, yo asistiré a la boda como si fuera su hermano y la veré alejarse del brazo de otro.

Samantha tiró a regañadientes del cordón de la campanilla y, cuando se presentó la señorita Peoples, le pidió que sacaran el coche. Después regresó a su escritorio, abrió un cajón y sacó un sobre.

—Quiero darte eso, Adam. Por favor, no lo rechaces. Si no lo quieres usar tú, entrégalo a la escuela.

Él se guardó el sobre en el bolsillo de la chaqueta y después se agitó con inquietud, como si volviera a vivir la noche de su primer encuentro con la doctora Hargrave.

No volvieron a hablar, pese a que ambos tenían muchas cosas que decirse, y cuando el cochero llamó a la puerta principal, Adam se encaminó hacia allá con paso rígido, al tiempo que contemplaba la escalera.

—Voy a avisar a Jenny —dijo Samantha.

—No.

—Ella no lo entiende, Adam. Cree que te vas porque quieres. Dile la verdad, Adam.

Pero él no dijo más. Rodeándola torpemente con el brazo Adam hundió su rostro en el cuello de Samantha, reprimiendo un sollozo, y después cruzó la puerta y bajó corriendo los peldaños.

Samantha permaneció en la acera en medio de la húmeda atmósfera, contemplando cómo el vehículo se alejaba en la noche.

A la mañana siguiente supo que Jenny había desaparecido.

—¡Yo tengo la culpa! —gritó Samantha, paseando arriba y abajo delante de la chimenea—. ¡No supe llevar bien las cosas! Sabía que ella estaba muy triste, pero pensé que, si la dejaba en paz, se tranquilizaría. Lo que ocurre es que Jenny no es como nosotros. Nadie se había alejado nunca de su lado. ¡Y menos alguien a quien ella estima, y marchándose de esta manera!

Los demás ocupantes de la estancia guardaron un comprensivo silencio. Darius estaba apoyado en la repisa de la chimenea, estudiando su copa de brandy; Hilary estaba sentada en un sillón, con los pies en un escabel, mirando las llamas; Stanton Weatherby permanecía de pie junto al mirador, contemplando la lluvia de diciembre que caía como polvo de oro bajo el resplandor de las farolas de la calle.

Era tarde y aún no se había recibido ninguna noticia de la policía.

—No le habrá ocurrido nada, Sam —dijo Hilary serenamente.

Samantha se detuvo, con el rostro apenado.

—¿Cómo es posible? Nunca ha salido sola de la casa, ni una sola vez en su vida, ni siquiera para ir a la esquina. No puede *oír*, Hilary. No puede oír el rumor de un tranvía. La pueden atropellar. Y no puede *hablar*. ¿Cuántas personas crees que entienden el lenguaje de los signos?

—Vaya —dijo Stanton—. Se acaba de detener un coche.

Todo el mundo corrió a la puerta.

Cuando vio que Adam bajaba a la acera y después se volvía para ayudar a Jenny, Samantha salió corriendo a la calle.

—Oh, gracias a Dios —gritó—. ¿Dónde habéis estado? ¿Qué ha ocurrido?

Adam y Jenny permanecieron de pie bajo la llovizna, asidos de la mano.

—Ella me ha devuelto aquí, doctora Hargrave —contestó él con una sonrisa—. Jenny vino ella sola a la escuela y me ha traído de vuelta. Queremos casarnos.

—¡Ha sido la boda más bonita que he visto en mi vida! —afirmó Dahlia Mason—. Y qué detalle tan maravilloso que el ministro haya oficiado la ceremonia con las manos. Fue conmovedor.

—Gracias —dijo Samantha, recordando la reacción

inicial de Dahlia ante el anuncio de la boda: «No dejarás que se casen, ¿verdad? ¡Piensa en cómo podrían salir los hijos! ¡Y eso de tener que celebrar la ceremonia con el lenguaje de las manos...! ¿Y si no fuera legal?».

Pero asistió todo el mundo, incluso el señor Wilkinson y algunos amigos de la escuela de Adam, y el día de enero les inundó a todos de sol y calor mientras la feliz pareja permanecía de pie junto al rosal del jardín.

Samantha no negaba tener ciertas preocupaciones al respecto. Adam estaba dispuesto a ganarse la vida y a mantener a Jenny en una casa propia (ya había empezado a dar clase a dos alumnos sordomudos en la Russian Hill) y no había razón para temer por la salud de los hijos, caso de que los hubiera, porque la sordera de Adam se debía a una lesión y la de Jenny, con toda probabilidad, a la escarlatina. Samantha estaba preocupada por otras cosas: por cómo podrían sobrevivir en un mundo que los consideraría unos bichos raros.

Se encontraba en compañía de Dahlia y LeGrand Mason, los Gant y Stanton Weatherby, en el lujoso vestíbulo del Teatro de la Ópera, aguardando a que se iniciara la representación del *Cyrano de Bergerac*, interpretada por Sarah Bernhardt. Los seis levantaron las copas de champán en un brindis por la novia y el novio, que no estaban presentes. Samantha se sentía muy feliz por muchas causas aquella noche: Jenny y Adam eran felices juntos, las cosas iban bien en la Enfermería y las pacientes estaban leyendo los folletos y habían prometido distribuirlos entre sus amigas.

—¿Cómo te encuentras, Hilary querida? —preguntó Darius.

Ella le apretó el brazo. Hilary, embarazada de seis meses, había escandalizado a sus amigos exhibiéndose en público con un vestido de noche estilo Imperio, especialmente diseñado para ella por el señor Magnin.

—Me encuentro muy bien, Darius. ¡No te inquietes!

Hilary tomó un sorbo de champán; por último había conseguido vencer su adicción al Farmer.

Darius empezó a discutir con Weatherby acerca de la dinamita de Alfred Nobel y de la posibilidad de que aquel invento acabara con todas las guerras, tal como esperaba el científico sueco. Hilary se inclinó hacia Samantha y le dijo en voz baja:

—¿Quién es aquel hombre que te está mirando? Date la vuelta con disimulo, hacia la derecha. ¡Se encuentra de pie junto a la mesa del champán y no te quita los ojos de encima!

Antes incluso de moverse, Samantha lo supo.

Se volvió y se quedó paralizada mientras su mirada se cruzaba con la del hombre a través del vestíbulo abarrotado de gente.

Sabía que iba a ocurrir; en una ciudad de setenta kilómetros cuadrados, era inevitable que sus caminos se encontraran.

—Es Mark —contestó serenamente.

—Se está acercando a nosotras —dijo Hilary, asiendo suavemente su brazo.

Mark se detuvo a escasa distancia y se la quedó mirando.

—¿Samantha?

—Sí. Hola, Mark.

—¿De veras eres tú? —dijo él, frunciendo el ceño—. ¿Samantha Hargrave?

—Entonces, te acuerdas.

—¿Que si me acuerdo? Pues claro que me acuerdo. No hubiera podido olvidarte. Pero no lo entiendo. ¿Qué estás haciendo en San Francisco?

—Creía que tu esposa te lo había dicho.

—¿Lilian? ¿Eres tú la doctora que la visitó?

—Ella me dijo que te lo había contado..., que te había hablado de mí. Me explicó que padecías de amnesia y no te acordabas de mí.

—¡Pero ella me habló de una tal doctora Canby! —exclamó Mark.

¡La doctora Canby!, pensó Samantha. El día en que Lilian acudió a la Enfermería, la doctora Canby estaba en la sala de operaciones. Dios bendito, ¿acaso Constance no le dijo a la señora Rawlins que iba a visitarla otra doctora?

—Ha habido un error —dijo Samantha—. Creo que a tu esposa le dijeron que la visitaría otra doctora, y fui yo quien la visitó. No me presenté. Y, cuando ella regresó al día siguiente, pues... el error no se... —Él la estaba mirando. Como la noche de *Annabel Lee*—. Doctor Rawlins, permítame presentarle a mis amigos. El señor Darius Gant y su esposa...

—Encantado —dijo él cortésmente, sin apartar los ojos de Samantha.

Después Darius les acompañó a sus asientos mientras la campanilla avisaba que estaba a punto de levantarse el telón. Stanton Weatherby examinó detenidamente el rostro del desconocido. No había alcanzado la impresionante edad de sesenta años sin aprender algo por el camino. Olfateó el aire y movió las articulaciones. He ahí la razón clara y sencilla de por qué ningún hombre de San Francisco había podido conquistar el corazón de Samantha Hargrave...

—No te imaginas la sorpresa que he tenido —añadió Mark en voz baja—. Cuando miré y te vi, me pareció que estaba soñando. No has cambiado en absoluto...

—Tú tampoco —murmuró Samantha. La muchedumbre que llenaba el vestíbulo pareció esfumarse y también el propio vestíbulo, y el pavimento bajo de sus pies y las arañas de cristal del techo, hasta que en el universo solo quedaron aquellos ojos castaños de intensa mirada con los que Samantha había soñado noche tras noche durante trece años—. Creí que habías muerto.

—No pude encontrarte... nadie sabía...

—Hola, doctora —dijo Lilian Rawlins, situándose al lado de su marido.

De repente, todo volvió a su sitio: el ruido, las luces, la gente.

—Buenas noches, señora Rawlins.

—Lilian, resulta que conozco a esta dama. Es la doctora Hargrave, no la doctora Canby.

Samantha le explicó la confusión y Lilian dijo:

—¡Qué estupendo! Debe haber sido una maravillosa sorpresa para los dos, al cabo de tantos años. Deben tener muchas cosas de que hablar. Doctora Hargrave, ¿querrían usted y sus amigos cenar con nosotros después de la función?

A Samantha le pareció la hora más embarazosa de su vida. Poco a poco fueron llenando el hueco de los años que faltaban, Samantha con sus aventuras en San Francisco (aunque sin hacer ninguna referencia a la pequeña Clair), Mark con el extraordinario relato de su salvación y recuperación. Fue una conversación más superficial y cortés de lo que Samantha hubiera deseado, pero, al decirle Mark que desearía ver su hospital, el corazón le dio un vuelco en el pecho. Ella le invitó a acudir un día de la siguiente semana y Lilian se excusó, confesando su aversión por los hospitales. Mark y Samantha se limitaron a mirarse.

Para cuando llegó el día, la hora y el minuto, Samantha ya estaba a punto de desmayarse a causa de los nervios y la emoción. Aparte del episodio inicial de la mirada en el vestíbulo, se habían comportado muy bien, como viejos amigos cuyos únicos intereses en común fueran los microbios y los estetoscopios. Pero ambos lo *sabían*, no había posibilidad de engaño. Ella notó una intensa corriente y comprendió que a Mark no le pasaría por alto la expresión anhelante de sus ojos. Su mutuo amor seguía vivo; los trece años quedaron borrados en un abrir y cerrar de ojos: estaban de nuevo en mil ochocientos ochenta y dos.

La enfermera Constance, observando las arreboladas mejillas de la doctora Hargrave, se preguntó si estaría a punto de ponerse enferma. Le llamó también la atención su vestido... Samantha lucía un precioso traje de tarde, de seda color espliego, con adornos de encaje carmesí, muy impropio de la doctora Hargrave, que en el hospital siempre vestía de oscuro. Finalmente, la enfermera Constance se asombró del servicio especial de té con pastas, porque a la doctora Hargrave no le gustaban los derroches. Aquel cirujano del Este debía ser una persona muy especial.

Samantha se hizo un reproche mientras paseaba por la estancia. Qué absurdo, tengo casi treinta y seis años, no soy una chiquilla de dieciséis. Pero cuando se abrió la puerta y entró Mark, se sobresaltó.

—Doctor Rawlins —dijo, volviéndose.

—Hola, Samantha.

Se miraron largo rato, y después, percatándose de la presencia de Constance, Samantha dijo:

—Siéntese, por favor, doctor Rawlins. He mandado que nos sirvieran el té.

Él se acomodó y miró a su alrededor.

—Esto es extraordinario, Samantha —dijo con admiración.

—Todas estamos muy orgullosas de la Enfermería —contestó Samantha, sentándose detrás del escritorio. Tuvo que hacer un esfuerzo para evitar que le temblaran las manos mientras llenaba las dos tazas—. ¿Se van a establecer ustedes en San Francisco?

—Hemos encontrado una casa en la Marina —contestó él, mirándola fijamente.

El breve y embarazoso silencio fue interrumpido

por el carraspeo de la enfermera Constance antes de abandonar el despacho y cerrar la puerta.

Samantha se acercó la taza a los labios, pero la mantuvo en suspenso.

—No puedo tragar —dijo por fin.

—Ni yo.

La taza se posó tintineando en el platito.

—Mark, todo esto es un sueño.

—¡Oh, Samantha! Es como si estuviéramos de nuevo en el baile de la señora Astor. Como si no hubieran transcurrido todos estos años, como si nada hubiera ocurrido. Tengo la sensación de haber regresado a casa. Samantha, no he dejado de pensar en ti ni un solo día, preguntándome qué habría sido de ti, deseándote.

—Igual que yo —murmuró ella en voz baja—. A veces era insoportable...

—¿Te acuerdas? —dijo él con la misma intensidad en la voz que en otros tiempos—. «Yo era un niño y ella era una niña / En ese reino a la orilla del mar / Pero nos amábamos con un amor que era más que amor...»

—Sí —contestó ella, cerrando los ojos—, *Annabel Lee*.

—Te quiero, Samantha —murmuró él—. Me muero por ti.

—¡Oh, Mark! Ya nunca podrá ser. Tuvimos nuestra época y ya ha pasado. Por favor. Es muy doloroso.

—Te busqué por todas partes, Samantha —dijo con emoción—. Cuando por fin llegué a Nueva York, estaba deseando verte. ¡Nadie sabía adónde te habías ido! Te habías esfumado. Janelle me habló de la última visita que te hizo, cuando tú ya tenías preparado el equipaje. Desapareciste, sin más. Escribí a Landon Fremont en Europa, pero no recibí respuesta. Empecé a buscarte. Pensé que habrías regresado a Inglaterra; seguí una pista falsa de Londres a París, me dijeron que una joven doctora había adquirido un pasaje..., fue un callejón sin salida. Desde allí me fui a Viena, a ver a Fremont y me enteré de que había muerto. Te busqué durante cuatro años, Samantha. ¿Por qué? ¿Por qué desapareciste?

Lo tenía en los labios, deseaba hablarle de Clair, de su hija. Pero no era el momento; tal vez nunca habría un momento adecuado para hablar de ello.

—Creí que habías muerto —contestó ella.

Él asintió, sin poder decir más.

—El pasado ha quedado atrás, Mark —dijo Samantha, lanzando un profundo suspiro—. Hoy es el ahora. Me gustaría mostrarte mi hospital, si me lo permites.

Él la miró con tristeza y anhelo y dijo:

—Y a mí me encantará verlo.

Mientras mantenía la puerta abierta para que pasara Samantha, Mark tuvo que reprimir el impulso de extender el brazo y atraerla contra sí; y más tarde, cuando subieron a la sala de operaciones y Mark la tomó del codo, Samantha tuvo que luchar con todas sus fuerzas para no volverse y arrojarse en sus brazos. Fue difícil al principio, casi insoportable, pero, mientras recorrían las salas y hacían comentarios acerca de las pacientes, mientras Mark formulaba preguntas y Samantha daba explicaciones, el dolor empezó a suavizarse; eran efectivamente viejos amigos que compartían un mutuo interés por la medicina.

Mark se mostró impresionado, pero no sorprendido.

—Y esto, ¿cómo se llama? —preguntó, deteniéndose ante un gran armario metálico sobre ruedas.

—Es uno de nuestros carros de la comida. Me gustaría poder decir que lo he inventado yo, pero no es así. Le copié la idea al Hospital General de Buffalo. Mira... —abrió la puerta del armario—, las bandejas se colocan en estos estantes y, en la parte de abajo, hay un pequeño horno para mantener caliente la comida. Las ruedas son de goma y hacen muy poco ruido.

—Estás muy bien equipada.

—Es una lucha constante. De no ser por la labor de nuestro diligente Comité Femenino y por los fondos que recauda, no sé qué hubiéramos hecho.

Mark recorrió la pequeña sala infantil, ocupada por niños cuyas madres habían muerto o se encontraban demasiado enfermas para poder cuidarlos. Una nodriza estaba sentada en una mecedora, amamantando a un recién nacido.

—La mano de Samantha Hargrave se nota en todas partes —murmuró él.

Los pasillos y los huecos de las escaleras estaban muy poco iluminados porque aún no habían podido permitirse el lujo de instalar alumbrado eléctrico. Mark miró a Samantha con una expresión que ella había imaginado cientos de veces en sus fantasías, y entonces el antiguo dolor hizo de nuevo su aparición. Si me tocas, pensó ella. Si me besas...

—¿Vas a ejercer la medicina, Mark —consiguió preguntar—, o te dedicarás a la universidad?

Empezaron a pasear de nuevo.

—Cuando la Universidad de California me pidió que viniera a enseñar a su Facultad de Medicina, lo consideré una oportunidad de centrar mi atención en algo que me interesa desde hace algún tiempo.

Se apartaron para permitir el paso de una camilla con una paciente gimoteando.

—La práctica de la medicina me mantenía muy ocupado en San Luis, no disponía de tiempo para nada más. En cambio, la docencia me dará más libertad.

—¿Qué quieres hacer?

Él se detuvo y la miró.

—Quiero dedicarme a la investigación.

—¡La investigación! ¿En qué campo?

—Cáncer. Tú lo sabías, ¿verdad? Y mi madre te prohibió que me lo dijeras.

—Espero que no sufriera al final —dijo ella, mirándole dulcemente.

—Había muerto cuando yo regresé de aquella aldea de pescadores —contestó él con tristeza.

De repente, el pasillo resultó caluroso y asfixiante. Samantha se dirigió a la ventana que había al final.

—La investigación sobre el cáncer es una idea maravillosa, Mark. Se conoce y se hace tan poco...

Se asomó a la ventana, esperando a que él se acercara. La parte trasera de la Enfermería daba a lo que había sido un fumadero de opio. Contrariamente a las advertencias de todo el mundo en el sentido de que el barrio de mala nota en que se ubicaba el hospital alejaría de él a las mujeres, la inauguración de la Enfermería había ejercido un efecto inesperado: cambió el barrio. Poco a poco las casas de juego fueron cerrando y las sustituyeron industrias respetables. El fumadero de opio de la parte de atrás era ahora una panadería.

Mark se situó a su lado y contempló el plomizo cielo de febrero.

—Siento lo de tu madre, Mark. Hubiera querido decírtelo, pero...

La mano de Mark buscó la suya, los dedos de ambos se rozaron y se entrelazaron con fuerza.

—¿Dónde llevarás a cabo las investigaciones? —preguntó ella en un susurro.

—Estoy buscando un laboratorio que pueda compartir con alguien. Por desgracia, hay muy poco espacio porque se está trabajando mucho con las antitoxinas y las vacunas.

Samantha le miró. Mark había cambiado muy poco en catorce años: llevaba todavía el cabello un poco largo y el gris de las sienes, lejos de añadirle años, le confería dignidad; se mantenía erguido, sus hombros eran anchos y el corte de su chaqueta verde oscuro revelaba el bien cuidado y atlético cuerpo que había debajo.

—Mark —dijo ella—, el Estado nos va a conceder una subvención para montar un laboratorio de patología. Vamos a empezar a examinar todas las muestras quirúrgicas, en lugar de tirarlas. Reformaremos parte del sótano y lo dotaremos de los habituales aparatos de laboratorio, un microscopio y una incubadora. Espero instalar incluso una centrifugadora. Nuestro patólogo solo trabajará allí algunas horas. Si tú quieres, Mark, serías bien recibido...

La voz de Samantha se perdió mientras él la miraba fijamente.

Al cabo de un buen rato, Mark dijo:

—Solo si tú me permites aportar la centrifugadora.

7

Lilian Rawlins se estaba retrasando y eso no era propio de ella.

Iba a ser la quinta vez que la visitara Samantha y se disponían a probar otra cosa. Al cabo de cinco meses de intentos, Lilian aún no había logrado quedar embarazada, Samantha quería probar un método acerca del cual había leído recientemente en una publicación médica.

Se levantó de detrás del escritorio y se acercó a la ventana. Era un hermoso día de abril: tibio y soleado y con aquellos vientos racheados tan típicos de San Francisco. Las aceras estaban abarrotadas de viandantes que caminaban apresuradamente, sujetándose los sombreros, y un automóvil hacía sonar la bocina, para pedir paso por entre los coches de caballos.

Samantha lanzó un suspiro. Se sentía agradecida por muchas cosas. Jenny y Adam eran felices y se las estaban arreglando muy bien (andaban buscando una casita); Hilary había dado a luz hacía un mes y se encontraba con Darius en Los Ángeles..., pasando unas vacaciones sin los niños; la Enfermería seguía prosperando; y Mark Rawlins se encontraba en esos momentos en el laboratorio del sótano, inclinado sobre el microscopio.

Había días en que Samantha no le veía, pero el hecho de saber que estaba allí, bajo el mismo techo, era suficiente. Los martes y los sábados eran los días que tenía asignados a cortar, aplicar tintura colorante, examinar y hacer anotaciones. Mark sustentaba la teoría de que las células cancerosas no eran células distintas, sino células normales que se desarrollaban de manera errónea. No era una teoría muy popular, pero él se aferraba a ella, dispuesto a encontrar la causa y, por consiguiente, el posible tratamiento de aquella enfermedad asesina.

Samantha miró el reloj y frunció el ceño. Lilian Rawlins llevaba ya media hora de retraso.

Se dirigió a la puerta y se asomó al pasillo. La enfermera Constance pasó apresuradamente.

—Enfermera, ¿ha visto usted a la señora Rawlins?

—Sí, doctora. Se encuentra en la sala de urgencias.

—¿Se ha hecho daño? —preguntó asombrada Samantha, arqueando las cejas.

—¡Oh, no, doctora! Está ayudando.

El asombro de Samantha se trocó en perplejidad. Lilian Rawlins tenía una profunda aversión a los hospitales; le costaba Dios y ayuda acudir al de Samantha para someterse a tratamiento...

Samantha se dirigió a la sala de urgencias cruzando pasillos atestados de gente, y por dos veces la detuvieron para decirle que el enfisema de la señora Jenkins se había agravado y que Rosie Tubbs no había sobrevivido a la operación de venas varicosas. La sala de urgencias estaba llena a rebosar. La doctora Canby y las enfermeras estaban haciendo de todo, desde tratar gargantas hasta reducir fracturas óseas.

Samantha encontró a Lilian Rawlins en un rincón, sentada al lado de una camilla y hablando con un chiquillo. Al acercarse, Samantha vio que el niño llevaba el brazo derecho recién vendado.

—Hola, señora Rawlins.

—Hola, doctora —contestó Lilian, levantando la mirada—. Le estaba contando un cuento a Jimmy.

Samantha miró sonriendo al niño y vio que tenía el rostro congestionado de tanto llorar y que las pupilas estaban inmóviles debido a una inyección de morfina. Iba, además, extremadamente sucio y parecía estar desnutrido.

—Jimmy ha tenido un accidente, ¿verdad? —dijo Lilian, dando unas palmadas a la sucia manita que emergía del vendaje—. Pero se va a poner bien. ¿No es cierto, Jimmy?

Él asintió y sonrió tímidamente.

—Siento llegar tarde a la cita, doctora —dijo Lilian, levantándose—, pero le han traído en el momento en que yo he llegado. Gritaba y lloraba tanto y estaba tan triste, el pobrecillo. Le he distraído un poco con un cuento.

La doctora Canby se acercó con el rostro arrebolado y más gorda que nunca.

—De no haber sido por la señora Rawlins, nos hubiera costado mucho trabajo suturarle el brazo. Tiene usted mucho arte con los niños, señora Rawlins.

Aparecieron dos camilleros y cargaron la camilla.

—Oh —dijo Lilian—, ¿adónde se lo llevan?

—A la sala infantil —contestó Samantha—. Puede acompañarle si quiere.

—La sala infantil... —dijo Lilian, palideciendo.

—Estará allí varios días —dijo la doctora Canby—. Podrá visitarle siempre que lo desee.

—Adiós, señora —dijo una vocecita y, al volverse, todos pudieron ver a Jimmy agitando el brazo sano.

—Le voy a dilatar el cuello del útero, señora Rawlins —dijo Samantha—. Es la abertura de la matriz. Recientes estudios han demostrado que un cuello estrecho puede ser causa de infertilidad. Con una abertura más ancha, el esperma tiene mejores posibilidades de penetrar. Lo haré muy despacio y no creo que le duela. Si nota alguna molestia, dígamelo, por favor.

—No temo el dolor, doctora —dijo Lilian. Y después añadió—: Doctora, ¿dónde está la sala infantil?

Al principio visitaba solo a Jimmy, después empezó a interesarse por la chiquilla que padecía otitis, y por último Lilian Rawlins adquirió la costumbre de visitar diariamente el hospital, para ver a los niños. Nunca se presentaba con las manos vacías: llevaba bonitos cromos pintados, muñecas de trapo, soldaditos de madera, animales sobre ruedas, con cordeles para tirar de ellos. Les regalaba bastoncillos de regaliz y caramelos de menta, azúcar candi y chocolate. A los que podían andar los reunía a su alrededor y les contaba cuentos; a los que guardaban cama los visitaba individualmente. Lilian lloraba mucho al principio viendo las enfermedades y heridas, cuando moría algún niño, cuando alguno se quedaba huérfano, y sobre todo cuando Jimmy contrajo gangrena y murió. Pero después adquirió fuerza interior y aprendió a disimular su pena. Peinaba a una chiquilla trágicamente quemada durante el incendio de una casa de vecindad y le decía que parecía una princesa. A un niño que había sido operado por séptima vez para corregirle un pie deforme le decía que un día sería oficial de caballería.

Hablaba con ellos, les escuchaba, disipaba sus temores, les hacía reír y muy pronto la empezaron a llamar mamá Rawlins. Una vez en que una chiquilla le arrojó los brazos al cuello y pidió irse a casa con ella, Lilian se libró suavemente de su abrazo y le dijo que eso no era posible.

—¿Por qué? —preguntó Samantha al visitar una tarde el laboratorio.

Mark, sin chaqueta y con las mangas de la camisa arremangadas, estaba preparando un portaobjetos.

—Lilian y yo hablamos una vez de la posibilidad de adoptar un niño, pero ella se mostró tan contraria que lo dejé correr.

—Pero si le gustan mucho los niños, Mark. Y sería una madre maravillosa. Ahora los chiquillos esperan ansiosamente a mamá Rawlins todas las mañanas. ¡Ella ha contribuido mucho a la recuperación de los pequeños!

Mark estudió el portaobjetos que acababa de colorear.

—Es cierto, la sala infantil se ha convertido de pronto en toda su vida, Samantha. Cuando llegamos a San Francisco, Lilian se sentía terriblemente sola. Echaba mucho de menos a su familia de San Luis y no mostraba interés por hacer amistad con las mujeres de nuestro barrio..., todas tienen hijos y eso es muy doloroso para ella. Y después, cuando empezó a seguir tus tratamientos, estuvo tan segura de que darían resultado, que empezó a convertir un dormitorio del piso de arriba en cuarto infantil. Ahora dedica todo su tiempo a amueblar ese cuarto y a confeccionar cosas para los niños de la Enfermería. Lilian está obsesionada con la maternidad. Hasta el punto de...

Mark se detuvo. Iba a decir: Hasta el punto de olvidar que tiene un marido. Pero no podía decirle eso a Samantha. Y tampoco podía decirle que Lilian hacía el amor de forma mecánica e impersonal. Para ella, el acto sexual se había convertido en un medio de conseguir un hijo y Mark intuía a menudo que el concepto de «amor» no entraba para nada en la relación.

Samantha imaginaba un poco lo que estaba ocurriendo. Durante las sesiones de tratamiento, Lilian hablaba incesantemente de los hijos de sus hermanas de San Luis, once en total. Llevaba sus fotografías en el bolso y las enseñaba constantemente.

—Pues razón de más para que adoptéis un niño, Mark.

Él sacudió la cabeza.

—Quiere un hijo de su propio cuerpo. Quizá antes de tener al niño, quizá antes de saber lo que significa tener un hijo propio, hubiera considerado esa posibilidad. Pero el hecho de haberlo tenido y que después se le muriera... Bueno, supongo que Lilian quiere sustituir al que perdió.

Samantha se sentó en el alto taburete que había junto a la mesa de trabajo. Sí, sustituir al que murió. ¡Cómo lo comprendía ella! La pequeña Clair, reposando en una colina cubierta de hierba...

Mark se acercó a la pila y se lavó las manos. Mientras se las secaba, dijo:

—Me alegro de que hayas venido, Sam. Quiero discutir una cosa contigo.

—¿De qué se trata?

Él se bajó las mangas, se abrochó los puños y se dirigió al escritorio de tapa corredera.

—Esto.

Tomó algo y se lo mostró. Era uno de los folletos antimedicamentos que ella había mandado imprimir.

—¿Sí?

—¿Son exactos estos datos?

—Proceden de los archivos de la Enfermería.

Mark colocó el folleto en la palma de su mano, como si lo estuviera sopesando.

—Compilar todos estos datos representa mucho trabajo. Y lo que dices de los medicamentos... del Elixir de Ellison. ¿Un cuarenta por ciento de alcohol?

—Yo misma hice el análisis.

La miró largo rato con expresión meditabunda, y después dijo:

—La recogí esta mañana, al entrar, en el mostrador de recepción. Mezclado con folletos de biberones y de higiene doméstica. Estaba enterrado, Sam.

—Lo sé. Las enfermeras procuran tener los folletos ordenados, pero...

—Y desaprovechados —añadió él—. En el mostrador no se aprovechan. Hay que dar a conocer al público esta clase de información.

—¡Lo he intentado, Mark! He enviado mis folletos a todas las publicaciones que creí susceptibles de interesarse, pero no dio ningún resultado.

—No me sorprende. El Elixir de Ellison es uno de los más destacados anunciantes. Las revistas no se pueden permitir el lujo de perderlo.

—Mark, aunque no lo divulgue a nivel nacional, procuro, por lo menos, educar a mis pacientes.

—¿Y eso es suficiente?

—No —contestó ella en tono dubitativo.

—Muy bien. —Mark se acercó al perchero y se guardó el folleto en el bolsillo de la chaqueta—. ¿Qué planes tienes hoy?

—Tengo que pasar visita a las salas después del almuerzo, y quedarme en la sala de urgencias hasta la hora de cenar.

—¿No podría sustituirte alguien?

—Supongo que sí. ¿Por qué?

—Porque quiero que conozcas a alguien —contestó él, esbozando una enigmática sonrisa.

La redacción del *Woman's Companion* ocupaba el último piso del edificio Wing Fah Imports de Battery Street y, al cruzar la puerta, donde una placa decía *Oficinas de Redacción*, Samantha se quedó un poco perpleja. El *Woman's Companion* había estado muriendo lentamente a lo largo de los últimos años hasta que, doce meses atrás, había dejado de publicarse por completo. Y, sin embargo, aquí estaba, aparentemente vivito y coleando: tecleo de máquinas de escribir, ir y venir de los empleados y tres hileras de escritorios. Se la acercó un joven muy pulcro.

—¿En qué puedo servirles?

—Quisiéramos ver al señor Horace Chandler. Dígale que está aquí Mark Rawlins.

Minutos más tarde cruzaron una puerta con una placa que rezaba *Despacho privado.* Al otro lado del despacho, sobre un fondo de ventanas abiertas y rayos de sol, había un hombre detrás de un enorme escritorio.

—¡Mark! —exclamó, levantándose de un salto.

—Hola, Horace —se estrecharon la mano—. Permíteme que te presente a la doctora Hargrave de la Enfermería de San Francisco.

—Encantado de conocerla, doctora Hargrave. Es un auténtico placer para mí. Es usted muy famosa en esta ciudad, ¿sabe? —Horace Chandler era un hombre muy corpulento, de enorme cintura, y, al levantarse, a Samantha se le antojó un oso gris de pie sobre las patas traseras—. Siéntese, por favor. ¡Mark, qué agradable sorpresa! ¿Cómo está Lilian?

—Muy bien, Horace. ¿Y Gertrude?

—Mejor que nunca, querido amigo. Bueno, ¿es una visita de negocios, o de placer?

—De negocios, Horace. Queremos que nos ayudes en un asunto.

Durante el trayecto en coche desde el hospital, Mark le había hablado a Samantha de su amigo Horace

Chandler. Conocía al editor de San Luis, de cuando el señor Chandler trabajaba en una publicación llamada *Gentleman's Weekly.* Horace Chandler, le explicó, se ganaba la vida comprando revistas moribundas y resucitándolas. Se había trasladado a San Francisco hacía un año para tratar de infundir nueva vida al *Woman's Companion.*

Samantha trató de recordar cuándo había leído por última vez un ejemplar del *Woman's Companion.* Hacía varios años, y le pareció una revista superficial, llena de modas, recetas de comida, insípidos relatos románticos y poemas sin valor. La había inducido a pensar en tres ancianas manejando una prensa en la cocina. Desde entonces no la había vuelto a leer.

—¿Qué clase de revista es ahora? —le preguntó a Mark.

—Sigue siendo un publicación femenina —le explicó él—. Pero se dirige a una mujer inteligente. Siguen hablando de recetas y modas, pero tienden a lo exótico y lo atrevido. Publican noticias y opiniones y no temen provocar sanas controversias. En uno de los últimos números publicaron un artículo sobre el crecimiento demográfico y provocó una fuerte reacción porque se atrevía a apuntar las virtudes de la contracepción.

Luego, sentado en el despacho del señor Chandler, Mark le habló a su amigo de las investigaciones realizadas por Samantha sobre los medicamentos patentados y de sus infructuosos esfuerzos por publicar los resultados.

—Y nadie quiso saber nada, ¿no es cierto, doctora Hargrave? —dijo el señor Chandler—. No hay publicaciones en este país que se atrevan a correr el riesgo, publicando lo que usted sugiere, de perder los cuantiosos ingresos que reportan los anuncios de medicamentos. Por eso la gente nunca sabrá la verdad. Pero ocurre que yo me impuse unas normas al adquirir el *Woman's*

Companion. Nosotros publicamos la verdad sin que nos importe ofender a terceros, y observará usted que no hay anuncios de medicamentos en mi revista.

Tomó un ejemplar que había sobre su escritorio y se lo entregó.

Ella lo hojeó con interés.

—Supongo, Mark —dijo Horace reclinándose en su asiento y entrelazando los dedos sobre su voluminoso abdomen—, que deseas que publique esa investigación de la doctora Hargrave, ¿no es cierto?

Mark introdujo la mano en el bolsillo, y sacando el folleto, lo depositó encima del escritorio.

—Léelo, Horace. Y dime qué piensas.

Mientras el hombre lo examinaba, deteniéndose en varios puntos, Mark miró a Samantha y le guiñó un ojo. Ella notó que el corazón le empezaba a latir con fuerza.

—Señor Chandler —dijo—, quiero que el público comprenda los peligros que encierran los medicamentos patentados. Las etiquetas afirman que esas medicinas son seguras, cuando lo cierto es que no lo son. Las mujeres embarazadas están tomando unos «tónicos» que son perjudiciales para sus hijos, y ellas no lo saben. Los enfermos de cáncer están bebiendo agua coloreada, en lugar de solicitar la ayuda de un médico. El público tiene derecho a saber lo que compra, señor Chandler, y lo que introduce en su organismo. Y puesto que los fabricantes de esos remedios no se lo dicen, tenemos que hacerlo nosotros.

—¿Está usted bien segura de estos datos? —preguntó Horace Chandler dejando el folleto y clavando sus inquisitivos ojos en Samantha.

—Sí.

—¿Podría proporcionarnos algo más? Aquí no hay mucho. Tres fabricantes. Si pudiéramos añadir otros, el artículo tendría más enjundia.

—No he tenido tiempo —contestó Samantha—, pero me propongo analizar el Compuesto Milagroso de Sara Fenwick.

—El medicamento más conocido del país —dijo el hombre, arqueando las cejas.

—Yo me encargaré de ello, Sam —dijo Mark—. Lo único que necesito es un frasco y una lámpara de Bunsen.

—El folleto es muy bueno, doctora Hargrave —dijo Horace Chandler, frotándose la barbilla—, pero parece un artículo médico. ¿Le importaría que me tomara algunas licencias de estilo?

—En absoluto —contestó Samantha, dominada por una creciente emoción.

—Doctora Hargrave, yo me encargaré de que mis lectoras se enteren de lo que les va a ocurrir a la próxima pastilla que tomen. La indignación pública será el arma de los médicos. Mire, doctora Hargrave, por desgracia, las leyes solo se modifican cuando se organizan escándalos.

—Y, además, eso aumenta las ventas de las revistas —añadió Mark con una sonrisa.

—Lo siento —dijo Horace, levantándose—, pero ahora tengo una cita. Mark, mis mejores saludos a Lilian. Doctora Hargrave, ha sido un placer. ¿Le parece que volvamos a vernos la semana que viene?

Mientras abandonaban el fresco edificio y salían a la calurosa tarde de agosto, Samantha notó que su ánimo se dilataba y se elevaba hasta el cielo. Mark se encasquetó su sombrero flexible, contempló el brillante día y después miró a Samantha.

—¡Doctora Hargrave —dijo—, creo que usted y yo vamos a cambiar el mundo!

8

Samantha contempló las palabras que acababa de escribir, sin leerlas, y apoyó la cabeza en una mano mientras con la otra sostenía la pluma en suspenso sobre la cuartilla, como si esperara infundirle vida. Iba a ser su segundo artículo para el *Woman's Companion*. El primero, publicado hacía un mes con el título «No permita que eso le ocurra a usted», había suscitado tanto interés entre el público, que Horace Chandler quería publicar otro inmediatamente; en este se iban a incluir los análisis de laboratorio de diez populares medicamentos.

Finalmente, Samantha posó la pluma y se reclinó en el sillón. Al otro lado de la cerrada puerta de su despacho, la Enfermería estaba a punto de sumirse en una noche de semisueño (el hospital jamás dormía del todo) y reinaba en el edificio un ambiente de serena intimidad. Samantha respiró hondo y lanzó lentamente un largo y melancólico suspiro. No sabía qué le ocurría aquella noche; se sentía extrañamente aturdida.

Se levantó del escritorio con gesto cansado y se dirigió hacia la ventana. Apartó los pesados cortinajes de terciopelo y contempló la noche de octubre. La calle ofrecía un aspecto irreal; era un espectáculo fantasmagórico, como sacado de alguna inquietante obra de teatro sobrenatural: estaba casi desierta y los pocos peatones que circulaban luchando para que el fuerte viento no les arrebatara el sombrero, parecían correr de un charco de luz de gas al siguiente, como si les persiguieran o como si temiesen las sombras de octubre. Era la estación de Todos los Santos, la estación de los fuegos fatuos, la estación moribunda...

Samantha contempló su imagen reflejada en el cristal y dijo para sí: Pero, bueno, ¿por qué he pensado eso? *La estación moribunda*. Porque lo es. Empezamos a morir en cuanto nos conciben, nacemos para morir, pasamos de los pañales a los sudarios, ¿cuál es la finalidad de todo?

Empezó a reflexionar mientras se acercaba la mano al pecho y buscaba la dura piedra bajo la tela de la blusa. Desde el día en que le puso una cadena (¿cuántos años hacía de eso?), la piedra había descansado sobre el corazón de Samantha. Mi *talismán de la suerte*. Pero, ¿lo es? ¿Soy afortunada?

Samantha sabía que no era normalmente una persona soñadora, que no era una auténtica romántica en el sentido en que lo era la doctora Canby (que ponía discos de Caruso y se rodeaba de retratos de Edwin Booth y Napoleón Bonaparte); Samantha era pragmática y realista. ¿Por qué, pues, se hundía a veces en aquellos melancólicos estados de ánimo? Sobre todo últimamente...

Ella sabía por qué.

Apartándose de la ventana, Samantha miró a su alrededor y súbitamente lo vio todo borroso. ¡Dios bendito, estoy a punto de echarme a llorar!

Tenía tantos motivos para ser feliz y para alegrarse (el Estado le había renovado la subvención, los Crocker iban a costear una nueva sala de operaciones y, lo mejor de todo, Jenny estaba embarazada). No había ninguna razón para su tristeza.

Samantha se acercó la mano a la frente, como para reprimir las lágrimas. *No tengo ningún derecho. Prescindí de él hace tiempo, ya no es mío...*

Lanzó otro suspiro que fue más bien como un sollozo ahogado. ¿Cuánto tiempo podría seguir soportándolo? Samantha sabía que era una mujer fuerte en todas las demás cosas, pero en aquello... Le quería, *le necesitaba. Me moriré si no puedo estar en sus brazos una vez más.*

Pensó que podría hacerlo, que podría tratar a Mark como a un viejo amigo, trabajar a su lado, mantener una actitud profesional, pero cada vez le resultaba más difícil. Cada día que pasaba, cada vez que él entraba en su despacho, cada visita a Horace Chandler, cada cena en casa de los Gant, con Mark a un lado y Lilian al otro...

Samantha experimentó una repentina sensación de claustrofobia. Las paredes parecían querer aplastarla. Se dirigió hacia la puerta y la abrió. El pasillo en penumbra estaba desierto y en silencio, como la calle otoñal; no le hubiera sorprendido ver hojas rojizas y anaranjadas en el suelo...

Tengo que regresar a casa. ¿Por qué sigo aquí?

Una forma grotesca emergió de las profundas sombras del fondo del pasillo y se acercó lentamente a ella. Era una enorme mole cuadrada que avanzaba sobre silenciosas ruedas, que se movía aparentemente por voluntad propia, tintineando y crujiendo. Cuando estuvo más cerca, Samantha vio las manos a ambos lados, la cabeza moviéndose arriba y abajo y, finalmente, la rítmica subida y bajada de la espalda del portero.

—Buenas noches, doctora —musitó este, empujando el carro de la comida.

Samantha abrió la boca, pero no pudo hablar. Vio que el portero y el carro de la comida doblaban una esquina y desaparecían, y después miró hacia el otro lado.

La escalera.

El dolor le estaba resultando insoportable. Otra noche que pasaría tendida en su cama, pensando en Mark, tratando de evocar la sensación de su cuerpo, el sabor de su boca, su olor...

Oh, Willella, ¿eso es lo que sientes tú todos los días de tu vida? No tenía ni idea.

Samantha se sintió súbitamente invadida por una profunda tristeza al pensar en la pobre Willella y su serena desesperación, en sí misma y en todos los que ansiaban amar y no podían.

Apenas se dio cuenta de que estaba andando; sus

pies eran dueños de sí mismos y la estaban llevando hacia la escalera, independientemente de su voluntad. Se detuvo junto al bolo de la escalera de caracol, al borde del abismo, y pensó: No está aquí. *Hace horas que se ha marchado.*

Empezó a bajar con paso vacilante como si tanteara la solidez de los peldaños, como si no estuviera segura de que pudieran soportar el peso de la increíble carga que llevaba. Abajo, abajo, de oscuridad en oscuridad, entrando y saliendo de los charcos de luz eléctrica, como una sonámbula a la merced de sus pies, descendiendo inexorablemente mientras sus pensamientos decían: *Aquí no hay nadie.*

Al llegar al pie de la escalera, se quedó inmóvil. El cavernoso pasillo del sótano estaba iluminado por una sola bombilla que permitía ver varias puertas cerradas y distintos armarios. Frío, silencioso. Y, por debajo de la última puerta, la puerta del distante final, la puerta del laboratorio, *aquella* puerta, una rendija de luz...

Se acercó en un instante. Claro, la doctora Mary Johns, la patóloga, estaría trabajando hasta tarde.

Samantha llamó con los nudillos.

—Pase —dijo Mark desde dentro.

Abrió la puerta y se quedó de pie, enmarcada en el claroscuro espectral. Le contempló mientras apartaba los ojos del microscopio y pensó: *No hace ni un año. ¿Cuánto tiempo tendré que soportarlo? ¿Cuántos octubres más?*

Su hermoso rostro se hallaba envuelto en sombras. Samantha no pudo ver si sonreía o estaba frunciendo el ceño; parecía hacer ambas cosas.

—Sam —dijo él suavemente—. Trabajas hasta muy tarde.

—Sí. El artículo. —Samantha casi no podía respirar—. Tú también trabajas hasta muy tarde.

—Estoy coloreando muestras...

El cuerpo de Samantha pareció moverse una vez más como por voluntad propia. Su mano cerró la puerta a su espalda, sus pies la llevaron hasta la mesa de trabajo y su voz, como si fuera la de otra mujer, dijo:

—Prefiero trabajar en el artículo en el hospital porque, en caso de que me necesiten, estoy aquí y no tienen que enviar a nadie a buscarme a casa...

Los ojos de Mark, que ahora no eran de suave color castaño, sino negros y penetrantes, se clavaron en ella y la atravesaron.

—Últimamente has estado trabajando hasta muy tarde.

—Tú también.

La mirada de Mark se posó en su pecho. Una pequeña arruga se formó entre sus cejas.

—¿Qué es esto?

Extendió la mano para tomar la piedra; Samantha notó que sus dedos le rozaban el busto.

—Me la dio Letitia. ¿La... recuerdas?

—La recuerdo.

—¿Y a Janelle?

—Sí.

—Y a Landon Fremont —las palabras brotaron apresuradamente—, y al doctor Prince y al doctor Weston y a la señora Knight... ¡Oh, Mark! Jamás hemos hablado del pasado. ¡Lo hemos sepultado! ¡Yo quiero que vuelva a vivir!

Ocurrió con tanta rapidez, que se sobresaltó. Sus brazos la rodearon, atrayéndola hacia sí, y su boca cubrió la suya y, de repente, se encontraron de nuevo en aquella pequeña habitación del St. Brigid's y Mark acababa de entrar, diciéndole: «¡Qué demonios, Samantha, te quiero!», y las risas y la música de banjo les llegaban a través de los delgados tabiques.

Ella se aferró a él, casi sin aliento; la estaba devorando como si se muriera de hambre. Cuando su mano se deslizó hacia el interior de la blusa y se apoyó en su pecho, catorce años desaparecieron en un instante: el *Excalibur*, la muerte de su madre, el largo y solitario viaje a través del país, el nacimiento y la muerte de la pequeña Clair, Jenny, Hilary, la Enfermería..., nada de todo aquello existía, jamás había ocurrido. Todo había sido un sueño y, por fin, Samantha estaba empezando a despertar.

—Oh, Dios mío —murmuró Mark sobre su cabello—, no creía que pudiera soportarlo. Verte cada día. Simular que era simplemente un viejo amigo.

La asió por los hombros y la mantuvo a cierta distancia, explorándola con los ojos, mirándola finalmente como había querido mirarla durante todos aquellos meses, larga, amorosamente, bebiendo su exquisito encanto, sus ojos gris perla y el negro cabello derramado ahora sobre sus hombros: la imagen que él se había llevado consigo a la cama todas las noches durante catorce años. Después apartó suavemente de sus hombros la blusa y las tiras de la camisola. Inclinó la cabeza y le besó el pecho. Samantha lanzó un jadeo.

Más tarde, Mark levantó la cabeza, hundió los dedos en su cabello y dijo con voz ronca:

—«Hace muchos, muchos años, en un reino a la orilla del mar, vivía una doncella cuyo nombre era Annabel Lee. Y esa doncella solo vivía para amar y ser amada por mí».

—Quiero volver a ti, Mark —murmuró Samantha—. Llévame al pasado. Devuélvenos aquellos tiempos de antes del *Excalibur*. —Se quitó la cadena por la cabeza y arrojó el dije de turquesa sobre la mesa de trabajo—. Olvidemos por una vez dónde estamos y quiénes somos ahora. —Ardientes lágrimas empezaron a rodar por sus mejillas. Sus temblorosas manos empezaron a desabrochar la camisa de Mark—. Háblame del presidente Garfield. Quéjate de la terquedad de tu padre. Háblame de tus hermanos, de los despilfarros de Stephen y de los sermones de tu madre. Y yo te hablaré de las discusiones del hospital acerca de la teoría de los gérmenes y de la obstinación del doctor Prince, que no me deja entrar en la sala de operaciones...

El suelo del laboratorio fue para Mark y Samantha como un lecho de plumas. Él extendió su chaqueta y empezó con mucha suavidad, pero muy pronto abandonaron todo comedimiento y se entregaron a la satisfacción de sus pasiones y, por una noche, borraron todas las frustraciones del pasado.

Más tarde, hacia el amanecer, cuando empezaron a llegarles los rumores del despertar de la Enfermería, hablarían de ello y se enfrentarían a la realidad. Convendrían en que no eran libres, en que no podían volver a ceder, porque ahora había otras personas en quienes pensar, especialmente Lilian, y en que tenían que vivir en el presente. Samantha le habló de una niña llamada Clair y ambos trataron de aceptar, por muy doloroso que fuera, que el pasado ya no existía y que aquellos tiempos habían terminado. Pero, de momento, aquella noche les pertenecía. Y, si mañana y todas las restantes mañanas tuvieran que pertenecer a otras personas, aquella noche les pertenecía a ellos e intentarían, con todo su corazón y toda su alma, vivir toda una vida de amor en unas breves horas.

9

Estaban a finales de mil ochocientos noventa y seis y empezaba a correr el rumor de que había oro en Alaska. San Francisco se había convertido de nuevo en el centro de la prosperidad generada por la fiebre del oro. Los que lo buscaban en Alaska, con sus camisas de franela y sus chaquetones de lana, eran un espectáculo habitual y los periódicos publicaban reportajes acerca de los peligros de los campamentos del Yukon. La manía del oro se había contagiado a todo el mundo, incluido Darius Gant, que facilitó un anticipo de dinero a un par de buscadores a cambio de la mitad de las ganancias, y, durante algún tiempo, San Francisco revivió el virulento bullicio de otros tiempos.

Debido a ello, los artículos de Samantha en el *Woman's Companion* tuvieron que competir con otras muchas noticias para ganarse la atención del público.

El número de diciembre publicó un artículo titulado «¡Hay veneno en esa medicina!» y en el de enero apareció un artículo en forma de encuesta bajo el título de «¿Con qué facilidad se droga usted?», destinado a analizar el conocimiento que tenía el público de los específicos. Sin embargo, ninguno de ellos provocó la reacción que había producido el primero... El público se había dejado arrastrar por las leyendas del Yukon y Horace Chandler afirmó que solo podrían atraerlo escribiendo algo auténticamente sensacional.

Por consiguiente, cuando no practicaba intervenciones quirúrgicas o trabajaba en las salas, Samantha dedicaba su tiempo libre a redactar en casa un reportaje titulado «Mi pesadilla de drogada». Aunque estaba escrito en primera persona y con nombre supuesto, la historia se basaba en un caso auténtico de los archivos de Samantha, y describía con todo realismo la situación típica de un mujer habituada a los medicamentos.

Pasaban los días en una interminable sucesión de pacientes, tratamientos, tragedias y victorias; el húmedo invierno de San Francisco se estaba acercando al umbral de la primavera y la fiebre del oro se encontraba en pleno apogeo.

Samantha y Mark se vieron muy a menudo durante aquellos lluviosos meses, pero jamás volvieron a repetir su noche del laboratorio. Con frecuencia ambos permanecían sentados en el despacho de Samantha tomando el té mientras escuchaban el rumor de los carros de la comida circulantes por los pasillos y el de la lluvia que golpeaba la ventana. No necesitaban hacer el amor, lo hacían con los ojos, con algún contacto ocasional y con sus pensamientos, acercándose el uno al otro y uniéndose. Trabajaban en los artículos sobre las drogas... Mark en el laboratorio, analizando tónicos y elixires, Samantha, elaborando resúmenes y estadísticas. Pero jamás mencionaban lo que sentían en su corazón, porque era innecesario; ambos lo sabían. Estaban enamorados y se querían.

—Afloje esos músculos, por favor, señora Sargent; muy bien. —Samantha clavó la mirada en la pared que tenía delante, representándose la anatomía—. Está bien. Ya puede vestirse.

Se apartó de la mesa de reconocimiento y se dirigió hacia la pila, para lavarse las manos.

En la mesita contigua estaban el bolso y los guantes de la señora Sargent junto con el ejemplar del *Saturday Evening Post* que la mujer había estado leyendo; estaba abierto por la página de un artículo sobre el presidente McKinley, cuyo mandato se acababa de iniciar. Los ojos de Samantha se posaron en un anuncio que había un poco más abajo. «Evite las operaciones —decía el titulillo—. No abandone el cuidado de su cuerpo y no quiera verse obligada a recurrir al hospital; fortalezca su sistema femenino y cure los trastornos que son señales de peligro. Una dosis diaria del Compuesto Milagroso de Sara Fenwick cura y preserva el delicado mecanismo femenino. Lea aquí abajo algunas cartas de mujeres que sufrían y recurrieron a la señora Fenwick en demanda de ayuda.»

—¿Puede hacer algo por mí, doctora?

—Señora Sargent, tiene usted unos fibromas de gran tamaño. Son la causa de sus hemorragias. —Samantha se secó las manos con una toalla limpia y después se volvió, abrochándose los puños de la blusa—. ¿Cuándo empezó?

La señora Sargent era un mujer menuda y estaba muy agitada.

—Hace unos cinco años, tras el nacimiento de Timothy. Al principio no fue muy serio, simplemente unas manchas. Pero hace unos tres años el período me empezó a durar dos semanas.

—¿Hizo usted algo al respecto?

—Hubiera perdido mi trabajo en la panadería si hubiera pedido permiso para ir al médico, y por eso le escribí a Sara Fenwick. En sus anuncios dice que puede obrar maravillas.

Samantha contempló con aire pensativo el anuncio. Sara Fenwick miraba con expresión benévola desde un retrato ovalado y su bello rostro de abuela esbozaba una sublime sonrisa.

—¿Y qué le recomendó ella?

—Me envió un frasco de compuesto. En cuanto empecé a tomarlo, me sentí mejor.

Samantha asintió; era el efecto del alto contenido de alcohol.

—Pero las hemorragias siguieron. Le volví a escribir y ella me dijo que aumentara la dosis diaria de la medicina. Pero no dio resultado. —La señora Sargent inclinó la cabeza—. Bebía diariamente el compuesto hasta que, por fin, ya no pude más. Las hemorragias aumentaron y ahora estoy muy débil.

Samantha acercó una silla y se sentó a su lado.

—Señora Sargent —dijo afectuosamente—, los fibromas no son cancerosos, pero hay que eliminarlos.

—¿Se refiere usted a una operación? —preguntó la mujercita, palideciendo.

—Sí.

—¿Qué clase de operación?

—Habrá que extirpar la matriz.

La señora Sargent lanzó un grito de horror y después rompió a llorar.

Samantha le dio unas palmadas en la rodilla.

—Si hubiera usted acudido a un médico al principio, se hubiera podido hacer algo, pero ahora la situación ya no tiene remedio.

—¡No podemos permitirnos el lujo de pagar a un médico! —gimió la mujer contra el pañuelo—. ¡Apenas nos alcanza para dar de comer a los niños!

—Señora Sargent, la Enfermería presta gratuitamente sus servicios a quienes no pueden pagarlos.

—¡Pero extirparme la matriz! ¡Doctora Hargrave, por favor, intente alguna otra cosa!

Samantha se afligió.

—¡No es por mí, es por lo que pensará Harry! ¡Ya no me va a querer!

—Pues claro que sí, señora Sargent.

—¡Aún no he cumplido los cuarenta! Por favor, doctora Hargrave —dijo la señora Sargent en tono suplicante—. ¡No lo haga! ¡Antes prefiero morir!

Samantha apoyó una mano en el hombro de la mujer para consolarla.

—Desearía con toda el alma que hubiera una alternativa.

—¿El compuesto no me ha sido útil en absoluto?

—La medicina de Sara Fenwick es un tónico, señora Sargent, algo para hacerle sentirse mejor. No puede corregir los defectos celulares.

—Pues mi hermana tenía un tumor en la matriz, y un frasco de Sara Fenwick se lo disolvió. Y, además, yo me encuentro muy bien. Cuando vuelvo a casa de la panadería después de diez horas de trabajo, apenas puedo subir los peldaños. Entonces me bebo el compuesto e inmediatamente estoy en condiciones de ponerme a guisar y limpiar. —Tomó la mano de Samantha—. Por favor, doctora...

Samantha notó que las lágrimas estaban a punto de asomar a sus ojos; no era fácil llevar puesta siempre la máscara profesional.

—Si no lo extirpamos, señora Sargent —dijo suavemente—, tendrá graves complicaciones.

—Pero yo no quiero volverme vieja.

—¿Vieja, señora Sargent?

—La histerectomía provoca la menopausia —dijo la mujer en un susurro.

—Eso es falso, señora Sargent. Eso solo ocurre cuando se extirpan los ovarios. En su caso, extirparemos únicamente la matriz, que es un simple músculo, y nada más.

—Pero ya no seré una mujer...

—¡Pues claro que lo será! —dijo Samantha con un nudo en la garganta.

—Oh, doctora, tengo mucho miedo...

—Mark, ¿puedo hablar contigo un momento?

Él apartó los ojos del microscopio y la súbita alegría de su rostro hizo que a Samantha le saltara el corazón de gozo en el pecho.

—¡Pues claro, Sam! ¡Ven aquí, quiero que veas algo!

Ella se inclinó sobre el microscopio, acercando un ojo a la lente mientras Mark regulaba el espejo para mejorar la iluminación.

—Eso es una muestra del tejido del pecho que extirpaste ayer. ¿Ves las células normales del ángulo superior derecho?

—Sí.

Mark se encontraba a su lado, casi rozándola.

—Están bien formadas, son típicas y uniformes en cuanto a tamaño, y algunas se están dividiendo.

—Sí —dijo ella suavemente—. Lo veo.

—Ahora fíjate en las células que las rodean. Aberrantes, deformadas. Y observa con qué facilidad se separan. Sam, *¡son las mismas células!*

Ella volvió a enderezar la espalda y vio que Mark la estaba mirando con expresión radiante.

—Jamás había visto una muestra tan clara —añadió él—. Este solo portaobjetos casi demuestra mi teoría acerca de los comienzos del cáncer. Y, si estoy en lo cierto, si las células malignas son simplemente renegadas que antes eran normales, ¡tendremos un punto de partida para hallar un tratamiento!

—Es maravilloso, Mark —dijo ella, contemplando el cuaderno en que él describía y dibujaba las muestras—. Pero ¿qué opina la universidad del hecho de que pases tanto tiempo aquí?

Él se volvió de espaldas y empezó a ordenar la mesa de trabajo, nervioso.

—He pedido la excedencia, Sam. Mi labor aquí es demasiado importante. Tanto las investigaciones sobre el cáncer como nuestra campaña contra las drogas. Y...

—¿Y qué?

Él se volvió a mirarla; su sonrisa se había esfumado.

—Estoy preocupado por Lilian.

—¿Qué ocurre?

—No lo sé. No parece feliz. Aunque se distraiga con la sala infantil... —Mark sacudió la cabeza—. No sé. Apenas nos vemos. Y cuando nos vemos, parece como si no tuviéramos nada de que hablar.

—¿Piensas que sospecha... lo muestro?

—No lo sé, Sam —contestó, volviéndose para dirigirse hacia la pila—. No lo creo. Lilian es muy franca. Si sospechara algo, lo diría. Es otra cosa. El deseo de tener un hijo, supongo.

Mark se lavó las manos, se las secó y después se bajó las mangas de la camisa. Dando media vuelta y apoyado en la pila, dijo:

—¿De qué querías hablarme?

Sí, volvamos a terreno seguro.

—De la campaña contra las drogas, Mark. El señor Chandler dice que el volumen de cartas ha disminuido. No conseguimos atraer la atención del público.

—Quizá convendría que el próximo artículo se titulara «La drogadicción en el Klondike».

—Probablemente tienes razón. Pero he pensado una cosa. Creo que nos hemos diversificado demasiado, que hemos abarcado muchas cosas en un intento de suscitar el interés del público acerca de demasiados datos y cifras.

—¿Qué piensas hacer?

Oyeron que se abría la puerta y, al volverse, vieron entrar a la patóloga, la doctora Mary Johns.

—Buenas tardes, doctores —dijo esta alegremente mientras se quitaba el abrigo.

—Hola, Mary —dijo Mark—. Estaba a punto de marcharme.

—No hay prisa. ¡Primero tengo que tomarme mi taza de té! —La doctora Johns se dirigió a una mesa de trabajo adosada a una pared en la que, entre tarros de muestras, frascos de formaldehído, matraces, tubos de ensayo y quemadores, había un infiernillo con una pequeña tetera—. ¿Cómo está su hija, doctora Hargrave?

—Jenny está muy bien, gracias. Muy gorda, para seis meses. Empiezo a pensar que a lo mejor serán gemelos.

—¡Oh, qué estupendo! —exclamó la doctora Johns, volviéndose para mirarla.

Mientras Mark le mostraba a la patóloga las muestras de la sala de operaciones, para recabar también su opinión acerca del portaobjetos analizado, Samantha se encaminó a la puerta.

—Mark, estaré en la sala general.

—Me gustaría concentrarme en una sola marca —dijo Samantha una vez reunidos los tres en el despacho de Chandler—. Creo que podríamos llamar más eficazmente la atención del público si nos dedicáramos a un solo medicamento que fuera muy popular y famoso.

Horace se reclinó en su asiento, entrelazando las manos sobre el vientre. A su espalda, los vientos de marzo empujaban una fuerte lluvia contra las ventanas.

—¿Ha pensado en alguno en concreto?

—En efecto, muchas de mis pacientes habían recurrido al Compuesto Milagroso de Sara Fenwick antes de acudir a la Enfermería. Yo creo que es un medicamento que se encuentra en casi todos los hogares.

Horace soltó un prolongado silbido.

—Sara Fenwick es el medicamento más importante del país, doctora. Y es la fuerza que se oculta tras las camarillas de Washington. Está usted hablando de un contrincante muy poderoso.

—¿Le asusta atacarlo?

—¡En absoluto! —contestó Horace con una breve carcajada—. Pero le diré una cosa. —Se inclinó hacia delante y apoyó las manos en la superficie del escritorio—. Si quiere atacar a Sara Fenwick, tendrá que estar muy segura de los datos que aporte. ¿Has llevado a cabo algún análisis? —terminó dirigiéndose a Mark.

—Solo del contenido de alcohol, que es elevadísimo.

—¿Cree usted que contiene ingredientes perjudiciales, doctora Hargrave?

—Ese no va a ser el punto de partida de mi ofensiva, señor Chandler, porque pienso que el Compuesto Milagroso es básicamente inocuo. A lo que yo me opongo es a la costumbre de sentar diagnósticos y prescribir tratamientos por correspondencia. Todas las pacientes que se demoraron en acudir a mí porque estaban tomando el compuesto, habían escrito a los laboratorios Fenwick. Y ellos les aseguraron que se curarían. A eso es a lo que yo me opongo, señor Chandler.

Horace reflexionó un instante.

—Eso exigirá algo más que unos análisis de laboratorio y los testimonios de algunas desdichadas consumidoras. —Se levantó de su sillón y se acercó a una librería que cubría toda una pared. Empujando un panel hacia un lado, dejó al descubierto un estante con botellas y vasos y se preparó un trago. No les ofreció nada a los médicos porque sabía que estos iban a rechazarlo. Regresando a su escritorio, pero sentándose en el borde de la mesa en lugar de hacerlo en el sillón, Horace Chandler añadió—: Es una coincidencia que hayan venido precisamente hoy, doctores, porque tenía intención de visitarles esta tarde. —Agitó el vaso de whisky para mezclar su contenido y lo contempló sin beberlo—. Por una vez soy yo quien tiene algo que comunicarles a *ustedes.* ¿Han oído hablar alguna vez de la «cláusula roja»?

—No.

Chandler les puso al tanto de una pequeña investigación que había llevado a cabo, algo que esperaba contribuyera a conferir interés a los artículos y a llamar la atención del público. Había encargado a un detective que se hiciera con una copia de los contratos que los fabricantes de medicamentos suscribían con los periódicos y revistas en relación con los anuncios. Haciéndose pasar por un agente de publicidad de una revista regional, el agente de Pinkerton había acudido a las oficinas de la J. C. Ayer Company y había concertado un acuerdo de publicidad. En dicho acuerdo figuraba la llamada «cláusula roja».

Horace abrió un cajón y les entregó el documento.

—Pocos la conocen —dijo mientras ellos estudiaban la cláusula, llamada así porque figuraba impresa en tinta roja—. Afirma que el contrato quedará anulado en caso de que se apruebe alguna ley en contra de los medicamentos patentados o de que en la revista se publique material que dañe los intereses de los fabricantes de medicamentos. Es una cláusula universal que figura en todos los contratos de esas fábricas y que consigue amordazar con mucha eficacia a la prensa.

Samantha y Mark se miraron y después fijaron los ojos en Horace.

—He pensado que a la gente le gustaría saber que la Carta de Derechos de Estados Unidos está siendo violada. Libertad de prensa, pero solo en tanto no perjudique los beneficios.

—¿Lo vas a publicar? —preguntó Mark, devolviéndole el contrato.

—Punto por punto. —Horace posó el vaso, que no había tocado, y regresó a su sillón—. Lo que yo he pensado hacer, doctores, es utilizar a ese mismo agente de la Pinkerton (se llama Cy Jeffries) para que fisgonee un poco por la fábrica de Sara Fenwick. Es posible que averigüe datos ocultos de interés público. Y me da el corazón —dijo, dirigiéndoles una significativa mirada— que el señor Jeffries va a descubrir algo pero que muy interesante.

10

Aquello no se parecía en nada a las antiguas salas de operaciones: Samantha y su equipo llevaban sobre sus vestidos inmaculadas batas blancas y gorros que les cubrían el cabello; los instrumentos estaban esterilizados, la señora Sargent estaba durmiendo bajo unas sábanas desinfectadas y la anestesista estaba vigilando pulso y respiración, haciendo anotaciones en uno de los nuevos diagramas diseñados por el Hospital General de Massachusetts. Iba a ser una operación abdominal de rutina: los audaces experimentos de Samantha en el St. Brigid's se estaban convirtiendo ya en algo normal.

Trabajaban en silencio. Willella, de pie, frente a Samantha, sosteniendo los retractores, pensó que la doctora Hargrave estaba un poco distraída aquella mañana: bueno, la directora tenía muchas cosas en que pensar...

Una de las cosas que ocupaban la mente de Samantha en aquella soleada mañana era la fiesta que se iba a celebrar en la residencia de los Mason por la noche: una fiesta de cumpleaños en honor de Samantha, que en esa fecha cumplía treinta y siete años. Pese a sus protestas, no había podido disuadir a sus amigos, sobre todo a Hilary que, ahora que Winifred ya tenía más de un año, se disponía a iniciar una nueva vida.

Hilary era un mujer afortunada. Tras sufrir el accidente en la escalera, se sentó a hablar con Darius, el cual, a pesar de hallarse todavía un poco confuso, accedió a practicar la contracepción y a concederle a Hilary un poco más de libertad. Se opuso a que ella tuviera su propio talonario de cheques, pero en todo lo demás se mostró dispuesto por lo menos a intentarlo.

Samantha estaba pensando también en Jenny: Hilary había puesto punto final a la larga carrera de la maternidad y Jenny estaba iniciando la suya. Aunque el inminente parto (iba a producirse dentro de dos semanas) estaba suscitando mucha emoción, Samantha no podía menos de sentirse preocupada. Jenny estaba muy gruesa y, al examinarla, Samantha había creído captar dos latidos cardíacos distintos. Sería bonito que nacieran gemelos, pero ello aumentaba el riesgo de complicaciones. Samantha deseó, de pronto, conocer mejor los antecedentes familiares de Jenny.

Jenny estaba muy tranquila. Esperaba con absoluta serenidad, como si estuviera a punto de cumplirse el único objetivo de su vida, apoyando las manos sobre su abultado vientre y teniendo a Adam constantemente a su lado.

Samantha volvió a concentrarse en la operación. La matriz ya había sido extirpada y, tras limpiar la cavidad para poder examinarla mejor, ella y Willella efectuaron una inspección de los órganos circundantes y procedieron a suturar la herida.

—Enfermera, tenga la bondad de pedir a la doctora Johns que efectúe un examen macroscópico de esta matriz. Y, si el doctor Rawlins está en el laboratorio de patología, ¿quiere decirle, por favor, que saldré dentro de media hora?

Mientras empezaba a suturar, Samantha se emocionó. En cuanto terminara de visitar las salas, ella y Mark se irían al despacho de Horace Chandler, para organizar la forma definitiva del artículo sobre Sara Fenwick.

No cabía duda de que lo que se proponían —publicar una sensacional acusación contra el principal fabricante de medicamentos de Estados Unidos— iba a causar un escándalo. Tras la publicación por parte de Chandler del contrato de la Ayer bajo el título «Un fabricante de medicamentos se burla de la libertad de prensa», la venta de los «bitters» de la Ayer experimentó un descenso en picado, el *Woman's Companion* se vio inundado de cartas y los abogados de la Ayer visitaron al señor Chandler. Estaba claro que el público leía los artículos y pedía más.

Bien, pues Cy Jeffries se había encargado de que el siguiente artículo echara chispas.

El agente de la Pinkerton había llevado a cabo una labor fenomenal. Tras haber conseguido un empleo en la sección de envíos de la fábrica Fenwick, el detective descubrió un material más explosivo de lo que habían previsto: averiguó que muchas de las cartas de testimonio eran pagadas (veinticinco dólares a cualquier persona que escribiera una carta, asegurando haber alcanzado la curación), y descubrió que el embotellado del producto se realizaba en condiciones antihigiénicas. Uno de sus mayores éxitos se lo apuntó al entrar en la sección de correspondencia, donde, según los anuncios de la Fenwick, «ningún hombre pone jamás los pies». Jeffries contó a varios empleados varones y vio a dos muchachos riéndose en un rincón de una carta que acababan de recibir.

Su mayor tesoro, sin embargo, era la fotografía.

Horace Chandler la iba a publicar en la primera plana del número de septiembre. Era una fotografía de la lápida sepulcral de Sara Fenwick con las fechas claramente visibles —Sara Fenwick había muerto seis años antes de que se fundara la empresa— y, debajo, Horace iba a publicar la reproducción de un anuncio que decía: «La señora Fenwick en su salón puede ayudar mejor que ningún médico a las enfermas de este país».

Mark y Samantha también tenían algo que aportar. Él había realizado unos análisis en el laboratorio, descubriendo que el compuesto no era tan inofensivo como creían: uno de los ingredientes era un abortivo. Por su parte, Samantha había escrito varias cartas a Sara Fenwick, firmando con su nombre, pero sin añadir las iniciales D. M. En la primera describía un confuso malestar y Sara Fenwick le contestó aconsejándole que tomara una cucharada diaria del compuesto. Samantha envió una segunda carta, manifestando que sus síntomas se habían agravado, y Sara Fenwick le dijo que duplicara la dosis. A su tercera carta, donde comunicaba que el médico le había recomendado una intervención quirúrgica, Sara Fenwick contestó que medio frasco diario del compuesto la salvaría del bisturí.

Había tanto material, que Horace Chandler decidió dedicar casi todo el número de septiembre del *Woman's Companion* a Sara Fenwick. Aparte del artículo sobre el compuesto Fenwick, iba a publicar unas denuncias complementarias más reducidas. Siguiendo el consejo de Samantha y Mark, Horace se concentraría en los «bitters» de Wertz. La Cura de Kickapoo de Tía Trudy y la Cura del Licor Secreto de Sears. En relación con este último, Horace tenía previsto reproducir a dos planas un anuncio que figuraba en el catálogo de Sears: la imagen de una mujer vertiendo subrepticiamente algo en la taza de café nocturna de su confiado marido, dando a entender que con ello se evitarían sus correrías de beodo por las noches. Horace añadiría el siguiente pie de foto: «¡Vaya si le mantendrá en casa toda la noche! Contiene la suficiente cantidad de narcótico para dejarle sin sentido en cuanto se termine el café». Y en la otra página, con el pie «Eso en caso de que la Cura del Licor sea demasiado efectiva», una reproducción de la Cura Sears del Hábito del Opio y la Morfina. El número iba a llevar un título en vivos colores en la portada: CAVEAT EMPTOR, *¡Cuidado, comprador!*

Mientras Samantha aplicaba vendajes a la herida de la señora Sargent, entró en la sala la enfermera Constance.

—Doctora Hargrave, la señora Rawlins pregunta si puede verla en su despacho.

—Desde luego, Constance. ¿Quiere usted quedarse con la señora Sargent hasta que despierte, por favor?

—Hola, Lilian —dijo al entrar en su despacho—. ¿Le apetece un poco de té?

—No, gracias, doctora.

Samantha rodeó su escritorio, preguntándose cuál sería la razón de la visita. Los tratamientos de Lilian habían terminado... Samantha ya no podía hacer nada más; el resto dependía de ella y Mark. Y era la hora del almuerzo en el hospital; Lilian siempre ayudaba a dar de comer a los niños a aquella hora.

—¿En qué puedo ayudarle, Lilian? —preguntó Samantha, sentándose y enlazando las manos sobre el escritorio.

—Doctora, quiero darle las gracias por todo lo que ha hecho por mí. Los tratamientos, los consejos, el interés. Ha sido mucho más de lo que otros médicos me han ofrecido.

—No pierda las esperanzas.

—Las he perdido. He perdido todas las esperanzas, doctora.

Samantha la miró fijamente. La afirmación de Lilian había sido serena y reposada y su actitud era de sosiego; el comportamiento de una mujer resignada.

—Por favor, no se dé por vencida todavía —dijo Samantha.

—No, doctora Hargrave —contestó Lilian, levantando una mano enguantada—. Cuando abandoné todas las esperanzas en San Luis, me había resignado a mi destino. Cuando vine aquí, usted me infundió nuevas esperanzas y se lo agradezco. Pero no puedo confiar por tercera vez, doctora. No podría resistirlo.

—Pero es que no hay razón para desalentarse.

—Voy a cumplir cuarenta años, doctora. Me casé tarde. Es más, cuando conocí a Mark, ya me había resignado a ser una solterona. He perdido la ilusión. Comprendo ahora que no tenía que ser.

—Por favor, no piense que ha fracasado porque no puede tener otro hijo —le dijo Samantha afectuosamente—. Para los niños y las niñas de la sala infantil, usted es una madre.

—No me estoy refiriendo a la maternidad, doctora. Lo que no tenía que ser es mi matrimonio con Mark.

Se miraron fijamente una a otra.

—Estábamos enamorados cuando nos casamos, doctora Hargrave —dijo la serena voz—, y aún nos seguimos amando, pero este año y medio que llevo en

San Francisco me ha hecho reflexionar y pensar mucho. Ahora sé que me casé con Mark por razones equivocadas. Estaba sola. Tenía treinta y tantos años y me asustaba la soltería. Y necesitaba desesperadamente... —su voz se trocó en un murmullo—, necesitaba *desesperadamente* tener un hijo. —Lilian respiró hondo y se agitó un poco en el asiento—. En realidad, Mark y yo no teníamos nada en común. Bueno, sí, el teatro, la poesía, todas estas cosas. Pero nada sólido ni reconfortante. Yo estaba en Nueva York, visitando a unos primos. Conocí a Mark en una merienda campestre. Creo que yo le atraje por la misma razón que él me atrajo a mí: quería una familia. Y supongo que, si hubiéramos conseguido crear una familia, hubiéramos tenido intereses en común. Pero cuando... —Lilian se miró las manos—, cuando murió nuestro hijo, empezamos a apartarnos el uno del otro. Mark estaba muy nervioso en San Luis. Quería hacer en la vida algo más que ejercer la medicina en un consultorio de barrio. Cuando la universidad le ofreció un puesto de profesor, le pareció una magnífica oportunidad. Aunque yo no quería dejar a mi familia, estaba dispuesta a todo por la carrera de Mark y accedí a acompañarle. —Levantó la cabeza y miró fijamente a Samantha—. Mark encontró aquí en San Francisco lo que quería. Ahora es feliz, tiene intereses e ilusiones. Y yo me alegro por él.

Samantha separó las manos lentamente y se reclinó en su sillón.

—Doctora Hargrave, quiero regresar a casa. —Por primera vez, la serena fachada de Lilian se descompuso un poco: la barbilla le temblaba—. Echo de menos a mi familia. Estoy deseando abrazar a mis sobrinos. Sé que aquí tengo a los niños de la Enfermería, pero son muy fugaces. Yo les tomo cariño y ellos se marchan. Ahora temo quererles a causa del dolor que experimento después. Doctora Hargrave, yo quiero hijos permanentes, hijos que en cierto modo formen parte de mí, de mi propia carne y sangre. Mis hermanas...

Samantha se levantó y tiró del cordón de la campana. Después se sentó al lado de Lilian.

—Mis hermanas —continuó ella— quieren que regrese a casa, doctora Hargrave. —Los ojos color avellana de Lilian se empañaron—. Es el lugar que me corresponde.

Finalmente, las lágrimas empezaron a brotar. Samantha le ofreció un pañuelo; aún no estaba en condiciones de hablar.

Al cabo de un momento, Lilian se sobrepuso.

—Quiero a Mark, doctora Hargrave, y por nada del mundo quisiera causarle daño. Pero no soy la mujer con quien debió casarse. No puedo darle lo que necesita..., no puedo compartir su interés por su trabajo. Si he de serle sincera, doctora, su trabajo en el laboratorio me resulta desagradable. Admiro lo que está haciendo, pero no me gusta que me lo cuente. Y yo intuyo que mis constantes referencias a mis sobrinos le molestan.

Llamaron a la puerta y apareció la enfermera Hampton.

—Tráiganos un poco de té, por favor —le dijo Samantha con voz tensa.

—No es una decisión precipitada, doctora —dijo Lilian al marcharse la enfermera—. Llevo muchos meses pensándolo. Cuando la señora Gant tuvo a su hija el año pasado, me volví loca de angustia. Regreso a casa, doctora Hargrave.

Samantha hubiera querido preguntarle: ¿Se lo ha dicho a Mark? ¿Qué opina el? Pero guardó silencio.

Sin embargo, como si hubiera leído sus pensamientos, Lilian dijo:

—Mark no está contento. Se lo dije anoche. Mantuvimos una larga conversación. Fue nuestra primera conversación auténticamente sincera en mucho tiempo.

Mark se echa la culpa de todo y yo no puedo convencerle de lo contrario. Él y yo pertenecemos a mundos distintos. —Su voz adquirió más firmeza—. Amarse no es suficiente. Hay también una necesidad de satisfacción. Yo necesito a los hijos de mis hermanas y Mark necesita su carrera. Pero yo no puedo satisfacer mis deseos aquí, en San Francisco, y el no puede ver cumplido su sueño en San Luis. Somos un obstáculo el uno para el otro, nos estamos impidiendo mutuamente alcanzar lo que de veras queremos, y eso es contrario a la finalidad del matrimonio. Él debe quedarse aquí y yo debo regresar a San Luis.

Por último, Lilian guardó silencio, como si acabara de pronunciar un discurso aprendido de memoria, y Samantha pensó: ¿Por qué me has contado todo eso? Pero ya sabía la razón...

Cuando regresó la enfermera Hampton con una bandeja, Samantha dijo:

—¿Le apetece tomar el té conmigo, Lilian?

—Me encantará, doctora Hargrave —contestó la señora Rawlins, consiguiendo esbozar una sonrisa.

Samantha permaneció sentada largo rato en su despacho, tras haber pedido que no la molestaran, y una vez se hubo serenado, se levantó y salió. Bajó la escalera que conducía a las cocinas, al lavadero y al depósito de cadáveres, y vaciló ante la puerta que mostraba la placa de *Laboratorio*.

Al entrar encontró a Mark inclinado sobre el microscopio. Él levantó los ojos.

11

Jenny se mantuvo en sus trece. Pese a la insistencia de Samantha de que diera a luz en el hospital, ella no dio su brazo a torcer. El hijo de Adam nacería en casa y Adam estaría su lado.

—Pero puede haber complicaciones —dijo Samantha en tono suplicante.

—No habrá complicaciones —afirmó categóricamente Jenny con los dedos—. Todo va bien.

No obstante, Samantha se trajo a casa todo un equipo completo de tocología y le preguntó a Willella si no le importaría estar disponible, en caso de que necesitara ayuda. Jenny se burlaba de los temores de su madre. Estaba enfrentándose al inminente parto con la misma calma y serenidad con que se enfrentaba a todo en la vida.

—No sé —dijo Samantha, retorciéndose las manos—. Tiene el vientre muy abultado. Y ya no oigo los dos latidos cardíacos. Y lleva una semana de retraso.

—Doctora Hargrave —contestó Willella—, recuerde lo que usted misma suele decir. Jenny no tiene el vientre demasiado abultado, usted no había oído claramente los dos latidos cardíacos, y es normal que el primero nazca con retraso.

Era una calurosa noche de junio. Todos estaban en el salón de Samantha, bebiendo limonada y tratando de aprovechar la escasa brisa que penetraba por las ventanas abiertas. Willella, que se estaba abanicando, pensaba que ojalá se pudiera aflojar el corsé; Hilary, que había conseguido adelgazar y alcanzar el mismo peso que tenía cuando se casó con Darius no estaba molesta por el calor..., el brillo de su frente se debía a la inquietud que sentía por Jenny; y los hombres se habían quitado las chaquetas y desabrochado los cuellos de las camisas. Darius añadió un poco de «refuerzo» a su limonada y a la de Stanton, pero Mark declinó el ofrecimiento. Estaba apoyado en el marco de la puerta, con las manos en los bolsillos, contemplando el parpadeo de las luces de la ciudad. Samantha sabía en qué estaba pensando.

La señorita Peoples apareció en la escalera.

—¿Cómo está? —le preguntó Samantha, acercándose a ella.

—Muy bien, doctora. Está descansando. El señor Wolff la vigila. He pensado preparar un poco más de limonada.

Samantha se mostraba tan inquieta en su afán de cuidar a Jenny, que por fin la muchacha le había pedido que se retirara.

—Me estás fatigando, madre. Déjame descansar, por favor. Te llamaré, te lo prometo.

Y, abajo, tanto Willella como Hilary habían instado a Samantha a que dejara en paz a su hija. Las preocupaciones maternales de Samantha solo conseguirían poner nerviosa a la chica.

—Cualquiera diría que la doctora Hargrave no ha asistido a miles de partos —dijo Willella con una sonrisa.

—Supongo que la cosa cambia cuando se trata de la propia hija —comentó Hilary.

Pensaba en Merry Christmas, que ya tenía trece años y estaba a punto de convertirse en mujer. Hilary no tardaría mucho tiempo en conocer el trance que ahora estaba viviendo Samantha.

—Tengo que subir —dijo Samantha.

Pero Willella se levantó.

—Déjeme a mí, doctora. Por lo menos, la pobrecilla no se llevará un susto.

Samantha la acompañó a la puerta y murmuró, sin que los demás la oyeran:

—Espere cinco minutos y compruebe las contracciones. Tenía una dilatación de cuatro centímetros hace una hora e insistía en que aún no notaba nada.

—Sé lo que tengo que hacer, doctora —dijo Willella, dándole unas palmadas en la mano.

Retorciéndose nuevamente las manos, Samantha regresó al salón y se quedó de pie junto a Mark. En la cálida noche, se aspiraba toda la intensa fragancia del jardín:

las flores, los albaricoqueros, la hierba recién cortada. De vez en cuando, les llegaba una vaharada de apetitoso humo, prueba de que los vecinos estaban disfrutando de una especialidad estival californiana: la barbacoa.

Mark la miró sonriendo y le preguntó solícito:

—¿Qué tal?

—Muy bien. ¿Y tú?

—Estaba pensando.

—¿En qué?

—Estaba pensando en Lilian —contestó él sin dejar de mirarla—. No sé si lo supo, si intuyó lo que tú y yo sentíamos el uno por el otro. Si así fuera, es una mujer más extraordinaria de lo que yo pensaba.

—Ahora es feliz, Mark. Su hermana menor está esperando otro hijo.

—Sí... —dijo él, contemplando de nuevo el jardín.

Aunque Samantha y Mark habían hablado largas horas acerca de Lilian, no habían tratado algo vital: de sus propios planes una vez conseguido el divorcio. Mark parecía no querer hablar de ello y Samantha no quería insistir. Pero se hacía preguntas, esperaba...

—Todo marcha bien —anunció Willella, regresando al salón—. Jenny descansa tranquilamente. —Se acercó a Samantha y le dijo en voz baja—: Las contracciones se producen ahora cada cinco minutos y la dilatación es de seis centímetros.

—¿No le duele?

—Dice que no. Le he observado la cara mientras comprobaba la contracción. ¡Creo que me ha dolido a mí más que a ella!

Samantha comprendía de pronto lo que sentían los padres cuando aguardaban en el saloncito especial de la Enfermería. Era la única estancia donde se permitía fumar y, aunque las bebidas alcohólicas estaban prohibidas, todo el personal sabía que las introducían a escondidas.

La señorita Peoples regresó con otra jarra de limonada y una bandeja de pastelillos chinos de almendra. Mientras Darius volvía a llenar su vaso y el de Stanton —añadiendo a cada uno de ellos un chorrito de su frasco de bolsillo—, Hilary tomó una baraja e invitó a Willella a jugar una partida. Samantha regresó a la puerta abierta y permaneció al lado de Mark en comunicativo silencio.

Al poco rato Willella levantó los ojos de las cartas y dijo:

—¡Los gatos andan esta noche alborotados! Tiene que haber una damisela en el barrio. ¡Oigan a ese macho!

Samantha sonrió al oír un apremiante maullido en la lejanía. Los gatos tenían suerte; eran tan elementales... Cuando querían algo, lo pedían sin más. Nada de juegos complicados, diplomacia, modales ni normas de etiqueta...

—¡Eso no es un gato! —exclamó Mark, apartándose de la puerta.

—¡Oh, Dios mío! —exclamó Samantha.

Ella y Willella subieron a toda prisa al piso superior mientras los demás se congregaban junto a la puerta del salón con miradas expectantes. Samantha no llamó antes de entrar; irrumpió, sin más, en la habitación.

Adam levantó los ojos sonriendo y después reanudó la tarea de limpiar el cuerpecillo con un suave lienzo.

—¡Jennifer! —exclamó Samantha, acercándose presurosa a la cama.

Primero examinó al niño..., estaba en perfectas condiciones; después, con lágrimas en los ojos, medio riendo y medio llorando, regañó severamente a su hija y a su yerno con gestos sincopados.

Adam soltó al niño lo justo para poder decirle con los dedos «No hubo necesidad de llamarte, madre» y después lo tomó de nuevo y lo depositó en los brazos de Jenny.

Pero Jenny se sintió muy pronto agotada y lo dejó todo en manos de las doctoras. Samantha examinó al niño con más detenimiento. Era perfecto en todos los sentidos y ya era guapo, pensó. Cuando creciera, todo el mundo podría ver cómo era Adam realmente.

Samantha se sentó en la cama y preguntó con los dedos:

—¿Cómo le vamos a llamar?

—Hemos elegido Richard... en honor del rey —contestó Adam con palabras.

Samantha no pudo contener las lágrimas. Su llanto cayó en la colcha, en grandes gotas.

—Richard Wolff. Qué chiquillo tan aristocrático.

Cuando la noticia llegó al salón, Stanton Weatherby comentó algo en voz baja acerca de las «obstinadas mujeres Hargrave» y se volvió a llenar el vaso, prescindiendo esa vez por completo de la limonada.

12

El número del «Caveat» llegó a los quioscos en septiembre y se agotó en tres días. Las oficinas del *Woman's Companion* se vieron inundadas de cartas y llamadas telefónicas y las prensas no daban abasto. A finales de semana, empezaron a recibirse telegramas de todo el país —de otras publicaciones que solicitaban ejemplares—, y en pocos días la fiebre del oro de Alaska desapareció de las primeras planas de todos los periódicos del país. Las opiniones eran para todos los gustos, desde las furibundas invitaciones a incendiar las oficinas del *Woman's Companion* a los elogios sin reservas del *Saturday Evening Post*. Los folletos de Samantha desaparecieron rápidamente del mostrador de recepción de la Enfermería y la imprenta trabajaba sin descanso. De repente el escándalo se extendió por toda la ciudad de San Francisco;

mucha gente llevaba el *Woman's Companion* bajo el brazo y a los farmacéuticos se les hacían toda clase de preguntas y se les exigía la devolución del dinero; en un mes, las ventas del Compuesto Milagroso de Sara Fenwick experimentaron una caída vertiginosa.

—Bueno, pero eso no significa que la gente haya renunciado a los medicamentos patentados —dijo Horace detrás de su escritorio atestado de telegramas—. Lo que ocurre es que en estos momentos no está bien visto tener un frasco del Compuesto Milagroso. Mis informadores me dicen que las ventas de otros medicamentos se han incrementado. Lo que ahora tenemos que hacer —les dijo a Samantha y Mark— es avivar las llamas del incendio. Tenemos que conseguir que el público se ponga furioso. Ahora hemos animado a la gente y tenemos que canalizar esa energía de manera que se exija una reforma. —Su mano rozó las cartas y telegramas—. Esto parece impresionante, doctores, pero en Washington se mantiene un significativo silencio. ¿Les parece que sigamos atacando ahora que la situación está al rojo vivo?

Acometieron seguidamente contra los cinco medicamentos más populares del país y empezaron a trabajar en el número de febrero, «para iniciar el año mil ochocientos noventa y ocho con un bombazo».

Una lluviosa tarde de noviembre Mark acudió al despacho de Samantha. Acababa de recibir por correo la copia de los documentos del divorcio que le enviaba el abogado de Lilian y, junto con estos, una carta de ella.

Samantha se acercó a la ventana para leerla.

> Mi querido Mark —decía la carta de Lilian—, espero que todo te vaya bien. No acierto a expresar lo feliz que me siento. Dierdre está segura de que esta vez van a ser gemelos, ¡en cuyo caso voy a tener las manos ocupadísimas! ¡Me siento ahora tan dichosa entre mi

familia, querido Mark! Tengo la sensación de encontrarme en el lugar que me corresponde y de tener una finalidad en la vida. La casa de Isabel está constantemente llena de ruidos y nunca tengo un momento de tranquilidad porque siempre hay alguien que llama a la puerta de mi dormitorio. Todo el mundo dice que mimo a los niños, pero me estoy mimando a mí misma, Mark. A veces me pregunto qué habré hecho para merecer tanta dicha.

Todos hemos leído tu maravillosa revista y estamos muy orgullosos de ti y de la doctora Hargrave. Es para mí un gran orgullo haberte conocido.

Que Dios os guarde a los dos.

Samantha permaneció de pie junto a la ventana un largo minuto, contemplando la pulcra caligrafía de Lilian. Después consiguió hablar y se volvió para mirar a Mark.

—Yo también he recibido hoy una noticia —dijo con voz tensa—. Horace ha venido esta mañana. —Tomó un sobre de encima del escritorio y se lo entregó a Mark—. Tendremos que comparecer ante los tribunales, Mark. Sara Fenwick se ha querellado contra nosotros.

Pero él no abrió el sobre. Miró a Samantha a través del escritorio, sin oír los distantes rumores de la calle ni el rumor de una camilla que pasaba frente a la puerta cerrada.

—Oh, Mark... —dijo Samantha.

Él rodeó el escritorio en un instante y la estrechó en sus brazos mientras ella hundía el rostro en su cuello. Después su boca se unió a la suya en un largo y pausado beso; ahora sabían que tenían todo el tiempo por delante.

13

En una coincidencia cuya ironía a nadie se le escapó, el número de febrero de mil ochocientos noventa y ocho del *Woman's Companion*, titulado «Sigue el clamor», se distribuyó a los quioscos el mismo día en que tenía que verse ante los tribunales la causa Sara Fenwick contra el *Woman's Companion*, y ambas cuestiones alcanzaron tal resonancia, que la tercera noticia del día —el hundimiento del *Maine* en el puerto de La Habana— apenas encontró espacio en los periódicos de San Francisco. La Compañía de Sara Fenwick estaba tan furiosa por lo que se había publicado en el número de septiembre, que, según se comentaba, tenía el propósito de hundir el *Woman's Companion* y de desprestigiar a la doctora Hargrave y su Enfermería.

La víspera del juicio, Hilary invitó a todos a cenar, como para demostrar a la ciudad que no estaban asustados ante la inminente batalla. En secreto, sin embargo, se respiraba aquella noche un ambiente de gran inquietud.

Junto con Samantha y Mark se habían congregado alrededor de la alargada mesa sus más íntimos amigos: los Mason, los Gant, Horace y Gertrude Chandler, Stanton Weatherby y Willella Canby, Merry Christmas, Jennifer y Adam. El pequeño Richard estaba en el piso de arriba, en el mismo cuarto en que su madre había permanecido encerrada cuando los mayores organizaban fiestas, y con él estaban los hijos de los Gant y los tres alborotadores hijos de los Mason. El menú de Hilary consistió en un rosbif con budín de Yorkshire y salsa, patatas con su piel y, para postre, un auténtico bizcocho inglés, de seis capas. Darius sacó un vino de su propia bodega que puso a todo el mundo de muy buen humor, aunque a Stanton Weatherby se le ocurriera pensar que aquello se parecía un poco a la cena de un hombre al que están a punto de ahorcar.

Pese a la inquietud compartida, la cena tuvo un aire muy festivo.

—Lo que no entiendo —dijo Darius, introduciéndose en la boca una col de Bruselas— es por qué esos insensatos insisten en que se celebre el juicio. Les convendría más llegar a un acuerdo fuera de los tribunales. Un litigio será una publicidad negativa para ellos.

—Al contrario —dijo Stanton, que ya había preparado la defensa—. La Compañía Fenwick piensa que eso será una publicidad muy positiva. Creen que saldrán del proceso convertidos en mártires. No son imbéciles. Sus abogados son los mejores y los más hábiles que se pueden contratar. Se encargarán de que todo lo que usted ha publicado, Horace, quede deformado de tal modo, que parezca usted un embustero. Después buscarán la forma de manchar la reputación de Samantha y de Mark para arrojar dudas sobre su crédito. La prensa recogerá cualquier migaja de suciedad y la exhibirá en las primeras planas de todo el país.

Samantha se estremeció al pensarlo: ¿Y si averiguaran que había tenido una hija ilegítima hacía quince años? Miró a Mark, sentado algo más abajo, y este le dirigió una sonrisa tranquilizadora. Teniendo a Mark a su lado, Samantha no se asustaría.

La defensa no iba a ser fácil. Dada la delicadeza del tema —los problemas íntimos de las mujeres—, la tarea de conseguir testigos iba a ser muy ardua. Samantha estaba preocupada por las pacientes que, habiendo sufrido daños por culpa del compuesto, habían accedido a testificar.

—Sigo sin entender —dijo Darius— que a estas alturas aún haya gente que esté de su lado.

—No es ningún misterio —contestó Stanton—. Ante todo, Sara Fenwick es un rostro muy familiar en todos los hogares norteamericanos. Representa la maternidad y la pureza femenina. Apuesto a que no hay en este país ni un solo armario que no contenga un frasco del compuesto. La Compañía Fenwick es una institución respetada y tan norteamericana como el béisbol, y a la gente no le gusta ver atacados a sus ídolos. Muchos creen que estamos tratando de arrebatarles sus libertades. ¿Control gubernamental de los medicamentos? ¿Cuál va a ser el siguiente paso? ¿Cuánto va a tardar el gobierno en controlarnos los pensamientos?

—¡Pero no se trata de eso! —tronó Darius—. Lo único que queremos es que el etiquetado de los frascos sea fidedigno, para que el público pueda decidir por sí mismo si quiere que lo envenenen. ¡No arrebatamos ninguna libertad, sino que la defendemos!

—Darius querido —dijo Hilary, dándole una palmada en el brazo—, todos estamos de acuerdo contigo. No hace falta que grites.

—Pues me temo que va a haber muchos gritos en la vista —dijo Stanton—. Y muchas otras cosas desagradables.

Todos guardaron silencio un instante y después Stanton añadió despacio:

—Ambrose Bierce definió una vez lo que es un juicio, diciendo que es una máquina en la que entras siendo un cerdo y sales convertido en una salchicha.

Nadie rió.

La sala estaba completamente abarrotada, la gente había empezado a hacer cola ante el Palacio de Justicia una hora antes de que se abrieran las puertas. Había mucho ruido y el aire estaba lleno de humo y de voces masculinas; se oía de vez en cuando el fogonazo de la cámara de algún fotógrafo, y los reporteros acomodados junto a la mesa de la prensa ya estaban empezando a garabatear sus dramáticos relatos. No había mujeres porque una sala de justicia era un feudo masculino.

El juez se llamaba Isaac Venables y tenía fama de hombre justo e imparcial. Los miembros del jurado (todos hombres, puesto que las mujeres no podían formar parte de los jurados) ya habían sido sometidos al agotador proceso de selección y en ese momento estaban ocupando sus asientos mientras los presentes en la sala guardaban silencio y se levantaban. Samantha era la única mujer de la sala y, cuando se levantó con Mark y Horace junto a la mesa de la defensa, todos los ojos se clavaron en ella.

«La hermosa doctora Hargrave —anotó un periodista en su cuaderno— estaba deslumbradoramente elegante en la simplicidad de su atuendo; sabe dominarse majestuosamente, como si fuera una reina sometida a juicio, y la postura de su orgullosa cabeza denota una audacia y un valor que raras veces se observan en el sexo débil.»

Los tres acusados —Samantha Hargrave, Mark Rawlins y Horace Chandler— iban a ser juzgados por «comentarios difamatorios y perjudiciales contra una antigua y respetada firma». El magnesio destelló en las cámaras de los fotógrafos, el juez Venables descargó su martillo y se inició la vista.

El señor Cromwell, principal abogado del querellante John Fenwick, hizo una declaración inicial, un largo y dramático discurso encaminado a subrayar ante los doce jurados el carácter absolutamente repugnante de la acción de aquellos tres perversos individuos, a lo cual replicó el señor Berrigan, el joven asociado de Stanton Weatherby, con unos comentarios iniciales en los que no solo refutaba las acusaciones del señor Cromwell, sino que, además, prometía demostrar sin el menor asomo de duda los criminales propósitos de la Compañía Fenwick.

El señor Cromwell llamó a declarar a su primer testigo.

El doctor Smith era un rechoncho y bajito sujeto con gafas a quien un ingenioso reportero describió como un topo vestido con traje blanco. Era el director químico de los laboratorios Fenwick.

—Doctor Smith, ¿quiere usted indicarnos, por favor, la fórmula del Compuesto Milagroso?

—Sí, señor. Contiene hierba cristobalina, camelirio americano, raíz vital, vencetósigo y semillas de alholva.

—¿Contiene alcohol el compuesto?

—Sí.

—¿Con qué objeto?

—El de preservar la estabilidad del equilibrio químico.

—¿Ha intentado alguna vez la Compañía Fenwick mantener secreto ese contenido de alcohol?

—No, señor. Invitamos a todo el mundo a solicitarnos por escrito una relación detallada de la elaboración y composición del producto.

—Si una mujer desea someterse al tratamiento Fenwick, ¿tiene que ingerir alcohol?

—No, señor, ya que el compuesto se presenta también en píldoras y tabletas.

—¿Conoce algún caso de alcoholismo debido al Compuesto Milagroso de Sara Fenwick?

—No, señor, no conozco ninguno.

—Veamos, pues, doctor Smith. —El señor Cromwell, un gigante con una barba pelirroja que se derramaba sobre su chaleco, llenó la sala con su sonora voz—. ¿En qué condiciones se fabrica el compuesto?

—¿Qué quiere usted decir?

—¿Está limpio o sucio el laboratorio?

—¡Está esterilizado, señor!

—¿Se halla usted al frente del laboratorio?

—En efecto.

—¿En qué medida sigue usted la fabricación?

—Controlo cada una de sus fases.

—¿Cabe la posibilidad de que algunas impurezas o ingredientes perjudiciales penetren en el producto?

—No, señor, eso no es posible.

—¿Podrían penetrar bacterias perjudiciales en el producto?

—No, señor. Todas las fases del procedimiento se llevan a cabo en condiciones de absoluta esterilidad.

—Una última pregunta, doctor Smith. ¿Se opondría usted a que su esposa o hija tomaran el Compuesto Milagroso de Sara Fenwick?

—No, señor.

—Gracias. No haré más preguntas, señoría.

El señor Berrigan, el joven y severo asociado de Stanton, alzó su esbelta figura, como si fuera un Abraham Lincoln rubio, y Samantha no pudo evitar las dudas. Se le veía tan joven y barbilampiño.

—Buenos días, doctor Smith —dijo, acercándose pausadamente al testigo con una sonrisa en los labios—. No le voy a entretener mucho rato. Sé que está deseando regresar junto a su familia. Por cierto, ¿ha venido usted a San Francisco en compañía de su esposa e hija?

El químico se ruborizó.

—Yo... no tengo esposa ni hija.

—Ah, ¿no? —El señor Berrigan arqueó sus rubias cejas y miró a su alrededor—. ¡En tal caso, estoy en un error, doctor Smith! *Juraría* que el señor Cromwell se había referido a una esposa y una hija.

—Creo que hablaba en términos hipotéticos.

—Comprendo. Bien, doctor Smith, al decir que el compuesto se elabora en condiciones de esterilidad, ¿a qué se refiere exactamente?

—¿Cómo dice?

—Defínale, por favor, al jurado el vocablo «estéril». Admitiendo, como es natural, que la palabra tiene otra acepción además de la que solemos aplicar a los bueyes.

Unas risas ahogadas recorrieron la sala.

—Estéril significa exento de gérmenes.

—¿Y cómo analiza usted la posible presencia de gérmenes, doctor Smith?

—¿Perdón?

—En los laboratorios Fenwick, ¿cómo saben ustedes si se registra presencia de gérmenes o no?

—Bueno, pues...

—¿Lo analizan al microscopio?

—Sí, con un microscopio.

—¿Puede darnos un ejemplo de lo que es un germen? ¿Nos puede describir el aspecto de un vibrión del cólera?

—Bueno, verá usted, yo suelo consultar un texto cuando llevo a cabo los análisis.

—Claro, es usted muy meticuloso, doctor. Dígame, ¿dónde obtuvo su título?

—¿Mi título?

—En química.

Los ojos del hombrecillo miraron en dirección a la mesa junto a la cual John Fenwick permanecía sentado en compañía de sus abogados.

—Ah, pues, en el Colegio Jamestown de Ciencias Naturales.

—¿Residía usted en la misma universidad durante sus estudios o vivía en la ciudad?

—Protesto, señoría; no veo la razón de esa pregunta.

—Señoría —dijo el señor Berrigan—, mi siguiente pregunta aclarará la razón que me guía. ¿Se me permite formularla?

—No ha lugar. Responda a la pregunta, doctor Smith.

—No, no residía en la universidad.

—¿Por qué no?

—Porque el Colegio Jamestown de...

—Siga, doctor Smith.

—Porque el Colegio Jamestown de Ciencias Naturales es una escuela de estudios por correspondencia.

—¿Y de qué duración fue el curso que usted siguió?

—No lo recuerdo —contestó el doctor Smith, colorado como un tomate.

—¿No es cierto, doctor, que uno puede conseguir un diploma de ese colegio mediante el simple envío de cien dólares?

Pausa.

—Sí.

—¿Y de ese modo obtuvo usted su título de químico?

—Sí.

—Por consiguiente, ¡se trata de un título *hipotético*!

Un murmullo se esparció por la sala y el juez Venables tuvo que utilizar el martillo.

—¿Y sabe la Compañía Fenwick que ese título es hipotético?

—Sí.

—Gracias, *doctor* Smith. No más preguntas.

El abogado Cromwell llamó a continuación al siguiente testigo: el doctor John Morgani, subdirector de la Compañía Fenwick.

Cromwell se acarició la barba con expresión pensativa.

—¿Puede exponer a este tribunal, doctor Morgani, su situación en la Compañía Fenwick?

—Tengo a mi cargo la producción del Compuesto.

—Yo creía que esa tarea estaba encomendada al doctor Smith.

—Él está al frente del laboratorio. Trabaja a mis órdenes.

—Entonces, ¿el doctor Smith recibe órdenes de usted?

—Sí.

—¿Comprueba usted alguna vez las condiciones del laboratorio?

—Con frecuencia.

En la mesa de la prensa, el reportero que había calificado a Smith de topo, describió ahora al doctor Morgani calificándole de hurón.

—¿Cómo comprueba la presencia de gérmenes en el laboratorio?

—Mediante un microscopio.

—¿Puede describirnos *usted*, señor, el aspecto de un vibrión del cólera?

—Sí, se parece mucho a una coma.

—Bien, doctor Morgani, ¿puede usted decir al tribunal dónde obtuvo usted su título de químico?

—En la Universidad Johns Hopkins, de Maryland.

—¿Vivía usted en el recinto universitario o en la ciudad?

El público rió y el juez Venables tuvo que hacer uso de su mazo.

—Vivía en el recinto universitario.

—¿Y de cuánta duración fueron sus estudios?

—Cuatro años.

—En ese caso, doctor Morgani —la teatral voz del señor Cromwell retumbó por toda la sala—, ¡el suyo no es un título *hipotético*!

Mientras la sala estallaba en carcajadas, Mark garabateó una nota y se la pasó a Stanton.

«Lo han hecho a propósito.» Y Weatherby escribió a su vez: «Lo sé. Pero no irán a ninguna parte. Espera y verás».

El abogado Berrigan se levantó para efectuar la repregunta, miró al público esbozando una modesta sonrisa y después se acercó a la barra de los testigos.

—La Johns Hopkins —dijo afablemente—. Impresionante en extremo. Verá usted, doctor, tengo ciertas dudas en relación con la fórmula del compuesto. El doctor Smith ha enumerado unas cuantas cosas que no he entendido. Quizá si pudiera usted aclarar al jurado qué son estos ingredientes. Por ejemplo, él ha mencionado la raíz vital. ¿Se conoce por algún otro nombre?

—También se llama orobanca, o hierba tora.

—¿Por qué supone usted que se llama así?

—No tengo ni idea —contestó el químico fríamente.

El alto y joven abogado regresó a su mesa y tomó un libro.

—Aquí tengo, doctor Morgani, un ejemplar de la *Herboristería americana* de John King. ¿La conoce usted?

—Sí.

—¿Quiere, por favor, decirle al tribunal qué contiene este libro?

—Es una relación de todos los agentes botánicos medicinales que se conocen, de sus propiedades, efectos e indicaciones.

—¿Es un libro serio?

—Es un excelente texto de referencia.

El señor Berrigan se acercó de nuevo a la barra y empezó a pasar las páginas del libro.

—Aquí he encontrado la orobanca y dice que también se conoce con la denominación de hierba vital y la de «regulador femenino». ¿Qué supone usted que significa eso?

—Creo que la definición está ahí, señor. Significa que puede curar los casos de amenorrea.

—¿Quiere, por favor, describirle ese término al jurado?

—Significa interrupción de la menstruación o período.

—Por consiguiente, la hierba tora, o raíz vital, como la llama Sara Fenwick, restablece el ciclo cuando se ha interrumpido, ¿verdad?

—Sí.

—¿Y cuáles son las causas probables de la amenorrea?

—Hay muchas.

—¿El embarazo es una de ellas?

—Claro.

—En ese caso, la raíz vital y, por consiguiente, el compuesto, es un abortivo.

Se produjo un murmullo en la sala y el juez Venables pidió orden.

—Doctor Morgani, ¿es eso cierto?

—¡Pero no se vende como tal!

—Dígame, por favor, si los ingredientes del compuesto son o no abortivos.

—Sí.

Mientras el señor Berrigan regresaba a su mesa y unos excitados susurros se esparcían por toda la sala, el abogado Cromwell se levantó de su mesa.

—Doctor Morgani —dijo—, ¿receta Sara Fenwick ese compuesto a las mujeres embarazadas?

—No.

—¿Qué tiene por costumbre hacer en tales casos?

—Sara Fenwick insiste claramente en que las mujeres embarazadas no deben tomar el preparado.

—Gracias, doctor Morgani.

En la cuarta sesión del juicio, el señor Cromwell llamó a declarar a la señora Mary Llewellyn. Stanton Weatherby recorrió con el dedo una lista y vio que era una de las testigos cuya declaración Cy Jeffries había podido refutar. Mientras se tomaba un vaso de limonada un caluroso día de agosto, aquella ama de casa de Omaha le había confesado al apuesto «vendedor de cepillos» que había escrito la carta a cambio de dinero y que en su vida había tomado el compuesto. Pero ahora era uno de los testigos de los Fenwick; Stanton se volvió para mirar a Jeffries, sentado al fondo de la sala, y vio que este se encogía de hombros con expresión perpleja.

—Señora Llevellyn —dijo el señor Cromwell—,

¿escribió usted el veintitrés de abril de mil ochocientos noventa una carta de agradecimiento a Sara Fenwick?

—Sí.

—¿Y cuál era, en esencia, el contenido de aquella carta?

—Le daba las gracias por haberme salvado la vida y devuelto la salud y por haber traído la felicidad a mi familia.

—¿Qué le indujo a escribir aquella carta?

—Llevaba años sufriendo terriblemente a causa de unos trastornos femeninos que me estaban volviendo loca y mi marido se había tenido que ir de casa. Descuidé a mis hijos y dejé de ir a la iglesia. Alguien me aconsejó que escribiera a Sara Fenwick. Lo hice y ella me contestó, enviándome gratuitamente un frasco de su producto y diciéndome que lo tomara cada día y me sentiría mejor. Bueno, pues, señoría, no solo recuperé la salud, sino que, además, mi marido volvió a mis amorosos brazos y ahora somos nuevamente una familia feliz y yo voy a la iglesia todos los domingos.

Samantha miró hacia la mesa de la prensa y vio que los periodistas estaban anotándolo todo. Uno de ellos, un caballero de alborotado cabello blanco y lacios bigotes, captó su mirada y le envió un guiño. Mark Twain llevaba años lejos de San Francisco, pero aquel sensacional juicio le había inducido a regresar.

A continuación le correspondió el turno al joven señor Berrigan.

—Dígame, señora Llewellyn, ¿es la primera vez que viene a San Francisco?

—Sí.

—¿Qué le parece nuestra ciudad?

—¡Es maravillosa, señor!

—¿Dónde se aloja?

—¡Protesto!

—Se admite la protesta.

—Señora Llewellyn. ¿Por qué está usted aquí, en San Francisco, quiero decir?

—Pues porque el señor Fenwick me pidió que viniera.

—Comprendo. ¿Y le ha pagado el billete del tren?

—¡Ya lo creo, y en primera clase!

—¿Y el hotel?

—El señor Fenwick es muy generoso. ¡Me alojo en el Palace!

Un murmullo de risas recorrió la sala.

—Señora Llewellyn, ¿le han prometido algo a cambio de su declaración de hoy?

Ella miró hacia la mesa de los querellantes. John Fenwick la estaba mirando petrificado.

—Conteste a la pregunta, señora —dijo el juez Venables.

—Bueno, señores. —La mujer se agitó en su asiento—. Necesito pintar la casa.

—Por favor, conteste directamente, señora Llewellyn. ¿Le ha ofrecido algo la Compañía Fenwick a cambio de su declaración de hoy?

—Sí, señor. Cien dólares.

Los murmullos subieron de tono en la sala.

—Bien, señora Llewellyn. En agosto del año pasado, ¿recuerda usted haber invitado a un vendedor de cepillos a tomar una limonada en su cocina?

—No lo recuerdo —contestó la mujer, ruborizándose.

—Ah, ¿no? Él le dijo que se apellidaba Petterson y usted le compró un cepillo para el cabello y después le invitó a tomar un vaso de limonada y un trozo de pastel. ¿No se acuerda?

—No —contestó la mujer, agitándose de nuevo.

—Señora Llewellyn, permítame recordarle que ha prestado juramento.

—¡No recuerdo a ningún vendedor de cepillos!

—No más preguntas, señoría.

A lo largo de los cinco días siguientes, desfilaron por el estrado de los testigos varias mujeres que habían escrito cartas de agradecimiento, todas las cuales figuraban en la lista que Cy Jeffries le había facilitado a Stanton, y todas, después de la declaración de la señora Llewellyn, afirmaron enérgicamente que no habían recibido nada a cambio de la declaración.

Horace Chandler apenas podía reprimir su enojo. Estaba paseando sobre la alfombra de Samantha como si quisiera borrar el dibujo oriental.

—¡Maldita sea! —gritó sin pedir disculpas—. Ya sé lo que se proponen. ¡Están tomando una a una todas las pruebas que publicamos y las están destruyendo! ¿Cómo demonios han conseguido los nombres de todas esas declarantes?

Cy Jeffries, que parecía un matón de los barrios bajos, se limitó a encogerse de hombros.

—Yo sé cómo ha sido —dijo Mark, apoyándose en la repisa de la chimenea—. La Compañía Fenwick tiene por costumbre establecer de vez en cuando contacto con las mujeres que escriben cartas de agradecimiento. A todas esas mujeres, y a otras muchas, la Compañía Fenwick les preguntó si alguien había hecho averiguaciones acerca de sus cartas de agradecimiento. Y me imagino que mencionarían a cierto apuesto vendedor de cepillos.

Le dirigió a Cy una sonrisa, pero el detective se limitó a mirarle enfurecido.

—Y ahora, ¿qué? —preguntó Darius.

Stanton empezó a dar vueltas al anillo de ónix que llevaba en el dedo.

—De nada serviría llamar de nuevo a esas mujeres. Las han comprado. Lo único que podemos hacer es aguardar una ocasión favorable. Tengo curiosidad por ver cómo resuelven la cuestión de la inexistencia de la señora Fenwick. Por lo menos, creo que les podremos acusar de falsedad en los anuncios y de correspondencia fraudulenta. Reproducen su rostro, dicen que la receta del producto es suya y aseguran que ella firma todas las cartas que envía.

—A lo mejor lo hacen a través de un médium —dijo Mark, pero nadie celebró la agudeza.

En la décima sesión de la vista, las mujeres hicieron finalmente su aparición entre el público. A pesar de las protestas de Darius, Hilary se había acomodado en primera fila e iba acompañada de Jennifer, la cual atrajo las miradas de admiración de más de un periodista. El dibujante no se limitó a retratar a los implicados en el juicio, sino que eligió también a algunas personas del público. A Jenny la representó como una mariposa y a Hilary Gant, con su abrigo de pieles, como un perro pastor escocés. Otras mujeres de la sala representaban a la Unión Cristiana Femenina Antialcohólica, al movimiento sufragista femenino, al club de escritoras y al movimiento feminista, varias de cuyas célebres representantes estaban fumando cigarrillos descaradamente. Había también dos ilustres doctoras en medicina llegadas del Este.

La siguiente testigo de Cromwell constituyó una sorpresa para la defensa. En sus investigaciones, Cy había obtenido los certificados de defunción de mujeres que habían muerto pero que todavía se mencionaban en los anuncios de Fenwick, señalando que habían alcanzado «curaciones milagrosas». Tres médicos fueron llamados a declarar.

—¿Conocía usted bien a la señora Saunders, doctor?

—En efecto.

—¿Estuvo usted con ella en su última hora?

—Sí.

—Este certificado de defunción, ¿lo extendió usted de su puño y letra?

—Sí.

—¿Tendría usted la bondad de explicar al tribunal de qué falleció la señora Saunders?

—De un coágulo sanguíneo en el cerebro.

—¿Sabía usted que la señora Saunders tomaba diariamente el Compuesto Milagroso de Sara Fenwick?

—Sí.

—¿Por qué razón?

—Debido a una congestión de la pelvis.

—¿Resolvió el compuesto dicho problema?

—Ella afirmó que sí.

—Por consiguiente, ¿diría usted, doctor, que, aunque la señora Saunders murió por una causa, el Compuesto Milagroso pudo curar la otra dolencia que padecía?

—Sí, señor.

Stanton empezó a dibujar triángulos nerviosamente en su cuaderno de notas. Después escribió: «Han conseguido a todo el mundo», y se lo pasó a Samantha. Ella asintió, tomó la pluma y escribió: «Y se han gastado un montón de dinero. Y ahora, ¿qué?».

Las pétreas expresiones faciales de los jurados no presagiaban nada bueno. Samantha sabía que los Fenwick estaban llevando las de ganar. Pero solo de momento. Cuando le tocara el turno a la defensa, se presentarían sus testigos, las mujeres que habían sufrido graves daños a causa de la ingestión del compuesto, y entonces Cy Jeffries haría su declaración. En conjunto, seguía conservando la esperanza.

El testigo que presentó Cromwell el undécimo día del juicio era el director de la sala de correspondencia, el cual aseguró categóricamente que *los hombres no estaban autorizados a entrar en la sala del correo*, lo cual estaba en neta contradicción con lo que Cy había observado.

—Nuestros anuncios prometen que ningún hombre ve las cartas de las comunicantes, y lo decimos en serio. La sala de la correspondencia está enteramente en manos de mujeres.

Stanton miró a Cy y este sacudió la cabeza.

En la doceava sesión el señor Cromwell dio el campanazo.

—Llamo a declarar a Jane Fenwick.

Todo el mundo se volvió para ver cómo se abrían las puertas y Stanton le preguntó a Mark en voz baja:

—¿Quién demonios es Jane Fenwick?

Una pulcra mujer de cincuenta y tantos años avanzó modestamente por el pasillo, ocupó la barra de los testigos, repitió el juramento sobre la Biblia y se sentó. A petición del señor Cromwell, explicó al tribunal cuál era su relación con la familia Fenwick.

—Sara Fenwick era la abuela de mi marido.

—Entonces, ¿está usted casada?

—Sí.

—En tal caso, la llamaré *señora* Fenwick. ¿Conoció usted a Sara Fenwick?

—Sí. Yo estuve en casa de los Fenwick en mi adolescencia y fui la compañera de Sara Fenwick, que estaba enferma, durante sus tres últimos años de vida.

—Y en el transcurso de esos años, ¿qué relación les unió a ustedes dos?

—La señora Fenwick me enseñó todo lo que ella sabía acerca de los trastornos femeninos, cómo diagnosticarlos y cómo aconsejar, y, poco antes de su muerte, me confesó que su deseo hubiera sido fundar una empresa dedicada a elaborar y vender una medicina que ella había utilizado durante muchos años y que solía preparar en su propia cocina. Poco antes de morir, Sara Fenwick me reveló la fórmula de esa medicina.

—¿Se trata del compuesto?

—Sí.

—Por consiguiente, el compuesto es efectivamente de Sara Fenwick y los consejos que se dan en las cartas son los suyos, ¿no es cierto?

—Sí.

—¿A qué se dedica usted actualmente en la Compañía Fenwick?

—Soy la encargada de la correspondencia.

Se produjo una conmoción en la sala (más adelante, Cy insistiría en que en los seis meses que se había pasado trabajando allí, jamás había visto a Jane Fenwick).

—Dígame, señora Fenwick, ¿se la menciona a usted en algunos de los anuncios Fenwick?

—En efecto.

—¿Quiere usted decirnos, por favor, en qué contexto?

—Los anuncios prometen que la señora Fenwick lee y contesta personalmente todas las cartas. Yo soy esa señora Fenwick.

Cuatro reporteros se levantaron de un salto y corrieron a los teléfonos, produciéndose en la sala un caos de tal magnitud que apenas se podía oír el martillo del juez. Samantha cerró los ojos y respiró hondo varias veces mientras pensaba: Tenías razón, Horace, han destruido nuestra defensa...

Después abrió los ojos y miró a la izquierda. John Fenwick permanecía sentado con los brazos cruzados sobre su prominente tórax y con los ojos resplandecientes de satisfacción. Sin embargo, añadió mentalmente: Pero aún no nos han derrotado...

La revista *Life* y el *Saturday Evening Post* se mostraban partidarios de los tres acusados y publicaban dibujos satíricos en los que aparecía un enorme gato con la cara de John Fenwick, temblando ante tres ratoncitos armados con garrotes; pero el resto de la prensa les era hostil. El perfil alabastrino de Samantha era una de las fotografías que más aparecían en las primeras planas de los periódicos, y hasta sus menores movimientos y gestos eran debidamente anotados para exhibirlos ante los ojos de la nación. «La doctora Samantha Hargrave está comportándose extraordinariamente bien, manteniéndose aristocráticamente inmóvil en un auténtico gesto de desafío a John Fenwick, sentado en la mesa adyacente.»

—¿Y ahora qué, Stanton?

Los cinco estaban cenando sosegadamente en la residencia de los Gant. Fuera lloviznaba y el aire amenazaba tormenta.

—¿Ahora qué? Pues cabe la posibilidad de que Cromwell se saque de la manga otros testigos, pero yo creo que está a punto de terminar. Les ha dicho con mucho arte a los miembros del jurado que cuanto ha publicado el *Woman's Companion* es mentira.

Stanton se detuvo y no terminó de expresar sus pensamientos. En catorce días había logrado conocer el carácter de Cromwell y adivinaba lo que iba a ocurrir a continuación; pero no quería decirlo, por lo menos, de momento.

Al llegar al decimocuarto día, se produjo la maniobra que Stanton había estado temiendo en secreto. Cuando se llamó a declarar a la señorita Hains, la secretaria de Chandler, Stanton fue la única persona de la sala que no se sorprendió.

—¿Conoce usted a la doctora Hargrave, señorita Hains?

—Sí, señor.

La pobrecilla miró con aire de disculpa a su jefe. Horace tuvo que apartar la mirada; había adivinado lo que se proponía Cromwell y no podía soportar la angustia de su secretaria.

—¿Visitaba la doctora Hargrave con frecuencia el despacho del señor Chandler?

—No sé qué quiere usted decir al hablar de frecuencia.
—¿Una vez a la semana?
—Más bien una vez cada dos semanas.
—¿Y qué ocurría en el transcurso de las visitas?
—Protesto.
—Se admite la protesta.
—¿Se reunía con ellos alguna otra persona?
—Sí, señor. El doctor Rawlins.
—¿Se prolongaban las sesiones hasta la noche?
—¡Protesto! —gritó el señor Berrigan, levantándose—. Señoría, esas preguntas no guardan relación con el juicio.
—Señor Cromwell —dijo el juez Venables—, supongo que esas preguntas cumplen algún propósito, ¿verdad?
—Señoría, queremos establecer la moralidad de las personas que han atacado a mi cliente. El señor Fenwick ha sufrido una pérdida de ingresos, su salud se ha resentido, su familia está trastornada y se ha producido un daño en su reputación de empresario. ¡Es necesario, por tanto, determinar las características de quienes han arrojado esas piedras!
Samantha notó un gélido nudo en el estómago y, sin poder evitarlo, dirigió una rápida mirada al «perjudicado» John Fenwick. Todos los periodistas presentes en la sala captaron su mirada. «Le ha arrojado puñales», dijo un rotativo. «Si las miradas pudieran aniquilar», ponderó otro. El *Chronicle* la calificó de «justa indignación».
—No ha lugar. Por favor, conteste a la pregunta, señorita.
—Sí, las sesiones se prolongaban a veces hasta la noche.
—¿Participó usted en ellas alguna vez?
—No, señor.
—Por consiguiente, ¿estaban solo la doctora Hargrave y los dos caballeros?

—Sí, señor.

—¿Les sirvió usted refrescos alguna vez?

Las manos de la señorita Hains tiraban de la correa de su bolso.

—Té con pastas.

—¿Les sirvió alguna vez bebidas alcohólicas?

Cuando se rompió el asa del bolso, el rumor pareció el de un disparo de escopeta.

—¿Señorita Hains?

—Una vez les serví brandy —contestó la secretaria, inclinando la cabeza.

Stanton Weatherby miró a los doce miembros del jurado y, por primera vez, observó en sus rostros una auténtica expresión de interés.

—¿Sabe usted de qué hablaban en el despacho del señor Chandler?

—Siempre hablaban de medicamentos, señor.

—¿Algún medicamento en concreto?

—Generalmente, el de Sara Fenwick.

—En otras palabras, un medicamento destinado a problemas femeninos.

—Sí.

—¿Utilizaron alguna vez algún material, libros quizá?

—El escritorio del señor Chandler siempre estaba atestado de folletos, cartas y publicaciones médicas.

—¿Cuál era el contenido de ese material?

La pobrecilla se había puesto tan colorada que parecía estar a punto de desmayarse.

—Trataba sobre todo de... problemas femeninos.

—¡Ya! —Cromwell levantó un dedo en ademán retórico—. ¡Nos está diciendo que los tres acusados, dos hombres y una mujer, permanecían *solos* hasta altas horas de la noche en el despacho del señor Chandler, tomando bebidas alcohólicas y comentando las partes más íntimas del cuerpo de una mujer!

Al ver que los reporteros se dirigían a toda prisa a los teléfonos, el juez Venables utilizó el mazo y a continuación suspendió temporalmente la vista, para que «los caballeros de la prensa se reúnan en mi despacho y yo les aleccione acerca del comportamiento que hay que observar en una sala de justicia».

A la señorita Hains tuvieron que sostenerla cuando abandonó el estrado.

A la mañana siguiente, bajo un cielo plomizo que presagiaba una fuerte tormenta, un numeroso grupo de mujeres desfiló ante el Palacio de Justicia con pancartas en que denunciaban la despreciable táctica utilizada por el abogado Cromwell. Los reporteros se lo pasaron en grande fotografiando a aquel «ejército de formidables amazonas».

Durante los interrogatorios de aquel día, estalló la tormenta. El fragor de los truenos sacudió la sala de justicia, ahogando con frecuencia la voz de Berrigan.

Aquella noche cenaron en casa de Samantha. En ese momento todos se hallaban sentados a la mesa, conversando sobre el fondo de las silbantes ráfagas de viento que hacían vibrar las ventanas.

—Estoy preocupada, Stanton —dijo Samantha, que apenas había probado bocado—. Tras haber visto a Cromwell en acción, temo por mis pacientes. No sé si podrán resistir su táctica.

Weatherby no tuvo ocasión de replicar, porque en aquel momento sonó el timbre de la puerta principal entre el estallido de los truenos e inmediatamente después irrumpió en la estancia el señor Berrigan, completamente empapado por la lluvia.

—¿Qué ocurre? —preguntó Mark, levantándose.

—¡Cy Jeffries! —contestó Berrigan atropelladamente, buscando a trompicones una silla—. ¡Ha sufrido un accidente!

—¡Cómo!

—¡Darius, un poco de whisky, por favor, rápido!

—Tome, Berrigan. Siéntese aquí.

—¿Está bien?

—Se encuentra en el Hospital del Condado, al borde de la muerte.

—¿Cómo...?

—¿Qué...?

El transido joven contempló los angustiados rostros que le rodeaban.

—Dicen que se cayó del tranvía en Hyde Street... —se oyó un jadeo colectivo—, y que le arrolló un coche que pasaba.

Hilary se desplomó en una silla con los ojos llenos de lágrimas mientras los hombres soltaban imprecaciones. Mark tomó la botella que Darius sostenía en la mano y le preparó un buen trago a Berrigan. Después miró a Samantha.

El rostro de Samantha era como una máscara de piedra.

Disponía de dos días para prepararse, ya que el detective había sufrido su accidente el viernes y el juicio no se reanudaría hasta el lunes. Samantha tenía que pensar y organizar muchas cosas.

El despiadado aguacero siguió abatiéndose sobre San Francisco, manteniendo prisionera a la ciudad en su puño atenazador, y mientras las cortinas de lluvia caían implacables, Samantha permaneció sola en el despacho de su casa, junto al cálido fuego de la chimenea, con un vaso de clarete en la mano.

Oyó a Mark intercambiando unas palabras con la señorita Peoples en la entrada principal mientras se quitaba el mojado abrigo, e inmediatamente después le tuvo arrodillado a su lado, besándola.

—¿Cómo está? —le preguntó ella.

—Bastante mal, lesiones cerebrales.

Mark se levantó y se dirigió al carrito de las bebidas.

—Mark —dijo ella en voz baja.

—Sí, cariño.

—Voy a subir a la barra de los testigos.

—¡Cómo! —dijo él, girando en redondo.

—Cromwell atacará a mis pacientes. No puedo someterlas a ese suplicio.

—No lo hagas, Samantha.

Ella se levantó, sintiéndose insólitamente cansada, y se arrojó en sus brazos.

—Ya hemos permanecido demasiado tiempo sentados escuchándoles, Mark. Ahora quiero salir para contarle al mundo la verdad.

—Déjale esa tarea a Stanton. Él sabe hacerlo mejor.

14

La sala de justicia olía a ropa mojada. Era una atmósfera mohosa y helada y el excesivo número de cuerpos apretujados en la sala apenas contribuía a calentarla. El viernes anterior la acusación había concluido la presentación de sus alegatos y ahora le correspondía el turno a la defensa; el señor Berrigan tenía que interrumpir su exposición cada vez que estallaba un trueno.

—Teníamos el propósito en este momento, señoría, de llamar a declarar a nuestro principal testigo, el señor Cy Jeffries. Sin embargo, el señor Jeffries ha sufrido un grave accidente y ahora se encuentra en estado crítico en el Hospital del Condado. No se cree que pueda sobrevivir.

Samantha tuvo que hacer un esfuerzo para no mirar a John Fenwick, el cual, estaba segura, había planeado el «accidente».

—La defensa quisiera llamar a declarar a la señora Joan Sargent.

Se abrió la puerta de la sala y todo el mundo se volvió para mirar. Una mujer menuda empezó a avanzar tímidamente y, mientras se acercaba a la barra de los testigos, el dibujante de prensa la representó como un ratón enfundado en un abrigo muy ancho.

—Señora Sargent —dijo Berrigan—, ¿quiere, por favor, decirle al tribunal cuándo acudió por primera vez como paciente a la doctora Hargrave?

—Hace un año.

—Lo siento, señora Sargent, pero va a tener que hablar un poco más fuerte.

—Hace un año —repitió ella, levantando la voz.

—Bien, señora Sargent, ¿quiere decirnos por qué acudió a la doctora Hargrave?

A la señora Sargent había que recordarle con frecuencia que levantara la voz y, cada vez que estallaba un trueno, la mujer se sobresaltaba.

—Todo empezó tras el nacimiento de mi Tim, hace unos seis años...

La sala se sumió en un impresionante silencio mientras todo el mundo prestaba una absorta atención a la pausada voz. El relato de la señora Sargent solo se veía interrumpido ocasionalmente por el chasquido de alguna mascada de tabaco al caer en una escupidera y por el distante retumbar de un trueno. Habló de sus cartas a Sara Fenwick, del gradual aumento de las dosis del producto, de los consejos de Sara Fenwick en contra de una intervención quirúrgica y de su desesperada visita final a la doctora Hargrave. Cuando llegó a la histerectomía, su voz empezó a temblar.

—Temía que mi marido ya no me quisiera porque no era verdaderamente mujer.

Samantha miró con preocupación a la señora Sargent, temiendo que pudiera venirse abajo.

—Bien, señora Sargent —dijo el señor Berrigan—, ¿quiere decirle, por favor, al tribunal cuál fue la causa de toda esa tragedia?

—¡Sí! —gritó con fuerza la mujer, sorprendiendo a todo el mundo—. La doctora Hargrave me dijo que, si hubiera acudido a un médico en un principio, en lugar de escribir a la señora Fenwick, hubiera podido ahorrarme muchas molestias. ¡Escribí a la señora Fenwick, diciéndole que me sentía terriblemente mal, y ella se limitó a recomendarme que incrementara la dosis del compuesto! —Levantó el brazo y apuntó con un tembloroso dedo a John Fenwick—. ¡Usted! ¡Yo me creí sus embustes!

La sala se agitó; Fenwick se inclinó hacia delante y murmuró algo al oído de Cromwell. Berrigan miró a Stanton en espera de una señal y, al verla, dijo:

—No más preguntas de momento.

Cuando Cromwell se levantó, acariciándose la roja barba desplegada en abanico sobre su chaleco a cuadros escoceses, Samantha le preguntó en voz baja a Stanton:

—¿No podríamos impedirlo?

—No es posible.

—Ha sido un error. La destruirá.

—Señora Sargent —tronó Cromwell, paseando arriba y abajo delante de ella, como si quisiera aturdirla—, ha manifestado usted ante este tribunal que su dolencia eran unos fibromas. ¿Era crónica la afección, es decir, la tenía constantemente?

—Casi.

—¿Hasta qué extremo había progresado el mal cuando escribió a la señora Fenwick?

—No mucho.

—¿Quiere usted decir que le habló de una dolencia que *aún no tenía*? —preguntó Cromwell, abriendo mucho los ojos.

—No es eso lo que he querido decir. Está usted tergiversando mis palabras.

—Estoy perplejo, señora Sargent. Si usted no sabía cuál era su dolencia en aquellos momentos, ¿cómo podía facilitarle a la señora Fenwick la información necesaria para que ella pudiera sentar un diagnóstico preciso?

—¡Tenía unos síntomas!

—¿Y qué síntomas son esos, señora?

—Usted es un hombre, no lo entendería.

—¡Señora Sargent! ¿Está usted diciendo que la mayoría de los miembros de este tribunal, incluyendo a su señoría y a los caballeros del jurado, no pueden comprender, por el hecho de ser hombres, las circunstancias que la indujeron a escribir aquella primera carta? ¿Cómo vamos a poder establecer entonces si la carta era válida?

—¡Era válida! —gritó la mujer, echándose a llorar.

—Señor Cromwell —dijo el juez Venables—, está usted avasallando a la testigo. Señora Sargent, puede usted abandonar el estrado.

Mientras un funcionario judicial acompañaba a la testigo a la salida, se produjo una breve conversación en la mesa de la defensa: cuatro hombres sacudiendo la cabeza y una mujer asintiendo enérgicamente. A continuación, se levantó el señor Berrigan y, muy a regañadientes, anunció:

—Señoría, la defensa quisiera llamar a declarar a la doctora Samantha Hargrave.

El reportero del cuaderno de dibujos no sabía qué elegir. Los demás habían sido muy fáciles: a Cromwell lo había representado como un oso gris; al señor Berrigan, como una grulla blanca; a Stanton Weatherby, como un sabueso; y al juez Venables como un san bernardo. Pero la doctora Hargrave se le escapaba. Empezó a representarla como un gato egipcio de largo cuello, a causa de sus extraños ojos, pero después rechazó la idea por tratarse de un animal vano y egoísta. Probó después a dibujar un caballo, pero no era lo suficientemente femenino; más tarde dibujó un corzo, pero llegó a la conclusión de que era un animal demasiado tímido. Por fin se le ocurrió la idea de inventarse una criatura totalmente fantástica, con alas y pelo, gracia y poder, y con ojos en forma de almendra, y mientras empezaba a dibujarla y Samantha tomaba serenamente la palabra, resonó a lo lejos el lento avance de un trueno desde el turbulento océano.

Les sorprendió a todos desde un principio y también les decepcionó un poco porque esperaban que gritara y armara un alboroto y les ofreciera un gran espectáculo; en lugar de eso, Samantha permaneció sentada muy tranquila y habló en voz alta, pero, al mismo tiempo, curiosamente reposada y serena. El silencio que había caído sobre la sala era casi sobrenatural, y esa vez ni siquiera los salivazos turbaron la quietud, y los truenos, en lugar de competir con ella, daban la impresión de haber sido enviados para puntuar sus frases.

—Señoría, estimados caballeros del jurado, queridos amigos y representantes de la prensa. Este es un día muy desdichado en la historia de nuestro país porque nuestra misma presencia aquí nos exhibe a los ojos del mundo como una nación de egoístas buscadores de dinero que sacrifican el honor y las vidas en su afán de lucro. Pero yo digo que la batalla que hoy está librando aquí el señor Fenwick no le reportará ninguna ganancia porque los sudarios no llevan bolsillos.

Mientras miraba a Fenwick con sus fríos ojos, Samantha se sintió abrumada nuevamente por un inexplicable cansancio que la obligó a asirse a la barandilla. Mark, que la observaba de cerca, pensó que Samantha estaba insólitamente pálida.

—Tengo muchos testigos que desearían hablar; pero yo quisiera hacerlo en su nombre, si se me permite. Una dama descubrió una mañana que tenía una pequeña úlcera en sus partes privadas. Era una soltera que durante toda su vida había guardado su recato y creyó en la afirmación de la señora Fenwick de que una mujer no debe exponerse a la vista de nadie, ni siquiera a la de un médico. Escribió a esa señora y la respuesta fue que, para resolver su problema, tomara una cucharada diaria del compuesto. La carta de respuesta no hacía ninguna referencia a la úlcera y tampoco permitía adivinar que la señora Fenwick hubiera prestado una atención especial al caso concreto de aquella mujer. Con el tiempo, la úlcera aumentó de tamaño y empezó a supurar. La dama volvió a escribir a la señora Fenwick y una vez más se le dijo que el compuesto la curaría. Creyendo a aquel importante laboratorio, sin saber que sus anuncios mentían, y confiando en el amable rostro del retrato ovalado, sin saber que era el rostro de una mujer fallecida hacía tiempo, mi paciente aumentó la dosis diaria del Compuesto Milagroso.

»La úlcera se enconó y muy pronto le resultó insoportable. Escribió una tercera carta, confiada e ingenua. Le enviaron una loción con la indicación de que se la aplicara diariamente, y le dijeron que siguiera aumentando la dosis del compuesto. Para entonces, mi paciente ingería tal cantidad del producto, cuyo contenido de alcohol es de un veinticinco por ciento, que perdió el apetito y empezó a adelgazar. El tamaño de la úlcera seguía aumentando.

»Finalmente, a instancias de su hermana, la visité. Se encontraba en un estado tan avanzado de anemia, desnutrición y depresión, que temí no poder hacer nada. Y tras haberla examinado, me cupo el doloroso deber de informarle de que padecía un cáncer. —Samantha hizo una pausa a fin de tranquilizarse un poco y para que sus palabras surtieran el efecto apetecido. Una sensación de aturdimiento se estaba apoderando de ella—. Si esa dama, que solo tenía cuarenta y tres años, hubiera acudido a mí en un principio, yo le hubiera podido extirpar la pequeña úlcera y ella habría seguido viviendo una vida feliz y provechosa. Ahora le doy apenas un año de vida, y los últimos meses estarán llenos de una angustia indescriptible. Gracias al Compuesto Milagroso de Sara Fenwick.

Samantha contempló los rostros de la sala, todos vueltos hacia ella, todos inexpresivos; incluso los periodistas habían dejado las plumas en suspenso.

—Otra víctima de la Compañía Fenwick es una joven que una noche fue triste víctima del ataque de un huésped borracho de la pensión de su madre. Era una muchacha inocente e ignoraba lo que le habían hecho, razón por la cual mantuvo el horrible incidente en secreto y, cuando se le interrumpió la menstruación, sin tener conocimiento de esas cosas y sin relacionar la interrupción del período con el espantoso incidente, suponiendo, en cambio, que estaba enferma, escribió atemorizada y temblorosa a la señora Fenwick. La inocente muchacha recién salida de la infancia, siguió confiadamente los consejos de la carta de esa señora y se bebió todo un frasco del compuesto. Tal como le prometía la carta, el «tumor de la matriz» fue expulsado en medio de grandes dolores y una hemorragia y, cuando la muchacha vio las facciones del «tumor», cayó víctima de una modalidad de histeria que solo un profundo tratamiento ha podido curar. Pero hoy en día es una mujer destrozada que nunca podrá vivir una vida normal.

Samantha respiró hondo porque su aturdimiento se estaba intensificando. Se agitó un poco y después clavó sus serenos ojos en los doce miembros del jurado.

—Señores, yo he llamado asesinos a los fabricantes de medicamentos. Y les sigo llamando así. Hoy se encuentra presente en esta sala un hombre que se ha quedado solo con sus ocho hijos porque su esposa recurrió a la Cura del Cáncer del doctor Rupert Wells, en lugar de acudir a un cirujano. ¿Cuántos de ustedes tienen en estos momentos una esposa, una hija o una madre o hermana que está llenando su pobre cuerpo enfermo con ese elixir de falsa esperanza y vergonzoso engaño? El señor Cromwell, en su exposición inicial, habló de derechos y libertades. Sería capaz de inducirles a creer que las reglamentaciones de la Administración significan la esclavitud para todos ustedes. Sin embargo, yo les diré de quién son ustedes esclavos... Esos fabricantes de medicamentos son sus verdaderos amos y señores. Porque con sus mentiras les han convertido en sus marionetas. Les hacen promesas que no pueden cumplir y se quedan con su dinero; les tratan como niños o imbéciles, manteniendo en secreto las fórmulas de sus productos como si ustedes no tuvieran inteligencia para comprenderlas. Y puesto que no tienen nadie que les proteja, ustedes confían en ellos como ovejas conducidas al matadero, entregándoles un dinero duramente ganado mientras ellos les dan veneno, habituación a las drogas y muerte.

»¿Por qué se les tiene que mentir a ustedes, caballeros? ¿Y por qué tienen ustedes que tolerarlo? Si compran una botella en cuya etiqueta se dice que hay ron, ¿acaso no esperan ustedes que la botella contenga ron? Y, sin embargo, ¡muchísimas veces han comprado ustedes medicinas que afirman ser lo que no son! El señor Cromwell ha afirmado que yo deseo arrebatarles sus derechos —dijo con una voz clara y fuerte que no permitía adivinar la extraña debilidad que se estaba apoderando de ella—. ¡Yo deseo *darles* derechos! ¡El derecho a saber qué contiene la medicina que ustedes compran! ¡Porque ese es, caballeros, el estilo de Estados Unidos!

Levantó la voz y empezó a temblar. Cuando la sala se oscureció, Samantha pensó que la iluminación eléctrica estaba fallando a causa de la tormenta, pero después comprendió que no le ocurría nada a la luz. Voy *a desmayarme*, pensó.

Levantándose con gran esfuerzo y apoyando la mano en la mesa del juez para sostenerse, Samantha dijo con voz estridente:

—¡Esa inhumana explotación tiene que acabar! Y si no lo hacen por ustedes, háganlo por sus esposas e hijos. Háganlo por el pequeño Willie Jenkins, que murió en mis brazos tras haber ingerido unas tabletas para la tos compradas en la tienda de la esquina. Háganlo por una inocente lavandera llamada Nellie, que se trituró el brazo en una máquina de escurrir la ropa tras haberse tomado un medicamento con un contenido de narcóticos tan elevado que la dejó completamente atontada...

A Samantha se le quebró la voz mientras las lágrimas asomaban a sus ojos. En un susurro que ejerció el efecto de un grito, añadió:

—Háganlo por los chiquitines que mueren mientras duermen porque el Jarabe Tranquilizante Milikin contiene la suficiente cantidad de opio como para dejar sin sentido a un hombre. Y háganlo por las pobres y afligidas madres de aquellos niños que tienen que vivir sabiendo que han sido, sin querer, las asesinas de sus propios hijos...

Samantha cerró los ojos y se tambaleó. El trueno estalló directamente encima de ellos y la sala se estremeció. El caos se adueñó de la sala y Samantha vio confusamente que los reporteros se levantaban a toda prisa para correr hacia los teléfonos y oyó el clamor de los vítores de cientos de personas, y pensó absurdamente: Pero si aún no he terminado...

Después, el pavimento de la barra de los testigos cedió súbitamente, como si fuera un escotillón, y Samantha tuvo la sensación de estar cayendo al lóbrego y frío sótano de abajo. Pero Mark la sostuvo a tiempo y lo último que vio, antes de sumirse en la inconsciencia, fueron sus dulces y amorosos ojos castaños, mirándola con gran inquietud.

15

Flotando.

El cielo era de color rojo y ella estaba viendo unos pequeños molinetes blancos. Se notaba el cuerpo liviano como una pluma. Experimentó después unas terribles náuseas y temió vomitar en la barra de los testigos. Pero entonces se percató de que no se encontraba en el estrado sino sentada en el último banco de la sala de operaciones del North London Hospital. El señor Bomsie sostenía el bisturí entre sus dientes y llevaba un delantal manchado de sangre porque acababa de realizar una autopsia. Estaba a punto de extirpar el pecho de la joven, y Samantha intentó gritar para decirle que había olvidado esterilizar los instrumentos y administrar éter a la paciente a fin de que no gritara. Y Freddy, sentado a su lado, le estaba diciendo que el señor Bomsie hacía cuanto podía y que ella no tenía que disgustarse.

Después experimentó frío, un frío glacial, mientras se deslizaba resbalando sobre el hielo y llegaba hasta unas turbulentas aguas negras para apresar una melena pelirroja que asomaba justo por debajo de la superficie.

Inclinó la cabeza hacia un lado, abrió los pesados párpados, vio la lluvia gris oscuro bajando por los cristales de las ventanas y pensó: Las aguas de la bahía están creciendo, nos vamos a ahogar todos...

—¿Cómo te encuentras?—preguntó una voz grave.

Samantha parpadeó, mirando a Mark.

—¿Qué ha ocurrido?

—Te has desmayado. ¿Cómo estás?

Ella movió la cabeza de uno a otro lado y lanzó un gemido.

—Creo que te has golpeado la cabeza antes de que yo te pudiera sujetar. Descansa, tranquila. No hay prisa. Se ha suspendido la sesión.

Ella miró a su alrededor; se encontraba en el despacho del juez Venables.

—¿Cuánto rato llevo aquí?

—Solo unos minutos. En cuanto te hayas repuesto un poco, te llevaré a casa. —Mark le acercó una copa de brandy a los labios, pero ella la rechazó—. ¿Por qué te has desmayado, Sam?

Ella tuvo que hacer un esfuerzo para centrar la mirada en el rostro de Mark. Al ver su expresión preocupada, esbozó una sonrisa.

—¡El médico es el último en enterarse! Qué estúpida he sido Mark. Estaba tan atareada con el juicio, que no presté atención a los síntomas.

—¿Qué síntomas?

—Los del embarazo.

—Del emba... ¡Oh, Sam! ¿Es eso cierto?

—Estoy todavía bajo juramento, ¿no? —dijo sin dejar de sonreír.

La respuesta de Mark fue estrecharla en sus brazos.

El juez Venables asomó la cabeza por la puerta.

—¿Cómo está?

Las pacientes de Samantha testificaron y, como era de esperar, el teatral comportamiento del abogado Cromwell consiguió dejarlas en mal lugar; el jurado se pasó seis días deliberando y por último se pronunció a favor de la Compañía Fenwick.

—No les quedaba otro camino —dijo Stanton Weatherby, arrojando otro tronco al fuego—. Los Fenwick han podido demostrar todo lo que afirmaban en sus anuncios. Pero será una victoria pírrica para ellos.

Legalmente, los Fenwick habían ganado, moralmente, sin embargo, la cosa era muy distinta. La victoria de los Fenwick resultó muy efímera, porque el juez decretó el pago de una indemnización de tan solo cincuenta dólares y después hizo una seria advertencia al señor Fenwick en relación con sus futuras actividades. La prensa, por su parte, se mostró tan favorable a la causa de Samantha, que finalmente fue como si el juicio lo hubiera ganado ella.

—Pues muy bien —dijo Samantha, apoyando los pies en un escabel mientras miraba sonriendo a sus amigos—. Hemos iniciado un movimiento. El *Chronicle* ha tenido que abrir una oficina especial para atender toda la correspondencia que está recibiendo, toda ella favorable a esta campaña. Pero ahora me gustaría que ampliáramos nuestros intereses. Creo que debiéramos unirnos a Harvey Wiley en sus esfuerzos por modificar la legislación alimentaria, porque aspiramos fundamentalmente a conseguir un etiquetado correcto de *todo* aquello que introducimos en nuestro organismo...

—Samantha querida —dijo Hilary—, ¿de dónde vas a sacar tiempo para todo eso? Ahora tendrás que tomártelo con más calma, ¿sabes?

—¿Por qué? ¡Estoy embarazada, no enferma! Horace, ¿te gustaría que nos uniéramos al señor Wiley?

—Bueno... —contestó Horace, sacándose un palillo de la boca—, creo que con eso podríamos despertar el interés del público. A mis lectores les gustaría mucho saber que a menudo el ron y el brandy que compran no son sino alcohol con un poco de colorante.

—A nuestros soldados de Filipinas les están mandando latas de carne embalsamada —dijo Darius.

—Y la señora Gossett, la de la cocina —terció Willella—, *jura* que hay formaldehído en nuestros cereales enlatados.

—¿Recordáis a Toby Watson? —dijo Samantha—. ¿Recordáis lo enfermo que se puso con aquellos dulces de melaza? Después descubrimos que contenían ácido sulfúrico. —Sus ojos se iluminaron—. Sí, ahora tenemos que centrar nuestra atención en todo lo que introducimos en nuestro organismo, tanto si se trata de medicinas como de alimentos. Y tenemos que poner manos a la obra enseguida.

Mark se acercó para sentarse en el brazo de su sillón y ella tomó su mano. Ante el fuego de la chimenea y rodeada por sus amigos, mientras fuera seguía lloviendo, Samantha pensó que nunca había sido más feliz. Pensó en la campaña que tenía por delante, en los litigios ante los tribunales, en las investigaciones de Mark sobre el cáncer y en un brillante futuro de progresos en el campo de la medicina; se imaginó una Enfermería de más vastas proporciones y pensó en el nuevo siglo que se encontraba apenas a un año y medio de distancia. Y entonces dijo serenamente:

—Es posible que hayamos perdido la primera batalla, pero, qué demonios, seguiremos luchando...

ÍNDICE